CONTRE LES VALENTINIENS

SOURCES CHRÉTIENNES

Directeurs-fondateurs : H. de Lubac, s. j. et † J. Daniélou, s. j.
Directeur : C. Mondésert, s. j.

Nº 280

TERTULLIEN

CONTRE LES VALENTINIENS

Tome I

INTRODUCTION, TEXTE CRITIQUE, TRADUCTION

PAR

Jean-Claude FREDOUILLE

PROFESSEUR A L'UNIVERSITÉ JEAN-MOULIN DE LYON

Ouvrage publié avec le concours
du Centre National des Lettres

LES ÉDITIONS DU CERF, 29, BD DE LATOUR-MAUBOURG, PARIS
1980

*Cette publication a été préparée
avec le concours de l'Institut des Sources Chrétiennes
(E. R. A. 645 du Centre National de la Recherche Scientifique)*

INTRODUCTION

I. LA DATE DE L'« ADVERSUS VALENTINIANOS »

Assigner une date précise à un traité de Tertullien est, dans la plupart des cas, une entreprise malaisée. L'*Aduersus Valentinianos* n'échappe pas complètement à cette difficulté. Il faut toutefois reconnaître qu'un *consensus* assez large s'est dégagé parmi les critiques pour dater l'opuscule de l'époque où, déjà acquis au montanisme, Tertullien ne s'était pas encore séparé de l'Église, c'est-à-dire, selon la chronologie traditionnellement établie, approximativement entre 207 et 212[1]. Mais de quels éléments disposons-nous pour proposer cette datation ?

L'indication la plus claire (qui fournit un *terminus post quem* assuré) est donnée dans un passage où Tertullien, énumérant les écrivains dont il s'est inspiré pour écrire l'*Aduersus Valentinianos*, cite le montaniste Proculus, qu'il appelle « notre Proculus[2] », comme il fait volontiers, dans les ouvrages de cette époque, lorsqu'il veut désigner des personnes qui adhèrent à la même secte ou bien quand il se réfère à des notions spécifiquement montanistes[3]. C'est d'ailleurs là le seul trait montaniste de l'opuscule.

1. La meilleure présentation de la chronologie des œuvres de Tertullien est celle de R. BRAUN, *Deus Christianorum*, Paris 1977², p. 563-577 et 720-721. Le tableau de la page 572 qui donne les principales datations proposées pour l'*Aduersus Valentinianos* peut être maintenant complété ainsi : Barnes : 206-207 ; Marastoni : entre 208 et 211, mais plus près de 208 que de 211 ; Riley : après *Herm.*, dans la première décennie du IIIe s. Comme on le voit, ces dates ne s'écartent guère de celles qui, en général, avaient été antérieurement avancées.
2. *Val.* 5, 1. Pour les problèmes posés par la mention de Miltiade, cf. *infra*, p. 28.
3. Cf. P. DE LABRIOLLE, *La crise montaniste*, Paris 1913, p. 358 ; T. D. BARNES, *Tertullian, A Historical and Literary Study*, Oxford 1971, p. 44.

La détermination du *terminus ante quem* (en l'occurrence, donc, la séparation de Tertullien avec l'Église) est, en revanche, plus douteuse. On peut penser cependant, avec quelque vraisemblance, que, dans son traité, Tertullien n'aurait pas fait reproche à Valentin de sa rupture avec « l'Église de la doctrine authentique [1] » ou que, à tout le moins, il se serait expliqué plus nettement sur ce point, ne fût-ce que pour éviter de donner prise à la même critique, si lui-même s'était alors trouvé dans une situation comparable à celle du gnostique. Pareillement, lorsque, sur un ton ironique, il rappelle la conviction affectée par les valentiniens de posséder une « semence spirituelle » qui les autorise à concevoir n'importe quelle nouvelle croyance en la faisant passer pour une « révélation [2] », ces railleries suggèrent des remarques analogues aux précédentes. On sait, en effet, que dans les ouvrages qu'il a écrits après sa rupture avec l'Église et qui contiennent de nombreuses attaques contre les « psychiques » (les chrétiens demeurés fidèles à l'orthodoxie), Tertullien reprend à son compte la théorie montaniste des révélations successives, justifie la « nouveauté » dans le domaine de la *disciplina fidei* et revendique pour les montanistes l'épithète, précisément, de « spirituels [3] ». En d'autres termes, si l'*Aduersus Valentinianos* avait été contemporain de ces ouvrages, la similitude au moins apparente des reproches adressés par Tertullien aux valentiniens et des privilèges par lui revendiqués pour les montanistes aurait pu apparaître comme une contradiction, en particulier auprès de deux catégories de lecteurs, les valentiniens et les « psychiques », tentés de surcroît, pour des motifs différents, de retourner contre leur auteur les railleries qu'il destinait aux valentiniens [4].

---

1. *Val.* 4, 1.
2. *Val.* 4, 4.
3. Cf. P. DE LABRIOLLE, *op. cit.*, p. 324-329 ; 360 ; J.-C. FREDOUILLE, *Tertullien et la conversion de la culture antique*, Paris 1972, p. 290 s.
4. Cf. déjà les remarques en ce sens de K. ADAM, « Die Chronologie der noch vorhandenen Schriften Tertullians », *Der Katholik*, 88 (1908), p. 423.

On peut supposer que Tertullien eût alors prévenu ce danger en assortissant ses critiques antivalentiniennes de toutes les précisions et distinctions nécessaires, étouffant par avance toute vélléité d'assimilation hâtive et malicieuse entre le comportement des valentiniens et celui des montanistes. Nous le voyons prendre, en d'autres circonstances, des précautions comparables et aussi élémentaires.

Si donc l'*Aduersus Valentinianos* appartient très probablement à cette période féconde de polémique antignostique et antimarcionite, durant laquelle, subissant l'influence montaniste sans toutefois dénoncer son appartenance à l'orthodoxie, Tertullien écrit quelques-uns de ses ouvrages les plus importants (l'*Aduersus Marcionem*, le *De anima*, le *De resurrectione*)[1], sommes-nous en mesure de situer, avec une plus grande précision, la place relative de l'opuscule par rapport à tel ou tel traité ?

Les deux indices les moins récusables dont nous disposions à cet égard se révèlent inutilisables pour notre propos. Il s'agit, d'une part, dans l'*Aduersus Valentinianos*, d'une allusion à la polémique que Tertullien a déjà eu l'occasion de soutenir contre Hermogène au sujet de la matière[2] ; d'autre part, à la fin de *De praescriptionibus*, du projet dont il fait état de réfuter à l'avenir certaines hérésies particulières[3] — d'où l'on déduit légitimement que l'*Aduersus Valentinianos* répondrait à cette intention. Mais si ce rappel et cette annonce, contemporains, semble-t-il, de la rédaction de l'un et de l'autre traités[4], établissent la postériorité de l'*Aduersus Valentinianos* par rapport à l'*Aduersus Hermogenem* et au *De praescriptionibus*, ils ne nous apportent rien que nous ne sachions déjà : il est admis, en effet, que l'*Aduersus Hermogenem* et le *De praescriptionibus* auraient

---

1. Cf. *infra*, p. 12.
2. *Val.* 16, 3.
3. *Praes.* 44, 14 : « ... etiam specialiter quibusdam respondebimus ».
4. Très prudemment en effet R. BRAUN, *op. laud.*, p. 564, invite à distinguer entre les renvois manifestement contemporains de la rédaction d'un traité et ceux qui peuvent avoir été ajoutés lors d'une éventuelle réédition collective.

été composés au plus tard vers 206 et, de toute manière, avant que l'influence du montanisme sur Tertullien eût commencé à se faire sentir dans ses ouvrages.

Quels éléments restent donc à notre disposition si nous voulons tenter malgré tout de fixer la chronologie relative de l'*Aduersus Valentinianos* à l'intérieur de cette période qui s'étend approximativement de 207 à 212 ? Il convient tout d'abord d'accueillir avec prudence l'hypothèse selon laquelle le *De resurrectione* (vers 211[1]) contiendrait une allusion à l'*Aduersus Valentinianos* et lui serait donc, pour cette raison, postérieur : celle-ci est en réalité trop rapide pour mériter d'être retenue dans ce dossier[2]. En revanche une phrase du *De anima* (daté de 210-213[3]), où Tertullien s'en prend à la «trinitas Valentiniana[4]», semble bien inviter les lecteurs à se reporter à la réfutation de cette doctrine qu'il a déjà présentée, sur le mode ironique, dans l'*Aduersus Valentinianos*[5]. L'antériorité de cet opuscule par rapport au *De anima* serait donc probable. Sans doute aussi l'*Aduersus Valentinianos* a-t-il été écrit avant le *Scorpiace* (vers 211-212[6]). Notre opuscule contient en effet une

---

1. Date proposée par le dernier commentateur du traité, P. SINISCALCO, *Ricerche sul «De resurrectione» di Tertulliano*, Roma 1966, p. 40.

2. *Res.* 59, 6 : « et ipsi Valentiniani hic errare didicerunt ». Dans la formulation de cette hypothèse, HARNACK, *Die Chronologie der altchristlichen Litteratur*, t. II, Leipzig 1904, p. 262, se montre du reste beaucoup plus dubitatif que P. MONCEAUX, *Histoire littéraire de l'Afrique chrétienne*, t. I, Paris 1901 (réimpr. Bruxelles 1966), p. 205, n. 12.

3. T. D. BARNES, *op. cit.*, p. 55, est seul à proposer pour le *De anima* les années 206-207. La chronologie établie par cet auteur, qui réduit la carrière littéraire de Tertullien à quelques années seulement (de 196 à 212), a été accueillie avec scepticisme (cf. le compte rendu de R. BRAUN, *REL* 50 (1972), p. 271-281 et le nôtre, *ZKG* 84 (1973), p. 317-320).

4. *An.* 21, 1 : « ut adhuc trinitas Valentiniana caedatur ». La remarque avait été faite déjà par Pamelius (cf. WASZINK, Comm. *ad. loc.*, p. 292) ; voir aussi K. ADAM, *art. cit.*, p. 423.

5. *Val.* 17, 2 ; 26, 1-2 ; 29, 1-3. L'allusion à l'anthropologie valentinienne de *Praes.* 7, 3 (*trinitas hominis*) est beaucoup trop rapide pour constituer un lieu de référence.

6. Mais daté par T. D. BARNES, *op. cit.*, p. 55, de 203-204 ; cf. *supra*, n. 3.

allusion sarcastique, brève mais précise, à la théologie gnostique sur laquelle s'appuient les hérétiques pour fuir le martyre [1]. Or celle-ci est plus longuement exposée dans le *Scorpiace*, consacré précisément à combattre l'attitude des gnostiques face aux persécutions. On peut supposer que, si cet ouvrage avait été déjà publié à l'époque de la rédaction de l'*Aduersus Valentinianos*, Tertullien, comme il le fait volontiers dans des cas semblables, et dans notre opuscule même [2], y aurait renvoyé les lecteurs pour leur permettre de mieux s'informer sur cette délicate question. Mais surtout, ce même *Scorpiace* contient contre le valentinianisme des traits satiriques qui ne sont intelligibles qu'à des lecteurs de l'*Aduersus Valentinianos* [3]. La double antériorité de ce traité, par rapport au *De anima* et par rapport au *Scorpiace*, laisserait donc supposer que Tertullien l'a écrit plutôt au début de la période semi-montaniste de son évolution religieuse. Une seconde indication tendrait à étayer cette hypothèse. Dans les premiers chapitres de l'*Aduersus Valentinianos* Tertullien annonce pour plus tard une réfutation plus ample, plus approfondie de l'hérésie valentinienne [4]. Mais ce projet, apparemment, n'a pas été mis à exécution [5]. Sans vouloir épiloguer en vain sur les raisons de ce renoncement, il nous semble toutefois qu'une datation haute de l'*Aduersus Valentinianos* permet de donner une explication, à la fois simple et naturelle, de l'abandon de ce projet : quand il écrit son opuscule (dans cette hypothèse, donc, vers 207-209), Tertullien est persuadé que l'essentiel de son activité, dans les prochaines

---

1. *Val.* 30, 1-2.

2. *Val.* 16, 3 (cf. *supra*, p. 9, n. 2).

3. En particulier *per singulata tabulata caelorum* (*Scorp.* 10, 1) exige pour être compris que soit connue l'« architecture » de l'au-delà valentinien (Hebdomade et Plérôme), exposé dans *Val.* 7, 1-3 ; 31, 1.

4. *Val.* 3, 5 ; 6, 2.

5. Hypothèse peu convaincante de G. N. BONWETSCH, *Die Schriften Tertullians nach der Zeit ihrer Abfassung*, Bonn 1878, p. 51, pour qui *Res.* 59, 6 (*supra*, p. 10, n. 2) renverrait à cet ouvrage antivalentinien ; réfutation de cette hypothèse par HARNACK, *op. cit.*, p. 282, n. 4.

années, doit être de combattre les hérésies gnostique et marcionite. L'*Aduersus Marcionem*, le *De anima*, le *De resurrectione* ou le *Scorpiace* appartiennent à cette période semi-montaniste (207-212). Mais ces grands ouvrages polémiques et doctrinaux une fois composés, Tertullien a pu juger inutile de reprendre la lutte contre le valentinianisme dont il venait de réfuter plusieurs dogmes fondamentaux. L'idée d'une synthèse antivalentinienne n'avait plus aucun caractère impérieux. D'autant plus que, vers le même temps, subissant l'influence grandissante du montanisme, il voulait aussi traiter des problèmes de « discipline » dans cette perspective nouvelle. Le *De exhortatione castitatis*, le *De uirginibus uelandis* ou le *De corona* par exemple témoignent de cet ordre de préoccupations, qui progressivement ont pris à ses yeux la plus grande importance jusqu'à la fin de sa carrière. Deux raisons qui expliqueraient que Tertullien n'ait finalement donné aucune suite à un projet qu'il avait caressé quelques années plus tôt, mais dont la réalisation avait perdu désormais un peu de son opportunité et se voyait, de toute manière, contrariée par des tâches jugées plus urgentes.

II. LE GENRE LITTÉRAIRE ET LE DESSEIN POLÉMIQUE

Le ton enjoué et railleur que Tertullien affecte presque continûment dans son opuscule a sans doute beaucoup contribué à lui valoir une réputation de « théologien spirituel et amusant », selon la formule de l'un de ses plus éminents historiens [1]. Non sans entraîner parfois quelques méprises sur le sens et sur la portée de l'ouvrage. En effet, abusés peut-être par cette verve même, méconnaissant aussi les arrière-pensées de certaine précaution oratoire, trop enclins, enfin, à ne voir dans la majeure partie de l'*Aduersus Valentinianos* autre chose qu'une traduction plus ou moins fidèle des premiers chapitres de l'*Aduersus haereses* d'Irénée, les critiques n'ont guère paru soucieux,

---

1. P. MONCEAUX, *Histoire littéraire de l'Afrique chrétienne*, t. 1, Paris 1901 (2e éd. Bruxelles 1966), p. 335.

en général, d'accorder quelque importance véritable à ce court traité aussi bien d'un point de vue littéraire et historique que, au moins jusqu'à une date récente, d'un point de vue doctrinal et théologique. Pourtant, une défaveur aussi générale n'était peut-être pas méritée.

« Exordium » et « narratio »   Et d'abord, à divers égards, l'esthétique mise en œuvre par Tertullien requiert quelque attention [1]. L'*Aduersus Valentinianos* rompt nettement avec les usages de la *dispositio* antique en ne conservant que deux des parties traditionnelles du discours, l'*exordium* et la *narratio* [2]. Rupture assurément délibérée, de la part d'un connaisseur qui, s'il ne s'en recommande pas explicitement, se réfère néanmoins allusivement à Cicéron pour faire excuser ses propres manquements... à la rhétorique. Certes, l'ordre stéréotypé des divisions enseigné dans les écoles (exorde, narration, proposition, argumentation — c'est-à-dire : confirmation et réfutation —, amplification, péroraison) n'a jamais constitué un impératif rhétorique. L'orateur restait libre de supprimer telle ou telle d'entre elles ou d'en modifier la succession habituelle. C'était, en somme, de sa part affaire d'opportunité et, surtout, de talent [3]. Ne conservant toutefois que les deux premières parties du discours et elles seules, Tertullien s'écartait si ouvertement des usages qu'il ne jugea pas superflu de s'en expliquer dans le dernier chapitre de son *exordium* [4]. Il y prévient ses lecteurs que

---

1. Cette question a fait, en partie, l'objet de développements dans notre *Tertullien et la conversion de la culture antique*, Paris 1972, p. 152-158 ; 190-194 : nous nous contenterons d'en résumer les conclusions, envisagées toutefois ici sous un angle légèrement différent, qui nous invite à leur apporter quelques compléments. L'étude, dont nous attendions beaucoup pour notre propos, de R. F. Boughner, *Satire in Tertullian*, Diss. Baltimore 1975 (published by Univ. Microfilms Intern., Ann Arbor-London) se révèle très décevante (cf. « Chronica Tertullianea 1976 », *REAug* 23 [1977] p. 333).

2. Cf. R. D. Sider, *Ancient Rhetoric and the Art of Tertullian*, Oxford 1971, p. 30.

3. Cf. Cic., *De oratore*, 2, 307 ; Quint., *Inst. orat.*, 7, 10.

4. *Val.* 6, 2-3.

l'opuscule qu'ils ont sous les yeux n'est qu'une simple *narratio*, autrement dit un exposé des faits, conçue comme une sorte d'escarmouche précédant le véritable affrontement, de la même façon que, dans les amphithéâtres, on amuse les spectateurs avec des simulacres d'engagement avant de leur présenter les combats réels. Or c'est précisément en ces termes ou en termes très voisins que Cicéron définissait lui-même l'esprit dans lequel devait être imaginé l'*exordium* d'un discours. De telles similitudes de vocabulaire ne sauraient être fortuites : Tertullien puisait dans les métaphores cicéroniennes une formulation particulièrement heureuse et bien venue pour lui permettre de justifier et de préciser l'économie de son traité [1]. Réduit pratiquement à une *narratio* (en l'occurrence, un exposé du valentinianisme), d'une longueur inhabituelle il est vrai, cet ouvrage tenait lieu d'introduction (*exordium*) à une controverse que Tertullien se proposait d'écrire ultérieurement et qui constituerait la *refutatio* proprement dite [2].

« Narratio »
et « narrationes »
Récit destiné à préparer habilement les voies de l'argumentation et donc à faciliter la défense d'une cause, la *narratio* d'un discours n'est jamais neutre ou « innocente [3] ». Celle que Tertullien propose ici moins qu'aucune autre. Elle désacralise la doctrine hérétique en dépouillant de son contenu mystique et religieux le mythe tragique de cette gnose.

A dire vrai, en tant que « récit », la *narratio* se prêtait assez bien à un tel traitement, et Tertullien exploitait somme toute les possibilités qu'elle offrait. Car il va de soi que pour un Romain il n'y a pas de *narratio* que rhétorique, entendue au sens étroit et limité de partie d'un discours judiciaire. Et si par sa structure formelle, par la place qu'il occupe dans le projet antivalentinien de Tertullien, l'ex-

---

1. Cic., *De oratore*, 2, 316-317 ; *Tertullien et la conversion*, p. 155-156.
2. Cf. *supra*, p. 11.
3. Cic., *Part. orat.*, 31 : « Narratio est rerum explicatio et quaedam quasi sedes ac fundamentum constituendae fidei ».

posé de l'*Aduersus Valentinianos* fait fonction, en ce sens-là, de *narratio*, en revanche par sa nature et son contenu, beaucoup plus que de celles des discours judiciaires, même en tenant compte des transpositions nécessaires qu'il convient d'opérer en la matière, il se rapprochait de ces « narrations » littéraires qui, dans les écoles, servaient d'exercice d'entraînement aux précédentes, et dont la tradition à peine modifiée s'est maintenue dans notre enseignement du premier et du second degré. Comme aujourd'hui, les sujets de ces « narrations » pouvaient être de caractère historique (*historia*), légendaire, rappelant l'atmosphère des tragédies (*fabula*), imaginaire, empruntant des thèmes de comédie (*argumentum, ficta res*), ou enfin psychologique (*in personis*) [1]. Ainsi comprise, la *narratio* est sans doute un exercice scolaire, mais aussi déjà un véritable genre littéraire au moins en puissance et sans lequel le roman antique eût été sans doute inconcevable [2]. On voit en tout cas le parti qu'a su en tirer Tertullien pour la présentation du mythe valentinien.

1. *Rhet. Her.*, 1, 12-13 : « Tertium genus (narrationum) est id, quod a causa ciuili remotum est, in quo tamen exerceri conuenit, quo commodius illas superiores narrationes in causis tractare possimus. Eius narrationis duo sunt genera : unum quod in negotiis, alterum quod in personis positum est. Id quod in negotiorum expositione positum est tres habet partes : fabulam, historiam, argumentum... » ; Cic., *De inuent.*, 1, 27 : « Tertium genus est remotum a ciuilibus causis, quod delectationis causa, non inutili cum exercitatione, dicitur et scribitur. Eius partes sunt duae, quarum altera in negotiis, altera in personis maxime uersatur... ». Cf. H.-I. Marrou, *Histoire de l'éducation dans l'Antiquité*, Paris 1960[5], p. 238 s. On se reportera aussi à P. Siniscalco, « Christum narrare et dilectionem monere », *Augustinianum* 14 (1974), p. 605-623, qui étudie le rôle dévolu à la « narratio (historica) » dans le *De catechizandis rudibus*.

2. On sait que les Anciens ne possèdent pas de terme spécifique pour le genre romanesque : on observera que les Latins l'ont désigné, selon les cas, justement par *fabula, historia, argumentum,* ou *narratio*. Cf. A. Scobie, *Aspects of the Ancient Romance and its Heritage*, Meiseheim am Glan 1969, p. 12-13.

« Narratio » et « festiuitas »   Substituant donc, provisoirement dans son esprit, le rire satirique à la critique des idées, Tertullien devait justifier, sur ce point également, le choix qu'il faisait. Toute la tradition rhétorique se montrait en effet très réservée à l'égard des procédés comiques. Cette réserve explique que Tertullien n'ait pas omis de préciser que, si l'on rit à la lecture de sa *narratio*, ce sera bien en raison du sujet lui-même : en effet, bien des idées méritent d'être combattues de cette façon, elles ne valent pas la peine d'être prises au sérieux [1].

On aura reconnu dans cet « avertissement au lecteur » l'essentiel des mises en garde de Cicéron contre l'utilisation des procédés comiques jugés incompatibles avec la « dignité » et la « gravité » de l'orateur. Certes, il ne lui est pas interdit de recourir à cette arme efficace qu'est le rire, mais il se doit de le faire toujours avec tact et discrétion, en se gardant d'apparaître comme un « bouffon » ou un « mime ». Telle est la préoccupation présente à l'esprit de Cicéron quand il passe en revue les différents types de plaisanteries sur les « mots » (celles qui sont suscitées par le choix ou la place des termes), puis les plaisanteries qui portent sur les « choses » (celles qui dépendent du sens général du contexte, non des mots employés). Cette seconde catégorie a naturellement sa préférence, car il y faut plus d'esprit et de talent, et, d'autre part, mettant en cause la nature même des choses, ces plaisanteries ont une portée et une efficacité bien supérieures. L'une d'elles, malgré la difficulté de sa mise en œuvre ou, plutôt, pour cette raison, est tout spécialement recommandée : la *narratio*, qui consiste à « placer devant les yeux de l'auditeur des choses qui semblent vraisemblables, ce qui est le propre du récit, et qui comportent une nuance de laideur, ce qui est le propre du comique [2] ». Il y a donc un art, légitime, de présenter sous un jour défavorable et humoristique le récit d'un événement ou l'exposé d'un fait. Mais ce qui est permis à l'ora-

---

1. *Val.* 6, 3.
2. Cic., *De oratore*, 2, 264 ; cf. notre *Tertullien et la conversion*, p. 154-155.

teur l'est aussi au polémiste (ou au « conteur » qu'il est en
l'occurrence) : à condition que soient respectées les exigences
du *decorum*, il suffit à la « narration » littéraire de prendre
le ton de la comédie ou de la satire.

Tel est le procédé retenu par Tertullien dans l'*Aduersus
Valentinianos*. Certes, quoi qu'il en ait dit, il n'a pas renoncé
à un type au moins de « plaisanteries sur les mots », l'étymologie. Mais celles-ci sont relativement rares : nous n'en
relevons que quelques exemples[1] et encore, pour plusieurs
d'entre eux, il ne s'agit vraisemblablement pas d'un banal
jeu de mots[2]. Tertullien qui, comme presque tous les
Anciens[3], croit à l'accord intime du nom et de la chose
désignée, y dénonce les dénominations inappropriées que
portent les éons du système valentinien.

**Le « roman »
ou la « comédie »
d'un mythe**

L'*Aduersus Valentinianos* se présente donc comme une *narratio*, au
triple sens que peut prendre le mot
ou, si l'on préfère, sous les trois aspects
qu'elle peut avoir, dans la rhétorique antique : par la place
que lui assigne Tertullien dans l'économie projetée de son
« discours » antivalentinien, par la matière d'un récit auquel
il donne la forme de cet exercice littéraire qu'était la « narration », par le procédé qu'il choisit pour en déconsidérer
le contenu. De ce triple caractère l'opuscule tire ses limites
sans doute, mais aussi son originalité et, peut-on dire, sa
réussite.

Conçue comme le récit d'une légende ou d'un conte, la
narratio opère ici la réduction du sacré au familier, du
transcendant au quotidien. Le rôle dévolu dans le mythe
valentinien à l'éon Sophia, en particulier, s'accommodait
aisément de cette transposition : sa « passion » malheureuse pour le Père, l'« enfantement » provoqué par ce
trouble, sa « guérison » par les soins d'un autre éon, etc.,

1. *Val.* 7,3 ; 7,5 ; 7,6 ; 9,1 ; 12,5 ; 27,3 ; 32,4 ; 34 ; 37,2.
2. *Val.* 7,3 ; 7,6 ; 34 ; 37,2.
3. Il faut, en effet, faire une exception en faveur de Diodore
Cronos, seul, semble-t-il, à avoir professé l'« arbitraire du signe » :
cf. J. Collart, *Varron grammairien latin*, Paris 1954, p. 265.

tous ces « événements », en toute rigueur intemporels[1],
du mythe gnoséologique, aujourd'hui susceptibles d'une
transcription psychanalytique[2], pouvaient être présentés
comme autant de péripéties d'un «roman» ou d'un «drame
bourgeois[3] ». Le mythe valentinien superpose en effet
intentionnellement et de façon presque systématique les
plans intellectuel, moral et psychologique[4]. Il suffisait
donc à Tertullien de souligner une équivoque ou une ambiguïté, de grossir un trait ou encore de suggérer un parallèle emprunté au domaine de la vie de tous les jours, aux
realia, pour espérer faire naître sur les lèvres du lecteur un
sourire amusé et complice. Le danger d'une telle « lecture »
avait d'ailleurs été pressenti par les valentiniens eux-
mêmes : l'auteur du *Tractatus Tripartitus*, l'un des écrits
découverts à Nag Hammadi en 1945, s'est efforcé de « démy-
thologiser » le mythe gnostique et, plus précisément, d'en
atténuer l'imagerie sexuelle[5].

1. Cf. H.-C. Puech, « La gnose et le temps », *Eranos-Jb*, 20
(1951) p. 57-113 (= *En quête de la gnose*, t. 1, Paris 1978, p. 215-270),
en particulier p. 112 (= p. 269) : « Le mythe est de l'intemporel
articulé. Il raconte des événements, des aventures, mais inda-
tables, et qui se déroulent hors d'un temps concret, quoique, d'autre
part, ils semblent tenir du temps par leur caractère successif ».

2. Cf. M. Meslin, *Pour une science des religions*, Paris 1973,
p. 206.

3. Comme on sait, *fabula* désigne toute espèce de récit, rapporté
et raconté (mythe, légende, conte, etc.) ou dialogué et mis en scène
(pièce de théâtre) ; appliquant ce terme au mythe gnostique, Tertullien joue tout naturellement sur son ambivalence (cf. *Val.* 1, 1 ;
3, 3.4 ; 10, 2 ; 13, 2 ; 32, 4 ; 33, 1 ; cf. aussi *An.* 23, 4 : « Examen
Valentini semen Sophiae infulcit animae, per quod historias atque
milesias aeonum suorum ex imaginibus uisibilium recognoscunt ») ;
déjà Iren., *Haer.*, II, 13, 3 ; 14, 3 ; 18, 1 ; cf. d'autre part *Val.*, 3,
4 : référence à *I Tim.* 1, 4.

4. Cf. F.-M.-M. Sagnard, *La gnose valentinienne et le témoignage de saint Irénée*, Paris 1947, p. 244 s.

5. Edit. Kasser, Malinine, Puech *et al.*, t. 1, Bern 1973, p. 45 ;
362 ; 369. Pour H.-C. Puech & G. Quispel, « Le quatrième écrit
gnostique de Codex Jung », *VChr* 9 (1955), p. 65-102, l'original grec
du *Tractatus Tripartitus* a dû être rédigé vers 150-180, peut-être par
Héracléon, le plus illustre disciple de Valentin et son familier, l'un
des chefs, avec Ptolémée, de l'école valentinienne dite «italique» ou
« occidentale », par opposition à la branche « orientale » (Théodote).

Mais si les railleries de Tertullien sont parfois appuyées, le plus souvent il se borne à ironiser d'une brève remarque, sans insistance, ou, plus subtilement, à utiliser un vocable, créant, dans le contexte, un effet de surprise amusant (néologisme et mot rare surtout, impropriété voulue, changement de registre, etc.). Comme il l'avait laissé entendre, il ne réfute que rarement la doctrine des hérétiques, se contentant, dans ces quelques cas, de faire apparaître une contradiction implicite ou une inconséquence voilée, évitant surtout d'interrompre le cours d'un récit qu'il a voulu divertissant.

Somme toute, l'habileté de Tertullien est d'avoir su mêler intimement à la trame de son exposé assez d'ironie ou d'humour pour discréditer le mythe ou le déconsidérer, sans pour autant le travestir ou le dénaturer. Même si les traits parodiques et caricaturaux n'en sont pas absents, l'*Aduersus Valentinianos* n'est pas véritablement une parodie ou une caricature du système valentinien, mais plutôt, comme nous dirions, une adaptation romancée (avec naturellement tout ce que comporte de dévalorisant, même pour la mentalité antique, une telle réduction anthropomorphique d'un mythe). On s'en convaincra en comparant le comique qui se dégage de l'*Aduersus Valentinianos* aux bouffonneries de l'*Apocoloquintose* ou au burlesque de certains « dialogues » de Lucien. Le récit de Tertullien respectait donc la règle de « bienséance » que nous évoquions plus haut ; il avait aussi cette qualité essentielle que devait posséder toute *narratio* pour être efficace : la « vraisemblance », sans laquelle « souvent la vérité peut ne pas emporter la conviction [1] » — obtenue, en l'occurrence, par le refus de l'excès dans le choix des moyens satiriques. La nature même de la polémique antivalentinienne imposait d'ailleurs à Tertullien une certaine réserve : déviation de la doctrine orthodoxe, le gnosticisme valentinien était une hérésie, mais une hérésie chrétienne malgré tout, souvent mal différenciée de l'orthodoxie par les chrétiens eux-mêmes, à l'égard de laquelle il n'était pas aussi libre

---

1. Cf. *infra*, p. 23, n. 3.

qu'il pouvait l'être, par exemple, à l'égard de la mythologie païenne.

De la « grande notice » d'Irénée à l'*Aduersus Valentinianos*

Mais si la tradition « ménippéenne » ou la polémique chrétienne antiidolâtrique [1] peuvent fournir, surtout par contraste [2], des éléments de comparaison ou d'appréciation, c'est naturellement au sein de la littérature chrétienne antihérétique qu'il conviendrait principalement de situer l'*Aduersus Valentinianos*. Malheureusement, des traités des quatre écrivains dont Tertullien nous dit qu'il s'est inspiré pour rédiger son opuscule, seul l'*Aduersus haereses* d'Irénée nous est parvenu. Au demeurant, l'ampleur matérielle et doctrinale que l'évêque de Lyon a donnée à son ouvrage, dont le titre exact (*Révélation et réfutation de la fausse gnose*) exprime bien le double dessein [3], ren-

---

1. Cf. notre art. « Götzendienst », *RLAC* (à paraître en 1980).
2. Toute tentative pour classer de ce point de vue l'*Aduersus Valentinianos*, sans procéder à des rapprochements arbitraires, exige, nous semble-t-il, une grande prudence. La satire païenne antireligieuse répond schématiquement à deux attitudes possibles : l'une, qui se rencontre assez rarement, et presque uniquement chez les Grecs, de dénigrement systématique, reposant sur une philosophie athée ou sceptique (c'est de cette attitude que l'on pourrait rapprocher, avec tous les correctifs nécessaires, celle des auteurs chrétiens envers les dieux du paganisme) ; l'autre, beaucoup mieux représentée, en particulier chez les Romains, qui en réalité ne remet pas en cause la piété profonde et suppose même de la part des dieux l'acceptation de ces facéties irrévérencieuses (cf. J.-P. Cèbe, *La caricature et la parodie dans le monde romain antique des origines à Juvénal*, Paris 1966 ; J.-C. Fredouille, *art. cit.*). A l'égard du valentinianisme Tertullien ne peut avoir la seconde de ces deux attitudes ; mais étant donné le fond de christianisme inhérent au gnosticisme qu'il connaît, la première n'est guère concevable non plus.
3. Cf. en dernier lieu A. Rousseau, L. Doutreleau, *SC* 210, p. 171-172 ; 209-212. De manière un peu forcée à notre sens, W. R. Schoedel, « Philosophy and Rhetoric in the Aduersus Haereses of Irenaeus », *VChr* 13 (1959), p. 22-32, retrouve les différentes parties du discours dans l'ouvrage d'Irénée : après l'*exordium* (= I *Praef.* 1-3), le livre I (ἔλεγχος) constituerait la *narratio* et les livres II-V (ἀνατροπή) correspondraient à la *confirmatio* (de la foi chrétienne orthodoxe) et à la *confutatio* (des erreurs gnostiques) ; seule ferait défaut la *peroratio*.

drait discutable le principe même d'un rapprochement.
Aussi bien ne s'agit-il pas de comparer entre eux l'*Aduersus
Valentinianos* et l'*Aduersus haereses* dans son ensemble. On
négligera ici les livres II à V, dans lesquels Irénée réfute
les doctrines hérétiques en montrant leurs contradictions
internes (livre II), puis en leur opposant l'enseignement
de l'Écriture et de la Tradition (livres III-V). Mais à
l'intérieur même du livre I, dont l'objet est la « dénonciation » des erreurs gnostiques, on ne retiendra en réalité que
ce qu'il est convenu d'appeler la « grande notice », c'est-à-
dire l'exposé, qui occupe les chapitres 1 à 8, du système de
Ptolémée. C'est cette notice que Tertullien traduit parfois
littéralement, à vrai dire en de très rares passages, qu'il
transpose plus souvent et adapte, imprimant à sa « version »
la marque propre de son talent littéraire et polémique.
Trois traits principaux en effet distinguent l'exposé du
système ptoléméen par Irénée et par Tertullien.

Le premier touche à l'esprit dans lequel est conçu cet
exposé. D'une façon générale, fidèle à sa conception du
livre I, Irénée se montre scrupuleux envers les doctrines
qu'il rapporte et évite d'incorporer réflexions ironiques ou
critiques de fond à la description qu'il en fait : ces scrupules apparaissent peut-être encore plus manifestement
dans l'exposé de la « grande notice[1] ». Seules exceptions
notables, les passages où sont décrites les larmes de Sophia,
qui excitent sa verve caustique (I, 4, 3-4), et ceux où il
stigmatise l'utilisation que les valentiniens font de l'Écriture (I, 3, 6 ; 8, 1). Encore faut-il remarquer que ces passages se présentent comme des *excursus* et ne sont pas
intégrés à l'exposé proprement dit. Hormis ces deux cas
précis, les pointes satiriques sont extrêmement rares, toujours rapides, si bien que dans son ensemble cette notice
laisse au lecteur une impression d'objectivité et de techni-
cité, comparable, par exemple, à celle que peut donner un
texte doxographique[2]. C'est, comme on l'a vu, un tout
autre parti qu'a choisi Tertullien.

---

1. Cf. F.-M.-M. Sagnard, *op. laud.*, p. 288 s.
2. Sur les « sources » d'Irénée, cf. Sagnard, *ibid.*, p. 141 s. ;

Seconde différence entre la « grande notice » et les
chapitres correspondants de l'*Aduersus Valentinianos* [1],
Tertullien a supprimé systématiquement tous les développements relatifs aux lieux scripturaires sur lesquels s'ap-
puyaient les valentiniens pour justifier tel ou tel aspect de
leur doctrine [2], ne conservant dans son exposé que quelques
allusions sans conséquence à l'Écriture. La raison de cette
« censure », après ce que nous avons dit des intentions de
Tertullien, est aisée à deviner. Ayant décidé de présenter
le valentinianisme ptoléméen sous un jour divertissant, il
ne pouvait plus guère mentionner les bases ou tout au moins
les illustrations scripturaires invoquées par les hérétiques,
sauf à voir se reporter sur les textes sacrés eux-mêmes le
ton désinvolte ou ironique qu'il affectait pour « raconter »
la « fable » gnostique : le genre littéraire choisi se révélait
incompatible avec le respect dû aux Écritures. Mais loin
d'être une conséquence imprévue ou subie, c'était là au
contraire le but visé. Tertullien avait adopté cette manière
pour déconsidérer le valentinianisme sans avoir à entrer
dans le détail d'une réfutation qui, inévitablement, l'aurait
conduit sur le terrain de l'exégèse allégorique pratiquée
en général par les gnostiques [3]. La «narration» de l'*Aduersus*

G. C. Stead, « The Valentinian Myth of Sophia », p. 77 s., *JTS* n.
s. 20 (1969), p. 75-104 ; F. Wisse, « The Nag Hammadi Library and
the Heresiologists », p. 212-219, *VChr* 25 (1971), p. 205-223.

1. C'est-à-dire, venant après l'*exordium*, les chap. VII à XXXII ;
les derniers (XXXIII à XXXIX) donnent en appendice quelques
variantes doctrinales : nous pourrons, de notre point de vue, les
négliger ici. Cf. *infra*, p. 73.

2. Dossiers scripturaires sur le nombre (30) des éons (= Irén., I,
1, 3), le terme d'αἰών (= Irén., I, 3, 1), les groupements d'éons (8 +
10 + 12) au sein du Plérôme (= Irén., I, 3, 2), la chute de Sophia et
sa « guérison » (= Irén., I, 3, 3), l'appellation « Tout » donnée au
Sauveur (= Irén., I, 3, 4), la double « opération » de la Croix (=
Irén., I, 3, 5), la « passion » de Sophia et sa prise de conscience, sa
vision du Sauveur (= Irén., I, 8, 2), les trois races d'hommes (=
Irén., I, 8, 3), la «recherche» d'Achamoth par le Sauveur (= Irén.,
I, 8, 4), les «figures» du Démiurge, de Sagesse et des syzygies (*Ibid.*).

3. Cf. A. Orbe, *En los albores de la exegesis Iohannea*, Roma
1955 (= *Estudios Valentinianos*, t. 2) ; N. Brox, *Offenbarung, Gnosis
gnostischer und Mythos bei Irenäus von Lyon*, Salzburg-München
1966, p. 42-68.

Valentinianos lui permettait, en somme, de faire, provisoirement du moins, l'économie d'une controverse exégétique
et doctrinale ; elle lui évitait, momentanément, une de ces
longues discussions sur les Écritures qui laissent trop souvent, comme il en faisait lui-même l'aveu, une impression
de profond malaise [1].

Par rapport à celui d'Irénée, l'exposé de Tertullien se
caractérise enfin par une concision et une clarté plus grandes.
Certes cette qualité résulte en grande partie du choix précédent, et l'on serait malvenu de tenir rigueur à Irénée des
renseignements précieux qu'il nous fournit, en se prévalant
de critères esthétiques. Mais même si l'on fait abstraction
des passages scripturaires qui coupent l'exposé d'Irénée
non sans entraîner parfois quelque obscurité — et que
Tertullien s'est abstenu de reproduire pour des motifs que
nous avons essayé de discerner —, on doit reconnaître à
Tertullien un talent de conteur que l'évêque de Lyon ne
possède pas, en tout état de cause, au même degré. Plus que
son devancier, le Carthaginois sait éviter longueurs ou
redites, connaît l'art de donner au récit un rythme rapide
et soutenu, tout en soulignant, à des fins didactiques, les
articulations essentielles. Mais peut-être n'est-il pas inutile
de se souvenir que ces qualités de brièveté [2] et de clarté,
que nous reconnaissons à l'*Aduersus Valentinianos*, sont,
avec la « vraisemblance » du récit, celles-là mêmes que se
devait de posséder toute *narratio* [3]... Les leçons apprises à
l'école du rhéteur avaient été bien retenues.

1. *Tertullien et la conversion*, p. 184 s.
2. Brièveté tout au moins relative, par rapport au texte d'Irénée.
3. *Rhét. Hér.*, 1, 14 : « Tres res conuenit habere narrationem, ut
breuis, ut dilucida, ut ueri similis sit » ; 1, 16 : « saepe ueritas, nisi
haec (= le souci de la vraisemblance) seruata sint, fidem non potest
facere » ; Cic., *De inuent.*, 1, 28 ; *Part. orat.*, 31-32.

III. Tertullien et le valentinianisme

**Actualité
de l'*Aduersus
Valentinianos*** Ne pas se priver, à l'occasion, pour
combattre une doctrine, de la puissance
corrosive d'une plaisanterie ou d'une
raillerie est une chose. Ériger le rire en
système de réfutation en est une autre, qui n'est pas sans
risques. Nous avons vu Tertullien se prévaloir implicitement
de Cicéron pour les prévenir. Il a tenté aussi, pour plus de
sûreté, de mettre par avance les lecteurs, pour ne pas dire
les rieurs, de son côté, en leur demandant de ne pas croire
qu'il imagine de toutes pièces ce système bizarre et confus
qu'il suffit d'exposer pour le réfuter [1]... Affectation d'auteur dissimulant une arrière-pensée de complicité avec ses
lecteurs ! Et l'on serait mal avisé de prendre à la lettre
cette précaution oratoire, à sa place dans un exorde. C'est
pourtant ce qu'ont fait trop de critiques, même parmi les
plus avertis et les plus perspicaces, déconcertés, semble-t-il,
par le caractère insolite de la méthode polémique suivie ici,
et pressés d'en déduire que Tertullien ne s'était guère donné
la peine d'approfondir une doctrine qui, à Carthage et à cette
époque, n'avait plus sans doute de sectateurs [2].

Les pages précédentes auront montré que ce choix n'a
pas été aussi spontané qu'une lecture naïve de l'*Aduersus
Valentinianos* le laisserait penser, mais qu'il a dû être pré-
cédé d'une longue réflexion d'ordre méthodologique et littéraire. Si finalement Tertullien s'est arrêté à ce parti, c'est
qu'il y a vu un moyen expéditif pour réfuter l'erreur et
emporter la conviction, et, à ce titre, tout autant que le
testimonium animae ou l'arme de la *praescriptio*, particulièrement approprié à la Vérité : la Vérité peut rire et se
moquer de ses ennemis parce qu'elle est sûre d'elle-même [3].

De toute manière, nous possédons d'autres indices irré-
fragables de la vitalité du valentinianisme et de la séduc-

---

1. *Val.* 5, 2 ; 6, 3.
2. Cf. J.-C. Fredouille, *Tertullien et la conversion de la culture
antique*, Paris 1972, p. 192, n. 55.
3. *Val.* 6, 3 ; cf. J.-C. Fredouille, *op. cit.*, p. 187 s.

tion qu'il exerçait sur les esprits en ces premières années du IIIe siècle. Au premier chef : l'activité polémique de Tertullien antérieure et postérieure à l'*Aduersus Valentinianos*. Le *De praescriptionibus*, déjà, est écrit pour fournir aux chrétiens des arguments a priori qui leur permettent de mieux se défendre contre les deux catégories d'hérétiques que Tertullien juge les plus dangereux, les marcionites et les valentiniens ; et le ton particulièrement grave du début, même faite la part de la rhétorique, ne laisse aucun doute sur le péril qu'ils faisaient courir alors réellement à l'Église [1]. Mais notre opuscule s'inscrit lui-même, comme nous le rappelions, dans un projet antivalentinien plus vaste. Presque tous les ouvrages les plus importants composés par Tertullien à cette époque contiennent une réfutation, parfois fort longue, de tel ou tel point de la théologie valentinienne : le docétisme et la naissance de Jésus *per uirginem*, dans le *De carne Christi* ; la négation de la résurrection de la chair, dans le *De resurrectione* ; la doctrine des trois natures et l'opposition entre « esprit » et « âme », dans le *De anima* ; le refus du martyre, dans le *Scorpiace* ; la théorie des émanations du Plérôme, dans l'*Aduersus Praxean*. Dans cet ensemble, dont il se distingue par la mise en œuvre littéraire, l'*Aduersus Valentinianos* ne saurait, pour cette raison, apparaître comme une fantaisie gratuite : il en est, au contraire, une pièce importante, voire indispensable, étant le seul traité à donner du système une présentation générale permettant d'en faire comprendre les aspects doctrinaux particuliers [2].

Mais Tertullien n'est pas notre seul témoin. Au même moment ou quelques années plus tard, l'œuvre de Clément et d'Origène, à Alexandrie, celle d'Hippolyte et de Plotin,

---

1. *Praes.* 1, 1 : « Condicio praesentium temporum etiam hanc admonitionem prouocat nostram non oportere nos mirari super haereses istas, siue quia sunt, futurae enim praenuntiabantur, siue quia fidem quorundam subuertunt, ad hoc enim sunt ut fides habendo temptationem haberet etiam probationem ».
2. Supposé admis, naturellement, que le traité antivalentinien projeté n'ait pas été écrit, soit qu'il n'ait plus été jugé indispensable, soit pour toute autre raison, cf. *supra*, p. 11.

à Rome, attestent également la diffusion et le développement du gnosticisme valentinien [1]. Et si celui-ci n'a survécu
en Occident que par son influence sur le platonisme, il a
conservé son caractère d'hérésie chrétienne en Orient, et
particulièrement en Égypte [2] : la blibliothèque gnostique
de Nag Hammadi, découverte en 1945, constituée au cours
du IIIe et du IVe siècle [3], contient plusieurs traités valen-

1. Orientée vers la définition d'une « gnose orthodoxe » opposée
à la « gnose hérétique », l'œuvre de Clément fait donc une large part
à la polémique contre le gnosticisme et, à l'intérieur de celui-ci, le
valentinianisme : cf. pour le *Pédagogue*, H.-I. Marrou, Introd.,
SC 70, p. 29 s. ; pour les *Stromates*, A. Méhat, *Étude sur les Stromates de Clément d'Alexandrie*, Paris 1966, p. 404 s. ; pour ses
Extraits de Théodote, valentinien de l'école orientale, l'édition
commentée de F. Sagnard, *SC* 23. D'autre part la polémique antignostique d'Origène, dont l'un des amis, Ambroise, avait été valentinien (cf. Eus., *Hist. eccl.*, VI, 18, 1), a fait l'objet récemment d'études
de la part de A. Le Boulluec, « La place de la polémique antignostique dans le Peri Archôn », *Origeniana*, QVetChr 12 (1975), p. 47-
61, et H. Crouzel, « Qu'a voulu faire Origène en composant le
Traité des Principes ? », p. 170, *BLE* 1975, p. 161-186 ; 241-260 ;
pour la critique de l'exégèse d'Héracléon dans le *Commentaire sur
saint Jean*, cf. M. Simonetti, « Eracleone e Origene », *VetChr* 3
(1966), p. 3-75 ; cf. aussi ce témoignage des *Hom. in Ezech.*, 2, 5,
PG 13, 686 : « dicunt et Valentiniani robustissimam sectam ». Quant
à Hippolyte, outre naturellement son livre VI des *Philosophoumena*
consacré aux valentiniens (sur la thèse de K. Koschorke, *Hippo-
lyt's Ketzerbekämpfung und Polemik gegen die Gnostiker*, Wiesbaden
1975, qui voit dans les *Philosophoumena* une polémique livresque
et anticallistienne, cf. les remarques pertinentes de G. M. de
Durand, *RSPh* 61 (1977) p. 446-448), il est peut-être l'auteur d'un
ouvrage *In Valentinianos* : cf. Pitra, *Analecta Sacra*, t. 4, p. 68-70 ;
335-336 ; M. Richard, art. « S. Hippolyte de Rome », *DS*, t. 7,
col. 544. En ce qui concerne Plotin, dont certains disciples, de son
propre aveu, étaient restés fidèles malgré lui à un système gnostique
qui est très probablement le valentinianisme (*Enn.*, 2, 9, 10, 3-5),
cf. H.-C. Puech, « Plotin et les gnostiques », *Entretiens sur l'Antiquité classique*, t. V, Vandœuvres-Genève 1957, p. 161-190 (= *En
quête de la gnose*, t. 1, Paris 1978, p. 83-116).
2. Cf. W. Bauer, *Rechtgläubigkeit und Ketzerei im ältesten Christentum*, Tübingen 1934, p. 174-175 ; S. Pétrement, « La notion de
gnosticisme », p. 420, *RMM* 65 (1960), p. 385-421.
3. Mais nombre de ces ouvrages en copte remontent, dans leur
rédaction originale, à une date plus ancienne (ainsi l'*Apokryphon
de Jean* et l'*Évangile de Vérité* sont antérieurs à l'*Aduersus Haereses*

tiniens [1] ; et l'on sait par Épiphane qu'il y avait encore au IVe siècle des valentiniens en Thébaïde [2].

La bibliothèque valentinienne de Tertullien   Aussi bien n'avons-nous aucune raison sérieuse de douter de la vitalité du valentinianisme au temps de Tertullien ni, non plus, de suspecter l'actualité ou la réalité de ses controverses avec cette communauté hérétique, qu'il s'agisse de l'*Aduersus Valentinianos* ou de ses autres traités. S'il en était besoin, la formation de son vocabulaire doctrinal et l'élaboration de sa théologie trinitaire nous assureraient également de l'une et de l'autre, comme nous aurons l'occasion de le montrer.

Auparavant, il ne sera pas inutile de décrire sa propre bibliothèque gnostique ou, plus justement, de tenter de la reconstituer, sans se dissimuler les difficultés de l'entreprise ni perdre de vue que, dans les cas les plus intéressants, c'est-à-dire pour les renseignements les plus précieux qu'il donne, il est pratiquement impossible de décider s'il les doit à ses lectures, qu'elles soient orthodoxes ou hérétiques, ou s'il les tient de ses contacts vivants avec la communauté valentinienne de Carthage.

Tertullien énumère lui-même les sources auxquelles il a puisé pour écrire l'*Aduersus Valentinianos*. Il mentionne

d'Irénée) et, pour la plupart, ont été écrits en grec. Présentation récente, mais rapide, des découvertes de Nag Hammadi dans W. FOERSTER, *Gnosis. A Selection of Gnostic Texts* (trad. R. McM. Wilson), t. 2, Oxford 1974, p. 3-12 (orientation bibliographique, p. 119). En dernier lieu, traduction complète de la bibliothèque de Nag Hammadi sous la direction de J. M. ROBINSON, *The Nag Hammadi Library in English*, Leiden 1977.

1. On peut considérer comme « valentiniens » ou émanant de milieux valentiniens : la *Prière de l'Apôtre Paul*, l'*Apokryphon de Jacques*, l'*Évangile de Vérité*, la *Lettre à Rhéginos sur la résurrection*, le *Tractatus Tripartitus*, l'*Évangile selon Philippe*, la *Lettre de Pierre à Philippe*, le *Témoignage de Vérité*, l'*Interprétation de la connaissance* et l'*Exposé valentinien* (cf. M. TARDIEU, *REAug* 24 (1978), p. 192).

2. *Panarion*, 31, 7, 1. Sur le milieu gnostique en Égypte à cette époque, la mise au point la plus récente est due à M. TARDIEU, *Trois mythes gnostiques. Adam, Eros et les animaux d'Égypte dans un écrit de Nag Hammadi (II, 5)*, Paris 1974, p. 33-39.

en effet, dans l'ordre chronologique, Justin, Miltiade,
Irénée et Proculus [1], mais seul nous est parvenu, comme
on sait, l'ouvrage d'Irénée. Le *Syntagma* de Justin ne nous
est connu que par une allusion de son auteur [2] : il est probable toutefois que, sans l'avoir cité explicitement, l'évêque
de Lyon lui doit des renseignements sur l'histoire du gnosticisme antérieur à Ptolémée [3]. Le titre exact du traité de
Miltiade nous est inconnu. Quant au rôle joué par Proculus
dans la polémique antignostique, tout ce que nous en savons
tient dans cette seule phrase de Tertullien [4]. Le « récole-
ment », si l'on ose ce terme, est donc rapidement achevé.
A vrai dire, dans la mesure où l'*Aduersus Valentinianos*
se présente, en grande partie, comme une adaptation de
plusieurs chapitres d'Irénée, on peut en induire, en procédant par différence, que la dette de Tertullien à l'égard de
ses trois autres prédécesseurs dut être relativement négligeable. C'est bien du reste le sens de l'éloge, particulièrement vif et reconnaissant, décerné à l'évêque de Lyon, qui
est présenté ici comme le spécialiste le mieux informé des
questions gnostiques. Il n'empêche que l'on aurait aimé
savoir si telle ou telle précision historique ou doctrinale,
absente de l'*Aduersus haereses*, a été empruntée par Tertullien à l'une ou l'autre de ces œuvres disparues ou bien
s'il la doit à sa connaissance directe du gnosticisme.

Précisément, peut-on se faire une idée des documents
valentiniens dont il a disposé ? A s'en tenir au seul témoignage explicite que l'on ait, celui du *De carne Christi*, sensiblement contemporain de l'*Aduersus Valentinianos*, Tertullien paraît n'avoir lu qu'un ouvrage valentinien, les
Syllogismes d'Alexandre vraisemblablement, dont on igno-

1. *Val.* 5, 1.
2. *I Apol.*, 26, 8.
3. Cf. F.-M.-M. Sagnard, *La gnose valentinienne et le témoignage
de saint Irénée*, Paris 1947, p. 62 et 89. En réalité, la citation explicite du *Contre Marcion* (*Haer.*, IV, 6, 2) doit être interprétée comme
une référence extraite du *Syntagma* : les deux titres désignent le
même ouvrage, cf. J. Prigent, *Justin et l'Ancien Testament*, Paris
1964, p. 66.
4. Ces deux auteurs sont donc pour nous à peine plus que des
noms (cf. J.-C. Fredouille, *op. cit.*, p. 353).

rerait jusqu'à l'existence, sans les indications fournies dans ce même traité, et qui, bien exploitées par les recherches récentes, ont permis de mieux entrevoir la personnalité de cet hérésiarque [1].

Mais grâce au traité d'Alexandre, Tertullien a pu lire, car ils s'y trouvaient cités, certains *Psaumes* ou extraits de *Psaumes* de Valentin lui-même [2]. Le jugement élogieux que Tertullien porte sur son talent littéraire pourrait alors refléter la forte impression — justifiée du reste, et partagée par les modernes — qu'aurait faite sur lui cette lecture. Dans ce cas, ce jugement (qui ne semble pas se retrouver sous la plume d'autres auteurs anciens) n'aurait pas été pris à une source aujourd'hui perdue, mais correspondrait bien à une appréciation personnelle de Tertullien, naturellement sensible aux qualités stylistiques des écrivains [3].

A-t-il connu l'existence de l'*Évangile de Vérité* ? Mais Tertullien aurait-il entendu parler de l'*Évangile de Vérité*, que les critiques dans leur très grande majorité considèrent comme valentinien, et beaucoup comme étant l'œuvre du grand hérésiarque lui-même ? Irénée, s'il n'est pas sûr qu'il l'ait eu entre les mains, connaissait du moins son existence : « Quant aux disciples de Valentin, se situant en dehors de toute crainte et publiant des écrits de leur propre fabrication, ils se vantent de posséder plus d'Évangiles qu'il n'en existe. Ils en sont venus en effet à ce degré d'audace

---

1. *Carn.* 15, 3 et 17, 1 ; cf. J.-P. Mahé, *SC* 216, p. 58 s.
2. *Carn.* 17, 1 ; 20, 3. Accès commode aux fragments de Valentin grâce à W. Foerster, *op. cit.*, t. 1, 1972, p. 239-243.
3. De ce jugement sur Valentin (*Val.* 4, 1 : « et ingenio poterat et eloquio »), on rapprochera en effet ceux qu'il porte sur Proculus (*Val.* 5, 1 : « Christianae eloquentiae dignitas ») et sur Méliton de Sardes (« elegans et declamatorium ingenium », d'après Jérôme, *De uir. ill.*, 24, *PL* 23, col. 643 ; mais l'interprétation de cet éloge est délicate, cf. J.-C. Fredouille, *op. cit.*, p. 174, n. 130), ou encore son commentaire du style paulinien de *I Cor.* (*Pud.* 14, 4-13 ; cf. J.-C. Fredouille, *op. cit.*, p. 165 s.). Sur l'esthétique de Tertullien, nous nous permettons de renvoyer encore aux analyses qui lui sont consacrées dans notre thèse p. 29-35 et 170-176.

d'intituler « Évangile de vérité » un ouvrage composé par eux récemment et ne s'accordent en rien avec les Évangiles des apôtres... [1] ». Nous ne croyons pas que ce fût le cas de Tertullien. En effet celui-ci n'hésite pas à citer explicitement par leurs titres telle ou telle œuvre des hérétiques qu'il combat, par exemple une *Épitre* de Marcion [2], ses *Antithèses* [3], ou encore, comme on vient de le constater, les *Syllogismes* d'Alexandre [4], et, dans un contexte différent, le *Pasteur* d'Hermas [5]. Certes, il lui arrive aussi de faire allusion aux nombreux apocryphes hérétiques, sans autre précision, ou de ne pas citer ses sources [6]. Mais dans le cas présent, il est douteux, quand on connaît ses habitudes, que Tertullien se fût privé d'une opposition sarcastique entre l'authentique Évangile de la Vérité, le seul qui ait été reçu par la tradition, et le prétendu *Évangile de Vérité*, c'est-à-dire l'évangile valentinien. Irénée, dans le même passage que nous avons rapporté, n'y a pas renoncé : « Car si l'Évangile publié par eux est l'Évangile de vérité et s'il diffère de ceux que nous ont transmis les apôtres, tous ceux qui le veulent peuvent se rendre compte, comme il apparaît par les Écritures elles-mêmes, que ce qu'ont transmis les apôtres n'est plus l'Évangile de vérité. Mais que, en fait, les Évangiles des apôtres soient les seuls vrais et solides et qu'il ne puisse en exister ni un plus grand ni un plus petit nombre qu'il n'a été dit, nous l'avons abon-

---

1. *Haer.*, III, 11, 9, *SC* 211, p. 172-175. Il faudrait être sûr, naturellement, que l'« évangile » signalé ici par Irénée et celui qui a été découvert à Nag Hammadi soit bien le même ouvrage : admise aujourd'hui, cette identification a parfois été contestée, par exemple par H.-M. Schenke, *Die Herkunft des sogenannten Euangelium Veritatis*, Göttingen 1958, pour qui l'« évangile » que mentionne Irénée serait un cinquième Évangile apocryphe (peut-être l'*Apokryphon de Jean*), tandis que l'écrit de Nag Hammadi est une « homélie », sans caractère spécifiquement valentinien, contemporaine et proche des *Odes de Salomon*.
2. *Carn.* 2, 4 ; *Marc.* I, 1, 6 ; IV, 4, 3-4.
3. *Marc.* I, 19, 4 ; II, 29 *passim* ; IV, 1, 1 ; etc.
4. *Supra*, p. 29, n. 1.
5. *Pud.* 10, 11-13 ; 20, 2.
6. Certains de ses silences peuvent d'ailleurs s'expliquer par le fait que ses sources sont orales et, par conséquent, anonymes.

damment montré... [1] ». Et pour sa part Tertullien use
volontiers de ce type d'antithèse dans ses écrits antihérétiques. Ainsi, dans l'*Aduersus Valentinianos* lui-même, il
oppose la « Sagesse » de Salomon (c'est-à-dire le livre vé-
térotestamentaire) à celle de Valentin (c'est-à-dire Sophia,
l'éon du système gnostique [2]) ; ailleurs, il distingue implicitement le « portique de Salomon » de celui de Zénon,
accusé d'être l'un des pourvoyeurs de l'hérésie [3] ; ou encore,
il se réfère aux *Psaumes* de David, le « très saint prophète »,
en stigmatisant ceux de l'« apostat, hérétique et platoni-
sant » Valentin [4] ; mais plus fréquemment encore, à
l'« Évangile de Marcion », appelé aussi parfois, ironiquement, l'« Évangile nouveau » ou l'« Évangile pontique [5] »,
Tertullien oppose l'Évangile reçu dans l'Église, désigné précisément par l'expression « euangelium ueritatis », comme
avait fait Irénée, mais de façon plus systématique, pour
mieux dénoncer, par contraste et avec insistance, les
falsifications de l'hérésiarque du Pont [6]. Ce type d'antithèse apparaît donc bien, sous la plume du Carthaginois,
comme un procédé polémique quasi constant. Dès lors
on imagine mal que Tertullien, même sans l'avoir eu en
main, se fût abstenu de toute allusion ironique à cet « Évangile de Vérité » valentinien, s'il en avait seulement soup-
çonné l'existence. Son titre même ne lui serait-il pas apparu
comme une sorte de défi, surtout si l'on se souvient de la
place que tient dans sa pensée et dans ses polémiques la
notion de Vérité [7] ?

1. *Haer.* III, 11, 9, *SC* 211, p. 174-175.
2. *Vol.* 2, 2.
3. *Praes.* 7, 10.
4. *Carn.* 20, 3.
5. C'est-à-dire, comme on sait, uniquement l'*Évangile* de Luc,
lui-même amputé. Cf. *Marc.* IV, 2, 1 ; 4, 1-5 ; 11, 9-10 ; etc.
6. Cf. *Marc.* II, 15, 3 ; III, 13, 6 ; IV, 25, 14 ; 34, 2.
7. Cf. J. Lortz, *Tertullian als Apologet*, t. 2, Münster 1928,
p. 87 s. ; J. Klein, *Tertullian. Christliches Bewusstsein und sittliche
Forderungen*, Hildesheim 1975 (= Düsseldorf 1940), p. 156 s. ;
S. Otto, « *Natura* » *und* « *dispositio* ». *Untersuchung zum Naturbegriff und zur Denkform Tertullians*, München 1960, p. 79 s. ;
R. Braun, *Deus Christianorum*, Paris 1977[2], p. 445 s.

On a pourtant cru parfois pouvoir déceler une référence à celui-ci dans une phrase du *De praescriptionibus*[1]. En réalité l'« évangile occulte » dont il est question n'est guère identifiable à l'*Évangile de Vérité* valentinien. A la fois pour toutes les raisons que nous venons d'exposer (il est impensable que Tertullien, s'il l'avait connu, ne fût-ce que par ouï-dire, ne l'eût pas stigmatisé avec plus de virulence), et aussi parce que, dans ce passage, l'expression « occultum euangelium» n'est rien autre qu'un synonyme de « depositum tacitum », « remotior doctrina », « tacitum sacramentum », « alia regula fidei »[2] — toutes expressions par lesquelles il désigne la prétention des hérétiques à posséder un « dépôt secret » : en effet, s'appuyant d'ailleurs sur Irénée, Tertullien s'attache à réfuter l'interprétation gnostique en général — et pas seulement valentinienne — de la *Première épître à Timothée* (6, 20) en faveur d'une tradition secrète qui remonterait au Christ et à l'Apôtre[3]. Le contexte ne laisse donc pas de place pour le doute à cet égard : rien ne permet de dire que, dans ce chapitre du *De praescriptionibus*, Tertullien ait eu en vue un «évangile» valentinien récent de quelque type que ce fût, qu'il s'agît d'un « remaniement » à la façon de l'«Évangile » de Marcion ou d'un véritable écrit original.

Il reste toutefois un point à éclaircir : puisque Irénée signalait dans l'*Aduersus haereses* l'existence de l'*Évangile de Vérité*, comment expliquer que tout se passe comme si Tertullien, pour sa part, l'avait ignorée et n'avait pas

---

1. *Praes.* 25, 8 : «Sed nec quia uoluit (Paulus) illum (= Timotheum) ' haec fidelibus hominibus ' demandare, ' qui idonei sint et alios docere ' (*II Tim.* 2, 2), id quoque ad argumentum occulti alicuius euangelii interpretandum est ». Hypothèse formulée, avec prudence, notamment par H.-Ch. PUECH & G. QUISPEL, « Les écrits gnostiques du Codex Jung », p. 23, *VChr* 8 (1954), p. 1-51 et R. F. REFOULÉ, *SC* 46, p. 121.

2. Respectivement *Praes.* 25, 3.6 ; 26, 2.9.

3. Bonne mise au point des théories d'Irénée et Tertullien par le dernier éditeur du *De praescriptionibus*, R. F. REFOULÉ, *SC* 46, p. 45 s. Mais Irénée ne paraît pas connaître l'usage que faisaient les hérétiques de la première partie de *I Tim.* 6, 20 : « O Timothée, garde le dépôt ».

saisi toute l'importance de ce témoignage ? D'autant que
Tertullien, nous le savons, avait lu le grand ouvrage de
l'évêque de Lyon dès l'époque du *De praescriptionibus,* où
il lui reprend, en particulier, sa doctrine de la Tradition et
de la « Règle de Vérité [1] ». Pour tenter d'expliquer ce
silence surprenant de Tertullien, bien des hypothèses sans
doute sont possibles : aucune n'emporte vraiment la conviction. Nous nous résignerons, malgré tout, à en énoncer
quelques-unes, selon ce qui nous semble être approximativement l'ordre croissant de la vraisemblance, en y joi-
gnant, le cas échéant, les objections ou les questions qui
viennent immédiatement à l'esprit. On pourrait supposer,
par exemple, que Tertullien a voulu éviter de donner, en
le citant, une trop grande publicité à cet écrit — mais il
se montrait moins prudent en mentionnant les *Psaumes*
du même Valentin et en commentant l'« Évangile » de
Marcion ou ses *Antithèses* ! On peut imaginer aussi que
Tertullien ironisait sur cet évangile valentinien dans l'ouvrage plus considérable qu'il annonce dans l'*Aduersus Valentinianos* et que l'on considère parfois comme perdu —
l'hypothèse serait plausible [2] si, nous l'avons vu, Tertullien
n'avait pas probablement renoncé, en réalité, à écrire ce
traité ; mais si l'on tient compte de cette présomption et
que l'on admette qu'il avait alors prévu d'y analyser criti-
quement l'évangile valentinien, l'abandon de son projet
n'expliquerait pas, pour autant, son silence total sur cet
écrit dans le reste de son œuvre. Peut-être faut-il se demen-
der si Tertullien n'avait pas sous les yeux un texte d'Irénée
incomplet, dans lequel n'aurait pas figuré le passage en
question — mais s'il est vrai qu'Irénée a écrit son ouvrage
en quatre temps (livres I-II, puis successivement les livres
III, IV et V), qu'il a ajouté, en cours de rédaction, des
développements nouveaux, rien ne nous permet de penser

---

1. Dont l'essentiel est exposé, précisément, au livre III (cf. entre
autres parallèles, le développement d'*Haer.*, III, 3, 3, sur les églises
de Rome, Smyrne et Éphèse, et son équivalent dans *Praes.* 32).
2. Car, après tout, sans le *De carne* nous ne saurions pas que
Tertullien avait lu les *Syllogismes* d'Alexandre (et nous ignorerions
même son existence !) ; cf. *supra*, p. 28.

qu'il a existé plusieurs « éditions » de l'*Aduersus haereses*, progressivement « augmentées », comme ce fut le cas, par exemple, de l'*Aduersus Marcionem* de Tertullien [1]. Reste enfin une autre explication, peut-être plus satisfaisante : il n'est pas exclu que Tertullien n'ait retenu de ce paragraphe d'Irénée rien d'autre que la confirmation d'un enseignement secret, réservé aux valentiniens et reposant, pour l'essentiel, sur une interprétation des Évangiles qui s'écartait de la Tradition, sans se rendre compte qu'il contenait une information d'un intérêt tout particulier. Pour être juste, il faut ajouter que Tertullien n'est pas seul en cause. Hormis l'auteur de l'*Aduersus omnes haereses*, qui sur ce point dépend probablement d'Irénée [2], aucun autre hérésiologue ne signale l'existence de l'*Évangile de Vérité*, alors que pratiquement tous les Pères qui, après l'évêque de Lyon, ont combattu les hérésies ont puisé, peu ou prou, à son grand ouvrage. Faut-il penser à une sorte de conspiration du silence faite autour de cet écrit valentinien ? Plus simplement sans doute et plus vraisemblablement, le fait qu'il ait été signalé non pas au livre I de l'*Aduersus haereses*, mais presque incidemment dans le cours du livre III, peut-être parce que, entre temps, Irénée en avait eu connaissance, a dû contribuer à le faire passer inaperçu.

Exotérisme et ésotérisme : l'*Évangile de Vérité* et les polémiques d'Irénée et de Tertullien

La réflexion, toutefois, doit être poussée plus avant, et il convient d'essayer de répondre aux questions qui, inévitablement, se posent maintenant : l'ignorance, supposée, du contenu de cet écrit par Irénée, celle, presque certaine, de son existence même par Tertullien,

---

1. *Marc.* I, 1, 1-2 ; II, 1, 1 ; III, 1, 1.
2. Ps.-Tert., *Adu. omn. haer.*, 4, 6 : « Euangelium (Valentinus) habet etiam suum praeter haec nostra ». L'auteur, à la différence d'Irénée, attribue explicitement à Valentin lui-même cet « évangile »; cf. B. Standaert, « ' Euangelium Veritatis ' et ' Veritatis Euangelium '. La question du titre et les témoins patristiques », *VChr* 30 (1976), p. 138-150.

ont-elles eu une incidence quelconque sur la conception de leurs polémiques, affectent-elles le crédit qu'on leur accorde et l'appréciation que l'on porte sur elles ?

En réalité, ignorer le titre et l'existence d'un ouvrage n'entraîne pas pour autant la méconnaissance absolue de son contenu, si celui-ci est transmis également sous d'autres formes ou accessible par d'autres voies. Que l'on nous entende bien : il n'est pas question de sous-estimer un instant l'importance intrinsèque de cette œuvre d'une grande richesse et d'une grande beauté, unique dans sa présentation actuelle, dont la découverte constitue un événement considérable dans l'histoire de la connaissance des doctrines gnostiques et, plus spécialement, valentiniennes ; il s'agit seulement de situer, dans l'enseignement valentinien, un ouvrage comme l'*Évangile de Vérité* et de se demander si pour Tertullien par exemple le fait d'avoir ignoré son existence a constitué, à son insu, un obstacle à sa connaissance du valentinianisme et, par conséquent, un handicap dans son activité de polémiste.

Dès sa publication, les spécialistes n'ont pas manqué d'être surpris par l'écart dogmatique qui leur paraissait séparer l'*Évangile de Vérité* non seulement du système ptoléméen de la « grande notice », considéré comme le plus caractéristique, mais aussi de la doctrine qui est attribuée à Valentin lui-même par Irénée [1]. En effet, en dépit d'un langage et de concepts communs (les éons, le Plérôme, la Déficience, l'Erreur, l'Ignorance, le Dieu suprême, etc.), impliquant par conséquent des affinités certaines avec la doctrine que nous connaissions, l'*Évangile de Vérité* s'en distingue tout aussi nettement par le silence qu'il observe sur les principales spéculations si caractéristiques du valen-

---

1. *Haer.*, I, 11, 1 ; assez brève notivce qui se borne à signaler quelques différences touchant à la constitution du Plérôme et, plus spécialement, de l'Ogdoade ; mais ce système censé être le système primitif de Valentin présente la même structure et repose sur le même processus que celui de Ptolémée. Ce chapitre d'Irénée est d'ailleurs recoupé par le traité XI, 2 de Nag Hammadi (*Jésus Démiurge*) ; cf. F. WISSE, « The Nag Hammadi Library and the Heresiologists », p. 217, *VChr* 25 (1971), p. 205-223.

tinianisme (les trente éons, la théorie de leur émanation,
le mythe de la chute de Sophia, l'existence du Démiurge
et son opposition au Dieu inconnu, la tripartition rigide
de l'humanité) [1]. Pour rendre compte d'une telle différence, l'explication la plus simple est de considérer la doctrine de la « grande notice » comme un développement
ultérieur de celle qui est contenue dans l'*Évangile de
Vérité* [2], qu'on veuille affecter ce développement d'un
signe négatif, en y voyant une dégradation et une mytho-
logisation du système primitif, ou qu'on l'affecte au contraire d'un signe positif, en en soulignant l'enrichissement
et l'approfondissement. L'explication nous paraît, chronologiquement déjà, peu acceptable. L'*Évangile de Vérité*
et ce qui en serait la forme systématisée, telle que la décrit
la « grande notice », sont très sensiblement contemporains :
une ou deux décennies, tout au plus, les séparent, insuffi-
santes pour rendre compte d'une telle évolution, même
s'il est exact, par ailleurs, que le valentinianisme de la
« grande notice » porte, effectivement, la marque du génie
théologique de Ptolémée.

En fait, l'*Évangile de Vérité* suppose l'existence du système que nous connaissions d'autre part ; l'un et l'autre
s'éclairent mutuellement [3]. Mais il est probable qu'ils
répondent à des genres littéraires et s'adressent à des audi-
toires différents. Comme on l'a souvent suggéré, plus qu'un
« évangile », le premier est sans doute une « homélie » ou

---

1. Cf. M. Malinine, H.-C. Puech, G. Quispel, Intr. à l'*Euangelium Veritatis*, Zürich 1956, p. xii-xiii, et surtout H. Ringgren,
« The Gospel of Truth and Valentinian Gnosticism », *STh* 18 (1964),
p. 51-65.
2. On pourrait du reste tout aussi bien soutenir la postériorité
de l'*Évangile de Vérité*, en le considérant comme une forme « démy-
thologisée » du système valentinien, une conquête de la pensée
abstraite sur l'imaginaire concret : cf. les justes remarques de
H. Jonas, *The Gnostic Religion*, Boston 1963[2], p. 317. Exposé du
développement ultérieur du valentinianisme à partir d'un stade
embryonnaire que représenterait l'*Évangile de Vérité*, par exemple
dans R. M. Grant, *La Gnose et les origines chrétiennes* (trad. J.-H.
Marrou), Paris 1964, p. 109 s. ; R. McL. Wilson, *Gnose et Nouveau
Testament* (trad. fr.), Tournai 1969, p. 160 s.
3. Cf. H. Jonas, *ibid.* ; H. Ringgren, *art. laud.*, p. 53.

une « méditation », dont le thème essentiel est la révélation
de Dieu en son fils et la connaissance salvifique de ce mystère [1] ; susceptible, naturellement, d'une « lecture » au
second degré par les initiés, elle ne leur était pas exclusivement destinée [2] ; le second est un exposé dogmatique,
dont la connaissance est réservée aux initiés ou, tout au
moins, à ceux qui ont déjà progressé sur le chemin de la
« gnose ». Leurs contenus diffèrent parce que l'un et l'autre
correspondent, en réalité, à deux types d'enseignement, à
deux degrés de « gnose ». Cette distinction permet d'ailleurs
de mieux comprendre, en particulier, l'insistance que
mettent Irénée ou Tertullien à répéter que le mythe qu'ils
dévoilent au grand jour constitue, et lui seul, la matière
de l'enseignement secret donné aux « élus [3] », mais aussi
la virulence avec laquelle, conjointement, ils accusent les
hérétiques de séduire les chrétiens en leur tenant d'autres

1. Ce qui a conduit B. STANDAERT, « ' L'Évangile de Vérité ' :
critique et lecture », p. 254-255, *NTS* 22 (1976), p. 243-275, à le
rapprocher de l'*Épître aux Romains* (thème de la justification) et de
l'*Épître aux Hébreux* (thème de la médiation expiatrice).
2. Les commentateurs ne soulignent, en général, que le caractère ésotérique de cet écrit ; toutefois, telle formule (à laquelle nous
souscririons volontiers) de l'un d'entre eux, H. JONAS, *op. laud.*,
p. 318 (« *L'Évangile de Vérité* fonctionne comme une transcription
spirituelle du mythe symbolique ») prouve bien qu'il ne suffit pas
à communiquer une « connaissance » que seul le mythe peut donner
par ailleurs et auquel il renvoie : ouvrage ésotérique donc, dans la
mesure où une lecture « naïve » n'en épuise pas tout le sens, mais ni
secret, ni même imperméable à des non-initiés, voire susceptible
de leur paraître séduisant. Cf. d'ailleurs R. McL. WILSON, *The
Gospel of Philip*, London 1962, p. 66 s. qui fait observer que l'*Évangile de Vérité*, l'*Évangile de Pihlippe* ou l'*Évangile de Thomas* se
prêtent à une lecture à deux niveaux. De la même façon, parallèle-
ment à l'exégèse exotérique existe une exégèse ésotérique réservée
aux gnostiques, cf. SAGNARD, *op. laud.*, p. 499 ; A. ORBE, *Estudios
Valentinianos*, t. 2, Roma 1955, p. 56 s. ; t. 5, Roma 1956, p. 94 s.
3. *Val.* 3, 5. Un bref traité de Nag Hammadi, *Révélation valentinienne* (XI, 2) en apporte la confirmation : l'auteur, qui annonce,
en commençant, la révélation d'un mystère, y expose l'origine de la
création et le processus de rédemption en termes qui rappellent
très précisément le mythe de Sophia ; il s'agit donc d'une sorte de
« catéchisme » réservé aux initiés, qui du reste laisse entrevoir des
divergences doctrinales avec Ptolémée.

propos, beaucoup plus proches de ceux auxquels ils sont
habitués[1]. Les deux thèmes polémiques visent donc deux
genres de « discours » bien réels : l'un, qui nous était connu
par les hérésiologues ; l'autre, dont ils affirmaient l'existence,
mais dont maintenant nous possédons, avec l'*Évangile de
Vérité*, un spécimen à tous égards remarquable. Aussi bien,
quand Irénée et Tertullien reprochent aux valentiniens
d'entretenir volontairement les équivoques de langage ou
de se complaire, par souci de prosélytisme, dans les ambiguïtés doctrinales, une telle dénonciation, rapportée aux
exposés du mythe gnostique semble exagérée, voire gratuite, tant ces spéculations paraissent éloignées de la *regula
fidei*. Appliquée au contraire au contenu et à la rhétorique
de cet « évangile » valentinien, mais qui devaient être tout
autant — le talent en moins, certes — ceux d'autres écrits
ou d'autres discours du même genre, leur critique, du point
de vue qui est le leur, recouvre alors toute sa pertinence[2]...
C'est un fait que, par de nombreux aspects et, spécialement,
par son langage, l'*Évangile de Vérité* présente un caractère
chrétien : en le montrant, en dehors de toute préoccupation
d'ordre idéologique, les historiens modernes justifient en
somme, a posteriori, les attaques d'un Irénée ou d'un Tertullien contre ces discours exotériques, dont l'hétérodoxie
estompée et le flottement terminologique entretenaient les
confusions doctrinales dans l'esprit de beaucoup de fidèles,
mais qui les préparaient à recevoir ultérieurement le « mystère de gnose ». Emportements d'ailleurs impuissants de
la part des Pères, ces discours étant par nature malaisément
réfutables : tout au plus pouvaient-ils mettre en garde

---

1. *Val.* 1, 4.
2. C'est ainsi que le témoignage de Tertullien dans *Res.* 19, 6
(« Hoc denique ingenio etiam in conloquiis saepe nostros decipere
consueuerunt, quasi et ipsi resurrectionem carnis admittant : ' Vae,
inquiunt, qui non in hac carne resurrexerit ', ne statim illos per-
cutiant, si resurrectionem statim abnuerint ») est parfaitement
confirmé et illustré par la *Lettre à Rhéginos sur la résurrection* (dont
l'original remonte au milieu du IIe siècle) : cf. W. FOERSTER, *op. cit.*,
t. 2, p. 71 : « The author of the letter... often speaks only in general
terms of the resurrection and does not always indicate clearly which
resurrection he has in mind ; this leads to obscurities » ; *supra*, p. 37,
n. 2.

les fidèles, en typant le comportement et les méthodes des
hérétiques [1]. En revanche, le mythe gnostique, objet de la
connaissance (mais aussi source de divergences parmi les
sectes), offrait une cible moins fuyante : c'est sur lui qu'ils
ont concentré toutes leurs polémiques.

**L'apport de Tertullien
à notre connaissance
du valentinianisme**
Que Tertullien, pour une
raison ou pour une autre,
n'ait pas su l'existence de
l'*Évangile de Vérité* ne consti-
tue donc, en définitive, qu'une donnée biographique mineure,
sans véritables conséquences. Elle ne saurait en tout cas
affecter l'appréciation que nous pouvons porter sur la
valeur et la qualité de ses polémiques antivalentiniennes
ou sur la connaissance qu'il avait de cette secte. De fait,
nous constatons que, de quelques sources qu'elle provienne, écrites ou orales, l'information de l'*Aduersus Valentinianos* dépasse, sur un certain nombre de points, peu
nombreux, mais intéressants, celle que lui fournissait la
seule « grande notice » d'Irénée.

Nous possédons ainsi, grâce à cet opuscule, quelques
précisions sur l'histoire et l'évolution de la secte. Et d'abord
sur son fondateur, son ambition épiscopale déçue, les raisons et les conséquences de son échec [2] ; rapprochée d'une
indication fournie cette fois par le *De carne Christi* [3], ce détail
biographique permet de situer en 140 la rupture de l'hérésiarque avec l'Église. Sur son école ensuite, que nous pouvons peupler de noms nouveaux : Théotime, l'exégète,
Axionicus, le disciple resté fidèle à la pensée du maître [4]
(mentionné il est vrai également par Hippolyte, mais sans
cette précision), auxquels il convient d'ajouter Alexandre,
l'auteur des *Syllogismes*, cité dans le *De carne* [5]. Enfin,
sur les divergences intervenues au sein de la secte. Ainsi
Tertullien nous apprend-il que la scission entre l'école

1. *Val.* 1, 4.
2. *Val.* 4, 1.
3. *Carn.* 1, 3 ; cf. J.-P. Mahé, *SC* 216, p. 29.
4. *Val.* 4, 3.
5. Cf. *supra*, p. 28.

« orientale » (Théodote, Bardesane, Marc) et celle d'Occident (Ptolémée, Héracléon) fut provoquée par un désac-
cord sur le mode de procession et la fonction des deux éons
Christ et Esprit-Saint [1] : renseignement non négligeable,
qui peut être exploité grâce à des recoupements faciles
avec Irénée, et confirmant que sur ce point comme sur
d'autres la branche valentinienne d'Orient est demeurée
plus fidèle que l'italique à la doctrine du maître [2]. Autre
information, plus précieuse encore, donnée par l'*Aduersus
Valentinianos* : l'innovation qu'apporta Ptolémée à la
théorie des éons. En effet, alors que ceux-ci avaient été
conçus par Valentin comme des modalités de l'Être divin,
son successeur les distingua comme des substances indivi-
dualisées et personnelles [3]. Parfois mise en doute, la véra-
cité de cette indication a été confirmée par le *Tractatus
Tripartitus*, qui décrit les éons comme doués d'un libre
arbitre, professant par conséquent une conception qui
suppose leur individuation [4].

On pourra sans doute négliger le rapprochement qu'éta-
blit Tertullien entre la gnose valentinienne et les mystères
d'Eleusis [5]. Beaucoup plus, en effet, que sur l'« enseignement » et la « connaissance » d'une tradition religieuse,
l'essentiel de ceux-ci repose sur une dramaturgie sacrée,
au sens large du terme, c'est-à-dire l'accomplissement de
gestes et la vision d'objets qui ont, les uns et les autres,
valeur symbolique et mystérique. Ce n'est d'ailleurs pas
exactement sur la nature de l'initiation que Tertullien fait
porter la comparaison, ni même sur la révélation progres-
sive à laquelle, ici et là, sont soumis les candidats à l'initiation, mais sur le secret auquel, une fois initiés, ils se
voient tenus : secret qui, dans les Éleusinies, n'est dû pour
lui, en dernière analyse, qu'à un réflexe de honte érigé en
obligation disciplinaire. L'analogie ne doit donc pas être
serrée de trop près : elle ne signifie pas, et Tertullien ne

1. *Val.* 11, 2.
2. Cf. *infra*, p. 259.
3. *Val.* 4, 2.
4. Cf. *infra*, p. 204.
5. *Val.* 1, 1-3 ; cf. *infra*, p. 171 s.

veut sans doute pas dire, que l'initiation et la discipline de l'arcane pratiquées dans le valentinianisme tirent leur origine et leurs structures des mystères d'Éleusis ; elle n'a d'autre fonction que de discréditer l'« initiation » valentinienne et le secret, très relatif, à dire vrai, dont elle est entourée, en les rapprochant de rites païens anciens, suspectés ou accusés d'immoralisme.

En revanche il est un point de la *disciplina* valentinienne sur lequel Tertullien apporte un témoignage capital, car il est à la fois plus complet et plus précis que celui de Clément d'Alexandrie : il s'agit de l'attitude des valentiniens à l'égard du martyre [1]. Comme il est normal, Tertullien, dans l'*Aduersus Valentinianos*, n'y fait qu'une brève allusion ; mais il revient plus en détail sur le sujet dans le *Scorpiace*, qui lui est spécialement consacré.

Mais nous ne pouvons pas terminer ce rapide inventaire sans signaler, au moins brièvement, ce que notre connaissance de la doctrine valentinienne de l'Incarnation et de la Résurrection doit à Tertullien. Résumée dans l'*Aduersus Valentinianos* [2] (qui, comme pour le martyre, lui fournit le cadre théologique ou mythique sans lequel ces conceptions demeurent inintelligibles), elle est exposée et discutée dans deux longs traités, le *De carne Christi*, dans lequel il réfute, entre autres, le valentinien Alexandre dont il a lu les *Syllogismes*, et le *De resurrectione mortuorum*. Or la valeur documentaire de ces deux traités, supérieure, et souvent antérieure, à celle des autres sources patristiques, a été récemment confirmée et accrue par la découverte de l'*Évangile de Philippe* et, surtout, de l'*Épître à Rhéginos sur la résurrection*. Ainsi les ouvrages de Tertullien et ceux des valentiniens s'éclairent-ils et se complètent-ils mutuellement, en particulier sur la conception virginale, l'identification du « vieil homme » et de la « chair », la résurrection spirituelle grâce à la foi et au baptême, la résurrection d'un corps spirituel succédant immédiatement à la mort [3].

1. *Val.* 30, 1-2 ; cf. *infra*, p. 336 s.
2. *Val.* 27, 1-3 ; 31, 1 - 32, 4.
3. Cf. J.-P. Mahé, *SC* 216, p. 53 s. ; M. Malinine, H.-C. Puech, G. Quispel, W. Till, éd. du *De Resurrectione* (*Epistula ad Rhegi-*

**Résistances
et influences :
théologie valentinienne
et théologie chrétienne**

Les quelques témoignages
que nous venons de citer
révèlent donc le sérieux avec
lequel Tertullien a pris soin
de se documenter pour pré-
parer ses polémiques antivalentiniennes : en tout état de
cause, son information ne se réduit pas à celle que lui fournit Irénée, même si l'*Aduersus haereses* constitue son document de base. La remarque, quoique dans une moindre
mesure, vaut aussi pour l'*Aduersus Valentinianos*. Mais ce
serait commettre une erreur de perspective que de concevoir ses polémiques contre le valentinianisme comme des
polémiques d'idées, coupées de tout support subjectif et
dépourvues de prolongements personnels dans l'ordre de la
réflexion théologique. Loin d'être objectivée, sa connaissance de la théologie valentinienne a influé sur l'élaboration
de sa propre théologie, le conduisant à repousser de nombreux concepts de la pensée valentinienne, mais aussi à en
accueillir d'autres. Ainsi par delà le bruit des mots que
suscite toute polémique inévitablement, naissait et se déve-
loppait un dialogue plus secret et plus fructueux, se cons-
truisaient et s'édifiaient un vocabulaire et un système
théologiques : c'est à quoi, sans doute, les polémiques
antihérétiques de Tertullien ont dû de ne jamais verser dans
l'éristique.

R. Braun a bien mis en évidence comment, en particulier, par réaction contre les abus du gnosticisme, Tertullien avait dû se montrer très réservé à l'égard d'un certain
nombre de termes que, pourtant, ses prédécesseurs grecs
n'avaient eu aucun scrupule à prêter à Dieu, parce qu'ils
n'avaient pas eu à prévenir ce danger. Ainsi de nombreux
vocables qu'on lit sous la plume du Carthaginois quand il
décrit le système gnostique, et spécialement dans l'*Aduersus
Valentinianos*, n'appartiennent pas, en réalité, à son vocabulaire doctrinal : tel est le cas des adjectifs désignant les
propriétés divines négatives, *agennetos, innascibilis, incon-*

num), Zürich & Stuttgart 1963, p. xii s. ; P. Siniscalco, *Ricerche
sul « De Resurrectione » di Tertulliano*, Roma 1966, p. 45 s.

ditus, pour l'agénésie ; *immensus*, *infinitus*, pour l'infinitude ; *inadprehensibilis*, *inexcogitabilis*, *innominabilis*, *inenarrabilis*, pour l'incognoscibilité ; etc. Ou encore, pour qualifier le Fils de Dieu il écarte *primogenitalis*, *Monogenes* ou ἀρχή ; pour désigner le Dieu créateur il renonce à *demiurgus* et à son équivalent latin, qu'il a forgé, *factitator* ; de même il exclut de son vocabulaire *consubstantialis* et *consubstantiuus*, très probablement à cause de l'usage valentinien d'ὁμοούσιος [1]. Au-delà du caractère purement lexicologique de ces discriminations visant à préserver la spécificité de l'orthodoxie, nous pénétrons, en réalité, au cœur même de la conscience linguistique et théologique de Tertullien. Car de tels refus, avec naturellement les choix et les substitutions qui les accompagnent, nous éclairent incomparablement sur les problèmes fondamentaux qu'avait à résoudre celui qui fut, sinon le créateur de la théologie de langue latine, du moins l'un de ses tout premiers et de ses meilleurs artisans. Et mieux que tout autre témoignage, ils nous révèlent le climat religieux au sein duquel est née cette théologie, contrainte à se frayer sa voie parmi des concepts et des notions d'origines diverses et bien vivants, parmi lesquels, au premier chef, les spéculations gnostiques.

Mais l'attitude de Tertullien à leur égard ne fut pas tout uniment de refus. Plusieurs travaux récents ont montré l'influence du valentinianisme sur la théologie trinitaire du Carthaginois, ou en tout cas l'enrichissement dont a bénéficié sa pensée, sur ce point de dogme, au contact vécu des doctrines gnostiques. En effet, même si l'on peut considérer qu'A. Orbe [2] a été entraîné à surestimer le rôle joué dans l'élaboration de la doctrine trinitaire par les valentiniens, en qui, rejoignant Harnack, il voit les premiers théologiens que le christianisme ait possédés, il n'en demeure pas moins vrai que le valentinianisme, par le

---

1. *Deus Christianorum*, Paris 1977², p. 46 s. ; 247 s. ; 337 s. ; 380 s. ; 195 s.
2. En particulier dans les volumes I et IV de ses *Estudios Valentinianos*, Roma 1958 et 1966.

péril même qu'il représentait aux yeux de Tertullien, a suscité chez lui une réaction de défense, mais aussi une réflexion féconde.

Sans vouloir ici décrire avec précision la dette de la théologie trinitaire de Tertullien envers le valentinianisme, et pour s'en tenir à quelques-uns des acquis les plus incontestables des recherches récentes en ce domaine, il paraît bien, tout d'abord, que le mot lui-même de « trinité » (*trinitas*), attesté pour la première fois chez Tertullien et qui lui a permis de concevoir et de désigner l'unité divine à travers la triplicité de ses « formes », soit en fait l'héritier d'un usage valentinien. D'origine également valentinienne la notion, précisément, de « forme » (*forma*), au sens de « principe individuant », désignant des êtres subsistant dans la même substance et la même nature, et aussi la notion de « personne » (*persona*), pour exprimer l'individualité divine, grâce à laquelle Tertullien élabora, le premier, la formule du dogme trinitaire : « une seule substance en trois personnes ». Aux valentiniens, enfin, malgré les réserves d'Irénée, il emprunta la terminologie de la « prolation » (*proferre*, *prolatio*), pour expliquer la manifestation du Verbe et la relation établie, en Dieu, entre la première et la deuxième personnes de la Trinité [1].

Ce serait naturellement une vue simpliste d'imaginer que le rôle de Tertullien s'est limité à transposer tels quels ces vocables ou ces concepts. Même sur les points où il subissait l'influence du gnosticisme, sa réflexion s'est exercée de façon aiguë et personnelle [2] : elle a contribué à enrichir ou à fixer, selon les cas, des notions et une terminologie qui, dans le système émanationniste du valentinianisme, possédaient une extension plus grande ou une moindre précision et qui, de toute manière, s'inscrivaient dans le cadre d'une conception générale dont la finalité était différente.

---

1. Cf. R. BRAUN, *op. laud.*, p. 152 s. ; 223 s. ; 295 s. ; J. MOINGT, *Théologie trinitaire de Tertullien*, 4 vol., Paris 1966-69, t. 2, p. 513 s. ; 662 s. ; t. 3, p. 975 s.
2. Cf. J. MOINGT, *op. laud.*, t. 2, p. 668 s.

De l'*Aduersus Valentinianos* à l'*Aduersus Praxean*

La théologie valentinienne fournissait donc à Tertullien un vocabulaire qu'il a su exploiter et dont il a extrait un « langage » trinitaire personnel. C'est en effet au contact du valentinianisme qu'il a réfléchi aux distinctions personnelles et aux prolations de la divinité. De ce point de vue, la rédaction de l'*Aduersus Valentinianos* marque une date importante dans l'élaboration de sa théologie, car c'est alors qu'il a pris du valentinianisme une vue globale et synthétique, et qu'il en a évalué secrètement les richesses potentielles sous la mythologie la plus contestable.

Il serait donc imprudent de se laisser aller à porter un jugement hâtif sur l'attitude profonde de Tertullien à l'égard du valentinianisme, en ne retenant de cet opuscule que son aspect négatif et polémique ou en imaginant que son rejet était total et définitif. En réalité, l'*Aduersus Valentinianos* correspond à une démarche « tactique », ou, pour mieux dire, répond à une nécessité pastorale, mais qui ne devait pas exclure, de la part de Tertullien, une recherche approfondie sur la doctrine qu'il avait présentée sous un jour divertissant : de cette recherche l'*Aduersus Praxean* présente, d'une certaine manière, l'aboutissement et l'achèvement. Si donc pour en comprendre la nature et la raison d'être, il convient de procéder à une double mise en place de l'*Aduersus Valentinianos*, d'une part en le rapprochant, pour le choix du procédé expéditif, de l'argument de *praescriptio* ou même de celui du *testimonium animae*, d'autre part en l'intégrant au projet antivalentinien plus vaste qui a été conçu et, en grande partie, réalisé [1], il est tout aussi indispensable, pour en mesurer l'impact sur la réflexion de Tertullien, de le situer par rapport à une troisième perspective, sur la ligne qui conduit à l'*Aduersus Praxean*. Certes il s'en faut que tous les concepts que Tertullien devait soit repousser, soit conserver, en les repensant, dans la formulation de sa théologie trinitaire, apparaissent pour la première fois dans l'*Aduersus Valentinianos* : mais la chrono-

---

1. Cf. *supra*, p. 24 s.

logie objective n'est pas, en l'occurrence, le meilleur critère de référence ; beaucoup plus essentiel est, ici, celui de la réaction personnelle de Tertullien à leur résonance : à cet égard, leur apparition sous la plume de Tertullien dans cet écrit a marqué, sans aucun doute, une date décisive. On mesurera par exemple tout ce que sa réflexion ultérieure doit à cet opuscule en s'arrêtant aux tableaux dressés par J. Moingt, qui mettent en parallèle, de façon particulièrement significative, plusieurs passages de l'*Aduersus Valentinianos* et de l'*Aduersus Praxean* : ils manifestent avec évidence la continuité et le progrès de l'un à l'autre.

On reproche souvent aux hérésiologues — surtout aujourd'hui où la « logique » du mythe gnostique est mieux connue — de n'avoir vu dans le valentinianisme que l'aspect le plus extérieur, l'aspect mythologique. L'impression que laisse une lecture de l'*Aduersus Valentinianos* isolée du reste de l'œuvre de Tertullien pourrait justifier cette critique. En réalité cette présentation, qui d'ailleurs répondait à un choix réfléchi mais singulier, ne doit pas faire préjuger de l'attitude, finalement plus pragmatique, de Tertullien à l'égard du valentinianisme. L'élaboration de sa théologie, et plus particulièrement de sa théologie trinitaire, montre qu'il ne s'en est pas tenu à une critique superficielle.

IV. LE TEXTE DE L'« ADVERSUS VALENTINIANOS »

Établissement du texte   L'état misérable de la tradition manuscrite et la difficulté de la langue rendent malaisée la tâche de tout éditeur d'un traité de Tertullien. Dans le cas de l'*Aduersus Valentinianos* sa tâche se voit encore compliquée du fait que cet opuscule se présente comme l'adaptation d'un texte grec exposant non sans parfois quelque obscurité une doctrine elle-même difficile. Face à ces obstacles, l'éditeur de l'*Aduersus Valentinianos* se doit de prendre parti et d'adopter quelques principes directeurs : c'est ce que fit Kroymann dans son édition de 1906 (*CSEL* 47, p. 177-212), reproduite en 1954 (*CCL* 2, p. 751-778), qui a marqué une date importante dans l'histoire de la critique textuelle de cet opuscule.

Est-il possible, trois quarts de siècle après, de franchir une nouvelle étape ? Sans prétendre avoir résolu tous les problèmes qui se posaient à nous, il s'en faut de beaucoup, nous n'avons pas cru, en tout cas, qu'une telle ambition était illégitime.

Tout d'abord, comme nous tentons de le montrer dans l'introduction et dans le commentaire, l'attitude de Tertullien à l'égard de son modèle grec est loin d'avoir été aussi servile qu'on l'écrit volontiers. Certes, il lui arrive de « traduire » très fidèlement, voire littéralement, à la manière du *Vetus Interpres* d'Irénée, quelques passages, généralement de caractère technique. Le plus souvent, néanmoins, suivant d'ailleurs en cela l'habitude des classiques [1], Tertullien prend quelque recul par rapport à Irénée, soit qu'il le résume, modifie la composition, donne à l'exposé un tour plus personnel, ironique ou sarcastique, omette certains développements, etc., ou encore insère des données puisées à d'autres sources. Cette appréciation plus juste, croyons-nous, de la conception que Tertullien s'est faite de son rôle d'« adaptateur » n'est pas sans conséquence sur les principes qui doivent guider l'éditeur de l'*Aduersus Valentinianos*. Certes il est exact que, en plusieurs passages, l'original grec éclaire un exposé qui, à s'en tenir au seul texte de l'*Aduersus Valentinianos*, ne laisserait pas pour nous d'être obscur ou nous induirait en erreur : cela tient essentiellement à ce que nous avons affaire, dans ces cas, à une « version » insuffisamment repensée en latin ou trop hâtivement élaborée. Il est vrai aussi que l'ouvrage d'Irénée est parfois d'un grand secours à l'éditeur de l'*Aduersus Valentinianos* pour lui permettre de corriger des leçons qu'une tradition squelettique et souvent médiocre a transmises fautivement. Mais ces cas sont en définitive relativement peu nombreux.

Un second défaut de la méthode de Kroymann est sans doute d'avoir trop tendu à « normaliser » la langue de Tertullien. Mieux informés aujourd'hui qu'il ne pouvait l'être

---

1. F. Blatt, « Remarques sur l'histoire des traductions latines », *C & M* 1 (1938), p. 217-242.

de la latinité impériale et « tardive » en général, du style
et de la syntaxe de Tertullien en particulier, nous n'hésitons
plus à conserver bien des leçons qu'il considérait comme
des aberrations ou même des gloses dues aux copistes.
Bref une conception moins étroitement classicisante de
son style et de sa langue nous a rendus plus accueillants à
la variété et à la richesse de son talent littéraire. Les travaux
des philologues allemands, suédois et néerlandais, durant
la première moitié de ce siècle, ont été, à cet égard, déterminants.

Reste enfin une troisième catégorie de « corrections » que
Kroymann n'hésitait pas à apporter au texte de Tertullien,
qui lui étaient inspirées à tort par sa méconnaissance relative du système valentinien. Nous sommes, sur ce point
aussi, mieux armés qu'il ne ne l'était, grâce aux nombreuses
études consacrées depuis quelques décennies au valentinianisme et, plus particulièrement, grâce aux travaux de
Sagnard sur Irénée et sur les *Extraits de Théodote.*

La plupart des « émendations » que nous avions proposées dans un article de 1966 ont été introduites dans le
texte de la présente édition, non sans avoir été de nouveau
passées au creuset d'une exigeante critique. Nous y en adjoi-
gnons quelques autres, qu'un commerce prolongé avec
l'œuvre de Tertullien, et avec cet opuscule en particulier,
nous a conduit à considérer comme vraisemblables, sinon
nécessaires. Dans l'ensemble, c'est donc un texte beaucoup
plus proche de la tradition manuscrite que nous proposons,
assez différent en définitive de celui de l'édition Kroymann,
dont l'hypercriticisme, générateur de progrès réels en son
temps, peut être aujourd'hui dépassé.

Les manuscrits   L'*Aduersus Valentinianos* nous est
                     parvenu par le seul corpus dit « de
Cluny» (θ), composé peut-être en Espagne au VIᵉ siècle et
attesté à l'abbaye de Cluny au Xᵉ-XIᵉ siècle. Comme l'ont
montré les travaux de Kroymann, les manuscrits de ce
corpus se divisent en deux branches [1] : d'une part, celle des

---

1. « Die Tertullian-Ueberlieferung in Italien », *SAWW* 138 (1898),

Cluniacenses, dérivant d'un modèle non identifié, dont les témoins les plus anciens, *P* et *M,* sont du XIᵉ siècle ; d'autre part, celle dont les principaux témoins sont *F* et *X,* tous deux du XVᵉ siècle, dérivant, mais autrement que ne le croyait Kroymann, d'un modèle β, qu'il convient très probablement d'assimiler au codex *Hirsaugiensis,* utilisé par Beatus Rhenanus, conjointement avec *P,* pour sa 1ʳᵉ édition (1521).

Au total seize manuscrits du corpus de Cluny, dont quatre seulement méritent d'être retenus par l'éditeur (*MP* et *FX*), contiennent l'*Aduersus Valentinianos.* A cette liste il convient d'ajouter les copies perdues dont nous savons (ou, dans un cas, dont nous soupçonnons) qu'elles l'avaient transcrit. Il s'agit, pour la première branche (α), du *Gorziensis* (*G*), utilisé par B. Rhenanus pour sa 3ᵉ édition (1539) et apparenté à *M,* et du *Diuionensis* (*D*), dont P. Pithou a relevé ou, sans doute, fait relever quelques leçons sur son exemplaire personnel de l'édition Gelenius [1] ; pour la seconde branche, de l'*Hirsaugiensis,* comme on vient de le rappeler, et vraisemblablement du *Pforzhinensis* (γ), dont il sera question plus loin. Enfin, le monastère de Lorsch (Xᵉ siècle) a possédé sous le nº 320 un codex contenant l'*Aduersus Valentinianos* [2].

Les travaux récents [3] sur le *corpus Cluniacense* ont con-

III Abh. (34 p.) ; « Kritische Vorarbeiten für den III. und IV. Band der neuen Tertullian-Ausgabe », *ibid.* 143 (1901), VI. Abh. (39 p.) ; *CSEL* 47 (1906), Praef. p. v-xxxv et 70 (1942) Praef. p. v-xlv.

1. Découverte de P. Petitmengin, qu'il exploitera prochainement dans son travail sur « La transmission et l'étude de Tertullien » : je dois à son amitié d'en faire état ici, comme je dois à sa compétence d'avoir évité bien des erreurs dans ces pages. Cet ouvrage se trouve actuellement à la Bibliothèque Sainte-Geneviève (Paris) sous la cote : Cc fol. 233 Inv. 224.

2. Cf. G. BECKER, *Catalogi bibliothecarum antiqui,* Bonnae 1885, p. 106.

3. C. MORESCHINI, « *Prolegomena* ad una futura edizione dell' *Aduersus Marcionem* di Tertulliano », *ASNP* 35 (1966), p. 293-308 ; 36 (1967), p. 93-102 ; 235-244 ; J.-P. MAHÉ, *SC* 216, p. 171-179. Remise en cause de l'indépendance du *corpus Trecense,* du *corpus Agobardinum* et du *corpus Cluniacense* par H. TRAENKLE, *Q. S. F. Tertulliani Aduersus Iudaeos,* Wiesbaden 1964, p. LXXXIX s.

duit à modifier assez sensiblement la branche β du stemma
qui avait été dressé par Kroymann, en particulier en ce
qui concerne le classement des manuscrits γ, *F, X, V, L.*

FVL   Tout d'abord, alors que Kroymann considérait *V* et *L*
(l'un et l'autre du xve siècle) comme les deux branches
d'un rameau distinct de *F* (xve siècle), celui-ci doit être considéré en
réalité comme l'ancêtre des deux précédents. De la démonstration de
C. Moreschini il ressort donc que nous n'avons pas à utiliser *V* et
L pour établir le texte de notre édition. Ayant procédé à leur collation antérieurement à ses travaux [1], nous sommes en mesure de
confirmer ses propres conclusions, mais aussi de préciser le rapport
qu'ont entre eux *V* et *L.*

FVL constituent un ensemble parfaitement caractérisé. Sans
reproduire ici toutes les fautes communes à ces trois manuscrits
(une centaine), signalons les plus significatives de celles qui leur
sont propres (c'est-à-dire que l'on ne retrouve pas dans *X*) :

— d'une part, des omissions : 1, 2 ante (quinquennium) ; 6, 2
tamen (indignitas) ; 8, 2 hi (erunt) ; 13, 1 igitur (ordo) ; 28, 1 suis
(uiribus) ; 32, 3 quid (deinde) ; etc. ;

— d'autre part, des confusions sur *m, n, r, e, i, u* : 8, 3 nemo
(*pour* uenio) ; 12, 3 naue (*pour* uane) ; 15, 3 nido (*pour* inde) ; 16, 3
uisu (*pour* usu) ; 20, 3 nigoma (*pour* ingenia) ; etc.

F → VL   Dans ce groupe *FVL, V* et *L* procèdent de *F,*
comme il appert des deux constatations suivantes :
— d'une part, presque toutes les fautes de *F* sont reproduites
par *V* et *L.* Les exceptions ne remettent pas en cause cette dépendance : — soit que, sciemment ou non, *V* et *L* aient reconstitué la
bonne leçon (3, 2 putant *F* -auit *VL* ; 4, 4 facias *F* -es *VL* ; 10,
4 refatutam *F* restitu- *VL* ; 12, 1 metarmophosis *F* metamor-
VL ; 15, 4 luctos *F* -us *VL* ; 24, 2 simitudo *F* simili- *VL*) ; —
soit que, au contraire, *V* et *L* aient aggravé la faute de *F* (9, 3 pereundo cessasset : per eum docessasset *F* per eum decessassent *VL* ;
12, 4 Iesum : Itiunium *F* utiun- *VL* ; 16, 1 coaetaneorum : cetan-
F centan- *VL* ; 26, 2 prospectam : prospe etam *F* prospe etiam
VL) ; — soit que *V* et *L* aient procédé à une correction formelle
de genre, non de cas (11, 4 (spiritus) sancti : sanctam *F* -tus *VL*) ;

1. Nous avons procédé à la collation de *P, F, X, N, V* et *L* sur les
microfilms prêtés par l'I. R. H. T. (P. Petitmengin a bien voulu
vérifier sur place nos lectures de *P*) ; pour ce qui est de *M,* nous
l'avons collationné directement, à la Bibliothèque de Médecine de
Montpellier.

— d'autre part, *VL* présentent en commun un nombre considérable de fautes (160 environ) qui leur sont propres, alors que *F* donne la bonne leçon. Parmi les plus caractéristiques, signalons : — des mélectures (*idem* pour *id est* en 9, 2 ; 25, 3 ; 29, 3 ; 32, 1 ; 32, 2 ; *et* pour *ut* en 4, 2 ; 5, 1 ; 10, 5 ; 14, 1 ; 18, 3 ; *quae* pour *qui* en 7, 4 ; 19, 1 ; *nec* pour *nisi* en 3, 2, pour *ne* en 21, 1, pour *non* en 34, 1 ; — des omissions (3, 2 quem ; 6, 2 eorum ; 7, 6 ita ; 10, 3 aliquando ; 12, 2 et 29, 4 enim ; 37, 2 inuisibile) ; — enfin, une lacune de 9 mots (26, 2-27, 1 a spe etiam salutis expellant. Nunc reddo de Christo), due à un saut du même au même.

$F \rightarrow V \rightarrow L$ La dépendance de *VL* par rapport à *F* est donc confirmée. Encore convient-il de préciser — ce qui n'était pas l'objet de C. Moreschini — comment ils en procèdent : par un intermédiaire ? par copie indépendante ? par filiation directe, et dans ce cas lequel, de *V* ou de *L*, a-t-il été copié sur *F* ? En réalité on peut établir que *F* a été copié par *V* et *V* par *L*, toutes les fautes commises par *V* se trouvant déjà dans *F* ou lui étant communes à *L*. Les fautes propres à *V* sont en effet rares et insignifiantes (1, 3 *ualentinima* pour *-tiniana* ; 2, 1 *sapapientes* pour *sapien-* ; 14, 1 *ad* (*superioribus*) pour *a* ; 29, 2 *eam* (ou *cam* ?) pour *caïn*). Au contraire *L* présente un nombre important de fautes le caractérisant (une cinquantaine), entre autres : — des omissions (9, 3 in ; 20, 1 in ; 21, 1 rerum ; 30, 2 quasi (donné par toute la tradition pour *uae si*) ; 35, 2 enim ; 39, 1 decem) ; — des additions (10, 3 hac ; 14, 2 omnia) ; — des lacunes (8, 5 quare non et Sterceiae et Syntrophi nominantur ; 20, 3 sic et in caelestibus nuceta praesumpsit). Autrement dit, à quelques très rares exceptions près, que nous avons énumérées, et qui ne sont guère pertinentes, se retrouvent dans *L* les fautes de *F* et celles de *V*, auxquelles se sont ajoutées les fautes commises par le scribe de *L*. Si l'on se souvient que *V* ne présente pratiquement aucune faute propre, c'est-à-dire le distinguant de *F* d'une part, de *L* d'autre part (« le zéro quentinien »), on admettra que *V* a été l'intermédiaire entre *F* et *L* et qu'il a été copié directement sur *F*. La filiation *V* → *L* est d'ailleurs confirmée, indépendamment du texte de l'*Aduersus Valentinianos*, par les observations récentes de P. Petitmengin [1] sur les cahiers de *V* et *L* : les lacunes communes à ces deux manuscrits s'expliquent par des accidents survenus à *V*, et par conséquent *L* est bien une simple copie de *V*.

1. Cf. *REL* 51 (1973), p. 385.

La filiation $F \to V \to L$ invite naturellement à reconsidérer la situation de F telle qu'elle avait été décrite par Kroymann et Borleffs. Pour ces deux philologues en effet, γ (le *Pforzhinensis amissus*) constituait l'intermédiaire entre β (*Hirsaugiensis amissus*) et d'une part F, d'autre part VL, tandis que X leur paraissait issu directement de β [1]. En réalité, comme l'a montré C. Moreschini sur la tradition de l'*Aduersus Marcionem*, F et X procèdent indépendamment d'un même modèle, qui serait donc le manuscrit sur lequel deux franciscains, Lauterbach et Lymphen, ont copié F en 1426 à Pforzheim [2]; d'où la désignation de *Pforzhinensis* donnée à ce manuscrit, mais qui en tant que tel n'est pas attesté dans les textes.

D'une part, F et X ont un nombre important de fautes qui sont propres à eux deux (et qui naturellement se retrouvent dans V et L), au total une cinquantaine : entre autres, — des omissions (6, 1 ne ; 6, 3 ipsis ; 7, 4 ante ; 7, 6 non ; 17, 1 ipsa ; 25, 1 quidem) ; — des additions (3, 2 quam ; 17, 2 ex) ; — des mélectures (4, 1 nouimus : nouissimus FX ; 5, 1 retuderunt : retul- FX ; totum haereses : tota heresi FX ; 7, 4 stupentis : -pentibus FX ; 16, 3 uiriosa : ossa uiri FX ; 21, 2 factitatore : factitore FX ; 26, 2 contactui : contrac- FX ; etc.).

D'autre part, F et X présentent chacun des erreurs qui les individualisent. Les fautes de F ayant été signalées plus haut, il suffit de mentionner ici quelques-unes de celles qui appartiennent en propre à X : 1, 1 quod *pour* qui ; 1, 3 obserat *pour* obscur- ; 1, 4 ignoscunt *pour* agn- ; 2, 2 doceat ipsam *pour* docet ipsa ; 5, 1 instructissimi *pour* -mis ; 8, 3 optime *pour* -mi ; 9, 3 supial *pour* superabat ; 12, 5 est potest (?) *pour* se potest ; 14, 1 scriptura *pour* scribam ; 14, 1 hornon *pour* Horon ; 14, 3 nec *pour* nunc ; 15, 4 caelestes *om.* ; 16, 3 (materia) prima *add.* ; 22, 1 infami *pour* -mia ; etc.

F et X sont donc sur le même plan, ayant été copiés indépendamment sur le même modèle. Mais ce modèle est-il l'*Hirsaugiensis* (β) ou, plutôt, comme le pense C. Moreschini, un intermédiaire, en l'occurrence le *Pforzhinensis* (γ) ? Que F et X dérivent de β n'est pas douteux, comme le montrent, pour l'*Aduersus Valentinianos*, les accords suivants :

1. J. Borleffs, « Zur Luxemburger Tertullianhandschrift », *Mnemosyne* III, 2 (1935), p. 299-308, attira l'attention sur ce témoin (X), ignoré de Kroymann quand il procura son édition de l'*Aduersus Valentinianos* (*CSEL* 47, 1906, p. 177-212) ; cf. E. Kroymann, *CSEL* 70 (1942), Praef. p. xxxv.

2. Cf. E. Kroymann, « Die Tertullian-Ueberlieferung in Italien », p. 13.

— fautes communes à R^1FX contre P :

9, 2 sui sine coniugis Phileti : uis (ui M) ne coniugis filetis P
suisne coniugis Phileti R^1FX

10, 2 quidni causa : quidni causa PM quid in causa R^1FX

12, 5 quam (proprius) : quam PMR^1 quin $R^1mg\ FX$

27, 2 spititali : spiritate PM spiritalis R^1FX
animali : animali PM animalis R^1FX
corporali : corporali PM corporalis R^1FX

29, 3 enim : enim PM om. R^1FX

32, 3 pudet : pudet PM putet R^1FX ;

— bonnes leçons communes à R^1FX contre P :

12, 4 compingunt R^1FX -gitur PM

15, 3 utique R^1FX undique PM

26, 2 conspectui $R^1XF\ M$ -tu P

27, 1 spiritale R^1FX -tate PM

27, 3 qui Achamoth R^1FX quia chamoth PM

31, 1 Achamoth totam massam R^1FX totam massamacmoth PM

39, 1 diuersitas $R^1FX\ M$ -tatis P

39, 2 superfructificant R^1mgFX -fruticant R^1PM.

En revanche, il est plus difficile de montrer que F et X ne dépendent qu'indirectement de β. Nous disposons toutefois pour cela de deux séries d'indices, fragiles, mais intéressants :

D'une part, les quelques leçons de β que nous connaissons grâce à B. Rhenanus qui les a signalées en marge. Or les transcriptions qu'en donnent F et X permettent de penser que ce ne sont pas ces leçons, mais des leçons déjà déformées, que les scribes de F et X ont eues sous les yeux :

— soit que la même déformation apparaisse dans les deux manuscrits :

4, 3 regularum eius : regulare eius R^1mg (= β)   regulare uis FX
(regular eius MPR^1)

9, 2 sui sine coniugis Phileti : sui ne coniugis Phileti R^1mg (= β)
suis ne coniugis filetis FX (uisne coniugis filetis P suisne
coniugis Philetis R^1) ;

— soit que, les leçons originales de β étant déformées autrement dans F et dans X, on s'explique mieux ces altérations distinctes si l'on considère qu'elles sont secondaires :

31, 1 salutar R^1mg (= β)   -tari X^1 -tas F (-tatia MP -taria R^1)

_____

1. Leçon adoptée dans notre texte, mais qui n'est probablement qu'une « faute heureuse ».

39, 1 domino (*MP*) : dicto R^1mg (= β) dī (= dicitur ?) *X* dicāt *F*.

D'autre part, les quelques leçons de R^1 différentes à la fois de *P* et de *FX* [1] :

— soit que R^1 donne la bonne leçon [2] :

4, 2 Ptolemaeus R^1 : tholomaeus *MP*   ptholomaeus *FX* [3]

5, 1 Miltiades R^1 : militiades *MP*   militia de *FX*

6, 1 arcani ne R^1 : archani ne *MP*   archnine *X*   archamie *F*

8, 2 Mixis R^1 : maxis *MP X*   maris *F*

8, 2 Hedone Acinetos R^1 : hedonea cinetos *MP*   hedonea conctos *FX*

24, 1 superstite R^1 : -steti *MP*   -stiti *FX*

32, 5 acerbetur R^1 : acereuetur *MP X*   acernetur *F* ;

— soit que R^1 présente une mauvaise leçon [4] :

9, 4 Enthymesin : Enthymesi R^1 senthimesi *MP*   sinthimesi *X*   sinthemesi *F*

16, 2 quam *FX* : qui *MP*   quae R^1

20, 2 quoniam *MP* : quomodo R^1 quam *FX*

35, 2 Anennoëto : anennotom *P* (anennoetom *M*)   annenoëton R^1 anennoe etom *X*   om. *F*.

$M^2 \rightarrow N$ Il convient maintenant de tenter de préciser la parenté qui unit entre eux, dans l'autre branche (α), M [5] et *NDG*. Entreprise délicate, dans la mesure où nous ne possédons,

1. En effet, en cas d'accord (*M*)*PFX* contre R^1, on peut penser que la leçon (mauvaise ou bonne) de ces mss remonte à θ et que celle de R^1 est une conjecture personnelle (heureuse ou malheureuse, selon le cas).

2. Bonne leçon censée reprise directement par R^1 à β.

3. De même 12, 4 Ptolemaei R^1 : tholomei *MP*   pholomei *X* pholomei phlomei *F* ; 19, 2 Ptolemaeum R^1 : tholeum *MP*   ptholomeum *FX* ; 20, 3 Ptolemaeus R^1 : tholomaeus *MP*   phtolomeus *FX* ; 33, 1 Ptolemaei R^1 : tholomaei *MP*   ptholomaei *FX*. Naturellement, s'agissant d'un nom propre (comme d'ailleurs pour Miltiades), il n'est pas exclu que B. Rhenanus ait spontanément corrigé une leçon fautive même en β.

4. Altération également censée reprise directement à β par R^1. Dans cette hypothèse, 16, 2 quam *FX* serait une « faute heureuse ».

5. Dans son étude de la tradition de l'*Aduersus Marcionem* (non transmis par *P* et pour lequel, par conséquent, on a l'équivalence $R^1 = β$), C. Moreschini est troublé par un certain nombre de convergences de *FM* contre R^1X ou bien de *MX* contre R^1F ; d'où l'hypothèse qu'il émet avec une grande prudence d'une contamination de β par *M*. Nous nous limiterons à deux observations :

pour D et G que quelques leçons. Une première constatation s'impose cependant : la dépendance de N (début xve s.) par rapport à M, et pour être plus exact à M^2, comme il appert des accords suivants :

— D'une part, MPN : toutes les fautes communes à M et P exclusivement se retrouvent en N : 1, 3 tot ; 4, 2 tholomeus ; 4, 2 personale substantia ; 4, 3 regular ; 4, 3 consulatur ; 5, 1 militiades ; 6, 1 archani ; 7, 1 legarat ; 7, 2 deposita ; 7, 5 sigen ; 7, 7 suboles ; 8, 3 phorphorus ; 10, 4 confirmata in ; 10, 4 adpendicen ; 12, 4 collocatio ; 12, 4 compingitur ; 12, 4 aesiodi ; 12, 4 tholomei ; 14, 1 scriptam ; 15, 3 hic ; 15, 3 undique ; 16, 1 at ; 16, 2 qui ; 19, 2 tholomeum ; 20, 1 dupplici ; 20, 3 tholomeus ; 24, 1 supersteti ; 27, 1 spiritate ; 27, 2 spirita ; 27, 3 quia chamoth ; 29, 3 enim *add.* ; 30, 2 aliquot ; 31, 1 totam massamacmoth *PM* (-acham- *N*) ; 31, 2 maluissent ; 32, 1 et receptacula *add.* ; 36, 1 excausa.

— D'autre part, MN : toutes les fautes de M sont passées dans N, qui reproduit également les corrections de M, soit qu'elles améliorent les leçons, soit qu'elles aggravent les fautes : 1, 4 subostendis (M^2) ; 6, 2 inprimo (M^{pc}) ; 7, 1 habiculum ; 7, 3 $\overline{\pi\rho o\alpha\rho\chi\omega}$ et $\overline{\pi\text{PAP}XX\text{HN}}$; 8, 2 bithos ; 8, 2 hedoneta cinetos (M^1) ; 8, 2 sinhesis ; 9, 2 omine (M^2) ; 9, 2 incontinentiae ; 9, 2 uine (M^{pc}) ; 9, 2 perneciem ; 9, 2 in *om.* ; 10, 3 motus *exp.* M^{pc} *om.* N ; 10, 3 monogenen ; 10, 3 de (M^{pc}) ; 10, 3 uita (M^{pc}) ; 12, 5 hostias curris ; 13, 2 transinparium ; 15, 4 achamotha (M^2) ; 20, 2 ocdoada ; 21, 2 demiurgii ; 23, 1 meditatem ; 30, 1 deputatum (M^2) ; 35, 2 anennoetom.

Dans ces conditions, M ne présentant aucune faute qui ne soit commune ou bien à P (c'est-à-dire remontant à α, l'ancêtre commun de M et P) ou bien à N, et celui-ci étant par ailleurs individualisé par un nombre important d'altérations qui lui appartiennent en propre (plus de 80), la filiation (directe ou indirecte[1]) M $\rightarrow$ N n'est pas douteuse. On peut même assurer que M a été copié postérieurement à sa révision par une seconde main.

d'une part, il ressort du relevé établi par C. Moreschini que ces convergences se rencontrent en très grande majorité dans les livres III-IV-V de l'*Aduersus Marcionem* ; d'autre part, notre collation de la tradition de l'*Aduersus Valentinianos* ne fait apparaître, sauf erreur, aucune convergence de cet ordre.

1. Nous pencherions plutôt pour une filiation indirecte, étant donné le nombre élevé d'altérations que N présente en plus de celles de M : à titre de comparaison, un ms. de médiocre qualité comme L contient environ, on l'a vu, 50 fautes de plus que son modèle immédiat V.

**G et D
apparentés
à M²**

On ne saurait prétendre classer *G* et *D* avec quelque certitude en se fondant sur la tradition du seul *Aduersus Valentinianos*. Aussi bien les constatations qui suivent n'ont-elles d'autre but que d'orienter les recherches en ce domaine.

Ces deux manuscrits ne nous sont connus en effet qu'indirectement et très partiellement. Le *Gorziensis* (*G*), utilisé par B. Rhenanus pour l'établissement de sa 3ᵉ édition (1539), a été considéré par Kroymann d'abord comme étant une copie directe de *N*, puis comme étant une copie de *M*[1]. Pour l'*Aduersus Valentinianos*, B. Rhenanus signale sur un exemplaire de la seconde édition (qu'il a annoté, et qu'a collationné P. Petitmengin) et dans sa 3ᵉ édition, une trentaine de leçons, parmi lesquelles, seulement 4 fautes permettent d'individualiser ce manuscrit : 9, 2 sui ue coniugis Phileti satietate (*pour* sui sine coniugis Phileti societate) ; 12, 1 in (Homines) *om.* ; 15, 5 defluxerit (*pour* defuderit) ; 26, 2 prospicientias (*pour* prosicias).

Quant au *Diuionensis* (*D*), collationné par Rigault (1634)[2], on ignorait, jusqu'à la découverte récente de P. Petitmengin, qu'il contenait également l'*Aduersus Valentinianos*, et il n'avait pas fait l'objet, de la part de Kroymann, d'une tentative de classement précis. Grâce à l'exemplaire de P. Pithou, où elles sont notées, à l'encre rouge, dans les marges, nous connaissons donc pour notre traité 200 leçons environ du *Diuionensis*, clairement apparenté à *M*. Sur ce total, 7 fautes permettent de l'isoler : 2, 2 malum (*pour* malim) ; 3, 2 transmoue (*pour* -mouere) ; 3, 2 lumine (*pour* lim-) ; 9, 2 nunc (*pour* Nun) ; 10, 1 ubique (*pour* utique) ; 15, 3 uidique (pour uti-) ; 24, 1 sic (*pour* ei).

Malgré leur nombre peu élevé, ces altérations particulières à *G* et à *D* autorisent une première déduction, négative mais non négligeable : aucune d'entre elles n'étant reproduite dans *N*, celui-ci ne dépend donc ni de l'un ni de l'autre, ou si l'on préfère : ni *G* ni *D* n'a servi d'intermédiaire entre *M* et *N*.

Si d'autre part l'on tient compte des accords suivants (incluant *D* et non *G*) :

— *M*(*P*)*ND* : 7, 5 sigen (*pour* Sige) ; 10, 4 confirmata in (*pour* confirmatam) ; 27, 3 quia (*pour* qui) ; 32, 1 et (receptacula) *iter.*

— *MND* : 9, 2 incontinentiae (*pour* -tia)

---

1. Cf. d'une part ses « Kritische Vorarbeiten », p. 7, ainsi que *CSEL* 47, p. xxi, d'autre part *CSEL* 70, p. xxxvi.
2. Cf. F. Oehler, *Tertulliani opera*, t. 1, Lipsiae 1853, p. xix.

— M^2ND : 1, 4 subostendis (*pour* -das) ; 9, 2 omine (*pour* nomen) ; 10, 3 xuita uita N (*pour* sexu)

— ND : 3, 3 et si (*pour* si et) ; 8, 2 maris (*pour* Mixis) ; 18, 2 enim om. ; 31, 1 salutaria (sans doute *pour* -ari₍,

deux stemmas sont possibles :

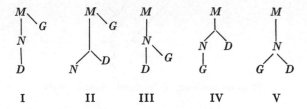

entre lesquels nos recherches sur l'*Aduersus Valentinianos* ne permettent pas de décider, encore que le nombre élevé de fautes caractérisant N invite plutôt à préférer, comme nous l'avons dit, le second.

Les leçons de G que nous connaissons sont naturellement trop rares pour ne pas rendre encore plus problématique sa situation. Nous ne disposons en effet, en tout et pour tout, que de trois accords où ce manuscrit soit impliqué :

— $M(P)G$: 15,3 undique (*pour* utique)
— $M^{pc}NG$: 6, 2 inprimo (*pour* imprimam)
— M^2NGD : 30, 1 deputatum (*pour* -atur).

De ces groupements, ressort au moins une vraisemblance : tout comme N et D, le *Gorziensis* est sans doute postérieur à M^2 : en d'autres termes, il ne remonte probablement pas à un ancêtre antérieur à M. En revanche, ces trois accords, compte tenu de l'incertitude sur la situation de N et D, permettent d'envisager plusieurs types de filiations possibles :

En réalité, l'éventail de ces possibilités théoriques doit pouvoir être sensiblement réduit. Il semble bien en effet que *N* (*Florentinus Magliabecchianus* conv. soppr. I, VI, 9) n'ait guère été diffusé en dehors de Florence : à la mort, en 1437, de son possesseur, l'humaniste Florentin Nicolo Niccoli, la biliothèque du Couvent Saint-Marc en hérita, et il y demeura jusqu'à son transfert à la Bibliothèque Nationale [1]. Dans ces conditions, on peut supposer que ni *G* (collationné par B. Rhenanus en 1539), ni *D* (collationné pour Pierre Pithou, (1539-1596), et par Rigault, en 1634) n'en procède. Cet argument, qui s'accorde avec ce que nous suggérions concernant la filiation indirecte *M → N*, nous conduit donc à retenir, de préférence aux autres, le second stemma.

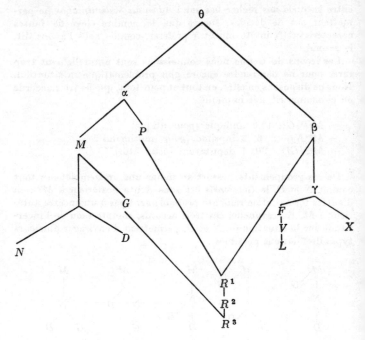

Stemma codicum collectionis Cluniacensis

1. Cf. E. Kroymann, « Die Tertullian-Ueberlieferung in Italien », p. 14.

La tradition indirecte Relativement importante pour l'*Aduersus Marcionem* ou l'*Aduersus Praxean*, les deux œuvres de Tertullien qui ont eu le plus d'influence sur la théologie postérieure, la tradition indirecte de l'*Aduersus Valentinianos* est pratiquement inexistante. Dans son étude fondamentale sur le *Fortleben* de Tertullien à travers la patristique, Harnack ne signale aucun emprunt à notre traité[1]. Le tableau des *testimonia* dans le *CCL* 1 signale bien deux parallèles, l'un chez Évagre, l'autre chez Braulion : force est de reconnaître, quand on se reporte aux textes, que les rapprochements indiqués sont illusoires. Une telle désaffection à l'égard de l'*Aduersus Valentinianos* s'explique sans doute par la nature même de l'opuscule : adaptation satirique de plusieurs chapitres d'Irénée, dépourvu de véritable réflexion théologique, il perdit ses lecteurs avec son actualité. On aurait tort cependant d'imaginer que cette désaffection fût totale : on peut en effet citer au moins une réminiscence littérale, chez Phébade d'Agen, excellent connaisseur de Tertullien[2]. Mais il est probable qu'on en trouverait — qu'on en trouvera — d'autres chez d'autres écrivains : l'*Aduersus Valentinianos* contient en effet plusieurs traits bien venus, plusieurs *sententiae* de la meilleure frappe, qui méritaient mieux que l'oubli et qui, vraisemblablement, n'ont pas dû être oubliés.

L'apparat critique Comme il ressort du *stemma codicum*, l'édition de l'*Aduersus Valentinianos* doit être basée sur quatre manuscrits principaux, *MP* d'une part, *FX* d'autre part, auxquels il convient d'adjoindre *R*[1] qui, théoriquement du moins, permet avec *F* et *X* de reconstituer l'*Hirsaugiensis* (β). Ce sont donc ces cinq témoins que, d'une manière générale, nous prendrons en considération dans l'apparat critique, auquel nous donnerons une présentation positive.

1. « Ueber Tertullian in der Literatur der alten Kirche », *SDWA* 29 (1895), p. 545-579.
2. *Contra Arianos* 5, 6, 3-5 (édit. Durengues, p. 344) = *Val.* 3, 1. Nombreuses réminiscences en particulier de *Marc.* et *Prax.*, dans une moindre mesure de *Herm.* et *Carn.*

Toutefois, cette règle générale pourra souffrir, le cas échéant, trois genres d'exceptions :

Le premier de ces genres tient au problème que pose R^1. On sait en effet que pour l'édition *princeps* (1521), basée sur P, B. Rhenanus a également collationné l'*Hirsaugiensis*, dont il a retenu quelques leçons, commodément et directement identifiables sur P, que le savant humaniste a, de sa main, annoté et préparé à l'intention du typographe [1] ; d'autres qui, sans avoir été retenues, furent jugées néanmoins intéressantes, ont été reproduites dans les marges de son édition [2]. Naturellement, B. Rhenanus a introduit aussi un certain nombre de corrections personnelles, souvent heureuses, tandis qu'il réservait, pour les marges, quelques conjectures (précédées alors de l'adverbe *forte*) qui lui paraissaient moins sûres, mais dignes, cependant, d'être signalées. Dans ces conditions, selon les cas, R^1 recouvre trois réalités : soit $R^1 = P$ (c'est le cas le plus fréquent), soit $R^1 = \beta$ (très rarement), soit enfin $R^1 =$ une

---

1. Les voici : 5, 1 : ut Irenaeus omnium doctrinarum $FX(M)$: et omnium Ireneus doctrinarum P ; 7, 2 quot (haereses) X : quod (?) $(M)P$ quod F ; 7, 3 si talem $FX(M)$: si tamen P ; 11, 2 rem $FX(M)$: plē $P^{ac.}$; 15, 3 utique FX : undique $P(M)$; 15, 3 se soluerit $FX(M)$: soluerit P ; 18, 2 Demiurgum et Regem uniuersorum $FX(M)$: Demiurgum uniuersorum P ; 30, 2 obtortuerimus $FX(M)$: -ribus P. Bien que Rhenanus n'indique pas explicitement l'origine des corrections qu'il introduit au texte de P, leur convergence éventuelle (comme c'est le cas de celles qui viennent d'être signalées) avec la descendance connue de $\beta(FX)$ permet de penser qu'elles proviennent effectivement de celui-ci. Toutefois, il nous a paru préférable de leur affecter non ce sigle β (cf. *infra*, n. 2), mais le sigle R^1. Nous nous écartons donc de H. Tränkle, *op. cit.* p. xcii s. qui désigne par β l'accord FX et par β' les leçons censées provenir directement de l'*Hirsaugiensis*.

2. Rhenanus les fait alors précéder de la mention « Alias » (ou « al's »), et cette indication est d'ailleurs reproduite dans son édition. On a parfois relevé l'imprécision dont se satisfaisait B. Rhenanus dans ses notes « critiques » marginales. Ainsi dans les marges du *De patientia* (édit. 1521) « Alias » alterne avec « Hirsaug. codex habet ». Cette dualité (recouvrant très probablement la même réalité) n'apparaît pas dans notre traité, pour lequel nous avons acquis la (quasi) certitude que l'adv. désignait bien l'*Hirsaugiensis* (β), d'où ce sigle que nous affectons à ces leçons.

conjecture personnelle de Rhenanus. En revanche, nous désignerons par β les leçons provenant de l'*Hirsaugiensis* explicitement (ou presque) mentionnées comme telles par Rhenanus (qui d'ailleurs, dans ces cas, les rejette), et par l'abbréviation *susp*. R^1mg ses conjectures personnelles proposées en marge et précédées de l'adverbe *forte*.

Second genre d'exceptions : nous signalons systématiquement les leçons de *G* et de *D* que nous possédons, bien que, en principe, elles ne présentent guère d'intérêt pour l'éditeur. Cette dérogation à la règle générale nous paraît justifiée par deux raisons : la première est que ces leçons, qui ne nous sont connues qu'indirectement (et très partiellement), sont d'accès difficile ; la seconde raison est que, le classement de ces deux manuscrits étant encore hypothétique, il n'est sans doute pas superflu de fournir les éléments susceptibles de faire progresser les recherches en ce domaine.

Enfin, suivant en cela l'usage admis pour les *recentiores*, nous signalerons exceptionnellement *V* et *L* lorsque, contre toute la tradition antérieure, ils donnent la bonne leçon, qui ne peut être qu'une correction heureuse du copiste (sauf erreur, aucun cas de ce genre ne se rencontre dans *N*).

Nous avons collationné pratiquement toutes les éditions critiques de l'*Aduersus Valentinianos* publiées jusqu'à ce jour : le mauvais état de la tradition manuscrite et la difficulté du texte nous ont paru en effet nécessiter ce travail. On en trouvera la liste plus loin, donnée dans l'ordre chronologique, qui est aussi celui dans lequel nous citons ces éditions dans l'apparat critique. Après réflexion, et pour des raisons de clarté, nous avons adopté, comme pour les manuscrits, une présentation positive.

Toutefois, pour ne pas alourdir inutilement l'apparat critique, nous avons exclu les variantes isolées sans intérêt pour la compréhension du texte ou pour l'histoire de l'édition du traité. D'autre part, nous utilisons couramment les deux abréviations suivantes : *edd*. dans le lemme proprement dit et *cett. edd.* dans la seconde partie de l'unité critique. Il faut donc comprendre : par *edd*. soit l'ensemble des éditions que nous avons collationnées, si aucun autre éditeur n'est mentionné ensuite, soit toutes les éditions

collationnées autres que celles qui sont nommément citées ;
par *cett. edd.* les éditions autres que celles qui ont été précédemment (et nommément) citées, étant bien entendu que
chaque unité critique est basée sur la totalité des éditions
utilisées et par conséquent reflète l'histoire quasi exhaustive du texte imprimé.

La traduction   Le traducteur d'une œuvre de Tertullien, mais plus encore celui d'un traité
comme l'*Aduersus Valentinianos*, ne peut que solliciter la
« bienveillance » de son lecteur ! Et la formule n'est pas de
convention, tant l'intelligence de certaines formules, voire
de certaines phrases est malaisée. Car à l'écran plus ou
moins opaque que constituent la langue et le style du
Carthaginois se superposent, en l'occurrence, comme nous
le rappelions, les difficultés inhérentes à la nature même de
l'opuscule — « adaptation » d'un texte compliqué et déjà
obscur parfois dans sa langue originale —, ou provenant
de l'état de la tradition. Nous avons recouru naturellement,
autant qu'il était possible, aux traductions existantes, françaises ou étrangères, mais qui reposent trop souvent sur
un texte encore mal établi ou conjectural pour être véritablement utiles précisément dans les passages plus délicats.
Viser à l'élégance était dans ces conditions un luxe pour
ainsi dire inaccessible, trop heureux déjà si nous avions
réussi à rendre intelligible, dans son exactitude, la littéralité du texte ! Mais nous le confessons sans fausse humilité,
nous ne sommes pas sûr d'être venu à bout de certains passages qui nous ont paru, pour diverses raisons, proprement
énigmatiques. *Tantum oro ut, cum petitis, etiam interpretis
peccatoris memineritis...*

ABRÉVIATIONS

Les périodiques sont désignés par les abréviations en usage dans l'*Année Philologique* ou, à défaut, dans la *Bibliographia Patristica*.

Pour plusieurs usuels ou collections nous recourons aux sigles suivants généralement adoptés :

BA	Bibliothèque Augustinienne.
CCL	Corpus Christianorum, series Latina.
CIL	Corpus Inscriptionum Latinarum.
CSEL	Corpus Scriptorum Ecclesiasticorum Latinorum.
DACL	Dictionnaire d'Archéologie Chrétienne et de Liturgie.
DB	Dictionnaire de la Bible.
DHGE	Dictionnaire d'Histoire et de Géographie Ecclésiastiques.
DS	Dictionnaire de Spiritualité.
DTC	Dictionnaire de Théologie Catholique.
GCS	Griechischen Christlichen Schriftsteller.
LHS	Leumann-Hofmann-Szantyr, Lateinische Grammatik, II Bd.
LODG	Le Origini dello Gnosticismo, Colloquio di Messina 13-18 Aprile 1966, Testi e discussioni pubb. a cura di U. Bianchi.
PG	Patrologia Graeca.
PIR	Prosopographia Imperii Romani.
PL	Patrologia Latina.
RE	Real-Encyclopädie der klassischen Altertumswissenschaft.
RLAC	Reallexikon für Antike und Christentum.
SC	Sources Chrétiennes.
SHA	Scriptores Historiae Augustae.
SVF	Stoicorum Veterum Fragmenta.
TLL	Thesaurus Linguae Latinae.
TU	Texte und Untersuchungen zur Geschichte der altchristlichen Literatur.
TWNT	Theologisches Wörterbuch zum Neuen Testament.

BIBLIOGRAPHIE

ŒUVRES DE TERTULLIEN

An.   : De anima.
Apol. : Apologeticum.
Bapt. : De baptismo.
Carn. : De carne Christi.
Cast. : De exhortatione castitatis.
Cor.   : De corona.
Cult. : De cultu feminarum.
Fug.   : De fuga in persecutione.
Herm. : Aduersus Hermogenem.
Idol. : De idololatria.
Iei.   : De ieiunio aduersus psychicos.
Iud.   : Aduersus Iudaeos.
Marc. : Aduersus Marcionem.
Mart. : Ad martyras.
Mon.   : De monogamia.
Nat.   : Ad nationes.
Orat. : De oratione.
Paen. : De paenitentia.
Pal.   : De pallio.
Pat.   : De patientia.
Praes. : De praescriptionibus aduersus haereses omnes.
Prax. : Aduersus Praxean.
Pud.   : De pudicitia.
Res.   : De resurrectione mortuorum.
Scap. : Ad Scapulam.
Scorp. : Scorpiace.
Spect. : De spectaculis.
Test. : De testimonio animae.
Val.   : Aduersus Valentinianos.
Virg. : De uirginibus uelandis.
Vx.   : Ad uxorem.

TRADUCTIONS DE L'« ADVERSVS VALENTINIANOS [1] »

— *allemande* :

KELLNER K. A. H., ap. *Tertullians sämtliche Schriften*, t. 2, Köln 1882, p. 101-127.

— *anglaises* :

RILEY M. T., *Q. S. Fl. Tertulliani Aduersus Valentinianos*, Text, Translation and Commentary, Diss. Stanford University 1971 (publiée sur demande par University Microfilms, Ann Arbor, Michigan).

ROBERTS A., ap. *The Ante-Nicene Fathers*, t. 3, Grand Rapids (Michigan), 1963, p. 503-520 (Reprint of the Edinburgh Edition, 1870).

— *françaises* :

GENOUDE A. DE, *Œuvres de Tertullien*, t. 3, Chalon-sur-Saône 1852², p. 103-135.

LEHANNEUR L., « Le traité de Tertullien contre les Valentiniens », *Annales de la Fac. Lettres de Caen* 1 (1885), p. 131-174 (trad. partielle).

— *italiennes* :

MARASTONI A., *Q. S. F. Tertulliani Aduersus Valentinianos*, Padova 1971.

MORESCHINI C., *Opere scelte*, Torino 1974, p. 899-940.

— *néerlandaise* :

MEYBOOM H. U., *Oud-Christelijke Geschriften in Nederlandsche vertaling*, t. 42, Leiden 1942, p. 78-111.

ÉTUDES SUR L'« ADVERSVS VALENTINIANOS »

ALÈS A. D', « ' Symbola ' (*Adu. Val.* 12) », *RecSR* 25 (1935), p. 496.

DOELGER F. J., « ' Unserer Taube Hause '. Die Lage des christlichen Kultbaues nach Tertullian », *AC* 2 (1930), p. 41-56.

— « Der Rhetor Philosophus von Karthago und seine Stilübung über den tapferen Mann. Zu Tertullianus, Adu. Valent. 8 », *AC* 5 (1956), p. 272-274.

1. Pour les éditions du traité, cf. *infra*, p. 75.

FREDOUILLE J.-C., « Valentiniana. Quelques améliorations au texte de l'' Aduersus Valentinianos ' », *VChr* 20 (1966), p. 45-79.

NOELDECHEN E., « Das römische Kätzchenhotel und Tertullian nach dem Partherkriege », *Zeitsch. f. wissensch. Theologie* 31 (1888), p. 207-249 ; 343-351.

PFLIGERSDORFFER G., « Zu miscellaneus », *Innsbrucker Beitr. zur Kulturwiss.* 3 (1955), p. 217-220.

QUISPEL G., « De humor van Tertullianus », *NedThT* 2 (1948), p. 280-290.

SCARPAT G., « Due note testuali all' ' Adu. Valentinianos ' di Tertulliano », *Studi in onore di A. Chiari*, Brescia 1973, p. 1197-1205.

ÉTUDES SUR TERTULLIEN

ALÈS A. D', « Tertullien helléniste », *REG* 50 (1937), p. 329-362.

BAKHUIZEN VAN DEN BRINK J. N., « Tradition and Authority in the Early Church », *Studia Patristica* VII, 1 (1966), p. 3-22 (*TU* 92).

BARNES T. D., *Tertullian, A Historical and Literary Study*, Oxford 1971.

BOUGHNER R., *Satire in Tertullian*, Diss. Johns Hopkins University 1975.

BRAUN R., « Tertullien et les poètes latins », *AFLNice* 2 (1967), p. 21-33.

— « Sur trois vers de Lucain : César infirmier à Pharsale ? » *AFL-Nice* 11 (1970), p. 121-130.

— *Deus Christianorum. Recherches sur le vocabulaire doctrinal de Tertullien*, seconde éd. rev. et augm., Paris 1977 (= BRAUN).

BULHART V., « Praefatio : De sermone Tertulliani », *Tertulliani Opera*, CSEL 76, Wien 1957, p. IX-LVI (= BULHART, *Praef.*).

— « Tertullian-Studien », *SAWW* 231 (1957) (= BULHART, *Tert. St.*).

CASTORINA E., *Q. S. F. Tertulliani De spectaculis*, Introduzione, Testo critico, Commento e Traduzione, Firenze 1961 (= CASTORINA).

ENGELBRECHT A., « Lexikalisches und Biblisches aus Tertullian », *WS* 27 (1906), p. 62-74.

— « Neue lexikalische und semasiologische Beiträge aus Tertullian », *WS* 28 (1906), p. 142-159.

EYNDE D. VAN DEN, *Les normes de l'enseignement chrétien dans la littérature patristique des trois premiers siècles*, Louvain 1933.

FREDOUILLE J.-C., *Tertullien et la conversion de la culture antique*, Paris 1972 (= FREDOUILLE).

Geest J. E. L., Van Der, *Le Christ et l'Ancien Testament chez Ter-
   tullien*, Nijmegen 1972.
Hoppe H., *De sermone Tertullianeo quaestiones selectae*, Marburg
   1897.
— *Syntax und Stil des Tertullian*, Leipzig 1903 (= Hoppe, *Synt.*).
— *Beiträge zur Sprache und Kritik Tertullians*, Lund 1922
   (= Hoppe, *Beitr.*).
Hoppenbrouwers H. A. M., *Recherches sur la terminologie du mar-
   tyre de Tertullien à Lactance*, Nijmegen 1961.
Janssen H., *Kultur und Sprache. Zur Geschichte der alten Kirche
   im Spiegel der Sprachentwickelung von Tertullian bis Cyprian*,
   Nijmegen 1938.
Loefstedt E., *Kritische Bemerkungen zu Tertullians Apologeticum*,
   Lund-Leipzig 1918 (= Loefstedt, *Kr. Bemerk.*).
— *Zur Sprache Tertullians*, Lund 1920 (= Loefstedt, *Spr. Tert.*).
Mahé J.-P., *Tertullien, La chair du Christ*. Introduction, texte
   critique, traduction et commentaire, 2 vol., Paris 1975
   (= Mahé, *SC* 216-217).
Michaelides D., *Sacramentum chez Tertullien*, Paris 1970.
Mohrmann C., *Études sur le latin des chrétiens*, 4 vol., Roma 1961-
   1977.
Moingt J., *Théologie trinitaire de Tertullien*, 4 vol., Paris 1966-69
   (= Moingt).
Moreschini C., « Prolegomena ad una futura edizione dell'Aduer-
   sus Marcionem di Tertulliano », *ASNP* 35 (1966), p. 293-308 ;
   36 (1967), p. 93-102 ; 235-244.
Nat P. G. Van Der, *Q. S. F. Tertulliani De Idololatria*. Edited with
   Introduction, Translation and Commentary, Part I, Leiden
   1960.
O'Malley T. P., *Tertullian and the Bible*, Nijmegen 1967.
Otto S., « *Natura* » und « *dispositio* ». *Untersuchung zum Natur-
   begriff und zur Denkform Tertullians*, München 1960.
Pétré H., *L'exemplum chez Tertullien*, Dijon 1940.
Riedinger R., « Seid klug wie die Schlange und einfüllig wie die
   Taube. Der Umkreis des Pysiologos », *Byzantina* 7 (1975),
   p. 11-32.
Roensch H., *Das Neue Testament Tertullian's*, Leipzig 1871.
Schneider A., *Le premier livre Ad Nationes de Tertullien*. Intro-
   duction, Texte, Traduction et Commentaire, Rome 1968
   (= Schneider).
Sider R. D., *Ancient Rhetoric and the Art of Tertullian*, Oxford 1971.
Siniscalco P., *Ricerche sul « De Resurrectione » di Tertulliano*,
   Roma 1966.

SPANNEUT M., *Le stoïcisme des pères de l'Église*, Paris 1969².

STAEGER L., *Das Leben im römischen Afrika im Spiegel der Schriften Tertullians*, Zurich 1973.

TEEUWEN S. W. J., *Sprachlicher Bedeutungswandel bei Tertullian*, Paderborn 1926.

THOERNELL G., *Studia Tertullianea*, I-IV, Uppsala (UUÅ), 1918-1926.

TIBILETTI C., *Q. S. F. Tertulliani De testimonio animae*. Introduzione, testo e commento, Torino 1959 (= TIBILETTI).

VLIET J. VAN DER, *Studia ecclesiastica. Tertullianus* I, Lugduni Batavorum 1891.

WALTZING J. P., *Tertullien, Apologétique*. Commentaire analytique, grammatical et historique, Paris 1931 (= WALTZING).

WASZINK J. H., *Q. S. F. Tertulliani De anima*. Edited with Introduction and Commentary, Amsterdam 1947 (= WASZINK).

WEYMAN C., c. r. des éditions Kroymann, *CSEL* 47, 1906 et *Adu. Praxean*, Tübingen 1907, *Berliner philologische Wochenschrift* 28 (1908), col. 1000-1017.

WOLFSON H. A., *The Philosophy of the Church Fathers*, I, Cambridge (Mass.) 1956.

SOURCES ET TEXTES VALENTINIENS

FOERSTER W., *Gnosis, A Selection of Gnostic Texts*, 2 vol., 1. *Patristic Evidence*, 2. *Coptic and Mandaic Sources* (trad. angl. R. McL. Wilson), Oxford 1972-74.

HARVEY W. W., *Sancti Irenaei... libros quinque adversus haereses*, 2 vol., Cambridge 1857.

KASSER R., MALININE M., PUECH H.-C. et al., *Tractatus Tripartitus. Oratio Pauli Apostoli*, 2 vol., Bern 1973-75.

MALININE M., PUECH H.-C., QUISPEL G., *Euangelium Veritatis*, Zürich 1956.

MALININE M., PUECH H.-C., QUISPEL G., TILL W., *Euangelium Veritatis* (Supplementum), Zürich-Stuttgart 1961.

MALININE M., PUECH H.-C., QUISPEL G. et al., *De resurrectione (Epistula ad Rheginum)*, Zürich-Stuttgart 1963.

— *Epistula Iacobi apocrypha*, Zürich-Stuttgart 1968.

MÉNARD J. E., *L'Évangile de Vérité*. Rétroversion grecque et commentaire, Paris 1962.

— *L'Évangile selon Philippe*. Introduction, texte, traduction, commentaire, Strasbourg 1967.

QUISPEL G., *Ptolémée, Lettre à Flora*, Paris 1949 (*SC* 24).

ROBINSON J. M., *The Nag Hammadi Library in English*, Leiden 1977.

SAGNARD F., *Clément d'Alexandrie, Extraits de Théodote*, Paris 1948 (*SC* 23).

SIMONETTI M., *Testi gnostici cristiani*, Bari 1970.

WENDLAND P., *Hippolytus, Refutatio omnium haeresium*, Leipzig 1916 (*GCS* 26).

ÉTUDES SUR LE VALENTINIANISME

BIANCHI U., *Le Origini dello Gnosticismo*. Colloquio di Messina, 13-18 Aprile 1966, Leiden 1967.

BROX N., *Offenbarung, Gnosis und gnostischer Mythos bei Irenäus von Lyon*, Salzburg-München 1966.

FOERSTER W., *Von Valentin zu Herakleon*, Giessen 1928.

FREND W. H. C., « The Gnostic Sects and the Roman Empire », *JEH* 5 (1954), p. 25-37.

GRANT R. M., *La Gnose et les origines chrétiennes* (trad. Marrou), Paris 1964.

GREEN H. A., « Gnosis and Gnosticism : A Study in Methodology », *Numen* 24 (1977), p. 95-134.

JANSSENS Y., « Héracléon, Commentaire sur l'Évangile selon saint Jean », *Le Muséon* 72 (1959), p. 101-151 ; 277-299.

JONAS H., *The Gnostic Religion*, Boston 1963².

KOSCHORKE K., *Die Polemik der Gnostiker gegen das kirchliche Christentum*, Unter besonderer Berücksichtigung der Nag-Hammadi-Traktates « Apokalypse des Petrus » (*NHC* VII, 3) und « Testimonium Veritatis » (*NHC* IX, 3), Leiden 1978.

— « Die Polemik der Gnostiker gegen das kirchliche Christentum », dans M. KRAUSE, *Gnosis and Gnosticism*, Leiden 1977, p. 43-49.

— « ' Suchen und Finden ' in der Auseinandersetzung zwischen gnostischem und kirchlichem Christentum », *Wort und Dienst* 14 (1977), p. 51-56.

LE BOULLUEC A., « La place de la polémique antignostique dans le Peri Archon », dans *Origeniana*, Bari 1975, p. 47-61.

— « Y-a-t-il des traces de la polémique antignostique d'Irénée dans le Peri Archon d'Origène ? », dans M. KRAUSE, *Gnosis and Gnosticism*, Leiden 1977, p. 138-147.

MACRAE G. W., « The Jewish Background of the Gnostic Sophia Myth », *NT* 12 (1970), p. 86-101.

MUELLER K., « Beiträge zum Verständnis der valentinianischen Gnosis », *NGG* 1920, p. 179-242.

ORBE A., *Estudios Valentinianos, I Hacia la primera teología de la procesión del Verbo*, 2 vol., Roma 1958 ; II *En la aurora de la exegesis del IV Evangelio* (*Ioh. I*, 3), Roma 1955 ; III *La unción del Verbo*, Roma 1961 ; IV *La teologia del Espiritu Santo*, Roma 1966 ; V *Los primeros herejes ante la persecución*, Roma 1956.

— *Cristologia gnóstica. Introducción a la soteriologia de los siglos II y III*, 2 vol., Madrid 1976.

Proceedings of the International Colloquium on Gnosticism (Stockholm, August 20-25 1973), Stockholm 1977.

PUECH H.-C., *En quête de la Gnose*, 2 vol., Paris 1978, I *La Gnose et le temps, et autres essais* ; II *Sur l'Évangile selon Thomas* (recueil d'articles précédemment publiés par l'auteur).

QUISPEL G., *Gnostic Studies*, 2 vol., Stamboul 1973 (recueil d'articles précédemment publiés par l'auteur).

RINGGREN H., « The Gospel of Truth and Valentinian Gnosticism », *STh* 18 (1964), p. 51-65.

ROBINSON J. M., « The Coptic Gnostic Library Today », *NTS* 14 (1967-68), p. 356-401.

RUDOLPH K., *Gnosis und Gnostizismus*, Darmstadt 1975 (recueil d'articles publiés par divers auteurs entre 1853 et 1968).

REYNDERS D. B., « La polémique de saint Irénée. Méthodes et principes », *RecTh* 7 (1935-36), p. 5-27.

SAGNARD F.-M.-M., *La gnose valentinienne et le témoignage de saint Irénée*, Paris 1947.

SIMONETTI M., « ΨΥΧΗ e ΨΥΧΙΚΟΣ nella gnosi valentiniana », *RSLR* 2(1966), p. 1-47.

STANDAERT B., « ' L'Évangile de Vérité ' : critique et lecture », *NTS* 22 (1976), p. 243-275.

— « ' Evangelium Veritatis ' et ' Veritatis Evangelium '. La question du titre et les témoins patristiques », *VChr* 30 (1976), p. 138-150.

STEAD G. C., « The Valentinian Myth of Sophia », *JTS* 20 (1969), p. 75-104.

TARDIEU M., *Trois mythes gnostiques. Adam, Eros et les animaux d'Égypte dans un écrit de Nag Hammadi (II, 5)*, Paris 1974.

— « Le Congrès de Yale sur le Gnosticisme (28-31 mars 1978) », *REAug* 24 (1978), p. 188-209.

WILSON R. McL., *La gnose et le Nouveau Testament* (trad. fr.), Tournai 1969.

— « From Gnosis to Gnosticism », dans *Mél. d'hist. des religions offerts à H.-C. Puech*, Paris 1974, p. 423-429.

WISSE F., « The Nag Hammadi Library and the Heresiologists », *VChr* 25 (1971), p. 205-223.

YAMAUCHI E. M., *Pre-Christian Gnosticism. A Survey of the proposed Evidences*, London 1973.

*
* *

Au moment où s'achève cette édition, c'est pour moi un
agréable devoir d'exprimer ma reconnaissance à ceux qui,
avec obligeance et dévouement, ont mis à ma disposition
leur savoir et leur temps, en particulier : R. Braun, qui
attira le premier mon attention sur l'*Aduersus Valentinianos* et qui, depuis cette époque déjà éloignée, n'a cessé de
s'intéresser à mes travaux et de me faire bénéficier, en
de nombreuses occasions, de sa parfaite connaissance de
l'œuvre de Tertullien ; J. Fontaine, dont les séminaires de
critique textuelle m'ont permis de mettre à l'épreuve hypothèses, conjectures et corrections ; J. Perret, qui avait
accepté de diriger ces recherches initialement destinées à
faire l'objet d'une thèse complémentaire pour le Doctorat
d'État ; P. Petitmengin, remarquablement averti de la
tradition textuelle de Tertullien, qui a toujours répondu à
mes questions avec beaucoup de science et sa réconfortante
amitié ; M. Tardieu, enfin, spécialiste éminent du gnosticisme, dont les observations ont été particulièrement éclai-
rantes. Que tous veuillent bien trouver ici le témoignage
de ma profonde gratitude.

Toulouse, mai 1978.

PLAN DU TRAITÉ

1re Partie : Exorde (chap. I-VI).

2e Partie : Exposé (*Narratio*) de la doctrine de Ptolémée (chap. VII-XXXII).

3. Le genre humain, le Christ de l'Évangile et la « consommation »
   finale (chap. XXIV-XXXII).
   a. Création de l'homme « terrestre » et « psychique » (chap.
      XXIV).
   b. L'homme « spirituel » (chap. XXV).
   c. Constitution du Christ de l'Évangile (chap. XXVI-XXVII).
   d. Instruction du Démiurge (chap. XXVIII).
   e. Les trois races (chap. XXIX).
   f. Morale « psychique » et morale « spirituelle » (chap. XXX).
   g. La « consommation » finale (chap. XXXI-XXXII).

   3e partie : Appendice : quelques variantes doctrinales
   (chap. XXXIII-XXXIX).

CONSPECTVS SIGLORVM

θ	consensus M, P, F, X, R^1.
β	Hirsaugiensis amissus cuius aliquot lectiones Beatus Rhenanus in margine principis editionis indicauit.
M	Montepessulanus H 54, saec. xi.
P	Selestatiensis 88 (Paterniacensis 439), saec. xi.
F	Florentinus Magliabechianus, conv. soppr. I, VI, 10, saec. xv.
X	Luxemburgensis 75, saec. xv.
N	Florentinus Magliabechianus, conv. soppr. I, VI, 9, saec. xv.
V	Vindobonensis 4194 (= Neapolitanus 55), saec. xv.
L	Leidensis latinus 2, saec. xv.
G	Gorziensis amissus quem adhibuit Beatus Rhenanus in tertia editione sua.
D	Diuionensis amissus cuius aliquot lectiones a Pithoeo indicatae sunt.
R	consensus R^1, R^2, R^3.
R^1	Beati Rhenani editio princeps, Basileae 1521.
R^2	Beati Rhenani editio secunda, Basileae 1528.
R^3	Beati Rhenani editio tertia, Basileae 1539.
B	M. Mesnartii editio, Parisiis 1545.
Gel	S. Gelenii editio prior, Basileae 1550.
Pam	I. Pamelii editio, Antuerpiae 1584.
Iun	Pamelii editio cum F. Iunii notis, Franekerae 1597.
Rig	N. Rigaltii editio, Parisiis 1634.
Pr	Ph. Priorii editio, Parisiis 1664.
Sem	J. S. Semler, Halle 1770.
Ob	F. Oberthür, Würzburg 1781.
Oe	F. Oehler, Leipzig 1854.
Kr	E. Kroymann, Wien-Leipzig 1906.
Ma	A. Marastoni, Padova 1971.
Ril	M. Riley, Stanford University 1971.
Lat	conjectures de Lat. Latinius sur l'édition de Pamelius (Romae 1584).
Scaliger	conjectures manuscrites de Scaliger sur un exemplaire de la seconde édition de Pamélius conservé à la Bibliothèque

de Leyde (mentionnées d'après l'apparat critique d'Oehler
et Kroymann).

Engelbrecht   conjectures signalées par A. Engelbrecht à Kroymann
et reproduites dans son apparat critique (cf. *CSEL* 47,
p. xxxiii).

Pfligersdorffer   G. Pfligersdorffer, « Zu miscellaneus », *Innsbrucker
Beitr. zur Kulturwiss.* 3 (1955), p. 217-220.

Braun   R. Braun, *Deus Christianorum*, Paris 1977[2].

Scarpat   G. Scarpat, « Due note testuali all' ' Adv. Valentinianos'
di Tertulliano », *Studi in onore di A. Chiari*, Brescia 1973,
p. 1197-1205.

*
* *

a. c.	ante correctionem
add.	addidit
coni.	coniecit
dist.	distinxit
dubit.	dubitanter
fort.	fortasse
ind.	indicauit
iter.	iterauit
lac. ind.	lacunam indicauit
leg.	legit
mg.	in margine
om.	omisit
p. c.	post correctionem
prop.	proposuit
secl.	seclusit
susp.	suspicatus est
transp.	transposuit
?	lectio dubia
†	locus corruptus
M^1, M^2	prima, secunda manus

TEXTE ET TRADUCTION

ADVERSVS VALENTINIANOS

I.1. Valentiniani, frequentissimum plane collegium inter haereticos, quia plurimum ex apostatis ueritatis et ad fabulas facile est et disciplina non terretur, nihil magis curant quam occultare quod praedicant ; si tamen prae-
5 dicant qui occultant. Custodiae officium conscientiae offucium est. Confusio praedicatur, dum religio adseueratur. Nam et illa Eleusinia, haeresis et ipsa Atticae superstitionis : quod tacent pudor est. 2. Idcirco et aditum prius cruciant, diutius initiant, quam consignant, cum
10 epoptas ante quinquennium instituunt, ut opinionem suspendio cognitionis aedificent atque ita tantam maiestatem exhibere uideantur, quantam praestruxerunt cupiditatem. Sequitur iam silentii officium. 3. Adtente custoditur quod tarde inuenitur. Ceterum tota in adytis
15 diuinitas, tota suspiria epoptarum, totum signaculum linguae, simulacrum membri uirilis reuelatur. Sed naturae uenerandum nomen allegorica dispositio praetendens patrocinio coactae figurae sacrilegium obscurat et conuicium falsis simulacris excusat. Proinde quos nunc
20 destinamus haereticos sanctis nominibus et titulis et

Titulus : INCIPIT ADVERSVS VALENTINIANOS *MP* Incipit liber eiusdem Q. Septimii Florentis Tertulliani aduersus Valentinianos *FX*

I, 5 qui *MPF edd.* : qd' *X* || 6 offucium *Scaliger Kr Ma* : -fic- θ *cett. edd.* || adseueratur θ *edd.* : -seruat- *Iun* || 7 et illa *MFX edd.* : ulla *P*|| 8 aditum θ *edd.* : -turum *Iun* || 9 diutius initiant *secl. Engelbrecht Kr* || quam θ *edd.* : quem *Iun* linguam *Rig Pr* quos *Ma* || 10 epoptas *Rig Pr Oe Kr Ma Ril* : et portas θ *cett. edd.* (-tam *Ob*) || ante om. *F* || 12 uideantur θ *edd.* : -dent- *Scaliger* || quantam *MP edd.* : -tum *FX* || 15 tota *FX edd.* : tot *MPR*[3] *Gel Pam Iun Sem Ob* || suspiria *D edd.* : suspiriae *MPFX* siparia *R*[3] *B Gel Pam Iun* || epoptarum *Scaliger Rig Pr Oe Kr Ma Ril* : portarum θ *cett. edd.* ||

CONTRE LES VALENTINIENS

L'obligation du secret

I. 1. Les valentiniens — l'association d'hérétiques la plus nombreuse, pour la bonne raison que, se recrutant en grande majorité parmi ceux qui ont abjuré la vérité, elle se complaît aux mythes et ne rebute pas par sa discipline, les valentiniens, donc, n'ont pas de plus grand souci que de dissimuler ce qu'ils enseignent, si toutefois c'est enseigner que de dissimuler. L'obligation du silence n'est qu'un déguisement de la conscience. Ce que l'on enseigne est une honte, et l'on affirme que c'est la religion. C'est comme les mystères d'Éleusis, « hérésie » également au sein de la superstition athénienne : ce que l'on ne dit pas, c'est l'ignominie. 2. C'est pourquoi on commence par en rendre l'accès difficile, on prolonge l'initiation avant de procéder à la consécration, en instruisant préalablement les futurs époptes pendant cinq ans : le but est de façonner les croyances en retardant le moment de la connaissance, pour pouvoir donner l'impression de montrer une divinité à la mesure de la convoitise que l'on a suscitée. Vient alors la règle du silence. 3. On garde soigneusement en secret ce que l'on met du temps à découvrir. Mais en réalité, cette divinité toute cachée au fond des sanctuaires, objet de tous les soupirs des époptes, de tout ce sceau imposé sur la langue, elle se révèle n'être qu'une représentation phallique... Mais, alléguant le mot respectable de « nature », l'interprétation allégorique recourt à un symbole arbitraire pour masquer le sacrilège et utilise des représentations dépourvues de toute réalité pour éviter le blâme. De la même façon, les hérétiques auxquels nous nous en prenons maintenant ont forgé les fictions les plus vaines et

18 obscurat *MP edd.* : obserat *X*   -seruat *F* ‖ 19 falsis θ *edd.* : falsi *Rig Sem Ob Oe*

argumentis uerae religionis uanissima atque turpissima
figmenta configurantes, facili*tate* clara ex diuinae copiae
occasione, quia de multis multa succidere est, Eleusinia
Valentiniana fecerunt, lenocinia sancta silentio magno,
25 sola taciturnitate caelestia. 4. Si bona fide quaeras, concreto uultu, suspenso supercilio « altum est » aiunt; si subtiliter temptes, per ambiguitates bilingues communem
fidem adfirmant; si scire te subostendas, negant quicquid
agnoscunt ; si cominus certe*s*, tuam simplicitatem sua
30 caede dispergunt. Ne discipulis quidem propriis ante
committunt quam suos fecerint. Habent artificium quo
prius persuadeant quam edoceant. Veritas autem do-
cendo persuadet, non suadendo docet.

II.1. Ideoque simplices notamur apud illos, ut hoc tantum, non etiam sapientes ; quasi statim deficere cogatur
a simplicitate sapientia, domino utramque iungente :
Estote prudentes ut serpentes et simplices ut columbae [a].
5 Aut si nos propterea insipientes quia simplices, num ergo
et illi propterea non simplices quia sapientes ? Nocen-
tissimi autem qui non simplices, sicut stultissimi qui non
sapientes. 2. Et tamen malim meam partem meliori sumi
uitio, si forte praestat minus sapere quam peius, errare
10 quam fallere. Porro facies dei *s*pecta*tu*r in simplicitate

22 facilitate *ego* : facili θ *cett. edd.* ‖ clara *ego* : claritati θ *R B Gel
Pam Iun Kr* (*qui* † *ind.*) caritati *Rig Pr Sem Ob Oe* (-te *Ril*) cele-
ritate *Pithou Engelbrecht* liberalitate *dubit. prop. Kr* temeritate
Ma alacritate *Scarpat* ‖ 23 succidere *Kr Ma* : -ced- θ *cett. edd.*
(-cid- *uel* -caed- *prop. Rig*) ‖ Eleusinia *Rig Pr Sem Ob Oe Ma Ril* :
-niana θ *cett. edd.* ‖ 24 Valentiniana θ *edd.* : -niani *Rig Pr Oe* ‖ lenocinia θ *edd.* : -o *Kr Ma* ‖ magno θ *edd.* : -a *Kr Ma* ‖ 26 subtiliter
PFX edd. : sub∗∗∗ tiliter *M*ᵖᶜ ‖ 27 ambiguitates *MPX edd.* : -tis *F*
‖ 28 subostendas *FX edd.* : sub ostentas *M*¹ subobstentas *P* subostendis *M*²*D* ‖ 29 agnoscunt *MPF edd.* : ign- *X* ‖ certes, tuam
simplicitatem *susp. R*¹*mg edd.* : certe statuam simplicitatem θ
Sem Ob certes fatuam simplicitatem *Rig Pr* certes fatua simplicitate *Kr* certes astuta simplicitate *Thörnell Ril* ‖ 29-30 sua
caede θ *edd.* : suam caedem *Kr Ril*
II, 2 deficere *susp. R*¹*mg edd.* : -fig- θ *D* ‖ cogatur *susp. R*¹*mg
edd.* : -git- θ *Sem Ob* ‖ 8 malim *MP D edd.* : -um *FX* ‖ meam *MPFX*

les plus infâmes avec les noms, les livres, les doctrines, tous également saints, de la véritable religion, ceci avec l'évidente facilité que donne l'ampleur même de l'Écriture — car il est possible de tailler abondamment dans une matière abondante —, et ils ont créé les Éleusinies valentiniennes, appas sanctifiés par un inviolable silence, divins par le seul mutisme. 4. Si tu les interroges naïvement, ils répondent, le visage fermé et le sourcil en l'air : « c'est un secret » ; si tu les sondes avec adresse, ils usent des ambiguïtés d'un langage à double sens pour affirmer la foi commune ; si tu laisses voir que tu es au courant, ils nient tout ce qu'ils s'aperçoivent que tu sais ; si tu les serres de près, ils désarment ta simplicité en battant en retraite. Ils ne s'ouvrent pas même à leurs propres disciples avant de les avoir gagnés totalement. Ils connaissent l'art de persuader avant d'enseigner. Or la vérité persuade en enseignant, elle n'enseigne pas en persuadant.

Simplicité chrétienne et prudence valentinienne

II. 1. Aussi nous qualifient-ils de simples, et de simples uniquement, sans nous reconnaître aussi la sagesse ; comme si la sagesse était nécessairement dissociée de la simplicité, alors que le Seigneur les rapproche l'une de l'autre : « Soyez prudents comme des serpents et simples comme des colombes [a]. » Ou alors, si nous n'avons pas la sagesse parce que nous avons la simplicité, ne doit-on pas penser qu'ils n'ont pas, eux, la simplicité, parce qu'ils ont la sagesse ? Or si ne pas être sage, c'est être sot, ne pas être simple, c'est être nuisible. 2. Et quant à moi, de ces deux reproches, je préférerais me voir adresser le plus léger, si tant est qu'il soit préférable de savoir moins que de savoir mal, de se tromper plutôt que de tromper. D'ailleurs le

---

Kr Ma Ril : in eam *cett. edd.* (eam *Oe*) || 9 uitio, si forte praestat *ego* : uitio. Si *uel* uitio si forte. Praestat *cett. edd.* || 10 spectatur *Engelbrecht Kr Ma Ril Pr* : expectat θ *R²R³ B Gel Pam Sem Ob* spectat *Lat Iun Rig* expectatur *Oe*

---

a. Matth. 10, 16.

quaerendi, ut docet ipsa Sophia [b], non quidem Valentini,
sed Solomonis. Deinde infantes testimonium Christi
sanguine litauerunt [c]. Pueros uocem qui crucem clamant [d] ? Nec pueri erant nec infantes, id est simplices
15 non erant. 3. Repuerescere nos et apostolus iubet secundum dominum [e], ut malitia infantes per simplicitatem
ita demum sapientes sensibus [f] : simul dedit sapientiae
ordinem de simplicitate manandi. 4. In summa Christum
columba demonstrare solita est [g], serpens uero temp-
20 tare [h] ; illa est a primordio diuinae pacis praeco [i], ille a
primordio diuinae imaginis praedo. Ita facilius simplicitas sola deum et agnoscere poterit et ostendere, pru-
dentia sola concutere potius et prodere.

    III.1. Abscondat itaque se serpens, quantum potest,
totamque prudentiam in latebrarum ambagibus torqueat ;
alte habitet, in caeca detrudat, per amfractus seriem suam
euoluat, tortuose procedat nec semel totus, lucifuga bes-
5 tia. Nostrae columbae etiam domus simplex, in editis

    Test. l. 3-4 : Phoeb. 5, 6 (éd. Durengues, p. 344 ; *PL* 20, 17 A) :
« lucifuga serpens per anfractus euoluens seriem suam tortuoseque
procedens ».

---

    11 quaerendi θ *edd.* : -ntes *Pam Iun Rig Pr* ‖ 12 Solomonis *M¹P
Kr Ma* : Sal- *M²FX cett. edd.* ‖ 12-13 sanguine Christi *X* ‖ 12-15
post Christi *lac. ind. et* sanguine — non erant *secl. Kr* ‖ 15 repuerescere *MPFX Kr Ma* : -ras- *cett. edd.* ‖ iubet θ *edd.* : -ens *Kr* ‖
16 dominum *Iun Pr Kr* : deum θ *cett. edd.* ‖ 17 simul dedit sapientiae
ego Ma Ril : simul dedi in sapientiae *MPX R¹R²Rig Pr Sem Ob Oe*
s. d. in sapientia *F*   simul dedi in (ordinem) *D*   simus diuinae
sapientiae *R³B Gel Pam Iun*   simus semel dedit sapientiae *Kr* ‖
18 manandi θ *D R² Sem Ob Kr Ma Ril* : amando *R³B Gel Pam*   ma-
nando *leg. Iun*   manantis *Rig Pr Oe* ‖ 18-19 columba demonstrare
Christum *Kr* ‖ 20 est *Pr Kr Ma* : et θ *cett. edd.* ‖ ille *MP edd.* : -a
FX ‖ 21 imaginis *MPX edd.* : magnus *F* ‖ 23 concutere — prodere
secl. Kr
    III, 1 abscondat *MPX edd.* : -it *F* ‖ 3 detrudat *MFXD Kr Ma Ril* :
-atur *P cett. edd.* ‖ detrudat per *non dist. Kr* ‖ per amfractus *MPX
edd.* : peream fractus *F* ‖ 4 si *ante* euoluat *add. Kr* ‖ 5 etiam domus
simplex *MFX D Rig Pr Oe Kr Ma Ril* : domus simplex etiam *P cett.
edd.*

visage de Dieu n'est vu que de celui qui le recherche dans
la simplicité, comme l'enseigne la Sagesse [b], non pas celle
de Valentin bien entendu, mais celle de Salomon. Ensuite,
ce sont des nouveau-nés qui ont témoigné pour le Christ
en versant leur sang [c]. Mais pourrais-je appeler des
« enfants » ceux qui ont réclamé la croix [d] ? Non, ce
n'étaient ni des enfants ni des nouveau-nés, c'est-à-dire
qu'ils n'avaient pas la simplicité. 3. L'Apôtre nous invite
aussi, selon le Seigneur, à redevenir des enfants [e] : des
nouveau-nés en méchanceté grâce à la simplicité et des
sages uniquement pour le jugement [f] ; ce faisant, il a
donné à la sagesse un rang qui la fait dépendre de la simplicité. 4. Enfin, c'est habituellement la colombe qui
désigne le Christ [g], mais le serpent qui le tente [h] : elle est,
depuis le commencement, l'annonciateur de la paix de
Dieu [i] ; il est, depuis le commencement, le spoliateur de
l'image de Dieu. Ainsi la simplicité est très capable, toute
seule, de reconnaître et de montrer Dieu ; laissée seule, la
prudence est plutôt encline à le maltraiter et à le trahir.

**La simplicité
est plus forte
que la prudence
et la dissimulation**

III. 1. Que le serpent se cache
donc autant qu'il le peut et qu'il
fasse onduler sa prudence dans
les détours de ses cachettes ;
qu'il vive en secret, qu'il s'en-
fonce dans les endroits sombres, qu'il déroule la chaîne de
ses anneaux en courbes sinueuses, qu'il progresse tor-
tueusement, sans jamais se manifester tout entier à la fois,
comme une bête lucifuge qu'il est ! Au contraire, il n'est
pas jusqu'à la demeure de notre colombe qui ne soit
simple, toujours située sur des lieux élevés et découverts,

b. cf. Sag. 1, 1.
c. cf. Matth. 2, 16.
d. cf. Matth. 27, 22-23 ; Jn 19, 6.
e. cf. Matth. 18, 3.
f. cf. I Cor. 14, 20.
g. cf. Matth. 3, 16 ; Jn. 1, 32.
h. cf. Matth. 4, 1.
i. cf. Gen. 8, 8 s.

semper et apertis et ad lucem. Amat figura spiritus sancti
orientem, Christi figuram. 2. Nihil ueritas erubescit, nisi
solummodo abscondi, quia nec pudebit ullum aures ei
dedere, eum deum recognoscere, quem iam illi natura
10 commisit, quem cotidie in operibus omnibus sentit, hoc
solo minus notum, quod unicum non putauit, quod in
numero nominauit, quod in aliis adorauit. 3. Alioquin a
turba eorum et aliam frequentiam suadere, a domestico
principatu ad incognitum transmouere, a manifesto ad
15 occultum retorquere de limine fidem offendere est. Iam
si et in totam fabulam initietur, nonne tale aliquid *re-*
*cor*dabitur *se* in infantia inter somni difficultates a nutri-
cula audisse, « Lamiae turres » et « Pectines Solis » ?
4. Sed qui ex alia conscientia uenerit fidei, si statim inue-
20 niat tot nomina aeonum, tot coniugia, tot genimina, tot
exitus, tot euentus, felicitates infelicitates dispersae
atque concisae diuinitatis, dubitabitne ibidem pronuntiare has esse fabulas et genealogias indeterminatas,
quas apostoli spiritus [a], his iam tunc pullulantibus semini-
25 bus haereticis, damnare praeuenit ? 5. Merito itaque non
simplices, merito tantummodo prudentes, qui talia neque
facile producunt neque exerte defendunt, sed nec omnes
quos edocent perdocent ; utique astute, ut pudenda,
ceterum inhumane, si honesta. Et tamen simplices nos
30 omnia scimus. Denique hunc primum cuneum congressionis armauimus detectorem et designatorem totius

---

6 figura *Rig Pr Oe Kr Ma Ril* : -am θ *cett. edd.* ‖ 8 abscondi θ
edd. : -it *R² Pam* ‖ 11 quam *ante* quod¹ *add. FX* ‖ putauit
MPX edd. : -ant *F* ‖ 13 et aliam θ *edd.* : ad aliam *dubit. prop.*
Kr ‖ 14 transmouere θ *edd.* : -moue *D* ‖ 15 limine θ *edd.* : lum- *D* ‖
fidem *MFX* β *D edd* : om. *P R Pam Sem Ob* ‖ offendere *MPX edd.* :
ostend- *F* ‖ 16 et si *D* ‖ recordabitur se *Engelbrecht Kr Ril* : dabitur te θ *cett. edd.* ‖ 19 alia θ *edd.* : aliqua *Kr* ‖ fidei *MPX edd.* :
filii *F* ‖ 20 genimina *M*ᴾᶜ *G edd.* : gemi- *M*ᵃᶜ *PFX R¹ Sem* germi-
susp.*R¹mg R²* ‖ 21 felicitates *M G edd.* : -tis *PFX R¹R²* ‖ infelicitates
MFX edd. : -tis *P* ‖ 22 dubitabitne θ *edd.* : -biturne *Sem Ob* ‖ 29
inhumane θ *edd.* : -nae *D* ‖ 30 omnia scimus *M¹FX* β *G edd.* :
omnes sumus *P R¹R² Sem Ob* ‖ 31 armauimus θ *edd.* : -bi- *Kr*

tournés vers la lumière. La figure de l'Esprit-Saint aime l'Orient, lui-même figure du Christ. 2. La vérité ne rougit de rien, sinon de n'être pas révélée ; pas un homme en effet ne saurait avoir honte de lui prêter une oreille favorable, d'avoir une pleine connaissance de ce Dieu que la nature lui a déjà confié, qu'il perçoit chaque jour dans toutes ses œuvres, mal connu pour la seule raison qu'il ne l'a pas cru unique, qu'il a donné son nom à profusion, qu'il l'a adoré en d'autres que lui. 3. Mais, au demeurant, abandonner la foule de ces dieux pour faire croire à une autre multitude, écarter une prééminence familière au profit d'une autre, inconnue, détourner de ce qui est manifeste vers ce qui est obscur, c'est dès le début blesser la foi. Et aussitôt initié à tout ce mythe, ne se rappellera-t-on pas que l'on a entendu, de la bouche de sa nourrice, quelque chose de comparable, quand petit enfant on avait du mal à s'endormir, par exemple « Les Tours de Lamia » ou encore « Les Peignes du Soleil » ? 4. Mais que vienne à se présenter un meilleur connaisseur de la foi : en découvrant tous ces noms d'éons, toutes ces unions, toutes ces générations, toutes ces souffrances, toutes ces aventures, joies et infortunes d'une divinité divisée et mise en pièces, hésitera-t-il à déclarer sur le champ que ce sont là les fables et les généalogies à n'en plus finir que l'esprit de l'Apôtre [a] est le premier à avoir condamné, alors que les germes de l'hérésie commençaient déjà de se développer ? 5. Il est donc vrai qu'ils ne sont pas simples, il est vrai qu'ils sont seulement prudents, ceux qui se gardent bien tout à la fois d'exposer sans précaution de pareilles fables et de les défendre ouvertement, mais qui, en plus, n'enseignent pas jusqu'au bout ceux qu'ils enseignent : c'est habile, bien sûr, puisqu'il s'agit de choses honteuses, mais ce serait un procédé malhonnête s'il s'agissait de choses recommandables. Et pourtant nous les simples, nous savons tout cela. Aussi bien avons-nous armé notre première formation de combat qui dévoilera et révèlera leur

a. cf. I Tim. 1, 4 ; Tite 3, 9.

conscientiae illorum, primamque hanc uictoriam auspicamur, quia quod tanto impendio absconditur, etiam
solummodo demonstrare destruere est.

IV.1. Nouimus, inquam, optime originem quoque ipsorum et scimus cur Valentinianos appellemus, licet non
esse uideantur. Abscesserunt enim a conditore, sed minime origo deletur, et si forte mutatur : testatio est ipsa
5 mutatio. Sperauerat episcopatum Valentinus, quia et
ingenio poterat et eloquio, sed alium ex martyrii praerogatiua loci potitum indignatus de ecclesia authenticae
regulae abrupit, ut solent animi pro prioratu exciti prae-
sumptione ultionis accendi. 2. Ad expugnandam conuersus
10 ueritatem et cuiusdam ueteris opinionis semen nactus,
Colorbaso uiam delineauit. Eam postmodum Ptolemaeus
intrauit, nominibus et numeris aeonum distinctis in per-
sonales substantias, sed extra deum determinatas, quas
Valentinus in ipsa summa diuinitatis ut sensus et affectus,
15 motus incluserat. Deduxit et Heracleon inde tramites
quosdam et Secundus et magus Marcus. 3. Multum circa
imagines legis Theotimus operatus est. Ita nusquam iam
Valentinus, et tamen Valentiniani, qui per Valentinum.
Solus ad hodiernum Antiochiae Axionicus memoriam
20 Valentini integra custodia regularum eius consolatur.
Alioquin tantum se huic haeresi suadere permissum est,
quantum lupae [feminae] fomam cotidie supparare sollemne est. 4. Quidni, cum spiritale illud semen suum sic

IV, 1 nouimus *MP edd.* : -uissimus *FX* || 4 est *MPF edd.* : et *X*
|| 5 sperauerat *edd.* : separa- *MPFX* || 7 authenticae *P edd.* : auten-
ticae *M*pc autentice *FX* || 10-11 semen nactus Colorbaso *Lat*
(Colar- *Rig Pr*) : semini nactus colubroso θ *R²* *Sem Ob*   semini actu
colubroso *R³B Gel Pam*   seminia nactus Colorbaso *Iun*   semitam
nactus astu colubroso *Oe*   semen nactus colubro suo *Kr Ma*
semini inactus *Bulhart*   semitam nactus Colorbaso *Ril* || 11 deli-
neauit *MP Iun Oe Kr Ma Ril* : -na- *F* -nia- *X cett. edd.* || Ptolemaeus
R B Gel Oe : tholo- *MP*   ptholo- *FX*   Ptolo- *cett. edd.* || 12 personales
substantias *edd.* : personale substantia *MP D* *R¹R²* personali
substantia *FX* || 15 et *ante* motus *add. Rig Pr Sem Ob Kr* ||

doctrine tout entière, et nous inaugurons notre premier
triomphe, car ce que l'on s'efforce de cacher avec tant de
soin, il suffit de l'exposer pour l'abattre.

**Histoire et caractère
de la doctrine
valentinienne**

IV. 1. Oui, nous connaissons
bien même leur origine et nous savons pourquoi nous leur donnons
le nom de valentiniens, quoiqu'ils
paraissent ne pas le mériter. Ils se sont en effet éloignés de
leur fondateur, mais les origines ne sont pas abolies même
par des mutations postérieures ; une mutation est, en soi,
une attestation. Valentin avait espéré l'épiscopat : son
talent et son éloquence lui avaient valu du prestige ; mais
c'est un autre qui obtint le siège épiscopal, grâce à l'avantage qu'il tirait de son martyre : Valentin en fut indigné et
rompit avec l'église de la doctrine authentique, attitude
fréquente chez les esprits préoccupés de tenir le premier
rang et qu'enflamme la perspective de se venger. **2.** Il
tourna ses armes contre la Vérité, trouva les germes d'une
ancienne théorie et traça la voie à Colorbasus. Ensuite
Ptolémée l'emprunta : il distingua nominalement et numé-
riquement les éons, en les considérant comme des substances personnelles, mais situées en dehors de Dieu, alors
que Valentin les avait incluses dans la totalité même de la
divinité, au titre de pensées, de sentiments et d'émotions.
Héracléon traça à partir de là de nouveaux chemins, de
même que Secundus et Marc le Mage. **3.** Théotime s'inté-
ressa beaucoup aux images de la Loi. Ainsi, désormais,
plus de Valentin, mais des valentiniens, avatars de Valentin ! Seul aujourd'hui Axionicus, à Antioche, console la
mémoire de Valentin en maintenant strictement ses
dogmes. D'ailleurs, notre hérésie ne dispose d'autres
moyens de séduction que ceux d'une prostituée, habituée
chaque jour à se refaire une beauté. **4.** Et pourquoi pas,

Heracleon *MPX edd.* : herrodeon *F* || 20 regularum *edd.* : regular
MP R^1R^2 regulare *FX*β *Sem Ob* || eius *MP* β *edd.* : uis *FX* || conso-
latur *FX* β *edd.* : -sul- *MP* R^1R^2 || 22 feminae *seclusi* || supparare
edd. : supera- θ R^2 *Sem Ob* || 23 quidni cum *edd.* : quid iniquum θ *D* R^2

in unoquoque recenseant ? Si aliquid noui adstruxerint,
25 reuelationem statim appellant praesumptionem et charisma ingenium, nec unitatem sed diuersitatem. Ideoque
prospicimus, seposita illa sollemni dissimulatione sua,
plerosque diuidi quibusdam articulis, etiam bona fide
dicturos « hoc ita non est » et « hoc aliter accipio » et
30 « hoc non agnosco ». Varietate enim innouatur regularum
facies ; habet etiam colores ignorantiarum.

V.1. Mihi autem cum archetypis erit limes principalium magistrorum, non cum adfectatis ducibus passiuorum discipulorum. Nec utique dicemur ipsi nobis
finxisse materias, quas tot iam uiri sanctitate et prae-
5 stantia insignes, nec solum nostri antecessores sed
ipsorum haeresiarcharum contemporales, instructissimis
uoluminibus et prodiderunt et retuderunt, ut Iustinus,
philosophus et martyr, ut Miltiades, ecclesiarum sophista,
ut Irenaeus, omnium doctrinarum curiosissimus explora-
10 tor, ut Proculus noster, uirginis senectae et Christianae eloquentiae dignitas, quos in omni opere fidei quemadmodum
in isto optauerim adsequi. 2. Aut si in totum haereses non
sunt, ut qui eas pellunt finxisse credantur, mentietur
apostolus [a], praedicator illarum. Porro si sunt, non aliae
15 erunt quam quae retractantur. Nemo tam otiosus fertur,
stilo ut materias habens fingat.

24 recenseant *MPX edd.* : -at *F* ‖ 26 *post* unitatem *lac. ind. Kr
Ma* ‖ 27 illa θ *edd.* : illos *Kr* ‖ 28 de *ante* quibusdam *add. Oe Kr Ma* ‖
30 innouatur θ *edd.* : -ta *Kr* ‖ 31 facies *MPX edd.* : -as *F* ‖ facies
habet *non dist. Kr* ‖ ignorantiarum θ *edd.* : ignorantia earum
Scaliger Iun ignorantiae eorum *Engelbrecht*
V, 3 utique *Kr* : undi- θ *cett. edd.* ‖ 6 instructissimis *MPF edd.* :
-mi *X* ‖ 7 retuderunt *MP edd.* : -tul- *FX* ‖ 8 Miltiades *edd.* : mili-
tiades *MP*   militia de *FX* ‖ 9 ut Irenaeus omnium *MFX edd.* : et
omnium ireneus *P* ‖ 10 noster *Scaliger Iun Rig Pr Sem Ob Oe Kr
Ma Ril* : -trae θ *cett. edd.* ‖ 12 totum haereses *MP edd.* : tota heresi
FX ‖ 13 finxisse *P²edd.* : fix- *MFX* ‖ 15-16 fertur, stilo *dist. Pr Sem
Ob Engelbrecht Kr Ma Ril*

puisqu'ils estiment qu'il y a en chacun d'eux cette semence spirituelle qui leur est propre ? Ont-ils conçu quelque trouvaille, ils se hâtent de donner le nom de révélation à leur divagation, celui de charisme à leur invention mensongère, gage non pas d'unité mais de divergence. Au reste, nous le voyons bien, quand ils laissent de côté leur manière à eux de dissimuler systématiquement, la plupart sont divisés sur certains points, allant jusqu'à dire naïvement : « ce n'est pas comme cela », « je comprends autrement » ou encore : « je ne reconnais pas ceci ». La diversité renouvelle en effet le visage de leurs dogmes : il prend même les couleurs de l'ignorance...

Les sources de Tertullien

V. 1. Mais pour ma part, je limiterai la discussion à la doctrine primitive de leurs principaux penseurs, sans tenir compte de soi-disant maîtres de quelques disciples dispersés. En tout cas, qu'on ne dise pas que nous avons inventé pour notre plaisir un système que tant d'hommes remarquables par leur sainteté et leur autorité, nos prédécesseurs mais aussi les contemporains des hérésiarques eux-mêmes, ont déjà, dans des ouvrages très documentés, exposé et réfuté, comme Justin, philosophe et martyr, comme Miltiade, le sage de nos églises, comme Irénée, le connaisseur le plus curieux de toutes ces doctrines, comme notre Proculus, exemple éminent de chaste vieillesse et d'éloquence chrétienne : je souhaiterais les égaler dans toutes les œuvres de la foi aussi bien que dans celle-ci ! 2. Ou bien alors, si les hérésies n'ont pas d'existence véritable, à telle enseigne que ceux qui les combattent doivent être soupçonnés de les avoir inventées, il faut taxer l'Apôtre de mensonge, lui qui les annonce [a]. Mais si elles existent, elles existent bel et bien telles que nous les discutons. Qui aurait en effet assez de loisir pour inventer la matière de son livre, alors qu'il l'a sous la main ?

a. cf. I Cor. 11, 19.

VI.1. Igitur hoc libello, quo demonstrationem solum praemittentes *sumus il*lius arcani, ne quem ex nominibus tam peregrinis et coactis et compactis et ambiguis caligo suffundat, quomodo eis usuri sumus, prius demandabo.
5 Quorundam enim de Graeco interpretatio non occurrit ad expeditam proinde nominis formam, quorundam nec de sexu genera conueniunt, quorundam usitatior in Graeco notitia est. 2. Itaque plurimum Graec*a* ponemus ; significantiae per paginarum limites aderunt, nec Latinis
10 quidem deerunt Graeca, sed in lineis desuper notabuntur, ut signum hoc sit personalium nominum propter ambigui- tates eorum, quae cum alia significatione communicant.

Quamquam autem distulerim congr*e*ssionem, solam interim professus narrationem, sicubi tamen indignitas
15 meruerit suggillari, non erit delibatione trans*f*unc- toria expugnatio. Congressionis lusionem deputa, lector, ante pugnam ; ostendam sed non imprima*m* uulnera. 3. Si et ridebitur alicubi, materiis ipsis satisfiet. Multa sic digna sunt reuinci, ne grauitate adornentur. Vanitati
20 proprie festiuitas cedit. Congruit et ueritati ridere, quia laetans, de aemulis suis ludere, quia secura est. Curandum plane ne risus eius rideatur, si fuerit indignus ; ceterum ubicumque dignus risus, officium est. Denique hoc modo incipiam.

VI, 1 quo θ *edd.* : quoque *Engelbrecht*   qua *Ma* || 2 praemittentes θ *R² Sem Ob Kr Ma Ril* : promittimus *cett. edd.* || sumus illius *Kr* : solius θ *R² Sem Ob*   totius *Engelbrecht*   illius *cett. edd.* || arcani ne *edd.* : archani ne *MP*   archamie *F*   archine *X* || 4 eis *edd.* : eius *MPFX* || sumus *MFX Kr Ma Ril* : sim- *P cett. edd.* || 8 Graeca *susp. R² mg Iun Rig Pr Sem Ob Oe Ma Ril* (in Graeca *susp. R¹ mg*) : -o θ *cett. edd.* || 9 limites *Mᴘᶜ P edd.* : milites *FX* || 12 quae *MPFX edd.* : qui *G R¹R² Sem Ob* || 13 congressionem *edd.* : -gestion- θ *D R²* || 14 tamen *om. F* || 15 delibatione θ *edd.* : -ni *Kr* || transfunc- toria *R³B Gel Pam Kr* : transpunct- θ *cett. edd.* (-punctatoria *Ril*) || 16 congressionis θ *edd.* : -ni *Rig Pr* || 17 ante θ *D edd.* : haud *R³B Gel* || imprimam *edd.* : inprimo *Mᴘᶜ G*   inprima *PFX*   in prima

**Problèmes
de traduction
et dessein
de l'ouvrage**

VI. 1. Nous allons donc nous con-
tenter, avec cet opuscule, de mettre
sous les yeux cette doctrine mystérieuse ; mais pour que l'on ne soit pas
perdu dans l'obscurité créée par des
vocables aussi étrangers, arbitraires, artificiels, ambigus,
je commencerai par dire comment nous les emploierons.
En effet certains termes grecs ne peuvent être rendus par
un équivalent nominal courant ; pour d'autres, le genre
grammatical ne correspond pas ; pour d'autres enfin, la
notion qu'ils expriment est plus usuelle en grec. **2.** Aussi
dans la plupart des cas mettrons-nous les mots grecs ;
leur sens sera indiqué dans les marges ; mais quand nous
recourrons aux termes latins, l'original grec ne sera pas
non plus omis ; il sera noté au-dessus, entre les lignes : ce
sera le moyen de reconnaître les noms propres, étant donné
les équivoques créées par ces mots susceptibles de prendre
une autre acception.

J'ai délibérément écarté une lutte ouverte en annonçant un simple exposé ; mais si au passage l'indignité
mérite d'être prise à partie, ce ne sera pas une attaque
conduite d'une main légère. Imagine, lecteur, un simu-
lacre d'engagement avant le vrai combat ; j'indiquerai
les coups, sans les enfoncer. **3.** Si l'on rit parfois, c'est le
sujet lui-même qui le méritera. Bien des idées doivent
être combattues de cette façon : le sérieux les valoriserait.
L'enjouement convient spécialement à ce qui est frivole.
La vérité peut rire, car elle est heureuse ; elle peut se
moquer de ses rivales, car elle ne craint rien. Attention
sans doute à ce que son rire ne soit pas ridicule en perdant
de sa dignité ; mais partout où il ne contrevient pas à la
dignité, le rire est un devoir. Je vais donc commencer.

R^1R^2 || 18 ridebitur *MPX edd.* : redeb- *F* || ipsis *om. FX* || 19 sic digna
sunt *MFX D Kr Ma Ril* : sunt sic dignare *P*   sunt sic digna *cett.
edd.* || reuinci *MFX edd.* : uinci *P* || adornentur *Iun ego Ril* : -nent
(*an* -nentur ?) *X*   adorentur *M^{pc}PF RB Gel Pam Rig Pr Sem Ob
Oe*   adonerentur *Kr Ma* || 21 quia *secl. Kr* || 23 hoc *MP edd.* : hic *FX*

VII.1. Primus omnium Ennius poeta Romanus « caenacula maxima caeli » [a] simpliciter pronuntiauit, elati
situs nomine uel quia Iouem illic epulantem legerat apud
Homerum. Sed haeretici quantas supernitates super-
5 nitatum et quantas sublimitates sublimitatum in habitaculum dei sui cuiusque suspenderint extulerint expan-
derint, mirum est. 2. Etiam creatori nostro Enniana
caenacula in aedicularum disposita sint forma : aliis
atque aliis pergulis superstructis et unicuique deo per
10 totidem scalas distributis, quot haereses fuerint, meritorium factus est mundus. 3. Insulam Feliculam credas
tanta tabulata caelorum. Nescio ubi illic etiam Valentinianorum deus ad summas tegulas habitat. Hunc
substantialiter quidem Αἰῶνα Τέλειον appellant, per-
15 sonaliter uero Προπάτορα et Προαρχήν, etiam Bython,
quod in sublimibus habitanti minime congruebat. Innatum inmensum infinitum inuisibilem aeternumque
definiunt ; quasi statim probent esse, si talem definiant
qualem scimus esse debere, (4.) ut sic et ante omnia
20 fuisse dicatur. 4. Sed ut sit expostulo, nec aliud magis
in huiusmodi denoto, quam quod post omnia inueniuntur
qui ante omnia fuisse dicuntur, et quidem non sua. Sit
itaque Bythos iste infinitis retro aeuis in maxima et

VII, 1 Ennius *secl. Kr.* || 2 elati θ *edd.* : de lati *Rig Pr*   e lati *Sem
Ob* || 3 legerat *FX edd.* : -gar- *MP* || 4 supernitates *Mmg edd.* : *om.
PFX* || 5 habitaculum *PFX edd.* : habiculum *M* || 6 dei *edd.* : de
MPFX || sui *om. X* || 8 disposita *FX edd.* : depos- *MP* || sint *MP R¹R²
Ma Ril* : *om. FX*   sunt *cett. edd.* || 10 quot *X edd.* : quod (?) *MP*
quod *F* || haereses *MPX edd.* : -is *F* || meritorium *MP edd.* : -rum *FX*
|| 11 Feliculam *MFX* β *edd.* : *om. P R¹R² Sem Ob* || 12 caelorum.
Nescio ubi *dist. Kr* : caelorum nescio ubi *cett. edd.* (nescio ubi *om.
Rig Pr*) || etiam *MP edd.* : enim *FX Pam Iun Rig* || Valentinia-
norum *MP edd.* : ualentianorum *FX* || 14 Αἰῶνα Τέλειον *MPX edd.*
Alronate Aeion *F* || 15 προπάτορα et προαρχήν *Kr Ma Ril* : προαρκω
et πραρχχην *MP*   τιροαρχο e npappxxhneti *F*   *om. X*   προάρχημ
et τὴν ἀρχήμ (uel-ν) *RB Iun Sem Ob Oe*   προαρχω et τω αρχω *Pam
Rig Pr* || Bython *edd.* : bythion *M P R B Gel Sem Ob*   Ambythion
F   om. X || 18 talem *MFX edd.* : tamen *P* || 19 debere esse *X* || ut
sic et *M edd.* : Sic et *PFX Sem Ob Kr Ril*   Sic ut et *G* || 20 < non > ut

L'Ogdoade   **VII. 1.** Le premier poète romain, Ennius, s'était contenté de parler des « immenses salles du ciel [a] », soit qu'il voulût désigner un endroit élevé, soit parce qu'il avait lu dans Homère que Jupiter y festoyait. En revanche, que d'élévations surélevées d'élévations, que de hauteurs rehaussées de hauteurs les hérétiques n'ont-ils pas dressées en l'air, érigées, étalées, pour fournir un gîte à chacune de leur divinité, c'en est étonnant ! **2.** Admettons que ce soit notre créateur qui ait aménagé en petits appartements les salles dont parle Ennius : il reste qu'avec toutes ces constructions superposées les unes sur les autres, auxquelles chaque divinité accède par autant d'escaliers qu'il y aurait d'hérésies, le monde est devenu un immeuble de location ! **3.** Tous ces étages dans le ciel, on croirait l'immeuble de Féliclès. C'est même là-haut — où exactement ? je ne sais pas — que loge le Dieu des valentiniens, sous les dernières tuiles. Quand ils considèrent sa substance, ils l'appellent Éon Parfait, et quand ils considèrent sa personne, Propator, Proarchè et même Bythos, ce qui pour quelqu'un habitant dans les hauteurs convient très mal. Ils le définissent comme incréé, immense, infini, invisible et éternel ; comme si c'était fournir la preuve immédiate qu'il l'est vraiment, que de le définir tel que nous savons qu'il doit être, **(4.)** à savoir : réputé posséder ces qualités et exister antérieurement à toutes choses. **4.** Mais ce que j'exige, c'est qu'il soit réellement tel, et ce que je reproche à ces dieux, c'est que, bien que découverts après toutes choses, ils sont réputés antérieurs à toutes choses, sans compter que ces choses leur sont étrangères. Mais admettons que ce Bythos existe depuis l'infini des âges, livré à

---

ante dicatur *Kr* ‖ 22 ante *om. FX* ‖ sua. Sit *edd.* : suase θ *D R²* sua. Sedet *Kr* ‖ 23 Bythos *edd.* : bytthios *M* bythios *P* bittios *FX* ‖ iste *MPX edd.* : istos *F* ‖ aeuis *MP edd.* : eius *FX*

---

a. Enn. *An.* frg. 57 W.

VII, l. 13-17 cf. Irén. I, 1, 1.
    l. 23-36 cf. Irén. I, 1, 1.

   altissima quiete, in otio plurimo placidae et, ut ita
25 dixerim, stupentis diuinitatis, qualem iussit Epicurus.
   5. Et tamen quem solum uolunt, dant ei secundam in
   ipso et cum ipso personam, Ennoian, quam et Charin et
   Sigen insuper nominant. Et forte accidit in illa commen-
   datissima quiete mouere eum de proferendo tandem initio
30 rerum a semetipso. Hoc uice seminis in Sige sua uelut in
   genitalibus uuluae locis collocat. Suscipit illa statim et
   praegnans efficitur et parit, utique silentio, Sige, et Nus
   est quem parit simillimum patri et parem per omnia.
   6. Denique solus hic capere sufficit inmensam illam et
35 incomprehensibilem magnitudinem patris. Ita et ipse
   pater dicitur et initium omnium et proprie Monogenes.
   Atquin non proprie, siquidem non solus agnoscitur.
   Nam cum illo processit et femina, cui Veritas <nomen>.
   Monogenes, quia prior genitus, quanto congruentius
40 Protogenes uocaretur ! Ergo Bythos et Sige, Nus et
   Veritas prima quadriga defenditur Valentinianae factionis, matrix et origo cunctorum. Namque ibidem Nus,
   simul accepit prolationis suae officium, emittit et ipse
   ex semetipso Sermonem et Vitam. 7. Quae si retro non
45 erat, utique nec in Bytho. Et quale est, ut in deo uita
   non fuerit ? Sed et haec soboles, ad initium uniuersitatis
   et formationem pleromatis totius emissa, facit fructum :
   Hominem et Ecclesiam procreat. 8. Habes ogdoadem,

   25 stupentis $M^{DC}P$ edd. : -tibus FX ‖ 27 Ennoian (uel -noeam)
   edd. : et notam θ R^2 R^3B Gel   Ennonian Ril ‖ Charin MPX edd. :
   carni F ‖ 28 accidit ego : -cedunt θ edd.   -cedit Kr Ma ‖ 29 mouere
   θ edd. : mon- Lat Iun Rig Pr Oe Kr Ma ‖ 30 hoc MP edd. : hac
   FX ‖ in Sige sua Kr Ma Ril : insigne suae M insigne sue PFX in
   Sigae suae R B Gel Pam Rig Oe   in Sigae sua Iun   in Siges suae
   Pr Sem Ob ‖ uelut in θ edd. : ueluti Rig Pr Oe ‖ 32 Sige FX edd. :
   -en MP D R^1 ‖ hoc est Silentium post Sige susp. R^1mg R^2mg ‖ 32-
   33 Nus est quem parit simillimum ego : quem parit Nus est simillimum θ edd. (quem parit ? Nus est simillimum dist. Kr Ma Ril) ‖ 37
   non[1] om. FX ‖ agnoscitur θ edd. : -nas- Lat Iun Rig Pr Oe Kr Ma ‖
   38 nomen add. Iun Oe Kr Ma Ril ‖ 39-40 Monogenes — uocaretur
   secl. Kr ‖ 40 Bythos edd. : -thios θ R^2R^3 B Gel Sem Ob ‖ 42 matrix
   MPX edd. : martir F ‖ 43 simul accepit θ edd. : simulac cepit

un repos total et inaltérable, jouissant de l'oisiveté illi-
mitée propre à la divinité paisible et, pour ainsi dire,
engourdie, que voulait Épicure. 5. Pourtant, lui qu'ils
prétendent solitaire, se voit doté, par eux, d'une seconde
personne, en lui et avec lui, Ennoïa, également appelée
Charis et Sigè. Et tandis qu'il profitait de son très agréable
repos, voilà que par hasard il s'agite à l'idée d'émettre
enfin, de lui-même, le principe des choses. Cette émission,
telle une semence, il la dépose dans sa chère Sigè comme
dans l'organe utérin de la conception. Elle la recueille
aussitôt, conçoit et enfante, en silence bien sûr, elle,
Sigè ! Et c'est Noûs qu'elle enfante, exactement semblable
au Père et son égal, absolument. 6. C'est pourquoi il est
seul capable d'embrasser l'immense et incompréhensible
grandeur du Père. Aussi l'appelle-ton également « père »,
« principe de toutes choses », et, de son nom propre, Monogène. Pourtant ce n'est pas le mot propre, puisqu'il n'est
pas seul à être reconnu. En effet, est venue avec lui une
femme, nommée Vérité. Monogène étant né le premier,
comme il aurait été plus juste de l'appeler Protogène !
Donc Bythos et Sigè, Noûs et Vérité, tel est le premier
quadrige de la faction valentinienne que l'on défend,
principe et origine de tout ce qui existe. De fait, à peine
Noûs eut-il connu la fonction de sa prolation qu'il émet
à son tour de lui-même Verbe et Vie. 7. Mais si Vie n'existait pas auparavant, naturellement elle n'existait pas
non plus en Bythos. Et comment peut-il se faire que Dieu
n'ait pas possédé la vie ? Toujours est-il que ces deux
rejetons, émis pour être le principe de l'ensemble des éons
et pour former le Plérôme tout entier, fructifient à leur
tour : ils procréent Homme et Église. 8. Tu as l'Ogdoade,

R^2R^3B *Gel Iun* || prolationis *MPX edd.* : probat- *F* || ipse *PFX*
edd. : -o *M* || 44 ex *MPX edd.* : a *F* || 45 Bytho *edd.* : -thion θ   -thio
R^2R^3B *Gel* || quale *MPX edd.* : -em *F* || in deo uita *edd.* : inde obita
θ *D R²* || 46 soboles *FX edd.* : sub- *MP* || 47 formationem *Grabe*
Oe Kr : formam *Iun*   formati θ *cett. edd.* || 48 procreat *MP edd.* :
-ata *FX*

VII, l. 40-48 cf. Irén. I, 1, 1.

tetradem duplicem, ex coniugationibus masculorum et
50 feminarum, cellas, ut ita dixerim, primordialium aeonum,
fraterna conubia Valentinianorum deorum, census omn*is*
sanctitatis et maiestatis haereticae, nescio criminum an
numinum turbam, certe fontem reliquae fecunditatis.

VIII.1. Ecce enim secunda tetras, Sermo et Vita,
Homo et Ecclesia, quod in patris gloriam fruticasset huic
numero, gestientes et ipsi tale quid patri de suo offerre,
alios ebulliunt fetus, proinde coniuga*les* per copulam
5 utriusque naturae. *H*ac Sermo et Vita decuriam aeonum
simul fundunt, illac Homo et Ecclesia duos amplius,
aequiperando parentibus, quia et ipsi duo cum illis decem
tot efficiunt, quot ipsi procreauerunt. 2. Reddo nunc
nomina, quos decuriam dixi : Bythios et M*i*xis, <Agera-
10 tos et Henosis, Autophyes> et Hedone, Acinetos et
Syncrasis, Monogenes et Macaria. Contra duodenarius
numerus hi erunt : Paracletus et Pistis, Patricos et Elpis,
Metricos et Agape, Ae*inus* et Synesis, Ecclesiasticus et
Macariotes, T*h*eletus et Sophia. Cogor hic, quid ista
15 nomina desiderent, proferre de pari exemplo. 3. In sc*h*olis
Karthaginiensibus fuit quidam frigidissimus rhetor Latinus, Pho*s*phorus nomine. Cum uirum fortem peroraret,
« uenio » inquit « ad uos, optimi ciues, de proelio cum
uictoria mea, cum felicitate uestra, ampliatus gloriosus.

---

49 tetradem *MP edd.* : -trardem *FX* ‖ coniugationibus *MPFX
G edd.* : coniunctioni- *R¹R²Sem Ob* ‖ 51 omnis *Rig Pr Kr Ma Ril* :
-es θ *cett. edd.* ‖ 52 haereticae *MPF edd.* : -a *X*

VIII, 2 fruticasset *MP edd.* : fructific- *FX* ‖ huic θ *edd.* : hinc
R³ Gel Pam Iun Rig Pr ‖ 4 proinde *MP edd.* : deinde *FX* ‖ coniugales (*uel* -eis) *edd.* : -is θ *D* ‖ 5 hac *edd.* : ac θ *D R² Sem Ob* ‖ 7 aequiperando *Kr Ma Ril* : -par- θ *cett. edd.* ‖ 8 quot *FX edd.* : quod *MP* ‖
9 Bythios *VL edd.* : Bithios *P* Bothos *M* Bythos *FX Pam Sem
Ob* ‖ Mixis *edd.* : maxis *MPX* maris *F D* ‖ 9-10 Ageratos — Auto-
phyes *om.* θ *DR² Sem Ob* ‖ 10 Hedone Acinetos *edd.* : hedoneta cinetos
*M*ᴾᶜ hedonea cinetos *P* hedonea conctos *FX* ‖ 12 hi *MP edd.* :
hii *X om. F* ‖ erunt *MPX edd.* : habuerunt *F* ‖ Pistis *MP edd.* : piscis
FX ‖ Elpis *edd.* : hel- *MPFX* ‖ 13 Aeinus *Kr Ma Ril* : aenos θ
R²R³B Gel Sem Ob Ainus *cett. edd.* ‖ Synesis *PFX edd.* : sinhesis
M ‖ 14 Theletus (Tel- *R³B Gel) edd.* : et eletus θ *R²* et electus *F*

double Tétrade, issue de l'union de mâles et de femelles,
réserve, pour ainsi dire, d'éons primordiaux, ménages
fraternels de dieux valentiniens, origine de toute sainteté
et de toute majesté hérétiques, ramassis de culpabilités
ou de divinités, je ne sais, en tout cas source de fécondité
à venir.

Achèvement du Plérôme   **VIII. 1.** Voici qu'en effet la seconde Tétrade, Verbe et Vie, Homme
et Église, ayant fructifié jusqu'à ce
nombre à la gloire du Père, désire à son tour offrir au Père
quelque chose de semblable issu d'elle-même : elle fait
jaillir d'autres rejetons, également unis par couples formés de l'un et l'autre sexe. D'un côté, Verbe et Vie répandent en même temps une décurie d'éons ; de l'autre,
Homme et Église en répandent deux de plus, pour égaler
leurs parents, puisque ces deux éons ajoutés aux dix constituent une famille aussi nombreuse que celle qu'a mise
au monde leurs parents. **2.** J'indique maintenant les noms
de ceux que j'ai nommés la décurie : Bythios et Mixis,
Agératos et Hénosis, Autophyès et Hédonè, Acinétos et
Syncrasis, Monogène et Macaria. A côté, voici la dou-
zaine : Paraclet et Pistis, Patricos et Elpis, Metricos et
Agapè, Aeinus et Synésis, Ecclesiasticus et Macariotès,
Thélétus et Sophia. Ici, pour donner une idée des réactions
qu'appellent ces noms, je suis obligé de citer un précédent
comparable... **3.** Il y avait dans les écoles de Carthage un
rhéteur latin, nommé Phosphorus, l'homme le plus in-
sipide qui soit. Un jour qu'il faisait parler un héros :
« J'arrive du combat, dit-il, devant vous, chers conci-
toyens, avec ma victoire, votre félicité, grandi, glorieux,
heureux, important, triomphant. » Et les étudiants de

---

15 in scholis *edd.* : iniscis *MPX R B Gel Sem Ob* (in scholis *susp.*
$\mathit{?}^1$mg R^3mg *B Gel*)   nus olis F ‖ 16 Karthaginiensibus *MPF edd.* :
ginens- *X R²R³ B Gel* ‖ fuit *MPF edd.* : pfuit *X* ‖ quidam *MPX
dd.* : -dem *F* ‖ frigidissimus M^{ac} *Rig Pr Oe Kr Ma Ril* : rig- *PFX
ett. edd.* ‖ 17 Phosphorus *susp.* R^1mg *edd.* : phorph- *MPDR¹R²* pho-
hortis *FX* ‖ 18 uenio *MPX edd.* : nemo *F* ‖ optimi *MPF edd.* : -e*X*

VIII, l. 1-14 cf. Irén. I, 1, 2.

Contre les Valentiniens, I.   7

20 fortunatus maximus triumphalis ». Et scholastici statim
familiae Phosphori « φεῦ » acclamant. 4. Audisti Fortunatam et Hedonem et Acinetum et Theletum : acclama
familiae Ptolemaei « φεῦ ». Hoc erit pleroma illud arcanum, diuinitatis tricenariae plenitudo. Videamus quae
25 sint istorum priuilegia numerorum, quaternarii et octonarii et duodenarii. 5. Interim in tricenario fecunditas tota
deficit — castrata est uis et potestas et libido genitalis
aeonum — quasi non et numerorum tanta adhuc coagula
superessent et nulla alia de paedagogio nomina. Quare
30 enim non et quinquaginta et centum procreantur ?
Quare non et Sterceiae et Syntrophi nominantur ?

   IX.1. Sed et hoc exceptio personarum est, quod solus
ille Nus ex omnibus inmensi patris fruitur notione, gaudens et exultans, illis utique maerentibus. Plane Nus, [et]
quantum in ipso fuit, et uoluerat et temptauerat ceteris
5 quoque communicare quae norat, quantus et quam
incomprehensibilis pater. Sed intercessit mater Sige,
illa scilicet quae et ipsis haereticis suis tacere praescribit,
etsi de patris nutu aiunt factum, uolentis omnes in desiderium sui accendi. 2. Itaque dum macerantur intra
10 semetipsos, dum tacita cupidine cognoscendi patrem
uruntur, paene scelus factum est. Namque ex illis duodecim aeonibus, quos Homo et Ecclesia ediderant, nouissima natu aeon — uiderit soloecismus, Sophia enim nomen

   20 scholastici *P edd.* : -is *MFX* ‖ 21 Phosphori φεῦ *edd.* : phos-
phorifae *M Sem Ob* phorphorifae *P R¹R²* phosphorife *F* phos-
phorie *X* Phosphori ςοῦ *R³* Phosphori Pheu *Rig Pr* phospho-
ricae *susp. R¹mg* ‖ acclamant *om. MFX D Rig Pr* ‖ Fortunatan
MPX edd. : -um *F Sem Ob* ‖ 22 Theletum (Tel- *R³B Gel*) *edd.*
teletum *M*pᶜ heletum *P* hael- *FX R¹R²* ‖ acclama *P edd.* : a-
clama *MFX* clamat *D* ‖ 23 Ptolemaei (*uel* -lom-) *edd.* : thlomeifa-
MPFX Ptolemaeifae *R¹R²Sem Ob* Ptolemaeicae *susp. R¹m*
Ptolemaei *R³* Ptolomaei Pheu *Rig Pr* ‖ 25-26 et denarii pos
octonarii *add. Iun Kr* ‖ 31 Sterceiae θ *edd.* : hercitae *Rig* sterco-
lae *Pr* hetaeri *Oe*

s'exclamer aussitôt : « Bravo la famille de Phosphorus ! »
4. Tu viens d'entendre nommer Fortunata, Hédonè, Acinétos et Thélétus : exclame-toi : « Bravo la famille de Ptolémée ! » Tel est donc ce Plérôme mystérieux, plénitude
d'une divinité tricénaire. On verra une autre fois le pouvoir que possèdent les nombres quatre, huit et douze !
5. Pour le moment, toute fécondité est stoppée à trente
— les éons ont vu mutilés leur force, leur pouvoir et leur
désir de procréation —, comme s'il n'y avait plus, en
quantité suffisante, de ferment numérique ni d'autres
noms dans les écoles d'esclaves. Pourquoi en effet ne voit-
on pas procréer cinquante ou cent éons ? Pourquoi ne les
nomme-t-on pas Sterceia ou Syntrophus ?

Le mythe de Sophia IX. 1. Mais il y a acception de personnes :
en effet, de tous les éons, Noûs est le seul à
jouir de la connaissance du Père immense ;
et tandis qu'il en ressent une grande joie, qu'il exulte, les
autres, naturellement, sont dans l'affliction. Certes, pour
autant qu'il le pouvait, Noûs avait eu l'intention et la
tentation de faire partager aux autres l'objet de sa connaissance : la grandeur et l'incompréhensibilité du Père.
Mais sa mère Sigè s'y opposa, celle-là même qui enjoint à
ses chers hérétiques de se taire ; d'ailleurs, à les en croire,
cette initiative ne faisait que répondre à la volonté du
Père, qui souhaitait que tous fussent ardemment désireux
de le connaître. 2. Et pendant que le tourment agissait au
fond d'eux-mêmes, pendant que secrètement la passion
de connaître le Père les consumait, un crime a failli avoir
lieu. En effet, parmi les douze éons qu'avaient émis
Homme et Église, l'éon dernière née — tant pis pour le
solécisme, elle s'appelle effectivement Sophia ! —, deve-

IX, 3 et ² *secl. edd, a R² praeter Sem Ob* ‖ 5 norat *MPX edd.* :
notat *F* ‖ 9 sui *MPX edd.* : suis *F* ‖ 10 cupidine *MFX edd.* : -ditate
P ‖ 13 nomen *PFX edd.* : nomene *fort. M¹*   omine *M²D*

IX, l. 1-26 cf. Irén. I, 2, 1-2.

est — incontinentia sui, sine coniugis Phileti societate,
15 prorumpit in patrem inquirere et genus contrahit uitii
quod exorsum quidem fuerat in illis aliis qui circa Nun,
in hunc autem, id est in Sophiam, deriuarat, ut solent
uitia in corpore alibi connata in aliud membrum perniciem suam efflare. 3. Sed enim sub praetexto dilectionis
20 in patrem aemulatio superabat in Nun, solum de patre
gaudentem. Vt uero impossibilia contendens Sophia frustra erat et uincitur difficultate et extenditur adfectione,
modico abfuit prae ui dulcedinis et laboris deuorari et in
reliquam substantiam dissolui ; nec alias quam pereundo
25 cessasset, nisi bono fato in Horon incursasset — quaedam
et huic uis : est fundamentum uniuersitatis <et> illius
extrinsecus custos — quem et Crucem appellant et Ly-
troten et Carpisten. 4. Ita Sophia, periculo exempta et
tarde persuasa <de> declinata inuestigatione patris,
30 conquieuit et totam Animationem (Enthymesin) cum
passione, quae insuper acciderat, exposuit.

X.1. Sed quidam exitum Sophiae et restitutionem
aliter somniauerunt : post inritos conatus et spei deiectionem, deformatam eam pallore, credo, et macie et
incuria, proprie uti quae patrem non minus denegatum

---

14 incontinentia *PFX edd.* : -iae *M D* ‖ sui sine *edd.* : uis ne *fort.*
M¹P   ui ne *M²*   sui ne β   suis ne *FX R¹R² Sem Ob*   June *D*   sue ue
G R³ B Gel ‖ Phileti *G edd.* : filetis *MPFX*   Philetis *R¹R²*   Theleti *Oe Kr Ma Ril* ‖ societate θ *edd.* : satietate *G R³B Gel* ‖ 15 prorumpit *MFX edd.* : -pi *P* ‖ in *om. M* ‖ genus *MPX edd.* : egenus *F* ‖
16 Nun θ *edd.* : nunc *D* ‖ 17 id est *MPFX edd.* : uel *G R¹R²*
Sem Ob ‖ deriuarat *MPX edd.* : -uerat *F* ‖ 18 connata θ *edd.* :
conata *D*   innata *Oe* ‖ perniciem *PFX edd.* : -nec- *M* ‖ 19 praetexto θ *edd.* : -u *D Gel Oe* ‖ 20 superabat *MPF edd.* : supial *X* ‖ 21-
22 frustra erat *Iun Kr Ma Ril* : frustrata erat *Oe*   frustrarat θ *cett.*
edd. ‖ 23 prae ui *MP edd.* : praui *FX* ‖ 24-25 pereundo cessasset *MPX*
edd. : pereum docessasset *F* ‖ 25 fato *edd.* : facto *MPFX* ‖ 26 et *ante*
illius *add. Kr   post* illius *Oe Ma* ‖ 27 et quem θ *R²Sem Ob* ‖ Ly-
troten et *MP edd.* : litro tenet *FX* ‖ 29 de declinata *Kr* : de incli-
nata *MPX R B Gel Ril*   declinata *F cett. edd.* ‖ 30 conquieuit *MPX*
edd. : conqueuit *F* ‖ Animationem (Enthymesin) *Oe Kr Ma* : animationem senthimesi *MP*   a. sinthemesi *F*   a. sinthimesi *X*   a

nue incapable de maîtriser ses sens, abandonne son époux
Philétus et s'élance à la recherche du Père, contractant
ce genre de mal qui avait d'abord apparu chez les autres
éons, autour de Noûs, et qui ensuite s'était transmis à
notre éon, c'est-à-dire Sophia ; de la même façon, nous
voyons fréquemment un mal apparu sur une partie du
corps souffler ses ravages sur un autre membre. 3. Et
de fait, sous couvert de son amour pour le Père, sa
jalousie grandissait à l'encontre de Noûs, lui qui était
seul à pouvoir se réjouir de connaître le Père. Mais à
vouloir, sans aucun résultat, l'impossible, Sophia est
vaincue par la difficulté et s'étend sous l'effet de la passion ; il s'en est même fallu de peu que la violence de son
amour et de sa peine ne l'anéantît et ne la dissolût dans
le reste de la substance ; et elle n'aurait connu le repos
qu'avec la mort, si par bonheur elle ne s'était jetée sur
Horos — il dispose d'une certaine puissance ; il est le
fondement de l'univers du Plérôme, son gardien à l'extérieur —, lequel est aussi nommé Crux, Lytrotès et Carpis-
tès. 4. Désormais à l'abri du danger et convaincue, tardivement, de renoncer à sa recherche du Père, Sophia prit
alors du repos et déposa son Intention (Enthymésis) en
même temps que la passion qui était survenue en plus.

**Autre version
du mythe de Sophia**   X. 1. Mais certains ont imaginé différemment les malheurs de
Sophia et son rétablissement :
après ses efforts inutiles, après ses espérances déçues, elle
était défigurée, je crois, par la pâleur, la maigreur, l'ab-
sence de soin, à juste titre puisque, de n'avoir pas connu le

---

senthymesi *D*   a. Enthymesi *R¹R²* Enthymesin id est animationem *cett. edd.* (*sine* id est *Ril*)
   X, 2 aliter *MPX edd.* : dicit *F* ‖ 3 eam. Pallore — incuria. Proprie
dist. Kr Ma Ril ‖ 4 proprie uti quae *ego* : proprie utique *MX Kr Ma
Ril* proprie ut *F* prope utique *P R¹R²* proprie ubique *D* formae
ut quae *R³B* formae utique *Pam* formae uti quae *cett. edd.*

IX, l. 27-28 cf. Irén. I, 2, 4.
   l. 30-31 cf. Irén. I, 2, 2.
X, l. 1-7 cf. Irén. I, 2, 3.

5 dolebat quam amissum. Dehinc in illo maerore ex semet-
ipsa sola, nulla opera coniugii, concepit et procreat
feminam. Miraris hoc ? Et gallina sortita est de suo
parere ; sed et uultures feminas tantum aiunt. 2. Et
tamen sine masculo mater (2.) [et] metuere postremo ne
10 finis quoque insisteret, haerere de ratione casus, curare
de occultatione. Remedia nusquam. Vbi enim iam tragoediae atque comoediae, a quibus forma mutuaretur
exponendi quod citra pudorem erat natum ? Dum in
malis res est, suspicit, conuertit ad patrem. Sed incassum
15 enisa, ut uires deserebant, in preces succidit. Tota etiam
propinquitas pro ea supplicat, uel maxime Nus — quidni ?
« causa mali tanti »[a] ! Nullus tamen Sophiae exitus
uacuit. 3. Omnes aerumnae eius operantur, siquidem et
illa tunc conflictatio in materiae originem peruenit :
20 ignorantia, pauor, maeror substantiae fiunt. Ibi demum
pater, motus aliquando, quem supra diximus Horon, per
Monogenem Nun, in haec promit in imagine sua, feminam marem, quia de patris sexu ita uariant.

---

   6 concepit θ edd. : -cip- Kr || 7 hoc MFX D Kr Ma Ril : hec
Ppc haec cett. edd. || 8 parere ante aiunt iter. P R B Gel Pam Iun
Oe || aiunt et tamen non dist. Kr Ma || 9 mater θ edd. : -tres Iun
Kr Ma || et secl. Pam Iun Rig Pr || primo quidem contristari pro-
pter inconsummationem generationis post mater add. ex Irenaeo
Pam Rig || ante metuere lac. ind. Kr || 10 et ante haerere add. Oe ||
12 atque MFX D R¹B Pam Oe Kr Ma Ril : et P cett. edd. || mu-
tuaretur P edd. : muta-MFX || 13 citra edd. : circa θ R²R³ B Gel
Sem Ob || 14 suspicit P edd. : suscip- MFX || ad MPF edd. : in X ||
15 ut B Gel Iun Oe Kr Ma Ril : et θ cett. edd. || succidit edd. : -ced-
θ D R² Sem Ob || etiam MPF edd. : enim X || 16 quidni edd. : quid
in θ R² || 18-19 siquidem — peruenit θ edd. : in materiae originem,
si quidem ex illa tunc conflictatione peruenit Kr || 20 pauor edd. :
-rem θ D R²   -re Kr || maeror θ edd. : -re Kr || ibi demum edd. :
ibidem θ G D R²R³ || 21 motus aliquando θ R²Kr Ma Ril : ali-
quando motus G cett. edd. || motus post aliquando iter. Mac PFX
R¹R² || 21-22 quem — Nun θ edd. : per Monogenem Nun quam
supra diximus Horon Pam Iun Rig Pr || 22 Monogenem P edd. :
-genen M -genum F   -gen X || 22-23 feminam marem Oe Kr Ma :

Père, elle souffrait autant que de l'avoir perdu. Puis, tandis qu'elle est accablée de chagrin, elle est devenue enceinte, toute seule, sans son mari, et elle enfante un être de sexe féminin. Tu t'en étonnes ? Mais la poule a bien reçu le pouvoir de pondre sans être cochée, et l'on dit aussi que chez les vautours il n'y a que des femelles. 2. Cependant, d'être devenue mère sans le concours d'un homme, (2.) la voilà qui finit par redouter que la mort aussi ne survienne, qui hésite sur la cause de l'événement, qui prend soin de le cacher. Aucun remède nulle part. Où trouver en effet des tragédies et des comédies susceptibles de fournir un modèle pour exposer un enfant conçu sans que la pudeur fût offensée ? Dans cette douloureuse situation, elle lève son regard, se tourne vers le Père. Mais sa tentative est vaine, car les forces lui manquaient, et elle tombe en prière. Tous ces proches aussi prient pour elle, et surtout Noûs, comment en serait-il autrement ?, « elle, la cause de tant de maux... [a] ». Toutefois les malheurs de Sophia ne furent pas inutiles. 3. Toutes ses souffrances ont une conséquence puisque la douleur qu'elle ressent alors aboutit à l'origine de la matière : l'ignorance, la peur, le chagrin deviennent des substances. Alors seulement, enfin touché de compassion, le Père, par l'intermédiaire de Monogène-Noûs, émet, à cet effet, Horos, dont nous avons parlé plus haut, à son image, mâle et femelle, puisqu'aussi bien les avis changent sur le sexe du Père.

femina marem θ R^2 *Sem Ob Ril*   foeminarent *D*   foeminamare (*uel* fem-) *cett. edd.* || 23 quia de *edd.* : qui aede M^{ac} R^1R^2 qui de M^{pc} *G*   qui aedae *P*   qui aedoe *X*   qui dedae *F*   quia et de *Kr Ma Ril* || sexu ita *edd.* : exuita M^{ac} *PFX*   xuita M^{pc} *D*   uita *G*   ex uita R^1R^2

a. VIRG. *En.* 6, 93 (11, 480).

X, l. 9-11 cf. Irén. I, 2, 3.
   l. 13-20 cf. Irén. I, 2, 3.
   l. 20-34 cf. Irén. I, 2, 4.

　　Adiciunt autem Horon etiam Circumductorem (Meta-
25 gogea) uocari et Horo*theten*. 4. Huius praedicant opera
et repressam ab inlicitis et purgatam a malis et deinceps
confirmatam Sophiam et coniugio restitutam ; et ipsam
quidem in pleromatis censu remansisse, Enthymesin uero
eius et illam adpendicem passione*m* ab Horo rele*gatam* et
30 crucifixam et extra eum factam (5.) — malum, quod
aiunt, foras ! — spiritalem tamen substantiam illam, ut
naturalem quendam impetum aeonis, sed informem et
inspec*i*atam, quatenus nihil adprehendisset, ideoque
fructum infirmum et feminam pronuntiatam.

　　XI.1. Igitur post Enth*y*mesin extorrem et matrem eius
Sophiam coniugi reducem ille iterum Monogenes, ille Nus,
otiosus plane de patris cura atque prospectu solidandis
rebus et pleromati muniendo iamque figendo, ne qua
5 eiusmodi rursus concussio incur*r*eret, nouam excludit
copulationem : Christum et Spiritum Sanctum, turpis-
sim*am* putem duorum masculorum. 2. Aut femina erit
Spiritus Sanctus, et uulneratur a femina masculus ?
M*unus enim* his datur unum : procurare concinnationem
10 aeonum, et ab *eius* officii societate duae scholae protinus,
duae cathedrae, inauguratio quaedam diuidendae doctrinae Valentini. Christi erat inducere aeonas naturam

　　24 Horon *MP edd.* : horo *FX R¹R²* ‖ Circumductorem Metagogea
transposui ‖ Metagogea *edd.* : -gogia θ ‖ id est *post* Metagogea *add.*
R³B Gel Pam Iun Rig Pr Sem Ob Oe ‖ 25 Horotheten *edd.* : horoten
θ *R²* Horothen *D* ‖ 27 confirmatam *FX edd.* : confirmata in
MP D ‖ restitutam *MPX edd.* : refatutam *F* ‖ ipsam *MP edd.* :
ipsa *FX* ‖ 28 censu remansisse *edd.* : censura mansisse θ *D R²R³*
B ‖ 29 adpendicem *FX edd.* : -cen *MP* ‖ passionem *edd.* : -ne θ
D R² ‖ ab Horo *edd.* : abhorrere θ *D R²* ‖ relegatam *edd.* : ligatam
θ *R²* ‖ 30 eum *edd.* : euum *MFX*　aeuum *P R B Gel Iun Rig Sem*
Ob ‖ factam *MPX edd.* : -a *F* ‖ 33 inspeciatam　*Gel Pam Iun Rig*
Pr Oe Kr Ma Ril : inspectatam θ *D cett. edd.* ‖ 34 pronuntiatam
MP edd. : praenuntiatum *F*　praenuntiatam *X*
　　XI, 1 Enthymesin *edd.* : enthimesin *MPFX* ‖ 2 Sophiam *FX edd.* :
-an *MP* ‖ reducem *MPX edd.* : rad- *F* ‖ iterum ille *Kr* ‖ 3 prospectu
edd. : -tus θ *D R²* ‖ 5 eiusmodi *MPX edd.* : huiusmodi *F* ‖ incurreret
susp. R³mg Bmg　Gel Pam Iun Kr Ma : -cuteret θ *cett. edd.* ‖ 6 tur-

Retour au récit précédent du mythe de Sophia

D'autre part, ils ajoutent qu'Horos est encore appelé Guide (Métagogeus) et Horothétès. 4. Ils enseignent que, grâce à lui, Sophia a été détournée de ce qui est illicite, purifiée de ses maux, puis confirmée et rendue à son ménage ; et si elle-même continua d'appartenir au Plérôme, en revanche son Enthymésis, avec la passion qui lui était attachée, fut expulsée par Horos, crucifiée, tenue à l'extérieur du Plérôme (5.) — le mal, comme on dit, à la porte ! —, substance spirituelle toutefois, en tant qu'élan naturel d'un éon, mais encore sans forme ni apparence, puisque Sophia n'avait rien saisi, et, de ce fait, fruit rachitique et déclaré de sexe féminin.

Émission des éons Christ et Esprit-Saint

XI. 1. Donc après le bannissement d'Enthymésis et le retour de sa mère Sophia auprès de son époux, Monogène, encore lui, l'illustre Noûs, sans doute parce qu'il était oisif, se propose, pour répondre au souci et à la prévoyance du Père, de stabiliser la situation, de protéger et d'affermir une bonne fois le Plérôme, afin que semblable agitation ne se reproduise pas, en faisant éclore un nouveau couple, Christ et Esprit-Saint, le plus infâme que je puisse imaginer, formé qu'il est de deux mâles. 2. Ou bien alors c'est qu'Esprit Saint est du sexe féminin, et une femme impose sa loi à un homme ! Ils se voient en effet accorder le même rôle : assurer l'harmonie entre les éons, et cette identité de fonction a provoqué la naissance de deux écoles, de deux enseignements, inauguration en quelque sorte d'une divergence au sein de la doctrine de Valentin. Il appartenait au Christ

---

pissimam *Engelbrecht Kr Ma Ril* : -mum θ *cett. edd.* || 7 putem θ *edd.* : par *Rig Pr Sem* || 9 munus enim *Engelbrecht Kr* (enim *om. Ma*) *Ril* : nomen in θ *D R²*   numen *cett. edd.* || 10 ab eius *edd.* : dabis θ *D R²* || societate *edd.* : -em θ *D R²* || scholae *MP edd.* : scale *FX*

XI, l. 1-6 cf. Irén. I, 2, 5.
    l. 9-17 cf. Irén. I, 2, 5.

coniugiorum — uides quam rem plane — et innati coniectationem et idoneos efficere generandi in se agnitionem
15 patris, quod capere eum non sit neque comprehendere,
non uisu denique, non auditu compotiri eius, nisi per
Monogenem. 3. Et tamen tolerabo quod ita discunt
patrem nosse : ne nos et illud. Magis denotabo doctrinae
peruersitatem, quod docebantur incomprehensibile quidem
20 patris causam esse perpetuitatis ipsorum, comprehensibile
uero eius generationis illorum et formationis esse rationem. Hac enim dispositione illud, opinor, insinuatur,
expedire deum non adprehendi, siquidem inadprehensibile eius perpetuitatis est causa, (4.) adprehensibile
25 autem non perpetuitatis, sed natiuitatis et formationis
egentium perpetuitatis. 4. Filium autem constituunt
adprehensibile patris ; quomodo tamen adprehendatur,
tum prolatus Christus edocuit. Spiritus uero Sancti
propria, ut de doctrinae studio omnes peraequati gra-
30 tiarum actionem prosequi nossent et ueram inducerentur
quietem.

XII.1. Itaque omnes et forma et scientia peraequantur,
facti omnes quod unusquisque ; nemo aliud, quia alteri
omnes. Refunduntur in Nus omnes, in Homines, in
Philetos, aeque feminae in Sigas, in Zoas, in Ecclesias,

---

13 rem *MP^{pc} FX edd.* : plē *P^{ac}* ‖ plane θ *D edd.* : piam *R³B Gel Pam
Iun* ‖ 14 generandi θ *edd.* : reg-*Kr* ‖ 17 Monogenem *P edd.* : monogenen *M*   monogen *FX* ‖ discunt *edd.* : discedunt θ *R²*   *Sem Ob*   dis-
cent *D*   disserunt *Oe* ‖ 18 *ante* ne † *ind. Kr* ‖ nos et θ *D edd.* : nossent
R³B Gel Pam Iun Rig Pr ‖ illud θ *D edd.* : Illam *R³ B Gel Pam Iun
Rig Pr* ‖ doctrinae denctabo *P R Gel Pam Iun Rig Pr Sem Ob* ‖ 19
incomprehensibile *edd.* : -em θ *D* ‖ 20 esse causam *X* ‖ comprehensibile *edd.* : -em θ *D* ‖ 22 insinuatur *MPX edd.* : in sinu autem *F* ‖ 23
expedire *edd.* : experiri θ *D R² Sem Ob* ‖ inadprehensibile *FX edd.* :
-em *MP D* ‖ 24 adprehensibile *edd.* : -em θ *D* ‖ 27 adprehensibile *Engelbrecht Kr Ma Ril* : -em θ *cett. edd.* ‖ quomodo *P edd.* : quoquo
modo *M D*   quo quomodo *FX* ‖ 28 sancti *MPX edd.* : -tam *F* ‖
29 propria θ *edd.* : prouincia *Kr Ma* ‖ ut de *edd.* : unde θ *D R²*
XII, 1 et¹ *om. P R B Gel Pam Iun Rig Sem Ob* ‖ scientia θ *edd.* :
sapientia *Pam* ‖ 2 alteri θ *D edd.* : alter *R³B Gel Pam Iun* ‖ 3 Nus
Pam Iun Rig Pr Oe Kr Ma : Nun θ *cett. edd.* ‖ in Sermones *post* Nus

d'enseigner aux éons la nature de leurs unions — tu vois
un peu l'affaire ! —, de leur donner une idée de l'Incréé,
et de les rendre capables de concevoir en eux la connaissance du Père, à savoir qu'il est impossible de le saisir et
de le comprendre, et donc d'être en mesure de le voir et
de l'entendre autrement que par l'intermédiaire de Monogène. 3. J'accepterai toutefois qu'ils apprennent à connaître le Père de cette façon : assurément c'est aussi notre
cas ! Je m'en prendrai plutôt à l'extravagance d'une doctrine consistant à leur enseigner que l'incompréhensibilité
du Père est la cause de leur perpétuité, tandis que sa compréhensibilité est la raison de leur naissance et de leur
formation. Car un tel système laisse penser, me semble-t-il,
qu'il est avantageux que Dieu ne soit pas saisi, puisque ce
qu'il y a en lui d'insaisissable est cause de perpétuité, (4.)
tandis que ce qui est saisissable est cause non pas de perpétuité, mais de la naissance et de la formation de ce qui
est privé de perpétuité. 4. D'autre part, selon leurs vues,
le Fils représente ce qu'il y a de saisissable dans le Père, et
la façon de le saisir, c'est le Christ proféré alors qui l'enseigna. Quant à Esprit-Saint, il devait égaliser tous les éons
dans leur attachement à la doctrine, leur apprendre à
célébrer l'eucharistie et leur faire connaître le véritable
repos.

**Émission
du Sauveur** XII. 1. Ainsi tous sont égaux en forme
et en connaissance, étant tous devenus
ce qu'est chacun d'entre eux ; aucun n'est
autre chose, car tous sont autrui. Les voilà confondus :
tous sont Noûs, tous sont Homme, tous sont Philétus, de
même pour les éons femelles qui sont tous Sigè, tous Zoè,

add. Pam Iun Rig Pr || in omnes Homines *F*   in omnes in Homines
X || in² *om. G* || 4 Philetos θ *edd.* : Christos *Pam Iun* Teletos *R²mg*
R³mg Bmg The- *Oe Kr Ma Ril* || aeque *MPFX Rig Pr Oe Kr Ma Ril* :
et quae *cett. edd.* || in Sigas *edd.* : in sicas *MPX R¹* inscias *F* in
Alethias *Pam Iun*

————————

XI, l. 19-21 cf. Irén. I, 2, 5.
    l. 26-28 cf. Irén. I, 2, 5.
    l. 28-31 cf. Irén. I, 2, 6.
XII, l. 1-5 cf. Irén. I, 2, 6.

5 in Fortunatas, ut Ouidius « Metamorphosis » suas de-
leuisset, si hodie maiorem cognouisset. 2. Exinde refecti
sunt et constabiliti sunt et in requiem ex ueritate compositi magno cum gaudii fructu hymnis patrem concinunt.
Diffundebatur et ipse laetitia, [et] utique bene cantantibus
10 filiis, nepotibus. Quidni diffunderetur omni iocunditate,
pleromate liberato ? Quis nauclerus non etiam cum
dedecore laetatur ? Videmus cotidie nauticorum lasciuias
gaudiorum. 3. Itaque ut nautae ad symbolam semper
exultant, tale aliquid et aeones : unum iam omnes etiam
15 forma, nedum sententia, conuenientibus ipsis quoque
nouis fratribus et magistris Christo et Spiritu Sancto,
quod optimum atque pulcherrimum unusquisque florebat
conferunt in medium. Vane, opinor. Si enim unum erant
omnes ex supra dicta peraequatione, uacabat symbolae
20 ratio, quae ferme ex uarietatis gratia constat : (4.) unum
omnes bonum conferebant, quod omnes erant ; de modo
forsitan fuerit ratio aut de forma ipsius iam peraequa-
tionis. 4. Igitur ex aere collaticio, quod aiunt, in honorem
et gloriam patris pulcherrimum pleromatis sidus fruc-
25 tumque perfectum compingunt, Iesum. Eum cognominant Soterem et Christum et Sermonem de patritis,
et Omnia iam, ut ex omnium defloratione constructum :
gragulum Aesopi, Pandoram Hesiodi, Acci patinam,

5 Fortunatas θ edd. : Spiritus Pam Iun ‖ Metamorphosis PX
edd. : metar- MF ‖ 6 maiorem θ edd. : -es Kr ‖ 7 compositi MpcP
edd. : -is MacFX ‖ 8 gaudii MPX edd. : gradu F ‖ 9 utique R³B
Gel Pam Iun Rig Pr Oe Kr Ma : et utique θ D cett. edd. ‖ cantantibus θ edd. : cantanbimus D ‖ 10 et post filiis add. R³ B Gel Pam Iun
Rig Pr Oe Kr ‖ iocunditate θ edd. : -ti Kr Ma ‖ 13 symbolam FX
edd. : simbulam MP   symbulam D ‖ 14 aeones MPX edd. : eonos
F ‖ 15 nedum θ edd. : necdum Pam ‖ 16 nouis M² G edd. : nobis
M¹FX   om. P R¹R²Sem Ob ‖ Spiritu MX edd. : -um PF ‖ Sancto
MFX D edd. : om. P G R²R³B Gel Sem Ob ‖ 18 uane MPX edd. :
naue F ‖ 19 symbolae edd. : simbulae MP simbule FX   sym-
bulae D ‖ 20 ante unum lac. ind. Kr ‖ 23 aere FX edd : aerae MP ‖
collaticio (uel -tio) susp. R¹mg R²mg R³mg Bmg Gel Iun Rig Pr
Oe Kr Ma Ril : collocatio MP R B Sem Ob   collacio FX Pam   coll-
catio D   collato susp. etiam R¹mg ‖ 24 et om. MFX ‖ 25

tous Église, tous Fortunata, tant et si bien qu'Ovide eût
détruit ses *Métamorphoses* en en voyant aujourd'hui une
plus grandiose ! 2. Là-dessus, refaits et raffermis, placés
dans le repos véritable, goûtant les fruits d'une grande
joie, ils se mettent à chanter ensemble des hymnes en
l'honneur du Père. Il était lui-même envahi de joie en
entendant bien sûr les beaux chants de ses fils et petits-
fils. Pourquoi n'aurait-il pas été envahi d'un plaisir parfait,
puisque le Plérôme n'avait plus rien à craindre ? Quel
nauclère ne manifeste sa joie jusqu'à l'indécence ? Tous
les jours nous assistons aux débauches des marins en
goguette. 3. Et si un pique-nique fait toujours sauter de
joie des matelots, il en va de même des éons : désormais
identiques en forme, à plus forte raison en pensée, accueil-
lant parmi eux également Christ et Esprit-Saint, leurs
nouveaux frères et maîtres, ils mettent tous en commun
ce par quoi chacun brillait de la meilleure et de la plus
belle façon. Absurde, du moins à mon sens ! Car si à la
suite de l'égalisation mentionnée plus haut ils étaient bien
tous identiques, on ne voit pas la raison d'un pique-nique,
dont l'intérêt réside en général dans sa variété. (4.) Or
ils mettaient en commun l'unique bien qui les constituait
tous. Peut-être était-il justifié par les modalités et la
forme de cette égalisation même. 4. Donc grâce aux coti-
sations, comme on dit, ils assemblent, en l'honneur et à la
gloire du Père, le plus bel astre du Plérôme et son fruit
parfait, Jésus. Ils lui donnent le surnom de Sauveur et les
noms patronymiques de Christ et Verbe, et ils l'appellent
encore Tout, puisqu'il est constitué de ce qu'il y a de meilleur chez tous : c'est le choucas d'Ésope, la Pandore d'Hé-

compingunt *FX edd.* : -pingitur *MP* ‖ Iesum *edd.* : Jciunium
MX Lciunium *P* Jtiunium *F* Ieiunium *R¹R²* ‖ 26 patritis *Sca-
liger Oe Kr Ma Ril* : patruitis θ *cett. edd.* ‖ 27 defloratione *M²P
edd.* : deplo- *M¹FX* ‖ 28 gragulum *MPFX Iun Rig Pr Sem Ob Kr
Ma* : grac- *cett. edd.* ‖ Hesiodi *edd.* : aesiodi *MP*   esidiodi *F*   esiodi
X ‖ Acci θ *edd.* : Arri *P fligersdorffer*

XII, l. 6-8 cf. Irén. I, 2, 6.
    l. 14-18 cf. Irén. I, 2, 6.
    l. 24-27 cf. Irén. I, 2, 6.

Nestoris cocetum, miscellaneam Ptolemaei. 5. Quam
30 propius fuit de aliquibus Osciae scurris Pancapipannirapiam uocari a tam otiosis auctoribus nominum ! Vt
autem tantum sigillarium extrinsecus quoque inornassent, satellites ei angelos proferunt, par genus : si inter
se, potest fieri, si uero Soteri consubstantiuos — ambigue
35 enim positum inueni —, quae erit eminentia eius inter
satellites coaequales ?

XIII.1. Continet hic igitur ordo primam professionem
pariter et nascentium et nubentium et generantium
aeonum, Sophiae ex desiderio patris periculosissimum
casum, Hori oportunissimum auxilium, Enthymeseos
5 et coniunctae passionis expiatum, Christi et Spiritus
Sancti paedagogatum, aeonum tutelarem reformatum,
Soteris pauoninum ornatum, angelorum comparaticium
antistatum. 2. Quod superest, inquis, uos ualete et
plaudite ! Immo quod superest, inquam, uos audite et
10 proicite ! Ceterum haec intra coetum pleromatis decucurrisse dicuntur, prima tragoediae scaena, alia autem
trans siparium coturnatio est, extra pleroma dico. Et

---

29 Nestoris cocetum *FX edd.* : naestorisco cetum *M* nestoris
co cetum *P* ‖ Ptolemaei (*uel* Ptolo-) *edd.* : tholomei *MP* pholomei
phlomei *F* pholomei *X* ‖ quam *MP edd.* : quin *FX* β ‖ 30 aliquibus θ *edd.* : Atticis *R³B Gel Pam* ‖ Osciae scurris *Kr Ma Ril* :
hostiascurris *M* hostias curias *P* hostias curis *FX R¹R²* *Sem*
Ob historiis *R³B Gel Pam Iun* Atticis scurris *Rig* Atticis curis
Pr Oe ‖ *ante* Pancapipannirapiam † *ind.* *R¹mg Kr* ‖ Pancapipannirapiam *MP R¹R² Kr Ril* pancapipan inrapiam *F* pancapipan
nirapiam *X* *Sem Ob* pancapiam et panrapiam *susp.* *R¹mg* Pancarpiam *R³B Gel Pam* pancarpi pancarpiam *Iun* Pancarpon
Rig Pr Pancarpian *Oe* Pancarpi Panniraphiam *Ma* ‖ 32 inornassent θ *edd.* : -narent *Rig Pr* ‖ 34 se potest *MPF edd.* : est
potest (?) *X* ‖ consubstantiuos *edd.* : constantiuos θ *D R²*
XIII, 1 igitur *om.* *F* ‖ primam θ *edd.* : -mus *Kr* ‖ professionem
θ *D R²Kr Ma Ril* : proces- *cett. edd.* ‖ 4 Hori *edd.* : mori θ *D R²* ‖
oportunissimum *MFX edd.* : oportunissi *P* ‖ 5 Christi *edd.* : -to θ ‖
6 aeonum θ *D edd.* : -em *Gel* ‖ 8 inquis *MPX edd.* : iniquis *F* ‖ 10
proicite θ *edd.* : proh dicite *Scaliger* proficite *Oe* explodite *Kr*

siode, le plat d'Accius, la mixture de Nestor, le mélange
de Ptolémée. 5. Comme ces créateurs de noms si prodigues
de leur temps eussent mieux fait d'emprunter le sien aux
bouffons campaniens en l'appelant Pancapipannirapia !
D'autre part, pour donner aussi extérieurement de l'éclat
à une marionnette de cette qualité, les éons émettent à son
intention, à titre de serviteurs, des anges de même race ;
si cela s'entend des anges entre eux, la chose est concevable ; mais s'ils doivent être consubstantiels au Sauveur
— l'exposé en effet n'est pas clair —, quelle sera sa supériorité au milieu de serviteurs qui sont ses pareils ?

**Résumé
des
chapitres précédents
et transition**

XIII. 1. L'exposé précédent
contient donc : pour commencer, leur croyance relative à la
naissance, à l'union et à la procréation des éons ; les malheurs
très graves de Sophia à la suite de son désir de connaître
le Père ; le secours très opportun que lui porta Horos ;
l'expiation d'Enthymésis et de la passion qu'elle avait
avec elle ; l'enseignement dispensé par Christ et Esprit-
Saint ; la transformation tutélaire des éons ; la parure de
paon du Sauveur ; sa prééminence sur des anges qui lui
sont comparables. 2. Pour le reste, dit-on, portez-vous
bien et applaudissez ! Eh bien, non ! pour le reste, dis-je,
écoutez et désapprouvez ! Ces choses se sont déroulées,
nous dit-on, à l'intérieur de l'assemblée du Plérôme, c'est la
première scène de la tragédie ; mais on donne une autre représentation digne du cothurne dans les coulisses, je veux
dire hors du Plérôme. Ce drame a eu lieu sous les yeux du

‖ 11 tragoediae scaena *edd.* : tragoedia aescena *MPF* -a escena *X*
-a oescena *D* ‖ 12 trans siparium *edd.* : transinparium *M* transi-
parium *PFX R¹R²* transimparium *D*

XII, l. 33-34 cf. Irén. I, 2, 6.
XIII, l. 1-8 cf. Irén. I, 3, 1.

tamen exitus sub *ui*su patris, intra ambitum Hori custo-
di*s* : qualis extra iam in libero, ubi deus non erat ?

XIV.1. Namque Enthymesis, siue iam Achamoth, quod
abhinc scripta hoc solo ininterpretabili nomine, ut cum
uitio indiuiduae passionis explosa est in loca luminis
aliena, quod pleromatis res est, in uacuum atque inane
5 illud Epicuri, miserabilis etiam de loco est. Certe nec
forma nec facies ulla [a] : de*f*ectiua scilicet et abortiua
genitura. Dum ita rerum habet, flectitur a superioribus
Christus, deducitur per Horon, aborsum ut illud in-
form*et* de suis uiribus, solius substantiae non etiam
10 scientiae forma. 2. Et tamen cum aliquo peculio relin-
quitur, i*d* erat odor incorruptibilitatis, quo compos casus
sui potiorum desiderio suppararetur. Hac misericordia
functus, non sine Spiritus Sancti societate, recurrit
Christus in pleroma. Vsus est rerum ex liberalitatibus
15 quoque nomina accedere : Enthymesis de actu fuit,
Achamoth unde, adhuc quaeritur, Sophia de matre manat,
Spiritus Sanctus ex angelo. 3. Accipit Christ*i*, a quo
derelicta*m* se statim senserat, desiderium. Itaque prosiluit et ipsa lumen eius inquirere. Quem si omnino non

---

13 hic *ante* exitus *add. Kr Ma Ril* ‖ exitus θ *D R*² *Kr Ma Ril* :
si talis *cett. edd.* ‖ uisu *ego* : sinu θ *edd.* ‖ custodis *edd.* : -des θ *D R*² ‖
14 qualis *MPX edd.* : -les *F* ‖ libero θ *edd.* : -bro *D*
   XIV, 1 Achamoth *MPX edd.* : -moch *F* ‖ 2 scripta *ego Ma Ril* :
-tam *MP R*¹*R*² -tum *F R*³ *B Gel Pam Iun Rig Pr Sem Ob Oe*
-tura *X*   scribam *Kr* ‖ ininterpretabili θ *edd.* : inter- *Iun* ‖ 6 defectiua *edd.* : deuestiua *MPX R*¹*R*² *Sem Ob* deuesciua *X*   deuostina
D de festina *susp. R*¹*mg* intempestiua *Oe* de uexatiua *Kr* di-
uortiua *Ma* ‖ abortiua *edd.* : abhortiua *MPFX* ‖ 7 habet θ *edd.* :
habena *susp. R*¹*mg* ‖ 8 per Horon aborsum *MP edd.* : prohonora-
bor *F* per hornon aborsum *X* ‖ informet *edd.* : -at θ *D* ‖ 10 peculio
MFX edd. : pericul- *P* ‖ 11 id erat *Kr Ma Ril* : iteratur θ *R*²*R*³*B*
Gel Pam Sem Ob Oe iterato (odore) *Iun* interim *Rig Pr* ‖
compos casus *M G edd.* : compos se casus *PFX R*¹*R*² ‖ 12 suppararetur *MP edd.* : superare- *FX* ‖ 16 quaeritur adhuc *FX* ‖ matre θ
edd. : patre *Rig Pr Oe* ‖ 17 accipit θ *edd.* : apud *Rig Pr* ‖ Christi
Pam Iun Oe Kr Ma Ril : -tum θ *cett. edd.* ‖ 18 derelictam *Oe*

Père, à l'intérieur de l'enceinte gardée par Horos : qu'en était-il dans les espaces non surveillés, d'où Dieu était absent ?

Formation d'Achamoth   XIV. 1. Et de fait, Enthy-
selon la substance   mésis, autrement dit Achamoth, puisque dorénavant elle
sera désignée uniquement par ce nom intraduisible, a été
rejetée, avec la passion, son vice inséparable, dans les
lieux étrangers à la lumière, qui est propriété du Plérôme,
dans ces espaces libres et dans ce vide chers à Épicure ;
alors l'endroit ajoute encore à la pitié qu'elle inspire. En
tout cas elle n'a ni forme ni figure [a] : évidemment, c'est
une créature déchue et avortée ! Tandis qu'elle est dans
cet état, le Christ se détourne des espaces supérieurs, il
s'étend sur Horos, afin de former cet avorton de ses
propres forces, en lui donnant la formation selon la substance seulement, et non pas pour l'instant selon la connaissance. 2. Il laisse toutefois Enthymésis avec un petit
pécule, autrement dit une odeur d'incorruptibilité, pour
qu'elle pût prendre conscience de sa détresse et faire naître
en elle le désir des réalités supérieures. Après s'être acquitté
de ce devoir de miséricorde en compagnie d'Esprit-Saint,
le Christ se hâte de revenir au Plérôme. L'usage chez eux
est de se montrer généreux dans l'attribution des noms :
ainsi Enthymésis lui vient de son comportement ; Achamoth, on en cherche encore l'origine ; Sophia provient de
sa mère ; Esprit-Saint, à cause de l'ange. 3. Elle conçoit
le désir du Christ qui, comme elle l'avait aussitôt compris,
l'avait abandonnée. Aussi s'élança-t-elle spontanément à
la recherche de sa lumière. Mais si elle ne le connaissait
pas du tout, puisqu'il avait agi de façon invisible, com-

Kr Ma Ril : -ta θ *cett. edd.* ‖ desiderium *M FX edd.* : desidesuum
P ‖ 19 lumen *MPF edd.* : -mine *X*

---

a. cf. Is. 53, 2-3.

XIV, 1. 1-14 cf. Irén. I, 4, 1.
      l. 16-17 cf. Irén. I, 4, 1.
      l. 18-24 cf. Irén. I, 4, 1.
Contre les Valentiniens, I.   8

20 nouerat, ut inuisibiliter operatum, quomodo lumen
eius ignotum cum ipso requirebat ? Tamen temptauit
et fortasse adprehendisset, si non idem Horos, qui matri
eius tam prospere uenerat, nunc tam importune filiae
occurrisset, ut etiam inclamauerit im eam « Iao ! »,
25 quasi « Porro quirites ! » aut « Fidem Caesaris ! ». 4. Inde
inuenitur Iao in scripturis. Ita depulsa quominus per-
geret nec habens superuolare Crucem, id est Horon, quia
nullum Catulli Laureolum fuerit exercitata, ut destituta,
ut passioni illi suae intricata multiplici atque perplexae,
30 omni genere eius coepit adfligi : maerore, quod non per-
petrasset inceptum, metu, ne sicut luce ita et uita or-
baretur, consternatione, tum ignorantia, nec ut mater
eius — illa enim aeon, at haec pro condicione deterius —,
insurgente adhuc et alio fluctu, conuersionis scilicet in
35 Christum, a quo uiuificata fuerat et in hanc ipsam conuersionem temperata.

   XV.1. Age nunc discant Pythagorici, agnoscant
Stoici, Plato ipse, unde materia, quam innatam uolunt,
et originem et substantiam traxerit in omnem hanc
struem mundi ; quod nec Mercurius ille Trismegistus,
5 magister omnium physicorum, recogitauit. 2. Audisti
conuersionem, genus aliud passionis : ex hac omnis
anima huius mundi dicitur constitisse, etiam ipsius

---

   22 si *MPX edd.* : sed *F* ‖ matri *MP edd.* : -tre *FX* ‖ 23 nunc *MPF
edd.* : nec *X* ‖ 24 occurrisset *MP edd.* : -rasset *F* -rissent *X* ‖ inclamauerit *MPX edd.* : inclinauerit *F* ‖ 28 Catulli *edd.* : catuli θ *R²
Sem Ob* ‖ exercitata *MPX edd.* : exercita *F* ‖ 29 ut *om. Iun Rig
Pr Sem Ob Oe* ‖ intricata *Kellner Kr Ril* : intrichea θ *R²Sem Ob*   in
tricha *R³B Gel Pam*   in trechea *Iun*   in trica *Rig Pr Oe*   instricta
Ma ‖ multiplici *G R³ B Gel Pam Iun Rig Pr Oe Kr Ma Ril* : -cia θ
cett. edd. ‖ atque *om. Pam Iun* ‖ perplexae *Kr Ma Ril* : -a θ *cett.
edd.* ‖ 30 genere *MPF edd.* : -i *X* ‖ 31 metu *edd.* : -um θ *R²* ‖ sicut
edd. : si ut θ *R²* ‖ 32 ad haec (cf. l. 33) *ante* consternatione *transp.
Kr* ‖ 33 scilicet *ante* aeon *add. Iun* ‖ at haec *edd.* : ad haec θ *R²
Ma*   sed *Kr* (cf. l. 32) ‖ 34 scilicet *MFX D Rig Pr Oe Kr Ma Ril* :
om. P cett. edd.
   XV, 2 materia *edd.* : -am θ *R² Sem Ob Ril* ‖ 4 Trismegistus *P*

ment recherchait-elle sa lumière qu'elle ne connaissait pas davantage ? Elle s'y employa néanmoins et l'aurait peut-être saisie si le même Horos qui était déjà accouru avec tant de bonheur auprès de sa mère ne s'était présenté au devant de la fille, mais cette fois avec tant de brutalité qu'il lui cria : « Iao ! », l'équivalent de « Gare, bourgeois ! » ou de « Par César ! ». 4. De là vient que l'on trouve Iao dans leurs écrits. Repoussée et empêchée d'aller plus loin, incapable de voler au-dessus de Crux, c'est-à-dire Horos, car elle n'avait pas appris à tenir le rôle du Lauréolus de Catullus, c'est comme une femme abandonnée, empêtrée dans sa passion composite et compliquée, qu'elle commença à en ressentir tous les effets : le chagrin de n'avoir pas réalisé son dessein, la crainte d'être privée de la vie comme elle l'avait été de la lumière, la consternation, puis l'ignorance et, à la différence de sa mère (qui était en effet un éon, tandis qu'elle est de condition inférieure), un autre trouble grandissant encore en elle, la conversion vers le Christ bien entendu, lui qui l'avait vivifiée et préparée à cette conversion même.

Les éléments du monde   XV. 1. Eh bien ! c'est le moment pour les pythagoriciens d'apprendre, pour les stoïciens et pour Platon lui-même de savoir d'où la matière, qu'ils prétendent incréée, a tiré son origine et sa substance pour aboutir à toute cette construction du monde — une explication à laquelle même Mercure Trismégiste, le maître de tous les physiciens, n'avait pas pensé ! 2. Tu viens d'entendre parler de conversion, qui est un autre genre de passion : c'est à partir d'elle, disent-ils, que toute l'âme du monde a été constituée, et aussi celle du Démiurge, autrement dit notre

---

d. : trimegestus *MX*   -gescus *F* ‖ 7 huius mundi *edd.* : huiusmodi θ
²*R*³ *B Sem* ‖ 7-8 ipsius Demiurgi *MP edd.* : ipsiusdem demiurgi *F* iusdem demiurgi *X*

XIV, 1. 26-27 cf. Irén. I, 4, 1.
    l. 27-36 cf. Irén. I, 4, 1.
XV, 1. 6-12 cf. Irén. I, 4, 2.4.

Demiurgi, id est dei nostri ; audisti maerorem et timorem :
ex his initiata sunt cetera. Nam ex lacrimis eius uniuersa
10 aquarum natura manauit. 3. Hinc aestimandum quem
exitum duxerit, quantis lacrimarum generibus inundauerit. Habuit et salsas, habuit et amaras et dulces et
calidas et frigidas guttas et bituminosas et ferruginantes
et sulphurantes utique et uenenatas, ut et Nonacris inde
15 sudauerit, quae Alexandrum occidit, et Lyncestarum inde
defluxerit, quae ebrios efficit, et Salmacis inde se soluerit,
quae masculos molles. 4. Etiam caelestes imbres pipiauit
Achamoth et nos in cisternis alienos luctus et lacrimas
seruare curamus. Proinde ex consternatione et pauore
20 corporalia elementa ducta sunt. Et tamen in tanta
circumstantia solitudinis, in tanto circumspectu destitutionis ridebat interdum, qua [conspecti] Christi recordans :
eodem gaudii risu lumen effulsit ! 5. Cuius hoc prouidentiae beneficium, quae illam ridere cogebat ? idcirco
25 ne semper nos in tenebris moraremur ! Nec obstupescas
quin laetitia eius tam splendidum elementum radiauerit
mundo, cum maestitia quoque eius tam necessarium
instrumentum defuderit saeculo ? O risum inlumina
torem ! o fletum rigatorem ! Et tamen poterat remedii
30 iam agere cum illius loci horrore. Omnem enim obs

10 hinc *FX Iun Rig Sem Ob Oe Kr Ma Ril* : hic *MP cett. edd.*
11 inundauerit θ *edd.* : -durit *D* ‖ 14 utique *FX edd.* : undi- *M*
G uidi-*D* ‖ uenenatas *edd.* : bene natas *MPFX D* ‖ Nonacris *M*
edd. : non acris *F* non aeris *X* ‖ 15 Lyncestarum *edd.* : lycesia
rum *M* licesiarum *PFX R¹R²* ‖ 16 Salmacis *MP edd.* : -mat
F salinacis *X* ‖ se *om. P* ‖ 17 molles *MFX D Pr Oe Kr Ma Ril*
mollescit *P R¹R² Sem Ob* mollefacit *R³B Gel* molles facit *Pa*
Iun mollit *Rig* ‖ etiam (cf. l. 18) *ante* caelestes *transp. Kr Ma*
caelestes *om. X* ‖ 18 Achamoth et *edd.* : achamothae *M¹ P* Ach
motha et *M² D* achamoth *FX* Achamothe *R B Gel* ‖ nos *M*
edd. : enos *FX* ‖ etiam *ante* alienos θ *edd. praeter Kr Ma* (cf. l. 17)
luctus *M²PX edd.* : -os *M¹F* ‖ 20 corporalia *edd.* : -li θ *R²* ‖ 21 ci
cumspectu *P edd.* : -to *MFX Pam Iun Rig* -septo *Pr* ‖ 22 conspec
seclusi ‖ 23 eodem gaudii risu *ego Ril* : eodem gaudio risu θ *R²R³*

Dieu ; tu viens d'entendre parler de chagrin et de crainte :
c'est d'eux que dérive tout le reste. De fait c'est des larmes
d'Achamoth qu'a coulé l'élément liquide dans son ensemble. 3. Aussi bien peut-on se faire une idée de ses
malheurs par la quantité et la diversité des pleurs qu'elle
a versés ! Elle eut des larmes salées, elle en eut d'amères
et de douces, de chaudes et de froides, et aussi de bitumi-
neuses et de ferrugineuses, de sulfureuses et, bien entendu,
d'empoisonnées, et c'est de ces dernières que proviennent
les eaux que distille Nonacris, qui ont tué Alexandre,
celles que roule le Lynceste, qui enivrent, celles que
répand Salmacis, qui féminisent. 4. Même la pluie qui
tombe du ciel vient des piailleries sanglotantes d'Achamoth, et nous, nous conservons soigneusement dans nos
citernes les larmes de détresse versées par quelqu'un
d'autre... Pareillement, sa consternation et sa peur sont à
l'origine des éléments corporels. Pourtant, malgré les circonstances d'une telle solitude, malgré le spectacle d'un
tel abandon, il lui arrivait de rire, en pensant au Christ :
de ce rire de joie a jailli la lumière. 5. Quel bienfait avait
en vue la providence en incitant Achamoth à rire ? naturellement, que nous ne demeurions pas pour toujours dans
les ténèbres ! Qu'on ne cède pas à l'étonnement ! Pourquoi sa joie ne ferait-elle pas rayonner sur l'univers un
élément aussi resplendissant, quand sa tristesse a répandu
un équipement si indispensable dans le monde ? O rire illuminateur ! ô pleurs irrigateurs ! En tout cas, grâce à ce
remède, la voilà désormais en mesure de lutter contre
l'horreur que lui inspirent ces lieux. Elle aurait dissipé

Gel Pam Sem Ob   eo de gaudio, risus (lumen) *Lat Rig Pr*   eo de
gaudii risu *Iun Oe Kr Ma* ‖ Cuius hoc ? Prouidentiae ? Beneficium
quale ! *dist. Kr* ‖ 24 quae *P R B Gel Sem Ob Ril* : quale *MFX D
cett. edd.* ‖ cogebat *MP D edd.* : -batur *FX* ‖ 26 quin *Scaliger
Kr Ma Ril* : quis θ *RD* [2]   qui *cett. edd.* ‖ 28 defuderit *susp. Rig
Kr Ma* : defuerit θ *R*[2] *Ril*   defluxerit *G cett. edd.*

XV, l. 19-20 cf. Irén. I, 4, 2.

curitatem eius discussi*sse*t, quotiens ridere uoluisset,
uel ne cogeretur desertores suos supplicare.

XVI.1. Conuertitur enim ad preces et ipsa more
materno. Sed Christus, quem iam pigebat extra pleroma
proficisci, uicarium praeficit Paracletum Soterem : hic
erit Iesus, largito ei patre uniuerso*rum* aeonum summam
5 potestatem subiciendis [eis] omnibus, uti in ipso secundum apostolum omnia conderentur [a] ; ad eam emittit
cum officio atque comitatu coaetaneorum angelorum,
credas et cum duodecim fa*s*cibus. 2. Ibidem aduentu
pompatico eius concussa, Achamoth protinus uelamen-
10 tum sibi obduxit e*x* officio primo uenerationis et uerecundiae ; dehinc contemplatur eum fructiferumque suggestum. Quibus inde conceperat uiribus occurrit illi
« Κύριε χαῖρε ». Hic, opinor, susceptam ille confirmat
atque conf*o*rmat agnitione iam et ab omnibus iniuriis
15 passionis expumicat non eadem neglegentia in exterminium discretis quam acciderat in casibus matris.
3. Sed enim exercitata uitia et usu uiriosa confudit atque
ita massaliter solidata defixit seorsum, in materiae *in*-
corporalem paraturam commutans ex incorporali pas-
20 sione, indita habilitate atque natura, qua peruenire mox
posset in aemulas aequiperantias corpulentiarum, ut

---

31 discussisset *Lat Iun Rig Pr Sem Ob Oe Kr Ma Ril* : discussit
sed θ *R²R³ B Gel Pam* discussisset. sed *Scarpat* ‖ 32 *ante* uel *lac.
ind. Kr Ril*
   XVI, 2 rursus *ante* extra *add. Pam Iun Rig* ‖ 3 praeficit θ *edd.* :
-fecit *Pam Rig Pr*   -ficiens *Iun*   -fecti *Kr Ma Ril* ‖ 4 patre *om. P*
‖ uniuersorum *susp. R¹mg edd.* : uniuerso θ ‖ 5 eis *seclusi* ‖ 6 conderentur *edd.* : confoederentur θ *R²R³B Gel Sem Ob* ‖ ad *FX edd.* :
at *MP* ‖ eamque mittit *Iun* ‖ 8 fascibus *edd.* : facibus θ ‖ ibidem
θ *R² Ril* : ibi demum *cett. edd.* ‖ 9-10 sibi uelamentum *FX* ‖ 10
ex *edd.* : et *MPFX D* ‖ 11 contemplatur θ *edd.* : -ta *Iun* ‖ fructiferumque *MX G edd.* : fructiferum *PF R¹R² Sem Ob* ‖ 13 κύριε
χαῖρε *susp.Rmg Bmg Gelmg edd.* : quiriae chaere θ *R²R³B Gel* ‖
hic θ *edd.* : dicens *Kr*   dicens. hic *Ma* ‖ 14 atque *om. P* ‖ confor-
mat *Iun Rig Pr Oe Kr Ma Ril* : -firmat θ *cett. edd.*   *om. P* ‖ iam θ
edd. : eam *Iun* ‖ 15 neglegentia *MPX edd.* : negleriencia *F* ‖ 16 quam
FX Kr Ma Ril : qui *MP*   quae *cett. edd.* ‖ 17 usu uiriosa *MP edd.* :

les ténèbres qui les recouvraient entièrement chaque fois
qu'elle aurait décidé de rire, quand c'eût été pour n'être
pas obligée de supplier ceux qui l'avaient abandonnée...

Formation d'Achamoth selon la gnose

XVI. 1. Ainsi donc, elle se
tourne pour prier, suivant ̦en
cela aussi l'exemple de sa mère.
Mais le Christ, à qui il en coûtait alors de s'avancer
hors du Plérôme, confie cette mission à son suppléant
Paraclet-Sauveur : c'est Jésus, qui a reçu du Père tous les
pouvoirs de l'ensemble des éons pour soumettre toutes les
choses, afin que, selon l'Apôtre, tout fût créé en lui [a]. Il
l'envoie vers Achamoth, avec le cortège et l'escorte des
anges de sa génération et, peut-on penser, avec les douze
faisceaux. 2. Frappée par son arrivée soudaine et en
pompe, Achamoth se hâta de se couvrir d'un voile, se soumettant ainsi d'abord au devoir de respect et de révé-
rence ; puis elle le contemple au milieu des fruits de son
cortège. Et, puisant dans les forces que lui avait données
cette apparition, elle avance au devant de lui, en disant
« Salut, Seigneur ! ». Alors, cette fois, je suppose, il l'accueille, la fortifie, la forme selon la connaissance et la net-
toie de tous les vices de sa passion, mais qu'il n'anéantit
pas purement et simplement comme cela avait été le cas
des fautes de sa mère. 3. Et de fait, parce que ses vices
s'étaient, à l'épreuve, accentués et endurcis, il les fondit
ensemble, en constitua une masse solide, à part, et, de
passion incorporelle qu'ils étaient, il les modifia pour en
faire l'ébauche incorporelle de la matière, qui, une fois
dotée de propriétés et de qualités, allait pouvoir se transformer en corps matériels égaux et rivaux : les substances

---

uisu ossa uiri *F* usu ossa uiri *X*   usu uitiosa *Iun* ‖ 18 massaliter
MPX edd. : mas saltem *F* ‖ 18-19 incorporalem *ego Ril* : corp- θ *cett.*
edd. ‖ 20 indita *MPX edd.* : inclita *F* ‖ habilitate atque natura *Kr
Ma Ril* : -tem a. -am θ *cett. edd.* ‖ 21 posset θ *edd.* : -ent *Kr Ma* ̦

---

a. cf. Col. 1, 16.

XVI, l. 1-23 cf. Irén. I, 4, 5.

duplex substantiarum condicio ordinaretur, de uitiis
pessima, de conuersione passionalis. Haec erit materia,
quae nos commisit cum Hermogene ceterisque qui
25 deum ex materia, non ex nihilo, operatum cuncta
praesumunt.

XVII.1. Abhinc Achamot*h*, expedita tandem de malis
omnibus, ecce iam proficit et in opera maiora frugescit.
Prae gaudio enim tanti ex infelicitate successus concalefacta simulque contemplatione ipsa angelicorum lumi-
5 num, ut ita dixerim, subfermentata — pudet, sed aliter
exprimere non est — quodammodo subs*u*riit intra et ipsa
in illos et conceptu statim intumuit spiritali ad imaginem
ipsam, quam ui laetant*i*s, ex laetitia prurientis intentionis
imbiberat et sibi intimarat. **2.** Peperit denique, et facta
10 est exinde trinitas generum ex trinitate causarum, unum
materiale, quod ex passione, aliud animale, quod ex
conuersione, tertium spiritale, quod ex imaginatione.

XVIII.1. Hac auctoritate trium scilicet liberorum
agendis rebus exercitior facta, formare singula genera
constituit. Sed spiritale quidem non ita potuit attingere,
ut et ipsa spiritalis. Fere enim paria et consubstantiua
5 in alterutrum ualere societas naturae negauit. **2.** Eo
animo s*e* unum ad animale conuertit, prolatis Soteris
disciplinis. Et primum, quod cum magno horrore blasphemiae et pronuntiandum et legendum est et audien-

---

22 de uitiis *edd.* : diuitiis *MPFX* ‖ 23 prima *post* materia *add.*
X ‖ 24 nos *MPX edd.* : nobis *F*
XVII, 1 Achamoth *edd.* : achamota *MPX R B* achamata *F*
Achamotha *Gel* ‖ 4 ipsa *om. FX* ‖ 6 subsuriit *prop. Pr Kr Ma Ril* :
substruit θ *R² Sem Ob* subauit *cett. edd.* ‖ et θ *edd.*: se *Iun Rig Pr* ‖
7 spiritali *MFX edd.* : -tuali *P R B Gel Sem Ob* ‖ 8 quam ui *Kr Ma
Ril* : quam uis θ *D cett. edd.* ‖ laetantis *edd.* : -tes θ *D* ‖ ex laetitia θ
D R² Ma Ril et laetitia *R³B Gel Pam Iun Rig Pr Sem Ob Oe* et
ex laetitia *Kr* ‖ prurientis *MP edd.* : prurigent- *FX* ‖ 12 ex *ante*
spiritale *iter. FX*
XVIII, 3 attingere θ *edd.* : effin- *Lat* ‖ 6 se unum *R²R³B Oe Kr Ma
Ril* : si unum θ *D Sem Ob* manum *Iun* unum *cett. edd.*

furent ainsi disposées en deux catégories, l'une, très mauvaise, issue des vices, l'autre, passible, issue de la conversion. Ce sera la matière, qui nous a mis aux prises avec
Hermogène et tous ceux qui prétendent que Dieu a fabri-
qué toutes choses non pas du néant mais de la matière.

**Enfantement
des spirituels
par Achamoth**   **XVII. 1.** Dès ce moment, enfin délivrée
de tous ses maux, voici qu'Achamoth
progresse et porte des fruits meilleurs.
La joie d'avoir si bien réussi à échapper
au malheur l'a échauffée, tandis que la contemplation des
lumières angéliques l'a fait, pour ainsi dire, fermenter, et
en quelque sorte — j'ai honte de l'écrire, mais je ne puis
faire autrement — elle s'est mise à brûler intérieurement
de désir pour les anges ; aussitôt elle est devenue grosse
d'un fruit spirituel, à cette image même qu'elle avait assi-
milée et intériorisée sous la violence de ses transports de
joie, d'une joie qui provoquait un prurit de désir. **2.** Elle
enfanta donc, et d'une trinité de causes résulta une trinité
de genres ; le premier, matériel, issu de la passion ; le
second, psychique, issu de la conversion ; le troisième,
spirituel, issu de l'imagination.

Le Démiurge   **XVIII. 1.** Rendue plus apte à agir par
l'autorité que lui valaient naturellement
ses trois enfants, elle décida de former un à un chaque
genre. Elle ne put guère atteindre toutefois le spirituel,
dans la mesure où elle était elle-même spirituelle. D'une
manière générale, en effet, des éléments semblables et
consubstantiels ne peuvent rien l'un sur l'autre du fait
même de leur communauté de nature. **2.** Elle pense donc
à se tourner vers le seul psychique, après avoir produit
les enseignements du Sauveur. Et d'abord, mais c'est avec
toute l'horreur que suscite un blasphème qu'il convient
de le dire, de le lire et de l'ouïr, elle façonne Dieu — le

XVII, l. 1-9 cf. Irén. I, 4, 5.
    l. 10-12 cf. Irén. I, 5, 1.
XVIII, l. 1-21 cf. Irén. I, 5, 1.

dum, deum fingit hunc nostrum et omnium praeter
10 haereticorum, Patrem et Demiurgum et Regem uniuersorum quae post illum. Ab illo enim, si tamen ab illo,
et non ab ipsa potius Achamoth, a qua occulto nihil
sentiens eius et uelut sigillario extrinsecus ductu in
omnem operationem mouebatur. 3. Denique ex hac
15 personarum in operibus ambiguitate nomen illi Metropatoris miscuerunt, distinctis appellationibus ceteris
secundum status et situs operum, ut animalium quidem
substantiarum, quas ad dextram commendant, Patrem
nuncupent, materialium uero, quas ad laeuam delegant,
20 Demiurgum nominent, Regem autem communiter in
uniuersitatem.

XIX.1. Sed nec nominum proprietas competit pro-
prietati operum, de quibus nomina, cum deberet illa
haec omnia uocitari, a qua res agebantur ; nisi quod
iam nec ab illa. Cum enim dicant Achamoth in honorem
5 aeonum imagines commentatam, rursus hoc in Soterem
auctorem detorquent, qui per illam sit operatus, ut
ipsam quidem imaginem Patris inuisibilis et incogniti
daret, incognitam scilicet et inuisibilem Demiurgo,
eundem autem Demiurgum Nun filium effingeret, Ar-
10 changeli uero, Demiurgi opus, reliquos aeonas expri-
merent. 2. Cum imagines audio tantas trium, quaero,
non uis nunc ut imagines rideam peruersissimi pictoris

---

9 fingit hunc edd. : fingi adhuc θ R² Sem Ob || nostrum θ edd. :
-trorum Pam Rig || 10 Demiurgum MX edd. : deum Demiurgum P
R¹R² Sem Ob deum iurgum F || et Regem om. P || 11 post susp.
R¹mg edd. : -tea θ D || enim om. D || omnia post enim add. Pam Iun
Rig Pr || 12 ab θ D edd. : in R²R³B Gel || ipsa susp. R¹mg edd. :
-o θ D R²R³B || Achamoth edd. : achamota MPFX -tha D || a qua
edd. : quo MPFX D   a quo R¹R² Gel || 13 sigillario P edd. : sing-
MF R¹R²   singulario X || 15 Metropatoris edd. : -teris MPFX || 17
operum MPX edd. : -rii F || 19 materialium Pam Iun Rig Pr Kr
Ma Ril : -ternarium MPFX   -ternarum R B Gel Sem Ob -teria-
rum Oe || 20 nominent M² edd. : -ant M¹PFX
   XIX, 1 ante proprietati † ind. Kr || 2 nomina MPFX D Kr Ma
Ril : nomina omnia cett. edd. || 3 omnia secl. R¹R² || 4 nec iam X || Acha-

nôtre, et celui de tout le monde, excepté les hérétiques —,
qui est Père, Démiurge et Roi de tout ce qui a été fait
après lui. Tout en effet a été fait par lui, si toutefois c'est
bien par lui, et non pas plutôt par Achamoth, qui, en
cachette, sans qu'il s'en aperçût, le dirigeait dans toute
son œuvre créatrice, comme une marionnette que l'on
fait se mouvoir à distance. 3. Ainsi, vu l'ambiguïté qui
affecte l'auteur véritable de la création, ils lui ont forgé
le nom composé de Métropator ; pour ses autres appellations, ils les distinguent selon la nature et la situation de
ses œuvres : ainsi, ils l'appellent Père des substances
psychiques, qu'ils placent à droite ; ils le nomment Démiurge des substances matérielles, qu'ils mettent à
gauche ; enfin Roi, de façon générale, de l'ensemble.

**Réflexions ironiques
de Tertullien sur
la notion d'« images »**

XIX. 1. Mais il n'y a même
pas accord entre la spécificité des
noms et la spécificité des œuvres,
d'où en principe sont tirés les
noms ; c'est elle en effet qui aurait dû être appelée tout
cela, puisqu'elle était l'auteur des choses — à moins
qu'elle ne le fût pas non plus ! En effet, tout en disant
qu'Achamoth a préparé des images des éons en leur
honneur, ils en reportent la réalisation sur le Sauveur, car
il a opéré par son intermédiaire : d'une part, il fit d'Achamoth elle-même l'image du Père invisible et inconnu,
image naturellement inconnue et invisible pour le Démiurge ; d'autre part, il façonna ce même Démiurge
comme Noûs, le fils, tandis que les archanges, œuvre du
Démiurge, représentaient le reste des éons. 2. Quand j'en-
tends parler de ces trois séries d'images, je te le demande,
ne veux-tu pas que je me moque des images de leur

---

moth *MPX edd.* : achmot *F* ‖ 5 *ante* imagines *lac. ind. Kr* ‖ 7 incogniti *MP edd.* : -tus *F*   -tis *X* ‖ 8 daret *edd.* : -ent θ *R²⁴⁄₅* ‖ scilicet
edd. : licet θ *D R² Kr Ma Ril* ‖ inuisibilem *edd.* : -lis θ¹R² ‖ 9 effingeret
MP edd. : -re *FX*   -rent *R¹R²* ‖ 10 aeonas *MPX edd.* : aemias *F* ‖
11-12 quaero — pictoris *post* dominorum (cf. l. 16) *transp. Kr*

XIX, l. 4-11 cf. Irén. I, 5, 1.

illorum ? feminam *A*chamoth, imaginem patris, et ignarum matris Demiurgum, multo magis patris, imaginem
15 <Nu> non ignorantis patrem, et angelos famulos,
simulacra dominorum ! Hoc est mulum de asino pingere
et Ptolemaeum describere de Valentino.

XX.1. Igitur Demiurgus, extra pleromatis limites
constitutus, in ignominiosa aeterni exilii uastitate nouam
prouinciam condidit, hunc mundum, repurgata confusione
et distincta diuersitate duplic*i*s substantiae illius detrusae
5 animalium et materia*l*i*u*m. Ex incorporalibus corpora
aedificat, grauia leuia, sublimantia atque uergentia,
caelestia atque terrena. *T*um ipsam caelorum septem-
plicem scaenam solio desuper suo finit. 2. Vnde et Sabbatum dictum est ab hebdomade sedis suae, *u*t Ogdoada
10 mater *A*chamoth ab argumento ogdoadis primigenitalis.
Caelos autem νοερούς deputant et interdum angelos
eos faciunt, sicut et ipsum Demiurgum, sicut et Paradisum archangelum quartum, quoniam et hunc supra
caelum tertium pangunt, ex cuius uirtute sumpserit
15 Adam, deuersatus illic inter nubeculas et arbusculas.
3. Satis meminerat Ptolemaeus puerilium dicibulorum,
in mari poma nasci et in arbore pisces ; sic et in caelestibus
nuceta praesumpsit. Operatur Demiurgus ignorans et

13 feminam *MP G edd.* : -a *FX R¹R²* ‖ Achamoth *edd.* : chamoth
PM D R¹R² chamot *FX* ‖ 15 Nu *post* imaginem *add. Kr Ma Ril* ‖
non θ *R² Kr Ma Ril* : Nu *R³B Gel Pam Iun Sem Ob* Nus *Rig Pr* ‖
17 Ptolemaeum (*uel* -lom-) *L edd.* : tholomeum *MP* phtolo- *FX*
XX, 4 diuersitate *MPX edd.* : -uersite *F* ‖ duplicis *edd.* : dupplici
MP duplici *FX* ‖ detrusae *B Pam Kr Ril* : dest- θ *R²R³ Gel Iun
Sem Ob* de strue *Rig Pr* de struice *coni. Rig* disclusae *Oe* dis-
trusae *Ma* ‖ 5 materialium *Kr Ma Ril* : -riarum θ *cett. edd.* ‖ 7 tum
edd. : cum θ *R² Pam Iun* ‖ 9 dictum θ *D edd.* : -tus *Iun Oe Kr* ‖ est
secl. R³B Gel Pam Iun Rig Pr Oe ‖ ut *Kr* : et θ *cett. edd.* ‖ Ogdoada
PFX edd. : oc- *M* -doas *Pam Rig Pr Sem Ob* ‖ 10 Achamoth *edd.* :
chamoth θ *R²* ‖ primigenitalis θ *D R² Kr Ma Ril* : primigenialis
R³B Gel primogenitalis *Pam Iun Rig Pr Oe* ‖ 11 νοερούς *Engelbrecht Kr Ma Ril* : noeros θ *cett. edd.* ‖ 13 quoniam *MP G edd.* : quam
FX quomodo *R¹R² Sem Ob* ‖ 14 aliquid *post* sumpserit *add. Kr*
‖ 15 nubeculas *FX edd.* : -col- *MP* ‖ arbusculas *MX edd.* : -col- *P*

peintre lamentable ? Achamoth, une femme, image du
Père ; le Démiurge, ignorant sa mère, à plus forte raison
le Père, et qui est l'image de Noûs, qui lui n'ignore pas
le Père ; des anges, ses serviteurs, portraits de leurs
maîtres ! C'est peindre un mulet d'après un âne et dessiner Ptolémée d'après Valentin...

**Création de l'univers
par un Démiurge
« ignorant »**   XX. 1. Établi par conséquent
en dehors des limites du Plé-
rôme, dans la solitude hon-
teuse d'un éternel exil, le Dé-
miurge a fondé une nouvelle province, notre monde,
après avoir purifié et séparé le mélange de ces deux substances opposées qui avaient été expulsées, la substance
psychique et la substance matérielle. D'incorporelles
qu'elles étaient, il en fait des corps : lourds, légers, mon-
tants et tombants, célestes et terrestres. Ensuite, il termine son théâtre à sept cieux en plaçant au sommet son
propre trône. 2. De là vient qu'il a été appelé Sabbat, à
cause des sept étages de sa demeure, de la même façon
que l'on avait nommé Ogdoade sa mère Achamoth, par
référence à l'Ogdoade première créée. Ils estiment d'autre
part que les cieux sont doués d'intelligence et ils en font
parfois des anges, comme aussi du Démiurge lui-même et
comme ils font du Paradis leur quatrième archange, puisqu'ils le placent au-dessus du troisième ciel ; à celui-ci
Adam a d'ailleurs emprunté de sa puissance quand il y a
demeuré, au milieu de beaux petits nuages et de beaux
petits arbres. 3. Ptolémée n'avait pas perdu le souvenir
de ces contes pour enfants, où les fruits naissent dans la
mer et les poissons dans les arbres ; de la même manière,
il a imaginé des terrains plantés de noyers dans les espaces
célestes. Il est vrai que c'est un Démiurge ignorant qui

arbuscula *F* ‖ 16 meminerat *MP edd.* : -it *FX* ‖ Ptolemaeus *edd.* :
tholomaeus *MP*   ptholomeus *FX* ‖ dicibulorum *MP edd.* : discipul-
FX ‖ 18 Demiurgus *MPX edd.* : demiurgis *F*

XX, 1. 1-14 cf. Irén. I, 5, 2.

ideo fortasse non scit arbores in sola terra institui opor-
20 tere. Plane mater sciebat. Quidni suggerebat, quae et
effectum suum ministrabat ? Sed tantum fastigium filio
extruens per ea opera quae illum et patrem et deum et
regem ante Valentinianorum ingenia testantur, cur sibi
quoque ista noluit esse nota, postea quaeram. **XXI.**1.
Interim tene*n*dum Sophiam cognominari et Terram et
Matrem et, quod magis rideas, etiam Spiritum Sanctum
quasi marem [terram]. Ita omnem illi honorem contu-
5 lerunt feminae, puto et barbam, ne dixerim cetera.
Alioquin Demiurgus adeo rerum non erat compos — de
animalis scilicet censu*s* inualitudin*e* spiritalia accedere
— ut se solum ratus contionaretur : *Ego deus, et absque
me non est* [a]. 2. Certe tamen non fuisse se retro sciebat.
10 Ergo et factum intellegebat et facti*ta*torem facti esse
quemcumque. Quomodo ergo solus sibi uidebatur ?
Etsi non certus, saltim suspectus de aliquo factitatore !
  XXII.1. Tolerabilior infamia est apud illos in diabolum, uel quia origo sordidior capit. Ex nequitia enim maeroris illius deputatur, ex qua angelorum et daemonum et
omnium spiritalium ma*l*it*i*arum genituras notant. 2. Et

---

20 quidni suggerebat *MPX edd.* : quid insuggerebat *F* ‖ 23 Valentinianorum *MPX edd.* : ualentinior- *F* ‖ ingenia *MPX edd.* : nigoma *F* ‖ sibi *P D edd.* : se *MFX Kr Ma* ‖ 24 quoque *ante* ingenia
tranp. Kr ‖ ista *P edd.* : -tam *MFX Ma* ipsam *Kr* ipsa *Ril* ‖
esse *P edd.* : et *MFX Ma* ei *Kr* ‖ nota *P edd.* : -am *MFX Kr Ma*
  XXI, 2 tenendum Sophiam *edd.* : teneam dum sophiam *M*[1] teneam deum sophiam *M*[2]*PFX R*[1]*R*[2] tenendam Sophiam *D* ‖ 2-4 et
Matrem — marem [terram] *Kr Ril* : et matrem quasi matrem terram et quod magis rideas etiam spiritum sanctum θ *R*[2]*R*[3] *B Gel
Pam Oe* et quasi Matrem terram et quod magis ridens etiam Spiritum Sanctum *Iun Rig Pr Sem Ob* et Matrem et quasi marem quod
magis rideas etiam Spiritum Sanctum *Ma* ‖ 4 masculi *post* illi *add.
Kr* ‖ 7 animalis *Kr Ma Ril* : -ibus θ *cett. edd.* ‖ census inualitudine
Kr Ma Ril : censu inualitudinis θ *cett. edd.* ‖ 10 factitatorem *edd.* :
-titorem *MPFX* ‖ 11 uidebatur, etsi *cett. edd.* ‖ 12 factitatore *MP* :
-titore *FX*

---

a. Is. 45, 5.

crée, et peut-être est-ce la raison pour laquelle il ne sait
pas que les arbres doivent être plantés dans la terre exclusivement. Mais sa mère le savait bien. Pourquoi donc ne
le lui suggérait-elle pas, elle qui dirigeait sa réalisation ?
Mais puisqu'elle faisait à son fils une si haute situation
grâce à des œuvres qui, antérieurement aux divagations
valentiniennes, l'attestent comme Père, Dieu et Roi,
pourquoi n'a-t-elle pas voulu être connue de lui, c'est ce
que je verrai par la suite. **XXI. 1.** En attendant, il faut
retenir qu'Achamoth était surnommée Sophia, Terre,
Mère et même, ce qui est plus risible, Esprit-Saint, comme
si elle était de sexe masculin. Ainsi ont-ils attribué à une
femme toute la dignité qui convient à un homme, la barbe
aussi je suppose, pour ne rien dire du reste... D'ailleurs le
Démiurge avait si peu conscience de ce qui se passait — sa
faiblesse due à son origine psychique le rendait bien sûr
inapte à accéder aux choses spirituelles —, qu'il procla-
mait, se croyant seul : « Je suis Dieu, et hors de moi il n'y
en a pas [a] ». **2.** Il savait pourtant que, dans les temps
antérieurs, il n'existait pas. Il comprenait donc qu'il avait
été créé et qu'une créature a toujours un créateur. Comment donc se croyait-il seul ? Sans en avoir la certitude,
du moins pouvait-il soupçonner qu'il était l'œuvre de
quelque créateur !

Le Diable   **XXII. 1.** Leur façon de diffamer le Diable
            est plus tolérable, ne serait-ce que parce que
son origine particulièrement ignoble le permet. En effet,
il est censé provenir de cette mauvaise tristesse d'où sont
issues, d'après eux, les générations d'anges, de démons et
de tous les esprits du mal. **2.** Pourtant ils affirment aussi

---

XXII, 1 infamia *MPF edd.* : -mi *X* ‖ 4 malitiarum *edd.* : milita-
rium θ *D*   militarum *susp. R¹mg*   malitiae *Pam Iun*

XXI, l. 2-4 cf. Irén. I, 5, 3.
   l. 6-9 cf. Irén. I, 5, 4.
XXII, l. 2-8 cf. Irén. I, 5, 4.

5 tamen diabolum quoque ⌊opus Demiurgi adfirmant et
Munditenentem [a] appellant et superiorum magis gnarum
defendunt, ut spiritalem natura, quam Demiurgum, ut
animalem. Meretur ab illis praelationem cui omnes
haereses procurantur.

XXIII.1. Singularium autem potestatum arces his
finibus collocant : in summis summitatibus praesidet
tricenarius pleroma, Horo signante lineam extremam.
Inferius illum metatur medietatem Achamoth, filium
5 calcans. Subest enim Demiurgus in hebdomade sua.
2. Magis diabolus in isto nobiscum conuenit mundo
coelementato et concorporificato, ut supra editum est,
ex Sophiae utilissimis casibus, qua nec aerem haberet,
reciprocandi spiritus spatium, teneram omnium corporum
10 uestem, colorum omnium indicem, organum temporum,
si non et istum Sophiae maestitia colasset, sicut animalia
metus, sicut conuersio eius ipsum Demiurgum. 3. His
omnibus elementis atque corporibus ignis inflabellatus
est. Cuius originalem Sophiae passionem quia nondum
15 ediderunt, ego interim argumentabor motiunculis eius
excussum. Credas enim illam in tantis uexationibus
etiam febricitasse.

XXIV.1. Cum talia de deo uel de diis, qualia de
homine figmenta ? Molitus enim mundum, Demiurgus
ad hominem manus confert et substantiam *ei* capit non

---

5 Demiurgi *PFX edd.* : -gii *M* ‖ 6 gnarum *MPX edd.* : generarum
F ‖ 7 natura *MP edd.* : -am *FX* ‖ 8 animalem *MPX edd.* : -le *F*

XXIII, 2 praesidet *edd.* : -ent θ *R²* ‖ 4 medietatem *PFX edd.* :
medita- *M* ‖ Achamoth *MPX edd.* : archa- *F* ‖ 6 conuenit θ *D R²Kr
Ma Ril* : communi *cett. edd.* ‖ 7 coelementato *P edd.* : eo elem- *MFX*
‖ editum *MPX edd.* : dictum *F*   aedit- *R B* ‖ 8 utilissimis *MPF
edd.* : ultimis *X* ‖ haberet *edd.* : -re θ *D R²* ‖ 9 reciprocandi *edd.* : -adis
MPFX   -andis *D* ‖ 10 colorum *MFX edd.* : -rem *P R¹R²* ‖ indicem
V edd. : iud- θ *R²Sem Ril*

XXIV, 2 enim θ *D edd.* : ergo *Gel* ‖ 3 ei *edd.* : si θ *R²*   sic *D*

---

a. cf. Éphés. 6, 12.

XXIII, l. 4-5 cf. Irén. I, 5, 3.

que le Diable est l'œuvre du Démiurge ; ils l'appellent Maître du monde[a] et prétendent que sa nature spirituelle lui permet de connaître ce qui se trouve au-dessus de lui, mieux que le Démiurge, car celui-ci est psychique. Il mérite bien leur préférence, lui qui est chargé de veiller sur toutes les hérésies !

XXIII. 1. Voici d'autre part les frontières qu'ils fixent aux citadelles de ces puissances extraordinaires : au sommet des sommets commande ce tricénaire

Géographie de l'univers et rappel de l'origine des éléments

qu'est le Plérôme, dont Horos marque la limite inférieure. Au-dessous de lui, Achamoth habite un espace intermédiaire et marche sur son fils. Démiurge se trouve en effet au-dessous, dans son Hebdomade. 2. Le Diable préfère séjourner avec nous en ce monde constitué d'éléments corporels provenant, comme on l'a dit plus haut, des malheurs de Sophia ; malheurs très utiles, car autrement le monde ne posséderait pas, non plus, l'air, espace propice à la respiration, léger vêtement de tous les corps, révélateur de toutes les couleurs, instrument des saisons, si la tristesse de Sophia ne l'avait pas filtré, de la même manière que sa crainte a filtré les substances psychiques et sa conversion le Démiurge lui-même. 3. Sur tous ces éléments et tous ces corps a été soufflé le feu. Mais comme ils n'ont pas encore fait connaître la passion de Sophia qui est à son origine, je prétendrai, en attendant, que le feu a jailli de ses accès de fièvre. Car on peut penser que, en proie à de si grands tourments, elle a été prise aussi de fièvre.

XXIV. 1. Telles sont leurs inventions relatives à Dieu, ou plutôt aux dieux : quelles sont-elles maintenant en ce qui concerne l'homme ? Ayant construit le monde, le Démiurge met la main à l'homme :

L'homme terrestre et l'homme psychique

XXIV, l. 2-4 cf. Irén. I, 5, 5.
Contre les Valentiniens, I.   9

ex ista, inquiunt, arida, quam nos unicam nouimus ter-
5 ram — quasi [non], etsi arida postmodum, adhuc tamen,
tunc aquis ante segregatis, superstite limo, siccauerit [a] —
sed ex inuisibili corpore materiae, illius scilicet philosophicae, de fluxili et fusili eius, quod unde fuerit audeo
aestimare, quia nusquam est ! 2. Si enim fusile et fluxile
10 liquoris est qualitas, liquor autem omnis de Sophiae
fletibus fluxit, sequitur ut limum ex pituitis et gramis
Sophiae constitisse credamus, quae lacrimarum proinde
sunt faeces, sicut aquarum quod desidet limus est. Figulat ita hominem Demiurgus et de afflatu suo animat [b].
15 Sic erit et choicus et animalis, *ad imaginem et similitudinem* [c] factus, quadruplex res, ut imago quidem choicus
deputetur, materialis scilicet, etsi non ex materia Demiurgus, similitudo autem animalis : hoc enim et Demiurgus. 3. Habes duos interim. Carnalem superficiem
20 postea aiunt choico supertextam, et hanc esse pelliceam
tunicam [d] obnoxiam sensui.

    XXV.1. Inerat autem in Achamoth ex substantia
Sophiae matris peculium quoddam seminis spiritalis, sicut
et ipsa Achamoth in filio Demiurgo sequestrauerat, ne
hoc quidem gnaro. Accipe industriam clandestinae proui-
5 dentiae huius. 2. Ad hoc enim et deposuerat et occul-

---

    4 nos *om.* F || terram θ *edd.* : -a *Kr Ma* || 5 non *seclusi* || tamen
adhuc X || 6 *post* aquis *lac. ind. Kr* || superstite *edd.* : -steti
MP -stiti *FX Ma* || siccauerit θ *edd.* : succida fuerit *Kr* || 8 fluxili
θ *edd.* : -ali *D* || audeo *MP R¹R²Kr Ma Ril* : audio *FX* haud queo
cett. edd. || 9 aestimare *MPF edd.* : ex estimare *X* || *ante* est *lac.
ind. Kr* || 12 constitisse *edd.* : -tuisse θ *R²* || 13 desidet *edd.* :
-sides *MPX* -fides *F* || 14 ita θ *edd.* : itaque *Kr Ma* || afflatu *MPF
edd.* : flatu *X* || sit *ante* animat *add.* F || 16 ut imago *MPX edd.* : est
ut mago *F* || 17 materialis *edd.* : -li θ *R²Sem* || Demiurgus *MPX
edd.* : -giis *F* || 18 similitudo *MPX edd.* : simitudo *F* || Demiurgus
MPX edd. : -giis *F*
    XXV, 2 peculium *MPX edd.* : -lum *F* || 3 Achamoth *edd.* : -tha
θ *R²B Gel* || 4 quidem *om. FX*

---

a. cf. Gen. 1, 2. 6-10.
b. cf. Gen. 2, 7.

il choisit pour lui non pas la substance provenant de cette
terre, qu'ils qualifient d'aride, la seule que nous connaissions — comme si, quand bien même elle devait devenir
aride par la suite, elle avait déjà pu sécher, alors que le
limon subsistait encore, puisque les eaux venaient d'être
séparées [a] —, mais la substance provenant de l'élément
invisible de la matière — celle dont parlent les philosophes,
je suppose —, de son écoulement et de sa fluidité : mais
d'où est-il tiré lui-même ? je prends le risque de l'imaginer,
puisqu'il n'existe pas en réalité ! 2. Si en effet l'écoulement
et la fluidité sont la qualité spécifique d'un liquide et si
tout liquide a coulé des pleurs de Sophia, nous n'avons plus
qu'à croire que le limon s'est constitué des humeurs pitui-
aires et chassieuses de Sophia, qui sont la lie de ses
armes tout comme ce qui se dépose au fond des eaux en
orme le limon. Donc le Démiurge pétrit l'homme et
'anime de son souffle [b]. Il sera ainsi terrestre et psychique,
ait « à son image et à sa ressemblance [c] », quadruple en
éalité : l'image est censée être l'homme terrestre, c'est-à-
dire matériel, bien que le Démiurge ne soit pas issu de la
matière ; d'autre part, la ressemblance est censée être
'homme psychique : tel est en effet le Démiurge. 3. Pour
e moment, tu as les deux hommes. Ensuite, disent-ils,
ne enveloppe charnelle a été posée sur l'homme terrestre,
'est la tunique de peau [d] exposée aux sens.

l'homme spirituel XXV. 1. Provenant de la substance de sa mère Sophia, il y avait,
éposé dans Achamoth, comme un pécule de semence
pirituelle ; et de la même façon Achamoth, à son tour,
avait placé dans son fils Démiurge, sans qu'il s'en dou-
ât. Vois donc l'ingéniosité de cette providence dont les
gissements sont secrets ! 2. Achamoth avait déposé ce

c. Gen. 1, 26.
d. cf. Gen. 3, 21.

XXIV, l. 7-8 cf. Irén. I, 5, 5.
    l. 14-21 cf. Irén. I, 5, 5.
XXV, l. 1-18 cf. Irén. I, 5, 6.

tauerat ut, cum Demiurgus animam mox de suo afflatu
in Adam communicaret, pariter et semen illud spiritale
quasi per canalem animam deriuaretur in choicum, atque
ita feturatum in corpore materiali uelut in utero et adul-
10 tum illic, idoneum inueniretur suscipiendo quandoque
sermon*i* perfecto. 3. Itaque cum Demiurgus traducen
animae suae committit in Adam, latuit homo spiritali*
flatu e*i*us insertus et pariter corpori inductus, quia nor
magis semen nouerat matris Demiurgus quam ipsam. Ho*
15 semen Ecclesiam dicunt, Ecclesiae supernae speculum e*
Hominis censum, proinde eum <spiritalem> ab Acha*
moth deputantes, quemadmodum animalem a Demiurgo
choicum substantia ἀρχῆς, carne material*em*. Habe
nouum, id est quadruplum Geryonem.

XXVI.1. Sic et exitum singulis diuidunt : material
quidem, id est carnali, quem et sinistrum uocant, in
dubitatum interitum ; animali uero, quem et dextrun
appellant, dubitatum euentum, utpote inter materialen
5 spiritalemque nu*t*anti et illac debito qua plurimum ad*
nuerit ; ceterum spiritalem emitti in animalis compa
rationem, ut erudiri cum eo et exerceri in conuersationibu
po*ss*it. 2. Indiguisse enim animalem etiam sensibiliu*
disciplinarum. In hoc et paraturam mundi prospectan

6 Demiurgus *MPX edd.* : -giis *F* ‖ afflatu *MP edd.* : -to *FX* ‖
canalem *susp.* *R²mg edd.* : carn- θ *R² Pam* ‖ animam θ *edd.* : *
Oe -ae *Engelbrecht Ril* ‖ deriuaretur θ *edd.* : -ret *Oe* ‖ 11 sermo:
edd. : -e θ ‖ perfecto θ *edd.* : -te *D* ‖ cum θ *edd.* : dum *R³B Gel Kr*
Demiurgus *MPX edd.* : -giis *F* ‖ 12 animae *MPX edd.* : -a *F*
13 flatu θ *edd.* : -ui *Kr Ril* ‖ eius *Kr Ril* : Iesus θ *Sem Ob   se*
R²R³B Gel Pam Rig Pr Ma   ipsius *Iun Oe* ‖ 16 spiritalis *post* h
minis *add. Kr* ‖ spiritalem *ante* censum *add. Ma* ‖ censum *M*pc
edd. : incensum *M*ac*PFX R¹R²* ‖ spiritalem *post* eum *addidi* ‖ ?
animalem *MFX edd.* : -le *P* ‖ a Demiurgo *MFX edd.* : adest u*
go *P* ‖ 18 ἀρχῆς *edd.* : arches *MP R¹* -chas *FX* ‖ carne θ *K*
-nis *D* -nem *cett. edd.* (-nalem *Engelbrecht*) ‖ materialem *Kr* : -te*
MPF cett. edd. -terie *X* ‖ 19 quadruplum *M G edd.* : inquad
PFX R¹R²

XXVI, 2 id est carnali *fort. secludendum* ‖ 5 nutanti *edd.* : nu*

pécule en cachette, afin que, au moment où Démiurge
transférerait, de son souffle, une âme dans Adam, cette
semence spirituelle fût amenée en même temps dans
l'homme terrestre en empruntant, pour ainsi dire, le canal
de l'âme et pour qu'ainsi, après avoir été placée dans un
corps matériel, comme un fétus dans un utérus, et après
s'y être développée, cette semence fût jugée capable de
recevoir un jour le Verbe parfait. 3. C'est pourquoi tandis
qu'il fait passer par provignage son âme dans Adam, le
Démiurge ne s'est pas rendu compte que l'homme spirituel se trouvait mêlé à son souffle et qu'il s'introduisait
dans le corps d'Adam, car il ne connaissait pas plus la
semence de sa mère qu'il ne la connaissait elle-même.
Cette semence, ils disent qu'elle est l'Église, image de
l'Église d'en haut et origine de l'Homme ; par conséquent
celui-ci, d'après eux, est spirituel par Achamoth, comme
il est psychique par le Démiurge, terrestre du fait de sa
substance initiale, matériel du fait de sa chair. Tu as le
nouveau, c'est-à-dire le quadruple Géryon.

Constitution du Christ   **XXVI. 1.** Ils assignent un
de l'Évangile   sort différent à chacun de
                   ces éléments : pour le maté-
riel, c'est-à-dire le charnel, qu'ils appellent aussi « de
gauche », c'est une destruction certaine ; pour le psychique
qu'ils nomment aussi « de droite », c'est une destinée
incertaine, car il oscille entre le matériel et le spirituel, et
il est donc appelé à se retrouver du côté où il aura le plus
incliné ; quant au spirituel, il est envoyé pour être associé
au psychique, afin qu'il puisse être instruit avec lui et
formé au contact de la vie. 2. En effet l'homme psychique
avait besoin aussi d'une éducation d'ordre sensible. C'est
pour cette raison qu'avait été prévue l'organisation du

cianti θ R^2 ‖ qua *edd.* : quam θ ‖ 6 ceterum θ *edd.* : censum *susp.*
R^2mg ‖ 8 possit *edd.* : potuit θ R^2R^3B *Gel* ‖ 9 paraturam θ *edd.* :
apparat- *D* ‖ prospectam *MPX edd.* : prospe etam *F*

XXVI, l. 1-20 cf. Irén. I, 6, 1.

10 in hoc et Soterem in mundo repraesentatum, in salutem
scilicet animalis. Alia adhuc compositione monstruosum
uolunt illum prosicias earum substantiarum induisse,
quarum summam saluti esset redacturus [a], ut spiritalem
quidem susceperit ab Achamoth, animalem uero a De-
15 miurgo, quem mox induerit Christum ; ceterum corporalem, ex animali substantia sed miro et inenarrabili
rationis ingenio constructam, administrationis causa
interim tulisse, quo congressui et conspectui et contactui et defunctui ingratis subiaceret ; materiale autem
20 nihil in illo fuisse, utpote salutis alienum. Quasi aliis
fuerit necessarius quam egentibus salute ! Et totum
hoc, ut carnis nostrae habitum alienando a Christo a
spe etiam salutis expellant.

XXVII.1. Nunc reddo de Christo in quem tanta
licentia Iesum inserunt quidam quanta spiritale semen
animali cum inflatu infulciunt, fartilia nescio quae commenti et hominum et deorum suorum : esse etiam De-
5 miurgo suum Christum, filium naturalem, denique animalem, prolatum ab ipso, promulgatum prophetis, in
praepositionum quaestionibus positum, id est per uir-

10 animalem *post* Soterem *add. Iun Rig Pr* || repraesentatum
MP edd. : praes- *FX* || 10-11 in salutem — animalis *secl. Kr* || 11 alia
θ *edd.* : om *FX* || monstruosum *M*[2] *FX Rig Oe Kr Ma Ril* :
monstro- *M*[1]*P cett. edd.* || 12 prosicias *Ciaconius Iun Rig Pr Oe Kr
Ma Ril* : prospicias θ *D R*[2] *Sem Ob* prospicientias *G B Gel
Pam* primitias *susp. R*[1]*mg* || induisse *edd.* : inuidisse θ *R*[2] || 13 sa-
luti *M*[pc] *G edd.* : -tis *M*[ac] *PFX R*[1]*R*[2] || esset *MFX edd.* : esse *P* || 14
susceperit *edd.* : - ris θ *R*[2] || 14-15 a Demiurgo *ante* quem *transp. Kr* :
post mox θ *cett. edd.* || 15 induerit *Kr* : -duit θ *cett. edd.* || 16 ine-
narrabili *MPF edd.* : enarrabile *X* || 17 causa *VL Rig Pr Oe Kr Ma
Ril* : causam θ *R*[2]*R*[3] *B Sem Ob secl. Gel Pam Iun* || 18 interim
tulisse *Engelbrecht Kr Ril* : ui contulisse *MPX R B Gel Pam Iun
Sem Ob* incontulisse *F* uim circumtulisse *Rig* uim contulisse *Pr*
ideo tulisse *Oe* uix tulisse *Ma* || conspectui *MFX edd.* : -tu *P* || con-
tactui *MP edd.* : -tractui *FX* || 19 subiaceret *susp. R*[1]*mgR*[2]*mg edd.* :
-acent θ *R*[2] || 20 in illo *MPX edd.* : nullo *F* || aliis *P edd.* : -ii *MFX Kr
Ma* || 21 egentibus θ *edd.* : -ti *Kr* || salute *edd.* : -tem *MPFX D Kr
Ma Ril* || 23 expellant *M*[2]*G edd.* : -pectant *M*[1] *FX* -cipiant *P R*[1]*R*[2]

monde, pour cette raison que le Sauveur avait été présent
dans le monde, avec la mission d'assurer le salut du psychique. Et faisant encore du Sauveur une autre mons -
trueuse combinaison, ils prétendent qu'il revêtit le meilleur des substances qu'il se proposait de conduire, toutes
ensemble, au salut [a] : ainsi a-t-il reçu d'Achamoth la
substance spirituelle ; du Démiurge, le Christ psychique,
qu'il a aussitôt revêtu ; quant à la substance corporelle,
issue de la substance psychique mais organisée avec un
talent d'une ingéniosité admirable et indicible, il l'a prise
un certain temps, pour les besoins de sa fonction, afin
d'être exposé, non sans regret, aux contacts, aux regards,
au toucher, et à la mort ; mais il n'y avait rien de matériel en lui, puisque le matériel ne participe pas au salut.
Comme s'il pouvait être plus indispensable à d'autres
qu'à ceux qui ont besoin d'être sauvés ! Et tout cela, pour
opposer la constitution de notre chair à celle du Christ et
lui refuser tout espoir de salut...

**Autre version relative
à la constitution
du Christ de l'Évangile**

XXVII. 1. J'en viens au
Christ en qui certains mêlent
Jésus avec autant d'audace
qu'ils combinent la semence
spitrituelle au souffle psychique, imaginant ainsi je ne
sais quelles macédoines d'hommes et de dieux à eux :
à les en croire, c'est aussi au Démiurge qu'appartient le
Christ, son fils naturel, et par conséquent psychique, proféré par lui, annoncé par les Prophètes, dont l'existence
repose sur un problème de prépositions, en ce sens qu'il
a été émis « par l'intermédiaire » d'une vierge, et non

XXVII, 1 tanta *edd.* : -ti θ R^2 || 2 licentia *edd.* : -am θ R^2 || Iesum
edd. : iens *MPFX*   Ien R^1R^2 || quanta *MP edd.* : -um *FX* || spiritale
FX edd. : -ritate *MP* || 3 fartilia nescio *MP edd.* : fertiliane scio *FX*
|| 4 etiam θ *edd.* : enim *Pam Iun Rig Pr* || 5 denique θ *edd.* : eundem-
que *Kr Ma* || 6 prophetis *edd.* : profertis θ R^2

---

a. cf. Rom. 11, 16.

XXVII, l. 2-26 cf. Irén. I, 7, 2.

ginem, non ex uirgine editum, quia delatus in uirginem
transmeatorio potius quam generatorio more proces-
10 serit, per ipsam, non ex ipsa, non matrem eam sed uiam
passus. 2. Super hunc itaque Christum deuolasse tunc
in baptismatis sacramento Iesum per effigiem columbae [a].
Fuisse autem et in Christo etiam ex Achamoth spiritalis
seminis condimentum, ne marcesceret scilicet reliqua
15 farsura. Nam in figuram principalis tetradis quatuor
eum substantiis stipant, spiritali Achamothiana, animali
Demiurgina, corporali inenarratiua, et illa Sotericiana,
id est columbina. Et Soter quidem permansit in Christo
impassibilis inlaesibilis inadprehensibilis. Denique cum
20 ad prehensiones uenitur, discessit ab illo, in cognitione
Pilati [b]. 3. Proinde nec matris semen admisit iniurias,
aeque insubditiuum et ne ipsi quidem Demiurgo compertum. Patitur uero animalis et carneus Christus, in delineationem superioris Christi, qui, Achamoth formando
25 substantiuali non agnitionali forma, Cruci id est Horo
fuerat innixus. Ita omnia in imagines urgent, plane et
ipsi imaginarii Christiani.

XXVIII.1. Interea Demiurgus omnium adhuc nescius.
Etsi aliquid et ipse per prophetas contionabatur, ne huius
quidem operis sui intelligens ; diuidunt enim et prophetiale
patrocinium in Achamoth, <in> semen, in Demiurgum.

9 potius *MPX edd.* : potans *F* ‖ 12 Iesum *MPFX edd.* : Ien
R¹R²Sem Ob   Soterem *Pam Iun Rig Pr* ‖ 14 marcesceret *MF edd.* :
marcesseret *P*   inarcesceret *X* ‖ 16 spiritali *edd.* : spirita *MP*   spiritalis *FX R¹R²* ‖ animali *MP edd.* : -lis *FX R¹R²* ‖ 17 corporali *MP*
edd. : -lis *FX R¹R²* ‖ inenarratiua *Rig Pr Oe Kr Ma Ril* : sine enarratiua *M¹PFX*   ine narratiua *M²*   in enaratiua *D*   Ine enarratiua
R¹   *Sem Ob* Ien enarratiua *R²* Iesuaciana *R³B Gel Pam Iun* ‖ 19
cum *MPF edd.* : dum *X* ‖ 20 prehensiones *MPF B Kr Ma Ril* :
appr- *X cett. edd.* ‖ 24 qui Achamoth formando *Kr Ma Ril* : quia
chamoth formandum *MP D*   qui achamoth formam dum *F*   qui
achamoth formandum *X R¹R²*   qui ad Achamoth formandam *cett.*
edd. ‖ 26 imagines urgent *edd.* : imagine surgent θ *R²*
    XXVIII, 1 Demiurgus *MPX edd.* : -gis *F* ‖ 2 etsi (*uel* et si) *edd.* :
ut si θ *R²R³B*   aut si *Kr Ma* ‖ contionabatur *Kr Ma* : -bitur θ
cett. edd. ‖ 3 prophetiale *edd.* : -tiare θ *R²* ‖ 4 in² *add. edd. a R³*

« d' » une vierge, car envoyé dans une vierge il s'est présenté en empruntant un chemin plus qu'en se soumettant au processus de la génération, passant « à travers » elle et non enfanté « par » elle, la tolérant non comme mère mais à titre de passage. 2. Sur ce Christ, au moment de la cérémonie du baptême, Jésus serait alors descendu, en prenant l'apparence d'une colombe [a]. D'autre part, il y aurait eu aussi dans le Christ un assaisonnement de semence spirituelle issue d'Achamoth, pour éviter, bien entendu, que le reste de la farce ne s'affadît. De fait, ils le bourrent, à l'image de la Tétrade fondamentale, de quatre substances : la substance spirituelle d'Achamoth ; celle, psychique, du Démiurge ; la substance corporelle, dont on ne peut rien dire ; enfin celle du Sauveur, c'est-à-dire la colombe. Quant au Sauveur, il demeura dans le Christ, impassible, inviolable, insaisissable. Aussi bien a-t-il abandonné le Christ quand on vient le saisir lors de l'instruction menée par Pilate [b]. 3. De même, la semence de la mère a été insensible aux violences, car elle en est également préservée et n'est même pas connue du Démiurge. C'est le Christ psychique et charnel qui souffre, à l'image du Christ d'en haut, celui qui pour donner à Achamoth la formation selon la substance, mais non selon la gnose, s'était appuyé sur Crux, c'est-à-dire Horos. Tant il est vrai qu'ils réduisent tout en images, chrétiens imaginaires eux-mêmes !

Instruction du Démiurge XXVIII. 1. Pendant tout ce temps Démiurge n'est toujours au courant de rien. Certes il parlait bien par les Prophètes, mais sans même comprendre comment il opérait — ils répartissent en effet l'autorité prophétique entre Achamoth, la semence et le Démiurge. Apprenant l'arrivée du

---

a. cf. Matth. 3, 16 ; Jn 1, 32.
b. cf. Matth. 27, 11 s.

XXVIII, l. 1-11 cf. Irén. I, 7, 4 (l. 3-4 cf. Irén. 1, 7, 3).

5 Vbi aduentum Soteris accepit, propere et ouanter accur-
rit cum omnibus suis uiribus — centurio de euangelio[a] —
et de omnibus inluminatus ab illo etiam spem suam
discit quod successurus sit in locum matris. 2. Ita exinde
securus, dispensationem mundi huius, uel maxime ec-
10 clesiae protegendae nomine, quanto te*mpore* oportuerit,
insequitur.

XXIX.1. Colligam nunc ex disperso ad concludendum
quae de totius generis humani dispositione iusserat.
Triformem naturam primordio profe*ssi* et tamen inunitam in Adam, inde iam diuidunt per singulares generum
5 proprietates, nacti occasionem distinctionis huiusmodi ex
posteritate ipsius Adae, moralibus quoque differentiis
tripertit*a*. 2. Cain et Abel, Se*th*, (2.) fontes quodammodo
generis humani, in totidem deriuant argumenta naturae
atque sententiae : choicum, saluti degeneratum, ad Cain
10 redigunt ; animale, mediae spei deliberatum, ad Abel
componunt ; spiritale, certae saluti praeiudicatum, in
Seth recondunt. Sic et animas ipsas duplici proprietate
discernunt, bonas et malas, secundum choicum statum
ex Cain et animalem ex Abel. 3. Spiritale enim ex Seth
15 de obuenientia superducunt iam non naturam sed indulgentiam, ut quo*d* Achamoth *de* superioribus in animas
bonas depluat, id est animali *c*ensui inscriptas ; choicum
enim genus, id est malas animas, numquam capere salu-

6 suis uiribus *MP Kr Ma Ril* : uiribus suis *X cett. edd.*   suis *om.*
F ‖ 8 discit *MPX edd.* : dic- *F* ‖ 9 maxime *FX edd.* : -ae *MP* ‖ 10
tempore *edd.* : te θ *D R²* ‖ 11 *ante* insequitur *lac. ind. Kr*
   XXIX, 2 de *om. P* ‖ iusserant *ego* : -rat θ *D R²*   -runt *Ril*   disserant
cett. edd. ‖ 3 professi *edd.* : -fecti θ *R²* ‖ inunitam *MP edd.* : unitatem
FX β ‖ 6 moralibus *edd.* : morabilius *MP*   moratilibus *F* morabilibus
X ‖ 7 tripertita *Kr Ril* : -te *MPFX* -tae *cett. edd.* ‖ tripertita, Cain
dist. Kr ‖ et *secl. R³B Gel Pam Iun Rig Pr* ‖ et *ante* Seth *add. R³B
Gel Pam Iun Rig Pr Sem Ob Oe Kr* ‖ Seth *edd.* : sed θ ‖ Hos *ante* fontes
add. Kr ‖ fontes *M²FX edd.* : romtes *M¹P* ‖ 9 sententiae θ *R²Kr Ma
Ril* : -tae *D*   essentiae *cett. edd.* ‖ 14 spiritale *ego* : -em θ *cett. edd.* ‖
enim *MP ego Ma Ril* : om. *FX cett. edd.* ‖ 16 quod *ego* : quos θ *cett.*

Sauveur, il accourt, en hâte et en triomphe, avec toutes
ses forces — c'est le centurion de l'Évangile [a] —, et tout
s'éclaire pour lui, il apprend du Sauveur qu'il peut espérer
passer dans le lieu de sa mère. 2. Délivré désormais de
toute crainte, il continue d'assurer le gouvernement de
notre monde, tout le temps nécessaire, en particulier pour
protéger l'Église.

Les trois races   **XXIX. 1.** Je vais maintenant ras-
sembler, pour finir, quelques données
éparses sur ce qu'ils avaient décidé touchant l'« économie »
du genre humain tout entier. Ils enseignent une triple
nature originelle, unie toutefois en Adam ; à partir de lui,
ils la répartissent en races différenciées selon des propriétés respectives, justifiant une telle distinction par la postérité d'Adam lui-même, qui donne lieu elle aussi à une
tripartition selon des critères moraux. 2. De Caïn, Abel
et Seth, (2.) sources en quelque sorte du genre humain,
dérivent autant de types distincts de nature et de verdict :
le terrestre, exclu du salut par naissance est rapporté à
Caïn ; le psychique, jugé digne de quelque espérance, est
rapproché d'Abel; le spirituel, promis à un salut assuré,
a Seth pour fondateur. Conjointement, ils distinguent les
âmes, d'après leur nature, en deux catégories, les bonnes
et les mauvaises, selon qu'elles possèdent la constitution
matérielle inaugurée par Caïn ou psychique inaugurée par
Abel. 3. En effet, ils n'ajoutent qu'à titre d'accident l'élément spirituel symbolisé par Seth, qui n'est pas attribut
naturel, mais don gracieux, puisque Achamoth le fait pleu-
voir d'en haut dans les bonnes âmes, c'est-à-dire celles qui
appartiennent à la classe psychique : la race terrestre en
effet, c'est-à-dire les âmes mauvaises, ne peut absolument

---

edd. (quam *Kr*) ‖ de *Iun Kr Ma Ril* : in θ *cett. edd.* ‖ 17 censui *edd.* :
sensui θ *D R*² ‖ 18 animas malas *PF*

---

a. cf. Matth. 8, 5 s.

XXIX, l. 3-24 cf. Irén. I, 7, 5.

taria. Inmutabilem enim et inreformabilem naturae
20 naturam pronuntiauerunt. Id ergo granum seminis
spiritalis modicum et paruulum iac*itur*, sed eruditu
huius fides augetur atque prouehitur [a], <ut> supra
diximus, animaeque hoc ipso ita ceteris praeuert*er*ant
ut Demiurgus tunc ignorans magni eas fecerit. 4. Ex
25 earum ergo laterculo <in prophetas> et in reges et in
sacerdotes alleg*ere* consueuerat. Quae nunc quoque, si
plenam atque perfectam notitiam adprehenderint istarum neniarum, naturificatae iam spiritalis condicionis
germanitate, certam obtinebunt salutem, immo omni-
30 modo debitam.

XXX.1. Ideoque nec operationes necessarias sibi exis-
timant nec ulla disciplinae munia obseruant, martyrii
quoque eludentes necessitatem qua uolunt interpretatione. Hanc enim regulam animali semini praestitutam,
5 ut salutem, quam non de priuilegio status possidemus,
de suffragio actus elaboremus. Nobis enim inscriptura
huius seminis qui imperfectae sc*ientiae* sumus, quia
<non> norimus Philetum, et utique abortui deputa*m*ur,
quod mater illorum. 2. Sed nobis quidem uae, si exces-

19-20 naturae naturam *MFX G B Gel Oe Kr Ma* : naturae
P¹Ril   naturam *P² cett. edd.* ‖ 21 iacitur *Kr* : iactu θ *cett. edd.* ‖
eruditu *edd.* : -tus θ *R² Kr* ‖ 22 < quem > supra diximus *post* huius
transp. Kr ‖ fides θ *edd.* : -de *Kr* ‖ 22-23 < ut > supra diximus *Oe
Ma Ril* : supra diximus θ *D R² Sem Ob* < ceu > praediximus
R²B Gel Pam Iun Rig Pr ‖ 23 -que *FX edd.* : -quae *MP D R¹R²* ‖
praeuerterant *Engelbrecht Kr Ma Ril* : -tant θ *R²*   -tunt *cett. edd.*
‖ 24 Demiurgus *MPX edd.* : -giis *F* ‖ 25 earum *MFX* β *D edd.* : eor-
P R¹R² ‖ ergo *P edd.* : enim *MFX* β *D B Kr Ma* ‖ in prophetas *addidi
ex Irenaeo* ‖ 26 allegere *edd.* : -are θ *D R² Rig Oe Kr Ma* ‖ 27 istarum
MFX edd. : ista *P* ‖ 28 neniarum *M F edd.* : naernarum *P*   uenia-
rum *X* ‖ condicionis *FX Kr Ma Ril* : -ditio- *MP cett. edd.* ‖ 29 germanitate θ *edd.* : germinatae *Pam Iun*
    XXX, 1 operationes *MPF edd.* : operantes *X* ‖ 6 inscriptura *MPF
edd.* : -ptam *X*   in scriptura *R¹ Iun Sem Ob* ‖ 7 qui *MX edd.* : quin
P D   quae *F* ‖ imperfectae *MFX edd.* : perf- *P D* ‖ scientiae (*uel
fort. sententiae) Braun Ril* : essentiae θ *cett. edd.* ‖ quia θ *D edd.* : qui
R³B Gel ‖ 8 non *add. Braun Ma Ril* ‖ norimus *MPX D R¹R²Kr Ma*

pas obtenir le salut. Car ils ont dit que la nature de la
nature était de n'être susceptible ni de changement ni de
progrès. Cette graine de semence spirituelle est donc jetée
encore petite et insignifiante ; mais grâce à l'éducation
qu'elle reçoit, sa foi augmente et grandit [a], comme nous
l'avons dit plus haut, et de ce fait ces âmes avaient tellement devancé les autres que le Démiurge, sans savoir la
raison, en fit grand cas. 4. Il se reportait donc habituellement à leur liste pour choisir les prophètes, les rois et les
prêtres. Et, encore aujourd'hui, si ces âmes acquièrent la
pleine et parfaite connaissance de ces balivernes, déjà
identifiées à la condition spirituelle par fraternité avec
elle, elles obtiendront certainement le salut, un salut qui
de toute façon leur est assuré.

**Morale « psychique »
et
morale « spirituelle »**   XXX. 1. Aussi ne jugent-ils
guère nécessaire pour eux de
pratiquer les bonnes œuvres et
n'observent-ils guère de règle
disciplinaire, allant même jusqu'à esquiver l'obligation du
martyre par une exégèse à leur convenance. C'est à la
semence psychique en effet que ces règles seraient impo-
sées : le salut que nous n'obtenons pas par le privilège de
notre état, il nous faut le gagner avec le secours de notre
activité. Car c'est cette semence que nous nous voyons
attribuer, nous qui possédons une connaissance impar-
faite, parce que nous ne connaissons pas Philétus, et qui
sommes considérés bien entendu comme des avortons, ce
qui est le cas de leur mère. 2. Et malheur à nous, si nous

Ril : nouus *F*   amoribus *cett. edd.* ‖ Philetum θ *D R²Braun* : -ti
R³B Gel Pam Iun Rig Pr Sem Ob   Theleti *Oe*   Theletum *Kr Ma
Ril* ‖ deputamur *edd.* : -tatur *M¹PFX R¹R²*   -tatum *M² G D* ‖ 9
uae si *edd.* : quasi θ *D R²*

---

a. cf. I Cor. 15, 37.44.

XXIX, l. 24-26 cf. Irén. I, 7, 3.
XXX, l. 1-2 cf. Irén. I, 6, 2.

10 serimus in aliquo disciplinae iugum, si obtorpuerimus
in operibus sanctitatis atque iustitiae, si confitendum
alibi nescio ubi et non sub potestatibus istius saeculi
apud tribunalia praesidum optauerimus. 3. Illi uero et
de passiuitate uitae et diligentia delictorum generosi-
15 tatem suam uindicent, blandiente suis Achamoth, quoniam et ipsa delinquendo profecit. Nam et honorandorum
coniugiorum supernorum gratia edicitur apud illos meditandum atque celebrandum semper sacramentum
comiti, id est feminae, adhaerendi ; alioquin degenerem
20 nec legitimum ueritatis qui deuersatus in mundo non
amauerit feminam nec se ei iunxerit. Et quid facient
spadones quos uidemus apud illos ?

   XXXI.1. Superest de consummatione et dispensatione mercedis. Vbi Achamoth totam massam seminis
sui presserit, dein colligere in horreum coeperit, uel cum
ad molas delatum et defarinatum in consparsione salu-
5 tari absconderit, donec totum confermentetur [a], tunc
consummatio urgebit. Igitur imprimis ipsa Achamoth
de regione medietatis, de tabulato secundo in summum
transferetur. Restitutam pleromati statim excipit com-

---

   10 aliquo *edd.* : -quot *MP* -quod *FX* R^1R^2 || obtorpuerimus
susp. R^1mg R^2mg *edd.* : obtortuerimus *M FX* R^1R^2 obtortueribus
P obtorti erimus *etiam susp.* R^1mg || 12 potestatibus *MPF edd.* :
-testate *X* || 13 illi *MPX edd.* : al- *F* || et *om.* *F* R^1R^2 *B Oe Kr* || 14
delictorum *MPF edd.* : dilect- *X* || 15 blandiente *edd.* : -diuntur
θ R^2 || quoniam *MPX edd.* : quomodo *F* || 16 profecit *edd.* : -ficit θ
R^2 || 17 gratia edicitur *edd.* : gratiae dicitur θ R^2R^3B *Gel* || 19 co-
miti *edd.* : committi θ R^2 || feminae *edd.* : semini θ *D* R^2 || adhaerendi
Kr Ma Ril : -dum θ *D* R^2 -do *cett. edd.* || degenerem *MP edd.* : -re
FX
   XXXI, 2 ubi *edd.* : subito θ *D* R^2 *Sem Ob* || Achamoth totam mas-
sam *FX edd.* : totam massamacmoth *MP* totam messem Acha-
moth (massam *D*) R^3B *Gel Pam Iun Rig Pr* || 3 coeperit *MPX edd.* :
cepit *F* || uel *secl. Kr* || cum θ *edd.* : tum *Kr* || 4 consparsione *ego Ril* :
-nis θ *cett. edd.* || salutari *X ego Ril* : -tatia *MP* -tas *F* -tar
β -taria *D* R^1R^2 *Sem Ob* aluearia R^3B *Gel Pam Iun Rig Pr*
Oe alutacia *Kr Ma* || 5 confermentetur *edd.* : -frequentetur *MPX*
Sem Ob Kr Ma Ril cofrequenter *F* || 6 urgebit *MPX edd.* : iuge-
F || Achamoth *FX edd.* : chamoth *MP* || 7 medietatis *edd.* : medit-

secouons le joug de la discipline sur quelque question, si nous nous montrons nonchalants dans les œuvres de sainteté et de justice, si nous préférons avouer que nous sommes chrétiens quelque part ailleurs plutôt que devant les puissances de ce siècle, auprès des tribunaux des gouverneurs. 3. Libre à eux au contraire d'affirmer leur naissance en menant une vie dissolue et en se complaisant dans le péché, car Achamoth est indulgente pour les siens, elle qui a progressé en péchant. Et de fait, afin d'honorer les mariages d'en haut, ils sont tenus de méditer et de célébrer en permanence le rite sacramentel de l'union à un « conjoint », c'est-à-dire à une femme ; d'ailleurs, qui a vécu en ce monde sans avoir aimé une femme ni s'être uni à elle est, à leurs yeux, un dégénéré et un bâtard de la vérité. Mais que feront les eunuques que nous voyons parmi eux ?

La « consommation » finale   **XXXI.** 1. Il reste à parler de la consommation finale et de la dispensation des récompenses. Lorsque Achamoth aura pressé toute la masse de sa semence et qu'elle aura commencé de la recueillir dans un grenier, ou bien quand, l'ayant fait porter au moulin et réduire en farine, elle l'aura dissimulée dans la pâte du salut, jusqu'à la fermentation complète [a], alors la consommation finale sera imminente. Achamoth sera d'abord transportée de la région intermédiaire, du second étage, au dernier. A peine rendue au Plérôme elle est accueillie par cet arlequin de Sauveur, son époux naturellement ; tous deux

---

MPFX || 8 transferetur θ *D edd.* : -fertur *R³B Gel Pam Iun Rig Pr Oe* || restitutam *Kr* : -ta θ *cett. edd.* || pleromati *Kr Ril* : -tiae *MP R¹R²* -tie *F* -te *X* -ti et *cett. edd.* || compacticius *edd.* : -parcinus *MPF R¹R² Sem Ob* -paremus *X*

---

a. cf. Matth. 3, 12 ; I Cor. 5, 6-8.

XXX, l. 16-21 cf. Irén. I, 6, 4.
XXXI, l. 2-11 cf. Irén. I, 7, 1.

pa*ticiu*s ille Soter, sponsus scilicet, ambo coniugium no-
10 uum fiet ; hic erit in scripturis sponsus [b], et sponsalis
pleroma. (2.) Credas enim, ubi de loco in locum trans-
migratur, leges quoque Iulias interuenire. 2. Sicut e*x*
*sc*aena et Demiurgus tunc de hebdomade caelesti in
superiora mutauit, in uacuum iam caenaculum matris,
15 scien*s* iam nec uidens illam. Nam, si ita erat, semper
ignorare maluisset. **XXXII**.1. Humana uero gens in
hoc exitus ibit : choicae et materialis notae totum interitum, quia *omnis caro foenum* [a]. Et anima mortalis
apud illos nisi quae salutem fide inuenerit. Iustorum
5 animae, id est nostrae, ad Demiurgum in medietatis
receptacula transmittentur — agimus gratias, contenti
erimus cum deo nostro deputari — qua census animal*is* :
nihil in pleromatis palatium admittitur, nisi spiritale
examen Valentini. 2. Illic itaque primo dispoliantur
10 homines ipsi, id est interiores [b] — dispoliari est autem
deponere animas quibus induti uidebantur — easque
Demiurgo suo reddent quas ab eo auerterant ; ipsi autem
spiritus in totum fient intellectuales neque detentui neque
conspectui obnoxii, atque ita inuisibiliter in pleroma
15 recipientur. Furtim, si ita est. 3. Quid deinde ? Angelis

9 et *ante* ambo *add. Oe Kr* ‖ nouum coniugium *FX* ‖ 10 fiet
θ *edd.* : -ent *Iun Ob Oe Kr Ma Ril om. Rig Pr* ‖ hic θ *edd.* : et
hic *Rig Pr* hoc *Engelbrecht Kr Ma* ‖ et sponsa *post* sponsus
add. Rig Pr Kr ‖ sponsalis θ *edd.* : -le *Rig Pr Sem Ob* ‖ 12-13 ex
scaena *Kr Ma* : et cainan *MP* et Camam (?) *F* et caniam *X* et
Cainam *R B Gel Pam Sem Ob* et Caninam *susp. R²mg* et Cani-
niam *susp. R³mg Bmg* et Canuleiam *Iun* et caenam *Rig Pr* et
scenam *Oe* et scaenem (= -am ?) *Ril* ‖ 13 Demiurgus *MPX edd.* :
-giis *F* ‖ caelesti θ *edd.* : sub- *Pam Rig Pr* ‖ 14 mutauit θ : -bit *edd.* ‖
15 sciens iam *edd.* : scientiam θ *D R²* ‖ 16 maluisset *FX edd.* : -ent
MP

XXXII, 2 hoc θ *D edd.* : hos *R²R³B Gel Iun* ‖ in *ante* totum *add.*
Pam Rig Pr ‖ interit *ante* interitum *add. Oe* in *ante* interitum *add.*
Kr Ma Ril ‖ interitum θ *edd.* : interiturum *Iun* ‖ 6 et receptacula
post receptacula *iter. MP D* ‖ 7 qua census θ *edd.* : quo ascensus *Rig*
Pr in quo census *Oe* ‖ census animalis : nihil *ego Ril* : census, nihil
animale θ *R²R³B Gel Pam Iun Rig Pr Sem Ob Oe* census animalis

formeront un nouveau couple ; il sera l'époux de l'Écriture [b] et le Plérôme sera la chambre nuptiale. (2). A croire que même quand on change de région les lois Juliennes demeurent en vigueur ! 2. Pour sa part, comme s'il quittait la scène, le Démiurge a abandonné l'Hebdomade céleste pour gagner les hauteurs, l'appartement désormais inoccupé de sa mère, qu'il connaît maintenant mais ne voit toujours pas. Probablement que, dans ces conditions, il aurait préféré continuer à l'ignorer ! **XXXII.** 1. Quant au genre humain, voici sa destinée : destruction complète de tout ce qui porte une marque terrestre et matérielle, car « toute chair est foin [a] ». Et pour eux est mortelle toute âme qui n'a pas trouvé le salut par la foi. Les âmes des justes, c'est-à-dire les nôtres, seront envoyées auprès du Démiurge, dans le refuge de la région intermédiaire — merci ! nous serons satisfaits de nous voir rangés avec notre Dieu —, car elles sont de nature psychique : rien n'entre dans le palais du Plérôme hormis l'essaim spirituel de Valentin. 2. C'est pourquoi là-bas les spirituels eux-mêmes commencent par dépouiller l'homme, c'est-à-dire l'homme intérieur [b] (se dépouiller c'est déposer l'âme dont ils étaient revêtus), et ils rendront à leur Démiurge l'âme qu'ils lui avaient empruntée ; d'autre part, ils deviendront des esprits de pure intelligence, échappant à toute saisie et à tout regard, et de cette façon, sans être vus, ils seront reçus dans le Plérôme. A la sauvette, étant donné les conditions. 3. Et

nihil *Kr* census nihil animalis *Ma* ‖ 9 dispoliantur θ *edd.* : -abuntur *Kr* ‖ 10 autem est *Rig Pr Sem Ob Oe Kr* ‖ 12 quas — auerterant *secl. Kr* ‖ auerterant θ *edd.* : -tant *Pam Iun Pr* ‖ ipsi *MFX edd.* : -e *P* ‖ 13 detentui *M*pc *susp. R*¹*mg edd.* : detenui *M*ac *PFX R*¹ ‖ 15 recipientur *edd.* : -untur θ *R*²*Sem Ob Ril* ‖ quid *om. F*

b. cf. Matth. 25, 6 ; Jn 3, 29.
a. Is. 40, 6.
b. cf. Rom. 7, 22 ; Éphés. 3, 16.

XXXII, l. 2-8 cf. Irén. I, 7, 1.
        l. 9-19 cf. Irén. I, 7, 1.5.

distribuentur, satellitibus Soteris. In filio*s* putas ? Non
unus. Sed in adpar*i*tore*s* ? Ne istud quidem. Sed in
imagines ? Vtinam uel hoc ! In qui*d* ergo, si non pudet
dicere ? In sponsas. Tunc illi Sabinas raptas ^c inter se
20 de matrimoniis ludent. Haec erit spiritalium merces,
hoc praemium credendi. 4. Fabulae tales utiles ut Marcus
aut Gaius, in hac carne barbatus et hac anima, seuerus
maritus, pater, auus, proauus, certe quod sufficit masculus, in *n*ymphone pleromatis, ab angelo... — tacendo iam
25 dixi — et forsitan paria*t* aliquem *Ae*onesimum [aeonem].
His nuptiis recte deducendis, pro face et flammeo tunc,
credo, ille ignis arcanus erumpet et, uniuersam substantiam depopulatus, ipse quoque decineratis omnibus in
nihilum finietur, et nulla iam fabula. 5. Sed ne ego teme-
30 rarius qui tantum sacramentum etiam inludendo prodide-
rim. Verendum mihi est ne Achamoth, quae se nec filio
agnitam uoluit, insaniat, ne Philetus irascatur, ne Fortu-
na*ta* acer*b*etur. Et tamen homo sum Demiurgi ; illuc habeo
deuertere post excessum ubi omnino non nubitur ^d, ubi
35 superindui pot*ius* quam dispoliari ^e, ubi, etsi <non>
dispolior sexui meo, deputor angelis, non angelus, non
angela. Nemo mihi quicquam faciet, quem et tunc masculum inuenient.

16 filios *edd.* : -o θ *R²* ‖ 17 unus *Kr Ma* : unius *F   om. MPX
cett. edd.* ‖ adparitores *edd.* : -paratoris θ *R²* -paratores *Sem Ob*
‖ 18 imagines *PF¹ edd.* : -nis *MF²X R¹R²* ‖ in quid *edd.* : inquit θ
R²Sem Ob ‖ ergo *edd.* : erro θ *R²Sem Ob* ‖ pudet *MP edd.* : -tet *FX
R¹R² Sem Ob* ‖ 19 sponsas *edd.* : sponsa est θ *R²* ‖ inter se θ *edd.* :
iure *R³B Gel Pam Iun Oe* ‖ 20 de *secl. R³B Gel Pam Iun Oe* ‖ matrimoniis θ *edd.* : -ii *R³   Gel Pam Iun Oe* ‖ ludent *Kr Ma Ril* :
laud- θ *D R² Sem Ob   plaud- R³ B Gel Pam Iun Rig Pr   claud- Oe* ‖
21 credendi *MPF edd.* : -de *X* ‖ 22 aut *MPF edd.* : et *X* ‖ hac carne
Iun Kr Ma Ril : hanc carnem θ *cett. edd.* ‖ in *ante* hac anima *add.
Kr Ma Ril* ‖ hac anima *Iun Kr Ma Ril* : haec anima θ *R²Sem
Ob   haec omnia cett. edd.* ‖ 24 nymphone *edd.* : symph- θ *R²R³B
Gel Sem Ob* ‖ 25 pariat *Kr Ma* : -ias θ *cett. edd.* ‖ aeonesimum
dubit. conieci : onesimum aeonem *MPF edd.   onesimum eonum
X   nouissimum aeonem susp. R³ B Gel Ril   unum et tricesimum
(uel sim.) susp. in notis Oe* ‖ 27 erumpet *P edd.* : -it *MFX* ‖ 32

ensuite ? — Ils seront répartis entre les anges, les serviteurs du Sauveur. Pour être leurs fils, tu supposes ? — pas
du tout. Pour leur servir d'appariteurs alors ? — non plus.
D'images ? — si seulement c'était le cas ! A quel titre
donc, s'il n'est pas honteux de le dire ? — pour être leurs
épouses ! Leurs noces leur donneront alors l'occasion de
jouer entre eux le rôle des Sabines enlevées [c] ! Telle
sera la récompense des spirituels, tel sera le prix de leur
croyance. 4. Les fables de ce genre ont des avantages :
Marcus ou Gaius, avec cette chair, portant barbe, et cette
âme, irréprochable, qu'il soit mari, père, aïeul ou bisaïeul,
pourvu que ce soit un homme, une fois dans la chambre
nuptiale du Plérôme, avec un ange... — voilà, je l'ai dit,
sans le dire —, et peut-être bien accouchera-t-il de quelque
Éonésime ! Pour célébrer convenablement ces noces, à la
place des torches et du voile s'embrasera alors, je crois, le
feu caché : il détruira tout l'univers matériel et s'anéantira
lui-même au milieu des cendres générales : la comédie est
terminée ! 5. Mais quel homme téméraire ne suis-je pas,
moi qui ai dévoilé un pareil mystère, en le ridiculisant. Il
me faut redouter la fureur d'Achamoth, elle qui n'a même
pas voulu se faire connaître de son fils, la colère de Philétus,
la mauvaise humeur de Fortunata... Mais je suis un homme
du Démiurge ; après la mort, je dois me rendre là où il n'y
a pas du tout de mariage [d], là où je dois être revêtu plutôt que dépouillé [e], et où, sans être dépouillé de mon sexe,
je suis rangé parmi les anges, ni ange ni angèle. Et personne
ne me fera rien, ou alors... on trouvera un homme !

ne[1] *P edd.* : nec *MFX* ‖ Philetus θ *edd.* : Thele- *Oe Kr Ma Ril* ‖
Fortunata *Iun Rig Kr Ma Ril* : -tuna θ *cett. edd.* ‖ 33 acerbetur
edd. : aceruet- *MPX*   acernet- *F* ‖ 34 post excessum ubi *Kr* : ubi
post excessum θ *cett. edd.* ‖ nubitur *P edd.* : obn- *MFX Rig Pr Ril* ‖
35 potius *edd.* : -tuit θ *R² Sem Ob* ‖ habeo *post* dispoliari *add. Kr* ‖
35-36 non *ante* dispolior *addidi* ‖ 36 sexui meo deputor, angelis *dist.*
Kr Ma ‖ 37-38 nemo — inuenient *secl. Rig Pr* ‖ 37 mihi *om. F* ‖
quicquam *MFX edd.* : -qua *P* ‖ et θ *edd.* : nec *Oe Ril*

c. cf. ENN. *Sabinae* ; LIV. 1, 8-9.
d. cf. Matth. 22, 30.
e. cf. II Cor. 5, 2.4.

XXXIII.1. Producam denique uelut epicitharisma
post fabulam tantam, etiam illa quae, ne ordini obstreperent et lectoris intentionem interiectione dispargerent,
hunc malui in locum distulisse, aliter atque aliter com-
5 mendata ab emendatoribus Ptolemaei. Extiterunt enim
de schola ipsius discipuli super magistrum [a], qui duplex
coniugium Bytho suo adfingerent, Cogitationem et
Voluntatem. 2. Vna enim satis non erat Cogitatio, qua
nihil producere potuisset. Ex duabus facillime prolatum,
10 *secund*um coniugium, Monogen*em* Veritatem, ad ima-
gin*em* quidem Cogitationis feminam Veritatem, ad
imaginem Voluntatis marem Monogenem. Volunta*tis*
enim uis, uti qu*ae* effectum praestat Cogitationi, u*i*ritatis
obtinet *c*ensum.

XXXIV.1. Pudiciores alii, honorem diuinitatis recor-
dati, ut etiam unius coniugi*s* dedecus ab eo auellerent,
maluerunt nullum Bytho sexum deputare, et fortasse
« hoc d*e*um », non « hic deus », neutro genere pronunti*a*nt.
5 2. Alii contra magis et masculum et feminam dicunt, ne
apud solos Lunenses hermaphroditum existimet « An-
nalium » commentator Fenestella.

XXXV.1. Sunt [inquit] qui nec principatum Bytho de-
fendant sed postumatum, ogdoadem ante omnia praemit-

XXXIII, 1 producam *MPX edd.* : paucam *F* ‖ 3 intentionem
MPX edd. : intuit- *F* ‖ 4 commendata θ *edd.* : -mentata *susp. R³mg*
Bmg ‖ 5 Ptolemaei *edd.* : tholomaei *MP*   ptholomei *FX* ‖ 6 ipsius
MP edd. : illius *FX* ‖ 7 Bytho *edd.* : -thio θ *R²R³B Gel* ‖ 9 facillime
θ *R²Sem Ob Kr Ma Ril* : -mo *cett. edd.* ‖ prolatum θ *D R² Sem Ob Kr*
Ma Ril : -tu *cett. edd.* ‖ 10 secundum *Engelbrecht Kr Ril* : primum
θ *cett. edd.* ‖ Monogenem *edd.* : -nes θ *D R²* ‖ et *post* Monogenem *add.*
R²B Gel Pam Pr Oe Kr Ma Ril ‖ imaginem *edd.* : -nes θ *R²* ‖ 12 marem Monogenem *om. F* ‖ Voluntatis² *edd.* : -tas *MPX R¹R² Sem Ob*
om. F ‖ 13 uis *edd.* : uisa θ *D R²* ‖ uti quae *edd.* : utique θ *D R² Iun*
Sem Ob   ut quae *Oe Kr Ma Ril* ‖ uiritatis *Engelbrecht Ma Ril*
uerita- θ *D R²*   maris *R³B Gel Pam Iun Rig Pr Sem Ob Oe*   uiri
lita- *Kr* ‖ 14 censum *edd.* : sens- θ *R²*
XXXIV, 2 coniugis *edd.* : -gii *Pam Iun Rig Pr Sem Ob Oe* ‖ 3 Bytho
edd. : -thio θ *R²R³ B Gel* ‖ 4 deum *edd.* : dominum θ *D R² Sem Ob*
pronuntiant *FX edd.* : -ent *MP R¹R²* ‖ 5 et² *om. X* ‖ 6 hermaphro

**En guise de finale,
quelques types
d'Ogdoade**

XXXIII. 1. Pour terminer, en
guise de finale après une si belle
comédie, je vais exposer aussi
des doctrines que j'ai préféré re-
porter ici pour éviter qu'elles ne nuisent à l'agencement
du récit et qu'elles ne constituent des digressions susceptibles de disperser l'attention du lecteur : il s'agit d'affir-
mations très diverses formulées par les correcteurs de
Ptolémée. Certains disciples de son école, en effet, sont
allés plus loin que le maître [a] en imaginant deux épouses
pour leur Bythos : Pensée et Volonté. 2. Pensée toute seule
ne lui suffisait pas, car il n'aurait rien pu produire. Au
contraire, grâce à elles deux, ont été proférés, sans aucune
difficulté, selon la syzygie, Monogène et Vérité : Vérité,
éon femelle, à l'image de Pensée ; Monogène, éon mâle, à
l'image de Volonté. En effet, Volonté, grâce à sa puissance
qui a permis à Pensée d'agir, obtient de figurer sur le
registre de la virilité.

XXXIV. 1. D'autres, plus pudiques, n'ont pas oublié
le respect dû à la divinité ; soucieux de lui éviter le déshon-
neur d'avoir une épouse, fût-elle unique, ils ont préféré
n'assigner aucun sexe à Bythos, disant peut-être au
neutre, pour désigner leur Dieu, « ceci » et non « celui-ci ».
2. En revanche, certains sont plutôt d'avis qu'il est à la
fois mâle et femelle, en sorte que Fenestella, l'auteur des
Annales, a tort de croire qu'il n'y a d'hermaphrodite
que parmi la population de Luna.

XXXV. 1. Certains revendiquent pour Bythos non
pas le premier rang, mais un rang inférieur : pour eux,
l'Ogdoade, issue elle-même de la Tétrade, mais avec des

ditum *VL edd.* : herma par oditum *MPFX* ‖ existimet *edd.* : -ent
MPFX
XXXV, 1 inquit *post* sunt *add.* θ *D R²* ‖ Bytho *edd.* : -thio θ
R²R³B Gel ‖ 2 praemittentes *MPF edd.* : -tens *X*

a. cf. Matth. 10, 24.

XXXIII, l. 5-12 cf. Irén. I, 12, 1.
XXXIV, l. 2-6 cf. Irén. I, 11, 5.
XXXV, l. 1-9 cf. Irén. I, 11, 5.

tentes, ex tetrade quidem et ipsam sed aliis nominibus
deriuatam. Primo enim constituunt Proarchen, secundo
5 Anennoeton, tertio Arrheton, quarto Aoraton. 2. Ex
Proarche itaque processisse primo et quinto loco Archen,
ex Anennoeto secundo et sexto loco Acatalepton, ex
Arrheto tertio et septimo loco Anonomaston, ex Inuisibili
quarto et octauo loco Agenneton. Hoc quae ratio disponat,
10 ut singula binis locis et quidem tam intercisis nascantur,
malo ignorare quam discere. Quid enim recti habent quae
tam peruerse proferuntur ?

XXXVI.1. Quanto meliores qui totum hoc taedium
de medio amoliti nullum aeonem uoluerunt alium ex
alio per gradus reuera Gemonios structum, sed mappa,
quod aiunt, missa semel octoiugem istam ex Propatore
5 et Ennoea eius excusam. Ex ipso denique rerum motu
nomina gerunt. 2. « Cum, inquiunt, cogitauit proferre
hoc Pater dictus est. (2.) Cum protulit, quia uera protulit, hoc Veritas appellata est. Cum semetipsum uoluit
probari, hoc Homo pronuntiatus est. Quos autem prae-
10 cogitauit cum protulit, tunc Ecclesia nuncupata est. So-
nuit Homo Sermonem — et hic est primogenitus filius —
et Sermoni accessit Vita, et ogdoas prima conclusa est ».
Sed hoc taedium non pusillum !

---

3 et *post* sed *iter.* MFX D R^1R^2 ‖ 4 secundo *edd.* : -dum
MPFX et secundum R^1R^2 ‖ 5 Anennoeton MPX *edd.* : anemio et
om F ‖ Arrheton *edd.* : archeton θ R^2 *Sem* ‖ Aoraton *edd.* : aroaton
MPFX ‖ ex MPX *edd.* : et F ‖ 6-7 Archen — sexto loco *om.* F ‖ 6
Anennoeto *edd.* : -noetom M -notom P -noe etom X -noeton R^1 ‖
7 Acatalepton *edd.* -to MPFX ‖ Arrheto *edd.* : archeto M arceto
PFX R^1R^2 *Sem* ‖ 8 Anonomaston *edd.* : -tum θ ‖ 9 Agenneton *edd.* :
aggenethon MPFX Ageneton R^1 ‖ 12 tam MPX *edd.* : iam F ‖
peruerse FX *edd.* : -sae MP
   XXXVI, 3 Gemonios *susp.* R^1mg *edd.* : -nio θ a daemonio *etiam
susp.* R^1mg ‖ 4 ex Propatore *Kr Ma Ril* : et ex parte θ R^2 *Sem Ob*
ex patre *cett. edd.* ‖ 5 et *ante* Ennoea *transp.* R^3 B *Gel Pam Iun Rig
Pr Oe Kr Ma Ril* ‖ Ennoea MPX *edd.* : ennoca F ‖ excusam *Engelbrecht Kr Ma Ril* : ex causa MP R^1R^2 *Sem Ob* ex causam FX
exclusam *cett. edd.* ‖ rerum θ $R^2Kr Ma Ril$: eius *cett. edd.* ‖ 5-6 motu

noms différents, est antérieure à tout. A la première place,
en effet, ils mettent Proarchè, à la seconde Anennoëtos, à
la troisième Arrhétos et à la quatrième Aoratos. 2. Ensuite,
de Proarchè a procédé Archè, à la première et cinquième
places ; d'Annénoëtos a procédé Acataleptos, à la seconde
et sixième places ; d'Arrhétos, Anonomastos, à la troisième et septième places ; d'Invisible, Agennetos, à la
quatrième et huitième places. La raison de cette disposition qui fait que chaque chose naît en deux endroits à la
fois, et séparés par un tel intervalle ? je préfère l'ignorer
que la connaître ! Quelle logique y a-t-il en effet dans des
choses proférées de façon aussi extravagante ?

    XXXVI. 1. Combien mieux inspirés furent ceux qui,
écartant ce fatras, n'ont pas voulu que les éons fussent
disposés l'un à la suite de l'autre exactement comme sur
les marches des Gémonies, mais que, au jet de la serviette,
comme on dit, un attelage de huit éons jaillît en même
temps de Propator et de son Ennoïa ! Ainsi les éons tirent
leurs noms du mouvement lui-même. 2. « Quand, disent-
ils, Propator pensa à émettre, cette pensée fut appelée
Père. (2.) Quand il eut émis, parce qu'il avait émis le vrai,
cette émission fut appelée Vérité. Quand il voulut se faire
reconnaître, cette émission fut nommée Homme. D'autre
part, quand il eut émis ceux auxquels il avait pensé
d'avance, cette émission reçut le nom d'Église. Homme
fit entendre le Verbe — c'est le fils premier-né — et au
Verbe fut adjointe la Vie : la première Ogdoade est close. »
Mais, dira-t-on, quel fatras quand même !

---

nomina M^2 G edd. : motu ominare M^1 motum ominare PFX R^1R^2 ||
6 proferre : MPX edd. : -rro F || 7 uera R^3 B Gel Pam Iun Rig Pr Oe :
-o θ R^2 Kr Ma Ril -e Sem Ob || 8 hoc $Engelbrecht$ Kr Ma : hic θ
cett. edd. || 13 non om. R^3 B Gel Pam Kr Ma Ril omnino Oe

XXXVI, 1. 4-12 cf. Irén. I, 12, 3.

XXXVII.1. Accipe alia ingenia circu*lator*ia insignioris apud eos magistri, qui e*x* pontificali sua auctoritate in hunc modum censuit : « Est, inquit, ante omnia Proarche, inexcogitabile et inenarrabile, in*nomin*abile, quod
5 ego nomino Monoteta. Cum hac erat alia uirtus, quam et ipsam appello *H*enoteta. 2. < Monotes et Henotes > — id est Solita*s* e*t* Vnitas — cum unum essent, protulerunt, non pro*f*erentes, initium omnium intellectuale, innascibile, inuisibile, quod sermo <Monada> uocauit ; huic
10 adest co*n*substantiu*a* uirtus, quam appellat Vnio*nem*. Haec igitur uirtutes, Solitas, Vnitas, <Singularitas>, Vnio, ceteras prolationes aeonum propagarunt ». O differentia ! Mutetur Vnio et Vnitas et Singularitas [et suum] et Solitas, quaqua designaueris, unum est !

XXXVIII. Humanior iam Secundus ut breuior, ogdoadem in duas tetradas diuidens, in dexteram et sinistram, in lumen et tenebras, tantum quod desultricem et defectricem illam uirtutem non uult ab aliquo
5 deducere aeonum, sed a fructibus de <eorum> substantia ueniat.

XXXIX.1. De ipso iam domino Iesu quanta diuersitas scinditur ! Hi ex omnium aeonum flosculis eum construunt ; illi ex solis decem constitisse contendunt

XXXVII, 1 circulatoria *Oe Ril* : circurianiana *MP R B Gel Sem Ob* circur iamana *F* circur inaniana *X* Cicuria Enniana *Pam Iun* cercuriana *Lat Rig* Currucae Enniani *Pr* cicuri iam anima *Kr* cicuria iam *Ma* ‖ 2 ex *R²R³ B Gel Pam Iun Kr Ma* : et *MPF DR¹ cett. edd.* a *X* ‖ 4 et *post* inenarrabile *iter. R³B Gel Pam Iun Rig Pr Oe Kr* ‖ innominabile *edd.* : inenarrabile *iter.* θ *R² Sem Ob* ‖ 5 Monoteta *MP edd.* : monet- *FX* ‖ hac *MᵖᶜP edd.* : haec *FX* ‖ 6 Henoteta *edd.* : ennoteta θ *R²* ‖ Monotes et Henotes . *iter*: om. θ *DR²* ‖ 7 id est *MPX edd.* : idem *F* ‖ Solitas *edd.* : -ta θ *D R²* ‖ et *edd.* : sed θ *R²* om. *D* ‖ 8 proferentes *edd.* : praef- θ *R²* ‖ 9 Monada *edd.* : om. θ *D R²* ‖ 10 consubstantiua *edd.* : cum substantia θ *D R²* ‖ Vnionem *Kr Ma Ril* : unio θ *cett. edd.* ‖ 11 haec θ *R²* : hae *cett. edd.* ‖ Solitas *MFX D edd.* : -ta *P R¹* ‖ Vnitas *M² P R¹R³Sem Ob Kr Ma Ril* : nitas *M¹* nutas *FX* om. *D* Singularitas *cett. edd.* ‖ Singularitas *add. Kr Ma Ril* : om. θ *R²Sem Ob* Vnitas *cett. edd.* ‖ 12 Vnio om. *Sem Ob* ‖ aeonum *G edd.* : eorum θ *D R²* ‖ 13 mutetur (*an* mitt- ?) *M edd.* : mittetur

XXXVII. 1. Écoute d'autres inventions charlata-
nesques d'un de leurs maîtres fort en vue chez eux, qui
avec une autorité toute pontificale a décidé ce que voici :
« Il y a, dit-il, avant toutes choses, Proarchè, réalité inconcevable, indicible et innommable, que moi je nomme
Monotès. Avec elle il y avait une autre puissance, que
j'appelle Hénotès. **2.** Monotès et Hénotès, autrement dit
Solitas et Unitas, bien qu'étant l'« un », ont émis, sans
l'émettre, le principe de toutes choses, intelligible, inengendré, invisible, qui a reçu, dans la langue, le nom de
Monade. Il y a, présente en elle, une puissance consubstantielle, qu'il appelle Union. Ces puissances donc, Solitas,
Unitas, Singularitas, Union, ont propagé toutes les autres
prolations d'éons. » Belles distinctions ! Que l'on échange
Union, Unitas, Singularitas et Solitas, de quelque façon
qu'on les désigne, c'est tout un !

XXXVIII. Secundus, moins sot dans la mesure où il est
plus bref, se borne à diviser l'Ogdoade en deux Tétrades,
celle de droite et celle de gauche, celle qui est lumière et
celle qui est ténèbres ; seulement, il ne veut pas que la
puissance défaillante et défectueuse dérive de l'un des
éons, mais qu'elle provienne des fruits de leur substance.

XXXIX. 1. Et sur notre Seigneur Jésus, que de divergences on voit se creuser ! Les uns le constituent à partir
de la fleur de tous les éons ; d'autres prétendent qu'il n'a

PFX ‖ et² *MFX D Kr Ma Ril* : om. *P cett. edd.* ‖ 14 et suum *secl. Kr
Ril* : est summa *Oe*   et summa *Ma* ‖ et¹ *om. D* ‖ et² θ *D R²Sem Ob
Oe Kr Ril* : om. *cett. edd.* ‖ Solitas *G edd.* : -ta θ *D R²Sem Ob* ‖
quaqua *Kr Ma Ril* : quamquam θ *R²R³Rig Pr Sem Ob Oe*
quamque *cett. edd.*
    XXXVIII, 5 triginta *ante* aeonum *add. Pam Iun Rig Pr* ‖ post
fructibus † *ind. Kr* ‖ eorum *ante* substantia *dubit. addidi,* post
substantia *add. Pam Iun Rig Pr* ‖ 6 ueniat *ego* : -ant θ *D R² Kr
Ma* -entibus *cett. edd.*
    XXXIX, 1 domino *MP edd.* : dicant *F*   dicitur (?) *X*   dicto β
‖ Iesu *edd.* : ien θ *D R²Sem Ob* ‖ diuersitas *MFX edd.* : -tatis *P* ‖
2 eum *MP edd.* : cum *FX*

XXXVII, l. 3-12 cf. Irén. I, 11, 3.
XXXVIII, l. 2-6 cf. Irén. I, 11, 2.
XXXIX, l. 2-11 cf. Irén. I, 12, 4.

quos Sermo et Vita protulerunt, inde et in ipsum Sermo-
5 nis et Vitae concurrerunt *tit*uli ; isti ex *duodecim* potius
ex Hominis et Ecclesiae fetu, ideoque Filium Hominis
auite pronuntiatum ; ali*i* a Christo et Spiritu Sancto
constabiliendae *uni*uersitati prouisis confictum et in*de*
paternae appellationis heredem. 2. Sunt qui Filium
10 Hominis aliunde conceperint dicendum, qu*oni*am ipsum
patrem pro magno nominis sacramento Hominem appellasse praesumpserint, ut quid amplius speres de eius
dei fide cui n*omin*e adaequaris. Talia ingenia superfructificant apud illos ex materni seminis redundantia.
15 Atque ita inolescentes doctrinae Valentinianorum in
siluas iam exoleuerunt Gnosticorum.

4 inde θ *edd.* : unde *Kr Ma* ‖ 5 concurrerunt θ *edd.* : -rint *Kr Ma*
Ril ‖ tituli *Oe Kr Ma Ril* : oculi θ *D R² Rig Pr Sem Ob*   flosculi *cett.*
edd. ‖ isti θ *D R² Rig Pr Sem Ob Oe Kr Ma Ril* : illi *cett. edd.* ‖
duodecim *edd.* : christo (= x$\overline{p}$o) θ *D Sem Ob* ‖ 7 auite θ *edd.* : aiunt
Rig Pr ‖ alii a *susp.* R^1*mg edd.* : alia θ *D Sem Ob* ‖ 8 uniuersitati
susp. R^1*mg edd.* : conuer- θ *D Sem Ob* ‖ prouisis *MPX edd.* : -sus *F* ‖
inde *Kr Ma Ril* : in se θ *D R² Sem Ob*   iure *cett. edd.* ‖ 10 non *ante*
aliunde *add. Kr Ma Ril* ‖ quoniam *Iun Oe* : quam quia *Kr Ma*
Ril   quamquam θ *cett. edd.* ‖ 12 se *ante* praesumpserint *add. En-*
gelbrecht Kr Ma Ril ‖ ut θ *edd.* : et *Kr* ‖ quid *MPX edd.* : quam.

été fait qu'à partir des dix éons émis par Verbe et Vie ; et c'est de là que lui ont convenu les appellations de Verbe et de Vie ; pour d'autres, c'est plutôt à partir des douze éons produits par les rejetons Homme et Église, et c'est ce qui explique qu'il ait été appelé, du nom de son aïeul, Fils de l'Homme ; pour d'autres enfin, il a été créé par Christ et Esprit-Saint, chargés de consoler le Plérôme, et c'est pourquoi il a hérité du nom de son père. 2. Mais il y en a qui se sont imaginé qu'il fallait le dire Fils de l'Homme pour une autre raison, puisqu'ils se sont mis en tête d'appeler Homme le Père lui-même, étant donné le profond mystère attaché à ce nom, en sorte que l'on espère davantage de la foi en un Dieu que l'on égale par son nom. Telles sont les inventions qui fructifient chez eux surabondamment grâce à la profusion de semence maternelle. Et c'est ainsi que se sont développées les doctrines valentiniennes et qu'elles se sont déployées au milieu des forêts gnostiques.

F ‖ 13 nomine *Kr* !: nunc θ *cett. edd.* ‖ adaequaris ? talia *dist. Kr Ma* ‖ superfructificant *FX* β : -fruticant *MP cett. edd.* ‖ 15 ino-lescentes *Iun Rig Pr Oe Kr Ma* : insol- θ *cett. edd.* ‖ Valentiniano-rum *MPX edd.* : ualentiniorum *F*.

  Finis ADVERSVS VALENTINIANOS EXPLICIT *MP*   Expli-cit liber aduersus ualentinianos *F   om. X*

TABLE DES MATIÈRES

ACHEVÉ D'IMPRIMER
LE 22 DÉC. 1980
SUR LES PRESSES
DE PROTAT FRÈRES
A MACON

N° IMPRIMEUR : 6399. N° ÉDITEUR : 7321. DÉPÔT LÉGAL : 1er TRIMESTRE 1981.

CONTRE LES VALENTINIENS

SOURCES CHRÉTIENNES

Directeurs-fondateurs : H. de Lubac, s. j. et † J. Daniélou, s. j.
Directeur : C. Mondésert, s. j.
N° 281

TERTULLIEN

CONTRE LES VALENTINIENS

Tome II

COMMENTAIRE ET INDEX

PAR

Jean-Claude FREDOUILLE
PROFESSEUR A L'UNIVERSITÉ JEAN-MOULIN DE LYON

*Ouvrage publié avec le concours
du Centre National des Lettres*

S ÉDITIONS DU CERF, 29, BD DE LATOUR-MAUBOURG, PARIS
1981

*Cette publication a été préparée
avec le concours de l'Institut des Sources Chrétiennes
(E. R. A. 645 du Centre National de la Recherche Scientifique)*

COMMENTAIRE [1]

1re Partie : L'Exordivm (chap. I-IV)

1. La « discipline de l'arcane » valentinien et l'enseignement au grand jour de la Vérité (chap. I-III).

    a. L'obligation du secret dans le valentinianisme (chap. I).

L'hérésie valentinienne se complaît dans le secret et l'impose à ses fidèles : à cet égard, elle fait penser aux pratiques en usage dans les Mystères d'Éleusis, qui obligent les époptes à garder le secret sur l'immoralisme d'une initiation à laquelle ils ont été longuement et psychologiquement préparés (§ 1-3). D'où la prudence des valentiniens dans les conversations que l'on a avec eux, et qu'ils observent avec leurs disciples tant qu'ils ne les ont pas gagnés complètement à leur doctrine. Ce n'est pourtant pas ainsi qu'opère la Vérité (§ 4).

1, 1. Valentiniani : Tert. volontiers commence (cf. Waszink, p. 82) et termine (cf. Fredouille, p. 88) ses ouvrages en reprenant le mot important du titre ou en y faisant écho (cf. *infra*, 39, 2). — **frequentissimum** : sur le succès et le développement du valentinianisme à cette époque, cf. Fredouille, p. 193 ; 271 ; *supra*, p. 24 s. — **plane** : souvent employé par Tert. avec la valeur ironique de *sane* (Waszink, p. 138) ; de plus, ici, en corrélation avec *quia*, annonçant ainsi le tour tardif *plane quia* (cf. L. H. S., p. 584). — **collegium** : désignant toute association de personnes ayant une

---

1. En rédigeant ces notes nous n'avons eu d'autre intention que d'éclairer le texte de Tertullien, sans jamais nourrir l'ambition de présenter un commentaire exhaustif de la doctrine de Ptolémée.

activité commune (magistrats, artisans, etc.), ce mot prend
fréquemment une coloration péjorative (association illicite) :
cf. J. Hellegouarc'h, *Le vocabulaire latin des relations et
des partis politiques...*, Paris 1972², p. 109-110 ; *TLL* s. u.
col. 1592, 45. Tert. ne l'applique pas aux chrétiens ; en
revanche il les désigne par *corpus, schola* ou *secta* (cf. Waltzing, p. 17 et 247). — **haereticos** : Tert. est le premier à
employer ce terme, soit en fonction adjective, soit, comme
ici, en fonction substantive (cf. *TLL* s. u. col. 2507, 1).
— **ex** : valeur prégnante ; cf. *infra*, 7, 8 ; 29, 2-3. — **apostatis** : le mot apparaît en latin chez Tert., qui l'a sans doute
emprunté au grec par l'intermédiaire des traductions de la
Bible, où il désigne celui qui a renié Dieu ; ce sens général
est bien attesté chez Tert., qui a toutefois tendance à ap-
pliquer ce terme aux hérétiques (cf. H. A. M. Hoppenbrouwers, *Recherches sur la terminologie du martyre de Tert.
à Lactance*, Nijmegen 1961, p. 66-67). — **ueritatis** : la
vérité chrétienne, dont l'essentiel est contenu dans la *regula
ueritatis* (ou *fidei*), opposée au mensonge, à la vanité et, en
l'occurrence, à l'erreur des hérétiques : cf. *Virg.* 1, 2 : « Hae-
reseis... ueritas reuincit » ; *infra*, 6, 3 ; sur cette conception
du christianisme comme étant la *ueritas* et son rôle dans la
pensée de Tert., cf. *supra*, p. 31. Comme d'ailleurs tous les
Pères, il voit dans le gnosticisme une déviation de l'orthodoxie et ignore tout de l'existence d'un éventuel gnosticisme
pré-chrétien (sur cette question disputée, obscurcie par la
terminologie, cf. en dernier lieu : E. Yamauchi, *Pre-Christian
Gnosticism*, London 1973 ; R. McL. Wilson, « From Gnosis
to Gnosticism », *Mél. d'histoire des relig. offerts à H.-C.
Puech*, Paris 1974, p. 423-429 ; H. A. Green, « Gnosis and
Gnosticism : a Study in Methodology », *Numen* 24 [1977],
p. 95-134) ; pour le thème de la postériorité du gnosticisme
spécialement dans l'œuvre de Tert., cf. Fredouille, p. 271 s.
De fait, beaucoup d'hérétiques sont issus de l'Église : cf.
infra, 4, 1 (à propos de Valentin, qualifié en *Carn.* 20, 3
d'« apostat hérétique et platonicien ») ; Irén., *Haer.*, III,
4, 3 : « Omnes hi (= Valentin, Cerdon, Marcion) multo
posterius, mediantibus iam Ecclesiae temporibus, insur-
rexerunt in suam apostasiam ». Rapprocher, pour ce début,

Irén., *Haer.*, I *Praef.* 1 : « τὴν ἀλήθειαν παραπεμπόμενοί τινες... ». — **ad... facile** : cf. déjà Cic., *De orat.*, 2, 190 ; *Brut.*, 180 ; etc. ; surtout Ps. Quint., *Decl.*, 18, 2 : « ad fabulas... pronus ac facilis ». Pour *fabula* (ou *-ae*) désignant le mythe gnostique, cf. *supra*, p. 18. — **disciplinā** : cf. *infra*, 30, 1-2. M. à m. : « ce n'est pas par la discipline que cette association est épouvantée », d'où : « la discipline n'y est pas un sujet de crainte » (p. c. q. elle n'y est pas contraignante). — **nihil... praedicant** : Tert. emploie *praedicare* avec la valeur de « prédire, prophétiser » (cf. *infra*, 5, 2 : *praedicator*) ou bien avec celle d' « annoncer » (la vérité religieuse) ; ce second sens est assez large, puisque Tert. l'utilise même pour l'enseignement des philosophes (*An.* 5, 2 ; 24, 3) et des hérétiques (*Marc.* I, 19, 3 ; *infra*, 10, 4) ; cf. Braun, p. 430-434 et 713. Même mouvement en *An.* 57, 5 : « nihil magis curans (daemon) quam hoc ipsum excludere quod praedicamus ». Pour la discipline de l'arcane dans le valentinianisme, cf. *infra*, 1, 4. — **si... occultant** : reprise satirique que Tert. affectionne, par ex. *Marc.* I, 1, 3 : « Gentes ferocissimae inhabitant (Pontum) ; si tamen habitatur in plaustro » ; *infra*, 18, 2. — **Custodiae officium** : le génit. indique ce sur quoi porte le devoir, en quoi il consiste (= *officium custodiendi id quod praedicatum est* ; cf. Cic., *Fin.*, 5, 18 : « officium aut fugiendi aut sequendi ») ; de même *infra*, 1, 2 : *silentii officium* ; *Nat.* II, 4, 4 : *cursus aut motus officium* ; sur ces tours, cf. *TLL* s. u. « officium » col. 526, 37. — **conscientiae offucium** : malgré *Paen.* 12, 9 (*officium conscientiae meae*, « le devoir de ma conscience ») et probablement *Herm.* 1, 2 (*officium bonae conscientiae* : *conscientiae* R³ *constantiae* codd. R¹), il convient sans doute de retenir la correction suggérée par Scaliger, exactement conforme aux habitudes de Tert. dans ses « sententiae » reposant sur un jeu de mots ou une paronomase (*Carn.* 5, 10 : nec salutis pontificem, sed spectaculi artificem » ; *Scorp.* 6, 3 : « Qua nuda sunt proelia, non nulla sunt uulnera » ; *Pud.* 10, 7 : « Dominus ingratis benignus magis quam ignaris » ; etc. ; *infra*, 2, 4 : *praeco-praedo* ; 7, 8 : *criminum-numinum* ; 16, 2 : *confirmat-conformat* ; cf. Hoppe, *Synt.*, p. 169-171) ; le fait qu'*offucium* ne soit pas attesté dans la langue ne constitue

pas une difficulté : *cremator* est un hapax en *Marc.* V, 16, 2 :
« et in hoc... crematoris dei Christus est, et in illo creatoris ».
Mais quel sens exact donner à ce vocable et, par voie de conséquence, à *conscientiae* ? Le *TLL* s. u. « offucia, ae » col. 530,
20 accueille la correction de Scaliger, qu'il considère comme
un synonyme d'*offucia*, dérivé de *fucus* : il faudrait donc
admettre pour *offucium* la valeur métaphorique de « fard »,
c'est-à-dire « tromperies, duperie, déguisement, etc. ». Deux
traductions sont alors possibles selon que l'on donne à *conscientia* le sens de « connaissance » ou celui de « conscience » :
le devoir de garder le secret est pour eux « une façon de
cacher, de dissimuler ce qu'ils savent » (Marastoni : « è
maschera di consapevolezza ») — ou bien « une façon de
tromper, de duper leur conscience » (Moreschini : « è un
inganno della coscienza » ; Riley : « a duty brought on by
their guilty consciences »). Le contexte immédiat nous
a paru recommander plutôt la seconde interprétation ; on
rapprochera d'ailleurs, pour l'idée, la réflexion ironique de
Tert. à propos des scènes auxquelles les chrétiens sont
accusés de se livrer, dans les ténèbres, par pudeur en quelque
sorte, pour tromper leur conscience : *Nat.* I, 16, 2 : « Verum
iam laudate consilium incesti uerecundi, quod adulteram
noctem commenti sumus, ne aut lucem aut ueram noctem
contaminaremus ; quod etiam luminibus terrenis parcendum
existimauimus ; quod nostram quoque conscientiam ludi-
mus... ». On aboutirait à une interprétation assez proche si
l'on considérait *offucium* comme une création dérivée de
faux (*offuco* « suffoquer ») : le secret est une manière « d'é-
touffer, de faire taire sa conscience » (comme, inversement,
on la laisse parler en avouant : Sén. Rh., *Contr.*, 8, 1, 3 :
« Confessio conscientiae uox est »). — **Confusio** : = αἰσχύνη ;
sens qui ne se rencontre que dans les trad. de la Bible et
chez les écrivains chrétiens, cf. *Scorp.* 9, 13 : « Plus est
autem quod et confusioni confusionem comminatur :
' qui me confusus fuerit coram hominibus, et ego confundar
eum coram patre meo, qui est in caelis ' (*Matth.* 10, 33).
Sciebat enim a confusione uel maxime formari negationem,
mentis statum in fronte consistere, priorem esse pudoris
quam corporis plagam » ; *Virg.* 11, 5 ; *infra : pudor ; TLL*

s. u. col. 269, 23. — **religio** : = *uera religio* (cf. *infra*, 1, 3 ;
Apol. 24, 2 : « colentes ueram religionem ueri Dei ») ; sans
qualificatif, dans des groupes antithétiques, cf. *Orat.* 15, 1 :
« Huiusmodi (obseruationes)... non religioni, sed superstitioni deputantur » ; *An.* 48, 4 : « si et ad superstitionem
(sobrietas pertinet), multo amplius ad religionem » ; *Pal.* 4,
2 : « Sat refert inter honorem temporis et religionem ; det
consuetudo fidem tempori, natura deo » ; *Marc.* I, 5, 5.
— **adseueratur** : = *falso affirmatur* ; ce sens, qui apparaît
chez Cic., *Cluent.*, 72, est fréquent chez Tert. (*Marc.* I,
11, 9 ; II, 20, 1 ; cf. Waszink, p. 241). — **haeresis** : rare,
mais relativement ancien (Labérius), dans la langue païenne
avec le sens, attesté en grec païen (hellénistique), biblique
et juif, de « doctrine, école, secte » (philosophique ou autre) :
c'est cette valeur que lui donne Tert., avec une nuance
péjorative, par ex. en *Praes.* 7, 8 (secte philosophique) et ici
(croyance religieuse), bien que notre traduction, pour tenir
compte des harmoniques du mot sous la plume de l'auteur,
ne puisse pas la respecter. Le sens d'« erreur doctrinale »
apparaît dans le N.T. (*II Pierre* 2, 1) : cf. *infra*, 4, 3 ; 5, 2 ;
7, 2 ; 22, 2. En ce sens (« hérésie »), le mot a chez Tert. une
physionomie propre, qu'on peut ainsi résumer : il conserve
sa signification étymologique (« choix » individuel) qu'il
avait le plus souvent en grec classique (cf. *Praes.* 6, 2) ; il
désigne tout ce qui est contraire à la *regula fidei* (cf. *Virg.* 1,
2 : « Quodcumque aduersus ueritatem sapit, hoc erit haeresis ») ; il implique une interprétation erronée de l'Écriture
(cf. *Res.* 40, 1 : « quae (haereses) esse non possent, si non et
perperam Scripturae intellegi possent »). Cf. *TLL* s. u. col.
2501 s. ; H. Schlier, art. « αἵρεσις », *TWNT*, I, p. 180-
183 ; H. Pétré, « Haeresis, schisma et leurs synonymes »,
REL 15 (1937), p. 316-325 ; R. F. Refoulé, *SC* 46, p. 93,
n. 1. — **superstitionis** : pour le grief de « superstition » que
païens et chrétiens formulent les uns à l'encontre des autres,
cf. Min. Fel., *Oct.*, 9, 2 ; 11, 2 ; 38, 7 ; M. Pellegrino, Comm.
ad loc. Sur le couple *religio-superstitio* dans la religion romaine, cf. H. Fugier, *Recherches sur l'expression du sacré
dans la langue latine*, Paris 1963, p. 172 s. ; É. Benveniste,
Le vocabulaire des institutions indo-européennes, t. 2, Paris

1969, p. 265 s. — **pudor** : fait écho à *confusio* (*supra*) et annonce 1, 3.

1, 2. aditum... cruciant : la chose pour la personne, cf. *Marc.* I, 22, 8 : « Quid enim tam malignum quam... utilitatem cruciare ? » ; *An.* 18, 7 : « Unde ista tormenta cruciandae simplicitatis et suspendendae ueritatis ? » ; 53, 4 : « nec (apoplexis) discessum eius (= animae)... discruciat » ; etc. (cf. Apul., *Mét.*, 9, 16, 1 : « tuos uolentes amplexu discruciat ») ; cf. *TLL* s. u. « crucio » col. 1224, 40 ; pour la substitution de l'abstrait au concret avec d'autres verbes, cf. Hoppe, *Synt.*, p. 91 s. ; Bulhart, *Tert.-St.*, p. 9-11. — **prius... diutius... quam...** : tout en maintenant le texte des mss, nous interprétons ce passage autrement que dans nos « Valentiniana » : *prius* et *diutius* (= *diu*, cf. L. H. S., p. 169), adverbes sur le même plan dans deux membres asyndétiques ; *quam* = *prius-, antequam* (plus rare que *quam* = *postquam*, mais attesté : cf. *An.* 56, 2 ; Waszink, p. 567), substitution facilitée par la présence des deux adverbes de temps et évitant la duplication *prius... prius-* ou *antequam* (cf. Var., *Rus.*, 3, 9, 20 : « bis die cibum dant, obseruantes ex quibusdam signis ut prior sit concoctus quam (= priusquam) secundum dent »). — **initiant... consignant** : cf. à propos des « mystères chrétiens » tels que les imaginent les païens, *Apol.*, 8, 4 : « talia initiatus et consignatus uiuis in aeuum ». Tert. est le premier à donner une valeur religieuse à *consignare* qui sera ensuite intégré au vocabulaire chrétien (= *consecrare, signo crucis notare*) par Mar. Victor., Ambr., Hil. (cf. *TLL* s. u. col. 437, 69). — **epoptas** : ce calque du grec n'est attesté que dans ce passage (cf. *infra*, § 3) et dans quelques inscriptions (cf. *TLL* s. u. col. 697, 59). Employé ici avec une valeur proleptique. L'*epopteia*, par opposition à la μύησις qui désigne l'initiation en général, constitue le plus haut degré de l'initiation (cf. G. E. Mylonas, *Eleusis and the Eleusinian Mysteries*, Princeton 1961, p. 239 ; sur son contenu, p. 274 s.). — **ante** : = *antea*. — **quinquennium** : précision à accueillir avec prudence, car nous sommes mal renseignés sur la durée de l'initiation aux Éleusinies. Cf. Apul., *Flor.*, 15, 25, selon lequel la pratique en usage

chez les pythagoriciens imposait aux plus bavards des
disciples un silence de cinq ans (*quinquennium*). — **opinionem... cognitionis** : réminiscence de l'ancienne opposition
δόξα-ἐπιστήμη ; cf. Plat., *Gorg.*, 187 b ; Cic., *De orat.*, 2,
30 : « oratoris... actio opinionibus non scientia continetur » ;
etc. Pour l'aspect psychologique, en milieu païen, cf. F.
Buffière, *Les mythes d'Homère et la pensée grecque*, Paris
1956, p. 41 s. : « La pénombre du mythe rend plus belle la
vérité » (Ps. Plut., *Sur la vie et la poésie d'Homère*, 92 : « Ce qui
est insinué sous forme d'allégorie est attirant, ce qui est dit
en langage clair a peu de prix » ; Max. Tyr, *Or.*, IV, 5 :
« L'âme humaine est effrontée ; ce qu'elle a à sa portée, elle
en fait moins de cas ; ce qui est loin, elle l'admire » ; etc.) ;
en milieu chrétien, cf. Marrou, *Saint Augustin et la fin de
la culture antique*[4], p. 487-488 (*De doctr. Chr.*, 4, 8 ; *De catech.
rud.*, 9 ; etc. : l'obscurité de l'Écriture aiguise curiosité et
intelligence). — **maiestatem** : = *diuinitatem*, au sens
concret (cf. *infra*, 7, 8 ; *Apol.* 13, 6 ; *Marc.* IV, 21, 3) ; le
terme n'est donc pas réservé à la divinité des chrétiens,
cf. Braun, p. 44-45. — **silentii officium** : cf. *supra*, § 1 :
custodiae officium ; *Nat.* I, 7, 13 : « cum uel ex forma ac lege
omnium mysteriorum silentii fides debeatur » ; Apul., *Mét.*,
3, 15, 4 : « sacris pluribus initiatus profecto nosti sanctam
silentii fidem » ; etc. O. Perler, art. « Arkandisziplin », *RLAC*
1, col. 667 ; Mylonas, *op. laud.*, p. 224 s.

1, 3. Adtente... inuenitur : nouvelle réflexion de moraliste
complétant la précédente (*quantam... cupiditatem*). — **Ceterum... reuelatur** : phrase librement construite (*diuinitas*
sujet de *reuelatur* ; *suspiria* et *simulacrum* en constr. appositionnelle à *diuinitas*) : = « la divinité tout entière cachée
dans le sanctuaire, tous les soupirs des époptes, tout le
sceau imposé sur la langue... c'est l'emblème phallique
qu'on révèle ! ». — **tota (suspiria)** : = *omnia*, cf. Hoppe,
Synt., p. 105, mais ensuite, *totum* = *maximum, absolutum*,
cf. Bulhart, *Praef.*, § 119. — **signaculum linguae** : Ps.
Lucien, *Epigr.*, 11 (= *Anth. Pal.*, 10, 42) « Sur le secret
des mystères » : mets un sceau sur ta langue prête à révéler
les mystères... » (Εἰς μυστήριον : Ἀρρήτων ἐπέων γλώσσῃ

σφραγὶς ἐπικείσθω). — **membri uirilis** : cf. Arn., *Nat.*, V, 27, *PL* 5, 1138 : « phallorum illa fascinorumque subrectio quos ritibus annuis adorat et concelebrat Graecia » ; témoignages récusés par Mylonas, *op. laud.*, p. 274 ; cf. aussi H. Herter, art. « Genitalien », *RLAC* Lief. 73, col. 39. — **reuelatur** : sans doute au sens propre et au sens figuré à la fois : révélation de la divinité, mais aussi dévoilement matériel de l'objet que l'on prend pour la divinité (cf. Braun, p. 408 s.). — **naturae** : c'est-à-dire, croyons-nous, à la fois *natura rerum* et *sexus, pudenda* (sur l'euphémisme *natura = pudenda*, habituel dans la langue, cf. *An.* 46, 5 ; Waszink, p. 492). — **allegorica** : fréquent chez Tert., cet adjectif apparaît chez lui pour la première fois (*Nat.* II, 12, 17 : « eleganter quidam sibi uidentur physiologice per allegoricam argumentationem de Saturno interpretari tempus esse » ; cf. *TLL* s. u. col. 1671). — **dispositio** : appliqué à la théologie varronienne en *Nat.* II, 9, 1 : « secundum tripertitam dispositionem totius diuinitatis... ». Sur l'interprétation allégorique des mythes païens par Tert., cf. J. Pépin, *Mythe et allégorie*, Paris 1958, p. 278-280 (théologie tripartite) ; 328-329 (mythe de Saturne) ; 342-344 (allégorie physique) ; 365-366 (objections à l'interprétation allégorique de Varron). — **praetendens** : cf. Cic., *Vat.*, 14 : « hominis doctissimi nomen tuis immanibus moribus praetendis ». — **patrocinio** : prédilection de Tert. pour ce terme : cf. *Bapt.* 9, 1 : « Quot... patrocinia naturae, quot priuilegia gratiae... » ; *Res.* 26, 1 : « corporalem resurrectionem de patrocinio figurati proinde eloquii prophetici uindicare » ; *Mon.* 5, 1 ; *Prax.* 5, 1 ; *Pud.* 6, 1 ; etc. — **coactae figurae** : avec ce sens de « forcé, arbitraire, artificiel » *coactus* est attesté dès Cicéron (cf. *TLL* s. u. « cogo », col. 1533, 14) ; fréquent chez Tert., cf. *infra*, 6, 1 ; *Mon.* 9, 1 : « argumentationes... de coniecturis coactae » ; *Pud.* 9, 3 : « Huiusmodi curiositates... coactarum expositionum subtilitate plerumque deducunt a ueritate » ; etc. — **obscurat** : reproche traditionnel ; cf. Cic., *Att.*, 2, 20, 3 : « ἀλληγορίαις obscurabo... » ; Quint., *Inst. or.*, 8, 6, 14 : « ut modicus... (translationis) usus inlustrat orationem, ita frequens... obscurat... continuus... in allegorias et aenigmata

exit ». Cf. *Marc.* III, 7, 8 : « primus aduentus... plurimum
figuris obscuratus » ; d'autre part : *Nat.* II, 12, 22 (contre
l'interprétation varronienne de Saturne) : « Quid sibi uult
intellectio ista, nisi foedas materias mentitis argumentatio-
nibus colorare ? » ; *Marc.* I, 13, 4 : « Ipsa quoque uulgaris
superstitio communis idolatriae, cum in simulacris de
nominibus et fabulis ueterum mortuorum pudet, ad inter-
pretationem naturalium refugit et dedecus suum ingenio
obumbrat, figurans Iouem in substantiam feruidam... »
(sur ce texte dirigé contre l'allégorie physique, cf. Pépin,
op. laud., p. 343). — **destinamus** : ce sens (« viser, attaquer,
dénoncer »), qui apparaît avec Tite-Live, est fréquent chez
Tert. (cf. *TLL* s. u. col. 759, 60). — **sanctis nominibus...** :
le reproche est déjà formulé par Irénée, cf. Sagnard, p. 84 s.
— **titulis** : = *libris* (cf. *Marc.* II, 1, 1 ; 3, 2 ; *An.* 3, 4 ;
Waszink, p. 120). — **figmenta configurantes** : acc. étym.
Figmentum apparaît chez Aul. Gel., 20, 9, 1, avec le sens
de « création lexicale » (« figmentis uerborum nouis »), avec
celui de « création mensongère », « fiction » dans Apul.,
Mét., 4, 27, 5 (« uanis somniorum figmentis ») ; cf. *infra*, 24,
1. Mais, à la suite des traducteurs de la Bible vraisemblablement, Tert. a fait aussi de *figmentum* le correspondant de
πλάσμα (« l'être humain modelé par le créateur »), cf. Braun,
p. 398 s. *Configurare*, vb. assez rare, attesté à partir de
Colum., 4, 20, 1 ; six occurrences chez Tert. (= *conformare,
comparare*). Hoppe, *Synt.*, p. 28 et *TLL* s. u. col. 212, cons-
truisent, à tort, semble-t-il, ce vb. ici avec un dat. (*facili
caritati*). — **facilitate clara** : sur cette conjecture, cf. nos
« Valentiniana », p. 47 ; *Praes.* 39, 2 : « (haeretici) habent
uim et in excogitandis instruendisque erroribus facilitatem,
non adeo mirandam quasi difficilem et inexplicabilem, cum
de saecularibus quoque scripturis exemplum praesto sit
eius modi facilitatis » ; *Pud.* 8, 10 : *facilitas [felici- B] compa-
rationum* (dans l'exégèse). — **divinae copiae** : cf. *Praes.* 39,
6-7 : « Et utique fecundior diuina litteratura ad facultatem
cuiusque materiae. Nec periclitor dicere ipsas quoque
scripturas sic esse ex Dei uoluntate dispositas ut haereticis
materias subministrarent... » ; mais peut-être une métaphore
militaire n'est-elle pas exclue (cf. *Pud.*, 16, 24 cité *infra*).

— **ex... occasione** : terme souvent utilisé par Tert. pour décrire les procédés et les méthodes des hérétiques : cf. *Herm.* 19, 1 : « Itaque occasiones sibi sumspsit quorundam uerborum » ; *Res.* 63, 8 : « sine aliquibus occasionibus scripturarum » ; *Pud.* 16, 24 : « Sed est hoc sollemne peruersis et idiotis haereticis... alicuius capituli ancipitis occasionem aduersus exercitum sententiarum instrumenti totius armare » ; pour l'expression prépositionnelle, cf. *Marc.* IV, 9, 5 : « qui inquinamentum ex occasione phantasmatis, non ex ostentatione uirtutis euaserat » ; Waszink, p. 476-477. — **de multis... succidere est** : peut-être un proverbe, comme il y en a a plusieurs dans le traité (*infra*, 3, 3 ; 10, 4 ; 12, 4 ; 19, 2 ; 36, 1). Tert. revient souvent sur cette idée que les hérétiques « taillent » abondamment dans la « forêt » scripturaire : cf. *Praes.* 37, 3 : « Quo denique, Marcion, iure siluam meam caedis ? » ; 38, 9 : « Marcion... ad materiam suam caedem scripturarum confecit » ; *Prax.* 20, 3 : « Proprium hoc est omnium haereticorum. Nam quia pauca sunt quae in silua inueniri possunt, pauca aduersus plura defendunt... » ; etc. Cf. aussi *Apol.* 4, 7 : « siluam legum... edictorum securibus ruspatis et caeditis » ; *Cast.* 6, 3. *Est* + inf. : cf. *infra*, 11 2 ; 17, 1. — **lenocinia** : cf. nos « Valentiniana », p. 48

1, 4. bona fide : expression de la langue populaire et de la comédie (Pl., *Aul.*, 772 ; *Capt.*, 890 ; etc. relativement fréquente chez Tert. (*Herm.* 10, 1 ; *An.* 23, 5) ; convient pour ouvrir cette scène en quatre temps. Cf. *infra*, 4, 4 *TLL* s. u. « fides » col. 680, 20 (avec bibliographie). — **concreto... supercilio** : cf. Sagnard, p. 99 et 103 ; Fredouille p. 48. — **« altum est »** : cf. Irén., *Haer.*, IV, 35, 4 : « uno eodemque sermone lecto, uniuersi obductis supercilii agitantes capita, ualde quidem altissime se habere sermonem dicunt ». Cf. aussi Apul., *Mét.*, 11, 11, 3 : « altioris... religioni argumentum ». — **ambiguitates** : les équivoques de langage délibérément entretenues par les valentiniens et les gnostiques en général (sens différent *infra*, 6, 1-2 ; 12, 5 ; 18, 3) cf. *Herm.* 27, 2 : « Haec sunt argutiae et subtilitates haereticorum, simplicitatem communium uerborum torquentes in quaestionem » ; *Res.* 2, 8 : « haeretici ex conscientia in

firmitatis numquam ordinarie tractant » ; 19, 6 (cf. *supra*,
p. 38 et n. 2) ; 63, 6 : « ipsum sermonem dei ... uel stilo
uel interpretatione corrumpens, arcana etiam apocryphorum
superducens, blasphemiae fabulas » ; Irén., *Haer.* I, *Praef.* :
« ὅμοια μὲν λαλοῦντας, ἀνόμοια δὲ φρονοῦντας » ; Clém. Alex.,
Strom., VII, 96, 2 : « ἀλλ᾽ ἐκλεγόμενοι τὰ ἀμφιβόλως εἰρημένα εἰς
τὰς ἰδίας μετάγουσι δόξας ». Pour l'ambiguïté des formules
gnostiques, cf. K. Mueller, « Beiträge zum Verständis der
valentinianischen Gnosis », *NGG* 1920, p. 184 s. ; Sagnard,
p. 416 s. L'analyse de D. Van den Eynde, *Les normes de
l'enseignement chrétien*, Gembloux-Paris 1933, p. 292 (« loin
de produire des formules propres, les hérétiques se servent
donc de celles des églises pour tromper les fidèles. La
règle des hérétiques n'est par conséquent pas un formu-
laire, mais une doctrine ») doit donc être nuancée : il est
exact que l'essentiel de la « gnose » est la connaissance du
mystère du Plérome, dont le mythe tragique fait comprendre
la cosmogonie et l'anthropogonie ; mais les valentiniens
ont aussi leurs formules, leurs rites et leur exégèse, susceptibles d'une compréhension à deux niveaux. Cf. *supra*,
p. 34 s. — **bilingues** : pléonastique (sur ce type de re-
dondance, cf. M. Bernahrd, *Der Stil des Apuleius...* Amsterdam 1965 [1927], p. 175), mais annonce aussi peut-être
2, 1 (cf. Pl., *Pers.*, 299 : « Tamquam proserpens bestiast
bilinguis et scelestus ») ; cet adj. n'est pas employé ailleurs par
Tert. — **communem fidem** : cf. Irén., III, 15, 2 : « similia
nobiscum sentire » ; K. Koschorke, *Die Polemik der Gnostiker
gegen das kirchliche Christentum*, Leiden 1978, p. 177. —
subostendas : création de Tert. (Hoppe, *Beitr.*, p. 148),
cf. *Bapt.* 19, 2 ; *Herm.* 37, 3 ; etc. — **cominus** : métaphore
de la gladiature (cf. Hoppe, *Synt.*, p. 206 s. ; T. P. O'Malley,
Tertullian and the Bible, Nijmegen-Utrecht 1967, p. 109 s. ;
infra, 6, 2 ; *Marc.* III, 5, 1 : « His (argumentis) proluserim
quasi de gradu primo adhuc et quasi de longinquo. Sed
exhinc iam ad certum et comminus dimicaturus, uideo
aliquas etiamnunc lineas praeducendas, ad quas erit dimi-
candum, ad scripturas scilicet creatoris »). — **tuam simplicitatem... dispergunt** : texte incertain, cf. nos « Valentiniana », p. 48 ; citons encore, pour cet emploi de l'abstrait :

Mon. 3, 10 : « (Paracletus) a tota continentia infirmitatem tuam excusat ; 5, 6 : « donato infirmitati tuae carnis suae exemplo ». Deux points toutefois sont assurés. D'une part, *simplicitas* s'applique aux chrétiens, non aux valentiniens (cf. *infra*, 2, 1), ce qui exclut des conjectures du type *fatua simplicitate* ou *astuta simplicitate*. D'autre part, *sua caede* ne peut vouloir dire *scripturarum caede*, comme le pense Marastoni qui, adoptant le même texte que nous, traduit : « frantumano la tua linearità citando i loro monconi di bibbia » (p. 52-53 ; 107-108) ; sans doute cette accusation est-elle familière à Tert. (*supra*, 1, 3 ; *Praes.* 38, 9 : « Marcion enim exerte et palam machaera, non stilo usus est, quoniam ad materiam suam caedem scripturarum confecit »), encore que si Valentin « massacre » les Écritures c'est par l'exégèse qu'il en donne plus que par les « coupures » qu'il fait (*Praes.* 38, 8 : « Neque enim si Valentinus integro instrumento uti uidetur, non callidiore ingenio quam Marcion manus intulit ueritati »). De toute manière, cette accusation, qui aurait convenu au deuxième ou au troisième temps de cet affrontement dialogué, ne serait plus en situation ici, où il s'agit de la dernière esquive prêtée aux valentiniens, impossible à contrecarrer. On rapprochera les ruses de Praxéas, telles que les décrit Tert., *Prax.* 1, 6-7 : « Fruticauerant auenae Praxeanae... dormientibus multis... ; traductae dehinc... etiam euulsae uidebantur. Denique cauerat pristinum doctor (= Praxeas) de emendatione sua... Exinde silentium... Auenae uero illae ubique tunc semen excusserant, ita aliquamdiu per hypocrisin subdola uiuacitate latitauit et nunc denuo erupit ». — **committunt** : s.-ent. *doctrinam* ou, plutôt, constr. intr. de sens réfl. (cf. *infra*, 3, 1). Pour la signification du vb., cf. Sén., *Luc.*, 3, 3 : « uiue ut nihil tibi committas, nisi quod committere etiam inimico tuo possis ». Cf. *infra*, 3, 2. — **Habent artificium...** : sur les réminiscences platoniciennes de ce passage, sans doute par la médiation du *De Platone*, 2, 8, cf. Fredouille, p. 30 s. La remarque de Tert. s'applique d'ailleurs assez exactement à la pratique valentinienne : il s'agit en effet de susciter chez le futur valentinien le choc psychologique (affectif et intellectuel) qui lui fera éprouver le besoin et le désir de recevoir

la « gnose » (cf. Sagnard, p. 255 s. ; 496 s.). Cela dit, le valentinianisme n'oppose pas « enseignement » et « persuasion »
(*Haer.*, I, 2, 2 : Sophia est « persuadée», par l' « enseignement »
qu'elle reçoit, que le Père est incompréhensible ; cf. *infra*,
9, 4 ; de même, Héracléon, frg. 26 sur *Jn* 4,26 = Orig.,
Comm. sur Jean, 13, 28 : la Samaritaine, symbole de l'ensemble des spirituels, était « persuadée » que « lorsque le
Christ viendrait » il lui « annoncerait toutes choses »), mais
plutôt « foi » (πίστις) et « persuasion » (πειθώ, τὸ πείθειν),
cf. *Lettre à Rhéginos*, p. 46, 3-8 : « s'il est quelqu'un qui ne
croit pas, il n'y a pas moyen de le persuader, car c'est le
domaine de la foi... et ce n'est pas celui de la persuasion :
celui qui est mort ressuscitera » (πίστις désignant naturellement la « foi » du spirituel ; cf. Malinine-Puech-Quispel-Till,
Comm. ad loc. p. 29-30). — **Veritas** : cf. *supra*, 1, 1. Tert.
oppose donc à la « discipline de l'arcane » valentinien (cf.
infra, 6, 1) l'enseignement exotérique du christianisme. Pour
la première les témoignages concordent : protégée par le
secret, la doctrine valentinienne n'est confiée qu'aux initiés :
cf. Irén., I, 4, 3 ; 24, 6 ; 31, 4 ; III, *Praef.* ; IV, 35, 4 ; etc. ;
Clém. Alex., *Ecl. proph.*, 25, 1 ; Orig., *C. Celse*, 5, 64, etc.) ;
transmise par la « tradition » (la notion de παράδοσις est
apparue d'abord dans le gnosticisme), elle est censée remonter jusqu'au Christ et à l'Apôtre (cf. Irén., *Haer.*, I, 25,
1 ; III, 2, 1 ; 12, 9 ; etc. ; *Praes.* 25-26, *supra*, p. 32 ; Épiph.,
Pan., 33, 7, 9 (= Ptol., *Lettre à Flora*, SC 24 *bis*, p. 68),
Valentin laissant entendre qu'il avait eu pour maître un certain Théodas, lui-même disciple de Paul (Clém. Alex., *Strom.*,
VII, 17, 106, 4) ; cf. aussi, bien qu'il ne soit pas proprement valentinien, l'*Apokryphon de Jean*, 2 (recension longue :
Codex II, 1 et IV, 1 ; trad. R. Kasser, *RThPh* 15 (1965),
p. 134) : « Et il dévoila ces mystères cachés dans le silence,
Jésus l'Excellent, et il les enseigna à Jean » ; 577 (*ibid.*, 17
[1967], p. 30) : « Et il lui dit ' Maudit soit quiconque donnera
ces choses pour un don ou à cause d'un manger ou à cause
d'une boisson ou à cause d'une tunique ou à cause d'autre
chose de cette sorte '. 578. Et ces choses lui furent données
en mystère. 579. Et aussitôt il fut invisible en sa présence ».
Sur ce texte, la connaissance qu'Irénée en a eue, son rôle

dans la formation du valentinianisme, cf. R. McL. Wilson *Gnose et Nouveau Testament* (tr. franç.), Tournai 1969, p. 182 s. ; d'autre part, pour la distinction entre écrits secrets donnant la « connaissance » et écrits « ambivalents », susceptibles de deux lectures, entre exégèse ésotérique et exotérique, cf. *supra*, p. 34 s. Mais parce que Tert. polémique ici contre la discipline du secret observée par les valentiniens, peut-on déduire qu'elle n'était pas en usage dans l'Église de Carthage ? Certains l'ont pensé (par ex. P. Batiffol, art. « Arcane », *DTC* t. 1, col. 1751), d'autres en ont douté (par ex. E. Vacandard, art. « Arcane », *DHGE* t. 1, col. 1505 ; O. Perler, art. « Arkandisziplin », *RLAC* t. 1, col. 672). Les autres textes de Tert. sur le sujet, souvent peu explicites pris séparément, peuvent être toutefois classés en quatre catégories. D'une part, ceux qu'il convient d'exclure de ce dossier : *Nat.* I, 7, 13 s. et *Apol.* 7, 6-7 (en effet, Tert. y feint d'adopter le point de vue des païens pour qui le christianisme serait une religion secrète comme les religions à mystères), ainsi que *Pal.* 3, 5 (*arcana* y désigne la Bible, plus précisément le récit de la création et de la chute dans *Gen.* : Tert. veut d'ailleurs simplement dire, par ce terme, qu'il s'agit d'un récit que tout le monde ne connaît pas ou n'accepte pas « nec omnium nosse *s. ent.* est » ; une autre occurrence d'*arcanus* en contexte chrétien n'est pas plus significative en *Idol.* 5, 3, Tert. justifie le serpent d'airain de Moïse, qu'il explique comme une figure du plan divin encore secret. D'autre part, on doit retenir *Praes.* 41, 1-2, où Tert. fait reproche aux hérétiques (sans doute les marcionites) de ne pas distinguer entre catéchumènes et fidèles, et de ne pas se protéger, le cas échéant, contre la curiosité des païens en dépit de l'avertissement de *Matth.* 7, 6 : « Nolite dare sanctum canibus... ». De ce passage, on peut rapprocher une troisième catégorie de textes : *Vx.* II, 5, 1-3 (inconvénients pour une chrétienne d'épouser un païen qui jettera nécessairement un regard critique sur ses gestes de piété et faute de les comprendre, les déformera et les avilira, comme nous en a prévenus *Matth.* 7, 6) ou *Bapt.* 18, 1 s. (dangers contre lesquels encore *Matth.* 7, 6 a mis en garde, de conférer le baptême à des candidats insuffisamment préparés à

recevoir). Restent enfin les passages comme *Val.* 3, 1-2 ;
Praes. 25-26 ; etc. (la Vérité ne se cache pas, la doctrine
chrétienne n'est pas l'objet d'un enseignement secret). Ces
trois dernières séries de textes sont cohérentes et permettent
des conclusions plus assurées qu'on ne le prétend : 1) le
contenu de la doctrine chrétienne et son enseignement ne
font pas l'objet d'une discipline du secret. Tert. n'hésite pas
à exposer aux païens la *regula fidei* (*Apol.* 46-48) ; 2) cependant, il est préférable de ne pas livrer à des regards
hostiles gestes de piété ou rites liturgiques, comme il est
souhaitable de prévoir une pédagogie de la pratique sacra-
mentelle : non par goût ou besoin du secret, mais par
respect de la *disciplina,* conformément à *Matth.* 7, 6 ; 3)
en cela Tert. formule un souhait ou donne des conseils, plus
sans doute qu'il ne décrit la pratique. Cf. O. Perler, art.
« Arkandisziplin », *RLAC,* t. 1, col. 667-676 ; E. Dekkers,
Tertullianus en de geschiedenis der liturgie, Brussel-Amsterdam 1947, p. 78-82, dont les conclusions sont proches des
nôtres. — **suadendo** : le vb. simple pour le composé (peut-
être ici par souci d'isosyllabie), comme *supra,* inversement,
le composé (*edoceant*) substitué au vb. simple (*doceant*) ;
cf. Hoppe, *Synt.,* p. 139 ; Waszink, p. 272 ; Bulhart, *Praef.,*
§ 93 et 106 ; L.H.S. p. 298-300.

  b. « Simplicité » chrétienne et « prudence » valentinienne
  (chap. II).

  Parce qu'ils n'observent pas la discipline du secret, qu'ils
enseignent ouvertement la vérité, les chrétiens se voient
qualifiés de « simples » par les valentiniens. Comme si la
simplicité excluait la sagesse, ce que ne croit pas le Seigneur
qui recommande de posséder ces deux qualités. D'ailleurs
si elles étaient exclusives l'une de l'autre, les valentiniens
n'auraient que la sagesse, ce qui est une situation moins
enviable (§ 1). S'il ne faut posséder qu'une seule de ces deux
qualités. mieux vaut se voir attribuer la simplicité, qualité
des enfants, et les enfants n'ont pas réclamé la mort du
Christ (§ 2). L'Apôtre aussi recommande d'avoir la simplicité
des enfants et lui donne la priorité sur la sagesse (§ 3). La

symbolique enfin va dans le même sens, en figurant la
simplicité par la colombe et la prudence par le serpent (§ 4).

2, 1. simplices : la transition avec ce qui précède immédiatement est opérée par l'idée, à la fois philosophique
et biblique, que la simplicité est caractéristique de la vérité
et de ses voies d'accès ; cette idée a développé aussi bien
dans le paganisme que dans le christianisme toutes ses
harmoniques, éthiques et esthétiques ; la bibliographie est
abondante : citons O. Hiltbrunner, *Latina Graeca*, Bern
1958 (sur *simplex*, *-icitas*, p. 15-105 ; important c. r. de
P. G. van der Nat, *VChr* 15 [1961] p. 56-64) ; J. Amstutz,
ΑΠΛΟΤΗΣ, Bonn 1968 ; P. Autin, *Recueil sur saint Jérôme*,
Bruxelles 1968, p. 147-161 (= *RB* 71 [1961], p. 371-381,
revu et augmenté) ; pour Tert., (cf. *Nat.* II, 2, 5 : *simplicitas
ueritatis* ; etc.) cf. nos « Valentiniana », p. 48 ; et surtout
O'Malley, p. 166 s. ; en dernier lieu, sur l'exégèse de *Matth.*
10, 16 chez Clém. Alex. et Tert. (cf. *Bapt.* 8, 4 ; *Scorp.* 9,
4 ; 15, 1) dans le contexte de la polémique antivalentinienne,
l'influence sur eux du Physiologos, cf. R. Riedinger, « Seid
Klug wie die Schlange und einfältig wie die Taube. Der
Umkreis des Physiologos », *Byzantina* 7 (1975), p. 11-32.
Cf. *infra*, 2, 1-4 ; 3, 1 ; 3, 5. Du côté valentinien, citons par
ex. Ptol., *Lettre à Flora*, 7, 7 (*SC* 24, p. 67) : « Du Père qui
est inengendré, du Père du Tout, l'essence est incorruptibilité
et lumière en soi, simple et homogène ». — **ut** : = *tamquam*
(cf. *Apol.* 2, 6 ; « de Christo ut deo » ; 11, 8 : « (Lucullus)
ut frugis nouae auctor » ; etc. Waltzing, p. 90 ; 141). — **hoc** :
= *simplices* (cf. *Apol.* 9, 5 ; 12, 5 ; etc., et spécialement
44, 3 : « Nemo illic Christianus, nisi hoc tantum ; aut, si
et aliud, iam non Christianus »). — **quasi...** : type de reprise
et de raisonnement que Tert. affectionne pour souligner une
contradiction de ses adversaires (*infra*, 7, 3 ; 8, 5 ; 24, 1 ;
26, 2 ; *Apol*, 48, 2 ; 49, 4 ; etc.). — **« simplices... »** : cette
seconde partie du précepte est citée ou mentionnée également, dans un autre contexte, en *Bapt.* 8, 4 et *Mon.* 8, 7.
— **Aut si** : tour vif, pour reprendre le fil du raisonnement
(cf. *infra*, 5, 2 ; *An.* 31, 6 ; etc.) dont la tension est maintenue
dans tout le passage par l'ellipse de *sunt* (sur cette ellipse

très fréquente, cf. Bulhart, *Praef.*, § 94). — **num** : = *nonne*,
évité ici à cause de *non simplices*, figure *per hyphen* courante
chez Tert. (Waszink, p. 111), permettant une double antithèse : *simplices-non simplices//sapientes-insipientes* ; cf. par
ex. *An.* 47, 3 ; 49, 3, où *num* (= *nonne*) est comme ici
souligné par *ergo*.

2, 2. meam partem : acc. adv. (cf. Pl., *Mil.*, 646 :
« Commemini... meam partem... tacere » ; etc. et le tour
uicem meam, L. H. S., p. 46). — **meliori... uitio** : construction difficile ; sans doute *sumere* (« mentionner », « estimer »)
est-il ici construit avec un dat. final, d'après *ducere aliquem*
(plus souvent *aliquid*) *alicui rei* (cf. Tér., *Ad.*, 4-5 : « uos
eritis iudices/Laudin an uitio duci factum oporteat » ; Cic.,
Flac., 65 : « si quis despicatui ducitur »), analogie facilitée
par l'existence de tours équivalents *ducere* ou *sumere aliquid
pro nihilo, certo*. — **si... praestat** : ponctuation et construction préférables, croyons-nous, à celles des éditeurs précédents, qui considéraient *si forte* comme une tournure elliptique
(= *si forte accidat*, cf. gr. εἰ τύχοι). Si celle-ci est, de fait,
très fréquente chez Tert., avec des nuances diverses (« si
ce devait être le cas, éventuellement, à la rigueur, peut-être » :
cf. H. Rönsch, *Das Neue Testament Tertullian's*, Leipzig
1871, p. 602-604 ; Waltzing, p. 115 ; Waszink, p. 161), elle
ne se rencontre jamais en position initiale ou finale, mais
dans le cours de l'énoncé pour souligner ironiquement un
mot ou une expression, cf. *infra*. Tert. n'ignore pas d'ailleurs
cet emploi classique de *forte* pour renforcer le caractère
hypothétique d'une conditionnelle (cf. *Vx.* II, 5, 3 ; *Carn.*
7, 10 ; *Marc.* V, 7, 7 ; avec *nisi* : *Apol.* 9, 14 ; *Iud.* 10, 11 ;
Marc. I, 11, 7 ; avec *etsi* : *Cult.* I, 9, 2 ; *infra*, 4, 1). —
minus... peius : acc. de qualification ; cf. *Pud.* 9, 22 :
« Sed malumus in scripturis minus, si forte, sapere quam
contra » ; L. H. S., p. 40. — **facies dei... quaerendi** : contamination de deux thèmes bibliques connexes : « contempler
la face de Dieu » (*Is.* 38, 11 ; *Ps.* 11, 7 ; 16 (15), 11 ; 17 (16),
15 ; etc.) et « chercher (la face de) Dieu » (*Amos* 5, 4 ; *Ps.* 27
(26), 8 ; 105 (104), 4 ; *Sag.* 1, 1 ; etc.). *Facies* = πρόσωπον
(cf. *Marc.* III, 5, 2 = *Is.*, 50, 6 : « faciem meam non auerti » ;

IV, 22, 14 = *Ex.* 33, 20 : « dei faciem... nemo homo uidebit » ;
etc. Braun, p. 218). *In simplicitate* : sans autre précision
limitative ici, cf. *Sag.* 1, 1 : « καὶ ἐν ἁπλότητι καρδίας ζητήσατε
αὐτόν » ; la seconde citation de ce verset apparaît également en
contexte antihérétique : *Praes.* 7, 10 : « Nostra institutio
de porticu Salomonis est qui et ipse tradiderat Dominum
in simplicitate cordis esse quaerendum ». *Quaerendi* : l'abstrait pour *quaerentibus*, cf. Thörnell, I, p. 31. — **Sophia** :
dans ses emplois orthodoxes, cet emprunt est lié à la Bible
(pour désigner le Livre de la Sagesse, comme ici ; la Sagesse
personnifiée ; le Verbe identifié à la Sagesse ; la Sagesse de
Dieu en général) ; hormis le premier cas (dénomination du
livre biblique), c'est *sapientia* que l'on rencontre dans la
littérature de traduction antérieure à Tert. qui, donc, sur
ce point, a innové en étendant les emplois du mot grec
(Braun, p. 278 s.). — **Valentini** : l'éon Sophia (cf. *infra*, 8,
2 ; etc.) et non pas un ouvrage de Valentin qui aurait porté
ce titre (cf. O. Bardenhewer, *Geschichte der altkirchlichen
Literatur*, t. 1, Freiburg im B. 1913², p. 359 ; H. C. Puech
ap. Hennecke & Schneemelcher, *Neutestamentliche Apo-
kryphen*, t. 1, Tubingen 1959³, p. 170). Sur cette opposition
entre le nom de l'éon valentinien et le titre du livre vétéro-
testamentaire, cf. *supra*, p. 31. — **Solomonis** : comme
beaucoup d'autres Pères (Clément d'Alexandrie, Hippolyte,
Cyprien, Lactance), Tert. sur la foi du titre des LXX
(Σοφία Σαλωμῶνος), et parce que c'est ce roi d'Israël qui
est censé parler, attribue à Salomon le *Livre de la Sagesse* ;
toutefois Origène et Eusèbe ont émis des doutes sur cette
paternité ; mais Jérôme et Augustin sont les premiers à
l'avoir contestée (cf. L. Pirot-A. Clamer, *La Sainte Bible*,
t. 6, Paris 1946, p. 371 s.) ; sur l'utilisation de ce livre par
les Pères jusqu'à Augustin, cf. C. Larcher, *Études sur le
Livre de la Sagesse*. Paris 1969, p. 36-63. — **testimonium...
litauerunt** : malgré les doutes de Kroymann, on peut,
semble-t-il, conserver le texte transmis par les mss. Pour
la construction, cf. *Pat.* 10, 4 : « Quem autem litabimus
domino deo, si nobis arbitrium defensionis arrogauerimus »
(le *TLL* s. u. « lito » col. 1512, 55 considère, à tort selon
nous, *testimonium* comme un acc. de l'objet interne). *Tes-*

timonium = *martyrium*, non pas, comme semble le dire dans une page obscure H. A. M. Hoppenbrouwers, *Recherches sur la terminologie du martyre de Tertullien à Lactance*, Nijmegen 1961, p. 24, parce que Tert. se réfère à un événement néotestamentaire, mais parce que *litare sanguine* est explicite. Dans un autre contexte (l'âme naît avec toutes ses facultés potentielles, sans quoi le « témoignage » que, en deux occasions, le Christ a demandé aux enfants n'aurait aucune justification), *An.* 19, 9 : « Christus... nec pueritiam nec infantiam hebetes pronuntiauit, quarum altera cum suffragio occurrens testimonium ei potuit offerre (allusion à l'entrée de Jésus dans le Temple, *Matth.* 21, 15-16 = *Ps.* 8, 3), altera pro ipso trucidata utique uim sensit » (comme ici, le martyre des Innocents, *Matth.*, 2, 16). Cf. Aug., *De Gen. ad. litt.*, X, 23, 39 : « Habet... illa parua aetas magnum testimonii pondus, quae prima pro Christo meruit sanguinem fundere ». — **qui... clamant** : (= *eos qui...*) la foule des adultes qui a crié : « σταυρωθήτω » (*Matth.* 27, 22. 23).

2, 3. apostolus : Paul, « l'Apôtre » par excellence, pour les Pères et tout autant pour les valentiniens : cf. *Extraits de Théodote*, 22, 1 ; 35, 1 ; 48, 2 ; etc. (en 23, 3 : « l'Apôtre de la résurrection ») ; *Lettre à Rhéginos*, p. 45, 24. Sur l'autorité de Paul dans le valentinianisme, cf. H. F. Weiss, « Paulus und die Häretiker. Zum Paulusverständnis in der Gnosis », *Christentum und Gnosis* (Beihefte *ZNTW* 37), Berlin 1969, p. 116-128. — **iubet... simul dedit...** : pour l'établissement du texte, cf. nos « Valentiniana », p. 49-50. — **ut... ita** : pour établir une corrélation entre deux termes apposés à un même mot ; cf. Min. Fel., *Oct.*, 14, 1 : « Ecquid ad haec... audet Octauius, homo Plautinae prosapiae, ut pistorum praecipuus, ita postremus philosophorum ? ». — **manandi** : métaphorique avec valeur logique est tout à fait classique (Cic., *De orat.*, 1, 189 ; 2, 117 ; etc. ; *Off.*, 1, 152 ; etc. *TLL* s. u. col. 321, 54). De cette apologie de l'« esprit d'enfance » (simplicité, droiture, sincérité) dirigée contre les valentiniens qui reprochaient aux chrétiens leur « simplicité » (en se fondant à la fois sur une mentalité courante (cf. H.-I. Marrou, *Histoire de l'éducation dans l'Antiquité*,

Paris 1960[5], p. 299) et sur certains textes néotestamentaires
(comme *I Cor.* 3, 1 ; 13, 11 ; 14, 20 ; etc.), on rapprochera
la polémique comparable de Clément d'Alexandrie (cf.
H.-I. Marrou, Intr. au *Pédagogue, SC* 70, p. 23 s.).

2, 4. In summa : même sens de la locution en *Marc.* IV,
39, 16 ; V, 16, 6 (mais sens classique en *Marc.* IV, 5, 1 ;
Res. 31, 5). Jusqu'ici Tert. s'est surtout attaché à commenter
ou à rappeler l'importance de la notion de simplicité dans
l'enseignement sapiential et néotestamentaire : il aborde
maintenant, pour terminer son parallèle entre simplicité
et sagesse, la symbolique proprement dite de la colombe
et du serpent contenue implicitement dans le logion évangélique (*Matth.* 10, 16). Pour ce qui est de la colombe, il
retient deux traits : le rôle joué au baptême de Jésus par
la colombe, signe divin qui révèle le Christ à Jean-Baptiste
(cf. *Jn* 1, 32-34 ; l'événement est unique, mais suffit à faire
de la colombe le symbole de cette fonction, de manière
définitive, d'où *solita est*) ; ensuite, son rôle comme oiseau
de l'arche, porteur du rameau d'olivier, annonciateur de la
décrue et donc de la paix retrouvée entre Dieu et l'homme
(*Gen.* 8, 11 s.) ; ces deux fonctions symboliques sont naturellement associées dans une typologie du baptême : *Bapt.* 8,
3-4 : « ille sanctissimus spiritus super emundata et benedicta
corpora libens a patre descendit superque baptismi aquas
tanquam pristinam sedem recognoscens conquiescit columbae figura delapsus in dominum, ut natura spiritus
sancti declararetur per animal simplicitatis et innocentiae,
quod etiam corporaliter ipso felle careat columba. Ideoque
' estote, inquit, simplices ut colombae ', ne hoc quidem
sine argumento praecedentis figurae : quemadmodum enim
post aquas diluuii quibus iniquitas antiqua purgata est,
post baptismum ut ita dixerim mundi, pacem caelestis irae
praeco columba terris adnuntiauit dimissa ex arca et cum
olea reuersa — quod signum etiam ad nationes pacis prae-
tenditur — ... » Mais en *Mon.* 8, 7 la « simplicité » de la
colombe réside dans sa *pudicitia* : » (columbam) unam unus
masculus nouit ». A noter *infra*, 3, 1, le « glissement » typologique : la colombe comme figure de l'Église.

c. Malgré son effort pour se cacher, la prudence de serpent
   des valentiniens sera vaincue par la simplicité des
   chrétiens (chap. III).

Si donc le serpent fuit la lumière, la colombe au contraire
la recherche, et l'Orient est la « figure » du Christ (§ 1). La
vérité ne redoute qu'une seule chose : être cachée ; Dieu est
manifeste tous les jours dans ses œuvres, même si les païens
l'ont partiellement méconnu (§ 2). Au demeurant, tout
comme les païens, les valentiniens multiplient les divinités
(§ 3). En écoutant les histoires qui arrivent à leurs éons,
on reconnaîtra les « fables et les généalogies sans fin » contre
lesquelles l'Apôtre a déjà mis en garde (§ 4). Les valentiniens
ont donc bien raison, en un sens, de se cacher ! Mais ils ne
pourront empêcher les chrétiens, malgré leur « simplicité »,
de les découvrir et d'engager cette première bataille avec
la certitude de gagner (§ 5).

3, 1. Abscondat... : pour le mouvement et la pensée,
cf. *Mart.* 1, 5 : « Fugiat (diabolus) conspectum uestrum, et
in ima sua delitescat contractus et torpens, tamquam coluber
excantatus et effumigatus ». Tert. ne paraît pas connaître
l'exégèse gnostique de *Gen.* 3, 1 s. faisant du « serpent » le
principe de toute « gnose » et, par conséquent, valorisant
son symbole (cf. par ex. la secte des ophites), cf. Jonas,
Gnostic Religion[2], p. 92 s. — **prudentiam** : pour l'abstrait,
cf. *supra*, 1, 4 (*simplicitatem*). — **detrudat** : emploi réfl.
(Hoppe, *Synt.*, p. 63 ; Löfstedt, *Spr. Tert.*, p. 21) justifiant
l'adoption du texte transmis par la tradition (« Valentiniana »
p. 50-51) ; confirmé par Phébade, *Contra Arianos*, 5, 6 (cf.
supra, p. 59). — **semel** : = *simul*, cf. *An.* 51, 8 : « Mors,
si non semel tota est, non est » (cf. Hoppe, *Synt.*, p. 113).
— **lucifuga** : cf. *Res.* 47, 17 : « lucifugae isti scripturarum ».
D'après Min. Fel., *Oct.*, 8, 4, les païens qualifiaient les
chrétiens de « latebrosa et lucifuga natio », sans doute en
raison de l'heure matinale de la première synaxe (Pline,
Lettres, 10, 96, 7 = *Apol.* 2, 6 ; cf. *Cor.* 3, 3 ; E. Dekkers,
Tertullianus en de geschiedenis der liturgie, Brussel-Amster-

dam 1947, p. 112). — **Nostrae columbae** : « glissement »
typologique par rapport à *supra*, 2, 1-4. L'assimilation de
l'Église à une colombe est un thème de l'apocalyptique
(*IV*e *Esdras*, 5, 26 ; *V*e *Esdras*, 2, 15 ; *Ant. Bibl.*, 23, 7 ;
39, 5) et de l'iconographie juive (cf. J. Daniélou, *Les origines
du christianisme latin*, Paris 1978, p. 34 et 249). Mais ici le
symbolisme est double, la colombe désignant l'Église comme
« communauté », mais aussi comme « lieu de culte » (*domus*).
— **domus** : au sens matériel, sinon architectural, de « lieu
de culte » (puisqu'il ne peut s'agir, vraisemblablement, que
de *domus ecclesiae*), appelé en *Idol.* 7, 1 *domus Dei*, plus
généralement *ecclesia* (*Praes.* 26, 6 ; *Paen.* 7, 10 ; *Idol.* 7,
1 ; etc.) ; Cf. Dekkers, *op. laud.*, p. 105-108 ; C. Mohrmann,
« Les dénominations de l'église en tant qu'édifice en grec et
en latin au cours des premiers siècles chrétiens », *Archéologie
paléochrétienne et culte chrétien*, Strasbourg 1962, p. 155-174
(= *RSR* 36 [1962] fasc. 3-4, pag. spéc.). — **simplex** : par
opposition aux *latebrarum ambages* (repaires de serpents
et symbole de la discipline du secret dans le valentinianisme),
mais aussi au sens propre, dans la mesure où cette « domus »
n'est qu'une « salle de réunion » cultuelle dans une construction sans caractère spécifique, aussi éloignée que possible
de l'architecture des temples païens (cf. *Spec.* 13, 4 : « Nec
minus templa quam monumenta despicimus » ; Min. Fel.,
Oct., 32, 1 ; Orig., *Contre Celse*, 8, 19). — **in editis...
lucem** : contre F. J. Dölger, « ' Unserer Taube Haus '.
Die Lage des christlichen Kultbaues nach Tertullian »,
Antike und Christentum, 2 (1930), p. 41-56, qui veut donner
à ces expressions une précision architecturale, voir les
remarques de Dekkers, *op. laud.*, p. 107. Ajoutons que Tert.
continue d'orchestrer le thème de la vérité, en faisant valoir,
comme seconde caractéristique, après la « simplicité » (cf.
supra, 2, 1), le fait qu'elle ne peut se manifester qu'au grand
jour : comme le premier, ce thème est à la fois d'origine
philosophique (cf. Cic., *Off.*, 1, 109 : « simplices et aperti,
qui nihil ex occulto, nihil de insidiis agendum putant, ueritatis cultores » ; 3, 57 ; *Rep.* 3, 11 (= Nonius, p. 373, 30) :
« Iustitia foras spectat et proiecta tota est, atque eminet » ;
Sén., *Luc.*, 48, 12 ; 95, 13 : « Simplex... illa et aperta uir-

tus... » ; etc. ; pour les applications stylistiques, Sén. Rh., *Contr.*, 7, Praef. 2 : « Sententiae... simplices, apertae, nihil occultum... afferentes ») et biblique (cf. *Praes.* 26, 2 : « Dominus... praeceperat... in luce et in tectis praedicarent » = *Jn* 18, 20 ; *ibid.* 26, 4 : « Ipse docebat lucernam non sub modium abstrudi solere sed in candelabrum constitui ut luceat ' omnibus qui in domo sunt ' » = *Matth.* 5, 15 ; cf. *supra*, 1, 4 ; *Pat.* 15, 6 : « Spiritus (*Dei*)... apertus et simplex, quem... uidit Helias » = *III Rois* 19, 11-13 ; *Marc.* III, 8, 3 : « negatam ab apostolo lucis, id est ueritatis, et tenebrarum, id est fallaciae, ... communicationem » = *II Cor.* 6, 14 ; etc. Cf. P. Guttieres, « Conceptus lucis apud Johannem Evangelistam in relatione ad conceptum veritatis », *Verbum Domini* 29 [1951], p. 3-19). Enfin le couple « in editis semper et apertis » pourrait répondre à *Apol.* 1, 1 : « Romani imperii antistites, in aperto et edito, in ipso fere uertice ciuitatis praesidentibus (uobis) ad iudicandum... ». Néanmoins, comme la suite du texte paraît le confirmer, ces « salles de réunion », pour autant que le permettaient les bâtiments dans lesquels elles se trouvaient, devaient être choisies de préférence tournées vers l'Est (*ad lucem*) : C. Vogel, « Sol aequinoctalis. Problèmes et technique de l'orientation dans le culte chrétien », p. 187, *Archéologie paléochrétienne et culte chrétien*, p. 175-211. — **figura** : cf. T. P. O'Malley, *Tertullian and the Bible*, Nijmegen-Utrecht 1967, p. 158 s. ; J. E. L. Van der Geest, *Le Christ et l'Ancien Testament chez Tertullien*, Nijmegen 1972, p. 163 ; *Matth.* 3, 16 et *Bapt.* 8, 3, *supra*, 2, 4. — **orientem** : pour la prière, cf. *Nat.* I, 13, 1 : « ad orientis partem facere nos precationem » ; *Apol.* 16, 10 ; Dekkers, *op. laud.*, p. 101-103 ; pour le Christ mis en rapport avec l'Orient : Justin, *Dial.*, 106, 4 ; 121, 2 ; 126, 1 ; Méliton, *Sur le baptême*, frg. 8b, 4, *SC* 123, p. 232 ; Lact., *Diu. inst.*, 2, 9, 5-6 ; bibliographie sur ce symbolisme de l'Orient qui n'est pas d'origine néotestamentaire dans C. Vogel, *art. laud.*, p. 177.

3, 2. ueritas : cf. *supra*, 1, 1 et p. 31. — **erubescit** : constr. trans. (poétique et post-clas.), cf. *Carn.* 4, 4 : « illam (carnem) [A : nasci in illam Θ] erubescit ? » ; Hoppe, *Synt.*,

p. 14. *Cult.* II, 13, 2 : « Bonum autem, dumtaxat uerum et plenum, non amat tenebras ; gaudet uideri et in ipsas denotationes sui exultat » (cf. Cic., *Tusc.*, 2, 64 : « omnia... bene facta in luce se conlocari uolunt »). Texte à joindre au dossier de la prétendue « discipline de l'arcane », *supra*, 1, 4. — **nec** : = *non* ; Bulhart, *Praef.* § 75 ; *infra*, 4, 4 ; 5, 1. — **pudebit** : emploi fréquent chez Tert. d'un fut. potentiel avec valeur affirmative : Hoppe, *Synt.*, p. 64 ; Bulhart, *Praef.*, § 41 ; *infra*, 5, 2 ; 16, 1 ; 16, 3. — **recognoscere**... : référence aux trois modes d'accès à la connaissance de Dieu ; les deux premiers sont « naturels » : d'une part le « témoignage de l'âme » : « quem (deum) iam illi natura commisit » (cf. *Test.* 5, 1 : « Magistra natura, anima discipula est. Quicquid aut illa edocuit aut ista perdidicit, a deo traditum est magistro scilicet ipsius magistrae » ; 5, 3 « qui eiusmodi eruptiones animae non putauit doctrinam esse naturae et congenitae et ingenitae conscientiae tacita commissa... » ; *An.* 2, 1 : « natura pleraque suggerantur quasi de publico sensu... » ; *Cor.* 6, 2 : « Ipsum deum secundum naturam prius nouimus... ») ; d'autre part, a posteriori, la démarche cosmologique : « quem cotidie in operibus omnibus sentit » (cf. *Res.* 2, 8 : « deum mundi omnibus naturaliter notum de testimoniis operum » ; etc.) ; le troisième est « surnaturel », donnant une connaissance supérieure, par la révélation contenue dans les Écritures et la doctrine : « nec pudebit ullum aures ei (= ueritati, doctrinae fidei) dedere, eum deum recognoscere... » (cf. *Marc.* I, 18, 2 : « nos definimus deum primo natura cognoscendum, dehinc doctrina recognoscendum, natura ex operibus, doctrina ex praedicationibus » ; V, 16, 3 : « creatori autem etiam naturalis agnitio debetur, ex operibus intellegendo et exinde in pleniorem notitiam requirendo ») ; *Apol.* 17, 4 - 18, 1 ; cf. M. Spanneut, *Le stoïcisme des Pères de l'Église de Clément de Rome à Clément d'Alexandrie*, Paris 1957, p. 274 s. ; C. Tibiletti, Introd. au *De testimonio animae*, Torino 1959, p. 16 s. ; S. Otto, « *Natura* » *und* « *dispositio* ». *Untersuchung zum Naturbegriff und zur Denkform Tertullians*, München 1960, p. 119 s. — **commisit** : sens complexe : « confier » un enseignement (cf. *supra*, 1, 4), un dépôt (cf. *supra*, *Test.* 5, 1 : l'âme est capable

d'appréhender Dieu naturellement, parce que cette connaissance est déjà secrètement déposée en elle) ; proche aussi de
suggerere : *supra*, *An.* 2, 1 ; *Spec.* 2, 4 : « ultro natura suggerit
Deum esse universitatis conditorem ». Cf. également *infra*,
25, 3. — **hoc solo... quod** : *Apol.* 17, 5 Vg : « (anima) Deum
nominat hoc solo quia proprie uerus hic unus ». — **unicum** :
préféré à *solus* et à *unus* pour désigner le Dieu du christianisme authentique (Braun, p. 67-68) ; cf. *Prax.* 3, 1 : « regula
fidei a pluribus diis saeculi ad unicum et uerum Deum
transfert » ; 13, 7 : « ut, quia nationes a multitudine idolorum
transirent ad unicum Deum, et differentia constitueretur
inter cultores unius et plurimae diuinitatis » ; 18, 3 : « ut
multitudinem falsorum deorum unio diuinitatis expellat » ;
etc. Encore Théodoret, *Thérap.*, III, 3 : « οἳ εἰς πολλὰ τὸ θεῖον
κατεμέρισαν σέβας καὶ τῷ δημιουργῷ τῶν ὅλων τὴν κτίσιν ξυν-
έταξαν ». — **in numero** : notre traduction, qui repose sur l'interprétation adverbiale de ce tour (cf. « en (grand) nombre »,
« en masse », = *numerose* ; *Prax.* 12, 2 *numerose loqui*,
« parler au pluriel » ; d'où ici : « nommer abondamment,
utiliser abondamment son nom »), est conforme à la conception que se fait Tert. du nom divin, emprunté et profané
par le polythéisme : cf. entre autres cette formule de *Marc.* V,
11, 1 : « ' deus ' commune uocabulum factum est uitio
erroris humani, quatenus plures dei dicuntur atque creduntur
in saeculo » ; Braun, p. 30 s. ; 692-693. — **in aliis** : cf. *Idol.*
15, 7 : « Si autem sunt (daemones) qui in ostiis adorentur... » ;
l'idée est dans le prolongement de la précédente : cf. *Test.*
2, 1 : « Deum (praedicamus) hoc nomine unico unicum, a
quo omnia et sub quo uniuersa... Nam te (= animam)...
audimus ita pronuntiare : ' Quod deus dederit ' et ' Si deus
uoluerit '. Ea uoce, et aliquem esse significas et omnem illi
confiteris potestatem, ad cuius spectas uoluntatem, simul
et ceteros negas deos esse, dum suis uocabulis nuncupas,
Saturnum, Iouem, Martem, Mineruam. Nam solum deum
confirmas quem tantum deum nominas, ut, et cum illos
interdum deos appellas, de alieno et quasi pro mutuo usa
uidearis ». Tert. développe donc dans ce § le thème de
l'« âme naturellement chrétienne », innocente malgré son
langage païen, « capable de Dieu », pourvu qu'elle se fie à

son propre témoignage et à celui de la création, et aspirant
à le mieux connaître par la révélation, « surnaturellement ».
Malgré une certaine parenté de vocabulaire, c'est une autre
idée, celle d'un consensus général sur le principe du Dieu
unique, que développe Min. Fel., *Oct.*, 20, 1 : « Exposui
opiniones... philosophorum... deum unum multis licet
designasse nominibus ».

3,3. a : valeur prégnante (*supra*, 1, 1 : *ex.*). — **frequentiam** : cf. *infra*, 7, 8 : *turba* ; *TLL* s. u. col. 1307, 15. Contre
le valentinianisme le grief de polythéisme revient souvent :
Marc. I, 5, 1 ; *Prax.* 3, 6 : « plures (dei) secundum Valentinos
et Prodicos » ; 8, 1 : « Valentinus alium atque alium aeonem
de aeone producens » ; 13, 8 : « quidam haeretici, quorum
dei plures » ; etc. Déjà chez Irénée (*Haer.*, II, 14, 1). —
suadere : = *persuadere* (*supra*, 1, 4) mais ici construit
trans. (+ *aliquid*, cf. *infra*, 4, 3 ; *Scorp.* 2, 1 ; + *aliquem*,
cf. *Cult.* I, 1, 2 ; etc. W. von Hartel, « Patristische Studien »,
IV, *SAWW* 121 (1890), p. 21. — **principatu** : le parallélisme
des trois propositions (*suadere-transmouere-retorquere*) de
structure antithétique comparable invite à considérer
domestico principatu et *manifesto* sur le même plan que
turba eorum, c'est-à-dire comme se rapportant au polythéisme
païen, modèle en quelque sorte du polythéisme valentinien.
Principatus désigne sans doute Jupiter, comme en *Apol.* 24,
3 (où, comme ici, mais de façon plus appuyée, Tert. recourt
à une périphrase empruntée au vocabulaire des institutions ;
il ne le nommera qu'ensuite, dans une citation libre du
Phèdre) : « Nunc ut constaret illos deos esse, nonne concede-
retis de aestimatione communi aliquem esse sublimiorem et
potentiorem, uelut principem mundi perfectae maiestatis ? »
(voir Waltzing, p. 181). — **incognitum** : l'éon Abîme, *infra*
7, 3. — **transmouere** : emploi non pas réfléchi (Hoppe
Synt., p. 64 ; Blaise, *Dict.*, s. u., p. 827), mais absolu, comme
suadere (du point de vue de la pers.) et *retorquere*. — **manifesto... occultum** : i. e. vraisemblablement *principatus*
Opposition traditionnelle, surtout fréquente chez Tert.
dans des contextes où il définit la norme de la démarche
intellectuelle, qui consiste à aller du connu à l'inconnu

Nat. I, 4, 10 ; *Marc.* I, 9, 7 ; *Res.* 19, 1 ; 21, 2 ; etc. Cf.
Schneider, p. 149. — **retorquere** : = *detorquere* ; cf. *Herm.*
18, 3 : *adducere* = *inducere* (Waszink, trad., p. 134) ; *An.*
12, 6 : *reputare* = *deputare* ; 24, 1 : *proscribere* = *inscribere* ;
etc. *Infra,* 4, 2 : *expugnare* = *oppugnare* ; 9, 4 : *exponere* =
deponere. — **de limine** : expression d'origine proverbiale
(A. Otto, *Die Sprichwörter... der Römer,* Hildesheim 1965
[= Leipzig 1890], p. 193) ; cf. *Nat.* I, 16, 13 ; *Mon.* 8, 1 ; *Pal.* 5,
2. — **fidem** : la foi « inchoative » de « l'âme naturellement chrétienne », fût-elle encore païenne (*falsis deis exancillata*), qui
regarde vers le ciel, « séjour du Dieu vivant » (cf. *Apol.* 17,
5-6), mais qui ne peut qu'être « offensée » par la substitution
du polythéisme valentinien au polythéisme païen. — **fabulam** : cf. *supra,* p. 17 s. — **initietur** : *supra,* 1, 1-2. Sujet
indéterminé (cf. § 2 : *ullum* ; puis *suadere, transmouere,
retorquere* construits sans compl. de pers. explicite). —
recordabitur : la tentative d'A. Marastoni pour défendre
la leçon *dabitur te* des mss nous paraît vaine : contrairement
à ce qu'il avance, *recordari* est bien attesté chez Tert. (*infra,*
15, 4 ; 34, 1 ; et ailleurs) et la forme *recordabitur* se lit en
Iei. 6, 2. — **difficultates** : bien attesté dans la langue latine
comme terme « technique » désignant les ennuis physiques
dus à la maladie, à la souffrance, etc. (*TLL* s. u. col. 1094,
55 ; cf. *infra,* 9, 3). — **Lamiae turres... pectines Solis** :
ces deux contes ne nous sont pas autrement connus. Toutefois, Mme C. Lacoste, spécialiste du conte Kabyle, me
signale l'existence de motifs susceptibles d'en laisser entrevoir le contenu : d'une part, pour le premier, le thème du
héros poursuivi par une ogresse et obligé de se réfugier sur
une hauteur et, précisément, sur une tour ; pour le second,
le thème de la quête d'objets précieux, par exemple, des
rouleaux de métier à tisser en or. Pour le rôle de la nourrice
dans l'éducation bellénistique et romaine, cf. Marrou, *Hist.
ducat.*[5], p. 201.

3, 4. Sed qui... : seconde éventualité envisagée : le
système valentinien est exposé à quelqu'un qui a lu saint
Paul, qui a donc du contenu de la foi une connaissance
autre » (c'est-à-dire « supérieure », « meilleure » : cf. *TLL*

s. u. « alius », col. 1646, 44) que celle que peut avoir une
« âme naturellement chrétienne », dont la foi n'est pas
« nourrie par les saintes paroles » de l'Écriture (cf. *Apol.* 39,
3) : sa réaction sera non pas de penser à un conte de nourrice,
mais aux avertissements donnés par l'Apôtre. *Ex* = *cum*
(cf. *Nat.* I, 17, 6 : *ex fide* = *cum fide* ; *TLL* s. u. « fides »,
col. 677, 24 s.). — **aeonum** : entités transcendantes, dont
le degré d'individuation a pu varier de Valentin à Ptolémée
(*infra*, 4, 2) ; « half angels, half ideas » (G. Quispel, « From
Mythos to Logos », p. 335, *Eranos-Jb* 39 (1970), p. 323-340).
Sur la polysémie de ce terme, cf. A.-J. Festugière, *Le Dieu
inconnu et la gnose*, Paris 1954, p. 152 s. ; Orbe, *Est. Val.*,
II, p. 92 s. D'après Irén., *Haer.*, I, 3, 1, les valentiniens
soutenaient que dans la doxologie d'*Éphésiens*, 3, 21
(« Gloire à Dieu dans l'Église et dans le Christ Jésus, dans
toutes les générations du siècle des siècles, εἰς πάσας τὰς
γενεὰς τοῦ αἰῶνος τῶν αἰώνων), devenue formule liturgique
(Hippol., *Trad. ap.*, SC 11 *bis*, p. 30 ; 33 ; 35 ; 38 ; 52), Paul
mentionnait explicitement leurs éons et que même il en gar-
dait et observait l'ordre ; ils ajoutaient aussi que les chrétiens
de la Grande Église y faisaient eux-mêmes référence quand
dans leurs actions de grâce ils disaient « dans les siècles des
siècles » (εἰς τοὺς αἰῶνας τῶν αἰώνων) ; cf. Kasser-Malinine-
Puech-Quispel-Zandee, éd. *Tractatus Tripartitus*, I, p. 321 s.
— **coniugia** : rend le terme technique συζυγία, désignant
les couples d'éons (cf. Sagnard, p. 655 s. u., συζυγία) ;
cf. *infra*, 11, 2 ; 30, 3 ; 31, 1 ; 33, 1. 2. — **genimina** :
ce terme, qui n'appartient pas au vocabulaire technique
du valentinianisme, apparaît en trad. de *Matth.* 3, 7 :
γεννήματα ἐχιδνῶν (cf. *Herm.* 12, 2 ; *An.* 21, 4-5) et 26,
29 : τοῦ γενήματος τῆς ἀμπέλου (non cité par Tert.) ; hormis
les cas où il est employé pour désigner les productions de
la terre, ce mot a presque toujours en latin une valeur
péjorative (ainsi : *An.* 34, 3 ; 39, 2 ; toutefois valeur plus
neutre en *An.* 23, 5, où il traduit d'ailleurs γεννήματο
de Plat., *Tim.*, 69c). — **exitus** : = *labores, casus, cruciatus* ;
cf. *Nat.* I, 16, 16 ; *Apol.* 21, 5 ; etc. ; *infra*, 10, 1-2 ; 15, 3 ;
TLL s. u. col. 1538, 84. — **euentus** : sur les sens de ce mot
chez Tert., cf. Waszink, p. 98 ; *infra*, 26, 1. — **felicitates**

infelicitates : construit asyndétiquement (cf. Bulhart, *Praef.*, § 86a ; *infra*, 12, 2 ; 33, 2), comme apposition aux précédents ; on peut toutefois admettre qu'ils soient sur le même plan, *tot* n'étant pas repris par souci de variation. L'un et l'autre sont rares au pluriel, surtout le premier dont c'est la première attestation à ce nombre ; cf. *TLL* s. u. « felicitas » col. 428, 59 ; s. u. « infelicitas » col. 1360, 5. Pour le pl. des abstraits, *infra*, 4, 4. — **dispersae... diuinitatis** : présentation polémique du « mystère » du Plérôme du Père inconnu, déployé dans ses éons, qui sont ses propriétés hypostasiées ; *infra*, 8, 4 : *diuinitatis tricenariae plenitudo* ; 23, 1 : *tricenarius pleroma* ; *Marc.* I, 5, 1 : « Valentinus... examen diuinitatis effudit ». *Diuinitas = deus*, aussi bien en contexte païen (cf. *supra*, 1, 3) et hérétique (*infra*, 4, 2 ; 7, 4 ; 8, 4 ; 34, 1) que dans l'exposé de l'orthodoxie (Braun, p. 37). — **ibidem** : = *statim, ilico* (Hoppe, *Synt.*, p. 112 ; *infra*, 7, 6 ; 16, 2). — **fabulas... indeterminatas** : ces versets servent à disqualifier les discussions oiseuses des hérétiques (*Marc.* I, 9, 7 ; *An.* 2, 7) ou, comme ici, à stigmatiser la théorie valentinienne des éons (cf. *Praes.* 7, 7 ; 33, 8 ; *Carn.* 24, 2 ; etc. ; déjà Irén., *Haer.*, I, *Praef.* 1) ; en réalité les « généalogies » visées dans les « Pasto- rales » ne sont pas les éons gnostiques mais les « toledot » de certains apocryphes (par ex. Ps. Phil., *Ant. bibliques*) développant à l'envi les généalogies bibliques ; cf. C. Spicq, *Les Épîtres pastorales*, t. 1, Paris 1969[4], p. 322 (du reste cf. déjà Ign. Ant., *Mag.*, 8, 1). *Indeterminatas*, néologisme forgé en *Praes.* 33, 7 pour traduire *I Tim.* 1, 4 : ἀπεράντοις, mais que Tert. n'utilise pas en dehors de ces deux passages (cf. *TLL* s. u. col. 1138, 78). — **apostoli spiritus** : l'écrivain sacré incarne et manifeste la « prouidentia Spiritus Sanctus » : cf. *Apol.* 18, 2 : « Viros... (Deus) emisit spiritu diuino inun- datos, quo praedicarent Deum unicum esse... » ; *Praes.* 6, 5 ; 7, 7 ; *Marc.* V, 7, 1 : « Immo ne ita argumentareris, prouidentia spiritus sancti demonstrauit quomodo dixisset spectaculum facti sumus mundo ' (*I Cor.* 4, 9), dum angelis, qui mundo ministrant, et hominibus quibus ministrant » ; etc. ; pour l'A. T., cf. *Carn.* 23, 6 ; *Idol.* 15, 6 ; etc. Cf. W. Bender, *Die Lehre über den Heiligen Geist bei Tertullian*, München 1961, p. 115 s. Pour le titre d' « Apôtre » dési-

gnant κατ'ἐξοχήν saint Paul, *supra*, 2, 3. — **pullulantibus...
haereticis** : sur les « hérétiques » et les « faux docteurs »
du temps de Paul, cf. pour les « pastorales », R. J. Karris,
« The Background and Signifiance of the Polemic of the
Pastoral Epistles », *Cath. Theol. Union* 92 (1973), p. 549-
564 ; pour les dangers dénoncés dans l'*Épître aux Colossiens*,
F. O. Francis-W. A. Weeks, *Conflicts at Colossae : A Pro-
blem in the Interpretation of Early Christianity illustrated
by Selected Modern Studies*, Missoula (USA) 1975[2] ; pour
les négateurs de la résurrection, E. H. Pagels, « The Mystery
of the Resurrection : A Gnostic Reading of *I Cor.* 15 »,
JBL 93 (1974), p. 276-288 ; R. Morisette, « Un midrash
sur la Mort : *I Cor.* 15, 54 c - 57 », *RB* 1972, p. 161-189. On
peut dire que, d'une façon générale, les exégètes influencés
par l'école *religionsgeschichtlich* ont tendance à qualifier de
« gnostiques » (ou « prégnostiques ») les « hérétiques » des
épîtres pauliniennes. — **seminibus** : même image en *An.*
18, 4 : « Relucentne iam haeretica semina Gnosticorum et
Valentinianorum ? » ; *infra*, 39, 2. — **praeuenit** : + inf.,
cf. *Bapt.* 5, 5 : « si quis praeuenerat descendere illuc » ; *An.*
26, 3 ; etc. Construction inflencée par celle de φθάνω + inf.
(Hoppe, *Synt.*, p. 58) ? ou par celle de *occupo* + inf. attestée
dès Plaute (Waszink, p. 339) ? *Praeuenio* + part. (= φθάνω
+ part.) en *Praes.* 9, 6 ; *Nat.* II, 3, 11.

3, 5. simplices... prudentes : comme souvent après
un excursus (§ 2-4) Tert. reprend le ou les mots qui le pré-
cédaient, cf. *An.* 25, 1 ; 54, 1 ; etc. Waszink, p. 320. — **tantummodo prudentes** : renversement dialectique par
rapport à 2, 1 : « hoc (= simplices) tantum (*s. ent.* nos) ».
— **exerte** : cet adv. pour lequel Tert. a une certaine prédilection (9 occurrences) n'est attesté qu'une seule fois avant
lui (Apul., *Mét.*, 1, 17, 1) ; cf. *TLL* s. u. col. 1859, 77. —
edocent : = *docent*, pour des raisons d'isosyllabie (*perdocent*),
cf. *supra*, 1, 4. — **utique** : avec cette valeur ironique, véritable tic stylistique (40 occurrences dans *Apol.* d'après
Waltzing, p. 20). Pour le mouvement, cf. *Herm.* 10, 4 :
« (Deus) adsertor eius (= mali) inuentus est, male si per
uoluntatem, turpiter, si per necessitatem ». — **ceterum**

= *sed* (Hoppe, *Synt.*, p. 108). Si l'on peut admettre que *astute*
porte sur *nec... perdocent*, il faut en revanche comprendre
« ceterum (hoc esset) inhumane, si (docerent) honesta ».
Tert. pratique couramment l'ellipse des verbes, que ceux-ci
puissent être facilement, comme ici, ou moins facilement
suppléés, et quels que soient par ailleurs le temps et le mode
auxquels il convient de les suppléer (cf. Hoppe, *Synt.*,
p. 144 ; Bulhart, *Praef.*, § 94 s. ; *infra*, 9, 1 ; 24, 1 ; 31, 1).
Esse + adv., attesté à toutes les époques dans la langue
familière (L. H. S., p. 171). — **Denique** : = *itaque* (cf.
L. H. S., p. 514). — **cuneum** : cf. *Marc.* I, 21, 6 : « Hoc...
cuneo ueritatis omnis extruditur haeresis » ; *Res.* 2, 11 :
« Igitur quantum ad haereticos demonstrauimus quo cuneo
occurrendum sit a nobis » ; *Pud.* 5, 9 ; *TLL* s. u. col. 1403,
36. — **congressionis** : si l'usage métaphorique de *cuneus*
est bien attesté antérieurement à Tert., en revanche celui-ci
est le premier à employer *congressio* avec une valeur imagée,
et il le fait souvent (*Apol.* 25, 2 ; *Carn.* 17, 1 ; etc. ; *infra*,
6, 2) ; remarques identiques en ce qui concerne *congressus*
dans son œuvre (mais *infra*, 26, 2 avec un autre sens), avec
cette différence que l'emploi métaphorique de *congressus*
n'a pas été suivi ; cf. *TLL* s. u. « congressio » col. 295, 44 ;
s. u. « congressus » col. 297, 24 ; pour les images du combat
et de la gladiature, *supra*, 1, 4. — **detectorem** : néologisme,
dont il n'y a que deux autres occurrences : *Marc.* IV, 36,
11 et Schol. *Stat. Theb.*, 7, 62 (cf. *TLL* s. u. col. 792, 55).
— **designatorem** : autre création pratiquement sans
postérité (uniquement Non., p. 11 et chez les Glossateurs ;
cf. *TLL* s. u. col. 714, 64). — **auspicamur** : Tert. n'éprouve
aucun scrupule à utiliser avec une valeur neutre ce verbe
dont l'origine religieuse (comme c'est déjà souvent le cas
dans la langue païenne impériale) est estompée ; cf. par
ex. : *Bapt.* 9, 4 : « Numquam sine aqua Christus ! siquidem
et ipse aqua tinguitur, prima rudimenta potestatis suae uoca-
tus ad nuptias aqua auspicatur » ; cf. *TLL* s. u. col. 1550,
64 s. — **impendio** : = *studio, opera* ; unique occurrence de ce
mot chez Tert. avec du reste un sens non attesté ailleurs
(cf. *TLL* s. u. col. 544, 14). — **absconditur** : cf. *supra*, § 2 :
asbcondi. — **destruere** : fréquent chez Tert. (comme du

reste *destructio*) avec cette valeur rhétorique, attestée depuis Quint., *Inst. or.*, 2, 4, 18 ; 2, 17, 30 ; etc. Cf. Waszink, p. 101 ; *TLL* s. u. col. 774, 59. On aurait tort de prendre à la lettre l'optimisme de cette « sententia » (cf. *supra*, p. 24) ; même affectation au demeurant sous la plume d'Irén., *Haer.*, I, 31, 3-4 : « aduersus eos uictoria est sententiae eorum mani- festatio » (où il y a peut-être un souvenir de Thucyd., 3, 53, 2 : τὰ... ψευδῆ ἔλεγχον ἔχει ; cf. D. B. Reynders, « La polé- mique de saint Irénée. Méthodes et principes », p. 6, *RecTh* 7 [1935-36], p. 5-27)... « Iam enim non multis opus erit sermo- nibus ad euertendum doctrinam eorum, manifestam omnibus factam... cum in manifestum redegerimus eorum abscondita et apud se tacita mysteria, iam non erit necessarium multis destruere eorum sententiam » — à côté de déclarations ou d'aveux plus réalistes : III, *Praef.* : « cum sit unius operis traductio eorum et destructio in multis » ; IV, *Praef.* 2 : « Eum autem qui uelit eos conuertere oportet diligenter scire regulas siue argumenta ipsorum. Nec enim possibile est alicui curare quosdam male habentes, qui ignorat passionem eorum qui male ualent. Quapropter hi qui ante nos fuerunt, et quidem multo nobis meliores, non tamen satis potuerunt contradicere his qui sunt a Valentino, quia ignorabant re- gulam ipsorum, quam nos cum omni diligentia in primo libro tibi tradidimus, in quo ostendimus doctrinam eorum recapitulationem esse omnium haereticorum ».

2. Bref historique et principales caractéristiques du valentinianisme (chap. IV).

C'est une blessure d'amour-propre qui a conduit Valentin à rompre avec l'Église authentique pour fonder sa propre secte, à laquelle du reste ses propres disciples ont fait subir diverses métamorphoses (§ 1) : Colorbasus (?), Ptolémée, Héracléon, Secundus, Marc le Mage et Théotime. Seul Axionicus est resté fidèle à la doctrine du maître (§ 2-3). Ces variations doctri- nales ne doivent pas surprendre : chacun est libre d'innover à son gré et considère ses propres inventions comme autant de charismes (§ 4).

4, 1. inquam : *supra*, 3, 5 : *omnia scimus*. — **ipsorum** :
= *eorum, illorum* (cf. *infra*, 33, 1). — **licet non...** **uidean-**
tur : non parce qu'ils cherchent à dissimuler leurs croyances
(reproche formulé plus haut 1,4), mais parce qu'ils prennent
des libertés avec la doctrine du fondateur (cf. *infra*, § 4).
Tert. souligne donc la première caractéristique de l'hérésie :
ses variations doctrinales, qui sont le signe de l'erreur, en
face de l'Église de la « règle authentique » qui, par son unité,
montre qu'elle possède la vérité. La vérité est une, l'erreur
multiple : cette idée d'origine platonicienne (qu'il pouvait
retrouver dans Sén., *Luc.*, 102, 13 : « Numquam... falsis
constantia est : uariantur et dissident ») a été largement
utilisée par Tert. dans ses polémiques antiphilosophiques
et antihérétiques : cf. Fredouille, p. 46-47 ; 222 s. ; 307 s. ;
355-356 ; 433 (sur la diversité des hérésies et l'unité de la
tradition chez Irénée, cf. D. van Den Eynde, *Les normes*
de l'enseignement chrétien... des trois premiers siècles, Gembloux-Paris 1933, p. 164 s. ; N. Brox, *Offenbarung, Gnosis*
und gnostischer Mythos bei Irenäus von Lyon, Salzburg-
München 1966, p. 105 s.). Ajoutons que cette idée a forte-
ment influencé aussi l'anthropologie et l'eschatologie valentiniennes : la multiplicité, qui est mauvaise, est liée à la
« déficience ; au contraire le lieu qui est l'unité est « plérôme » ;
par la gnose le spirituel fuit le lieu de la déficience pour
rejoindre le plérôme avant de lui être définitivement uni
(cf. *Extr. Théod.*, 36 ; Irén., *Haer.*, I, 16, 2 ; *Évangile de*
Vérité, p. 24, 25 s. ; *Lettre à Rhéginos*, p. 49, 14-15 ; *Tractatus*
Tripartitus, p. 106, 10) ; de ces vues, les conséquences
historiques ne sont pas négligeables : la division des « hyliques » (les païens), sensible en particulier dans leurs propres
contradictions (spécialement philosophiques), reflète la
multiplicité de la matière ; à l'opposé, l'unité substantielle
et gnoséologique des « spirituels » (cf. *Tract. Tripart.*, p. 109,
8 s. ; 111, 17 s.). — **conditore** : la tentative de G. Quispel,
« The Original Doctrine of Valentin », *VChr* 1 (1947), p. 43-
73 pour reconstituer la pensée primitive du fondateur et
la distinguer de celle de Ptolémée s'appuie sur Irénée,
Hippolyte et les *Extr. Théod.* ; étant donné sa date, elle
n'a pu tenir compte des écrits de Nag Hammadi ; cf. R. M.

Grant, *La Gnose et les origines chrétiennes* (trad. fr.), Paris 1964, p. 109 s. ; W. Foerster, *Gnosis*, t. 1. *Patristic Evidence* (trad. angl.), Oxford 1972, p. 238-240 ; *supra*, p. 35 s. ; *infra*, § 2. — **et si forte** : cf. *supra*, 2, 2 (*si forte*). Le changement n'anéantit pas l'origine : idée d'origine aristotélicienne (l'altération n'affecte pas le substrat, sujet du changement : cf. *Phys.*, 1, 7, 189 b 30-190 a 21) développée en particulier dans *Res.* 55, 2-12 (7 : « Atque adeo potest et demutari quid et ipsum esse nihilominus, ut et totus homo in hoc aeuo substantia quidem ipse sit, multifariam tamen demute-tur... » ; 12 : « in resurrectionis euentu mutari conuerti reformari licebit cum salute substantiae ») ; contrairement à ce qui est dit parfois, l'exposé de *Res.* 55, 2-12 n'est pas en contradiction avec la théorie du changement que Tert. soutient en d'autres occasions (métemsomatose : *Apol.* 48, 2 ; *An*, 32, 7-8 ; création de la matière : *Herm.* 12 ; incar-nation : *Carn.* 3, 4-5 ; *Prax.* 27, 6-9) ; cf. Waszink, p. 390. — **testatio... mutatio** : formulation « rhétorique » du principe précédent, avant sa formulation « polémique » (*infra*, § 3 : « nusquam iam Valentinus et tamen Valenti-niani »). — **episcopatum** : six occurrences de ce mot (dont une en citation scripturaire : *An.* 16, 6 = *I Tim.* 3, 1) chez Tert., où il apparaît pour la première fois ; cf. H. Janssen, *Kultur und Sprache*, Nijmegen 1938, p. 76. Sur cette indica-tion biographique, cf. *supra*, p. 39 ; elle est à rapprocher de *Praes.*, 30, 2 : « (Marcion et Valentinus fuerunt) Antonini fere principatu » = 138-161 ; *Carn.* 1, 3 « condiscipulus et condesertor eius (= Marcionis) Valentinus » = 144, cf. *Marc.* I, 15, 1 ; et d'Irén., *Haer.*, III, 4, 3 (Valentin vint à Rome sous Hygin = 136 ?-140 ?, atteignit son apogée sous Pie = 140 ?-155 ? et demeura dans la capitale de l'Empire jusqu'à Anicet = 155-166 ?) ; d'après la suite (*ex martyrii praerogatiua*), et s'il s'agit du siège de Rome, le « concurrent » heureux de Valentin serait Pie, le seul pape de cette période dont il est dit qu'il fut confesseur ; cf. Mahé, *SC* 216, p. 28-29. — **poterat** : au sens absolu + abl. médio-causal (cf. *Pal.* 6, 1 : « Quis oculis in eum potest in quem mentibus non potest ? » ; déjà Tac., *Hist.*, 1, 73, 2 : « potens pecunia et orbitate » ; L. H. S., p. 128). Il n'est pas exclu toutefois que l'on puisse comprendre : *poterat* (s. ent. *sperare*), « son talent et son éloquence lui permettaient de l'(= épiscopat) espérer ». — **eloquio** : *supra*, p. 29. Terme poétique (attesté à partir de Virgile et Horace) fréquent chez Tert. (cf. Waszink, p. 100) ; *infra*, 5, 1 : *eloquentia*. — **martyrii** : pour désigner des souffrances qui n'ont pas entraîné la mort *martyrium* est exceptionnel chez Tert. ; les deux autres emplois du mot en ce sens sont d'ailleurs porteurs d'une intention polémique : *Prax.* 1, 4 : « (Praxeas) de iactatione martyrii inflatus ob solum et simplex breue carceris taedium » ; *Pud.* 22, 2 : « Alii ad metalla confugiunt et inde communicatores reuertuntur, ubi iam aliud martyrium necessarium est delictis post martyrium nouis » ; H. A. M. Hoppenbrouwers, *Recherches sur la terminologie du martyre*, p. 17. En *Res.* 43, 4, la même expression *ex martyrii praerogatiua* désigne le martyre sanglant qui permet d'accéder directement à la contemplation du Seigneur. — **loci** : cf. *Fug.* 11, 1 : « Haec sentire et facere omnem seruum Dei oportet, etiam minoris loci, ut maioris fieri possit, si quem gradum in persecutionis tolerantia ascenderit » ; *TLL* s. u. col. 1590, 36. — **authenticae** : emprunt à la langue juridique : chez Ulpien le mot signifie « original, olographe » (cf. *Dig.*, 10, 2, 4, 3 : *tabulas... authenticas* ; 10, 2, 8 pr. : *authenticae rationes*), sens qu'il a peut-être en *Praes.* 36, 1 : « cathedrae apostolorum... apud quas ipsae authenticae litterae eorum recitantur sonantes uocem... » (cf. J. K. Stirnimann, *Die Praescriptio Tertullians im Lichte des römischen Rechts und der Theologie*, Freiburg in der Schweiz 1949, p. 77), mais sens dérivé, comme ici, en *Marc.* IV, 3, 1 (*paratura authentica*) ; IV, 35, 7 (*authenticus pontifex*). Seul exemple donc de l'emploi de cet adj. pour qualifier *regula* qui, avec ou sans déterminant, « récapitule l'essentiel de la Révélation » (Braun, p. 450). — **abrupit** : constr. intr. + abl. prép. (cf. *Apol.* 37, 6 ; *Marc.* V, 1, 8 ; *supra*, 3, 1) ; sens plus fort que *descisco*, *secedo*, ou, ci-dessus, *abscedo* (Waltzing, p. 240). — **ut solent animi...** ; sur ce thème de l'*aemulatio episcopatus* et de la φιλοπρωτεία génératrices de contestations, de jalousies, voire de schismes et d'hérésies, rapprocher Irén., *Haer.*, IV, 26, 2 ; Herm, *Pasteur*, Mand. 4, 11, 12 ; Eus.,

H. E., IV, 22, 5 ; déjà dans *Bapt.* 17, 2 : « Episcopatus aemu-
mulatio scismatum mater est » ; nombreux témoignages
de Cyprien (V. Saxer, *Vie liturgique et quotidienne à Carthage
vers le milieu du IIIᵉ siècle*, Città del Vaticano 1969, p. 100).
Mais désirer exercer une responsabilité au sein de l'Église
est, en soi, légitime : *An.* 16, 6 : « Dat et apostolus nobis
concupiscentiam : ' si quis episcopatum concupiscit, bonum
opus concupiscit ' (*I Tim.* 3, 1 ; cf. *supra*) ; et bonum opus
dicens rationalem concupiscentiam ostendit » ; commentant
ce même verset (associé à *Tite* 1, 9-11), Orig., *Contre Celse*,
III, 48, *SC* 136, p. 116, insiste sur le talent et la culture que
doivent posséder les évêques : ce sont les qualités mêmes
que Tert. reconnaît à Valentin (*ingenio et eloquio*). — **prioratu** : hapax, comme d'ailleurs *secundatus* (*An.* 27, 3).

4, 2. Ad expugnandam... : cf. *Praes.* 41, 4 : « Nihil
enim interest illis (= haereticis), licet diuersa tractantibus,
dum ad unius ueritatis expugnationem conspirent » ; *An.*
34, 2 : « (Simon Magus) conuersus ad ueritatis expugnationem » ; d'autre part *supra*, 1, 1 (*ex apostatis ueritatis*) ;
Praes. 30, 12 : « (Marcion et Valentinus) insigniores et
frequentiores adulteros ueritatis » ; de même contre les
païens, *Apol.* 24, 2 : « (Romani) qui mendacium colentes
ueram religionem ueri Dei non modo neglegendo, quin
insuper expugnando ». *Expugnare, expugnatio* = *oppugnare,
-pugnatio*, cf. *supra*, 3, 3 ; Waszink, p. 406. — **ueteris
opinionis** : le platonisme, comme nous serions tenté de le
croire (*Praes.* 7, 3 : (*Valentinus*) *Platonicus fuerat* ; 30, 1 :
Valentinus Platonicae sectator ; plus généralement : *Marc.*
I, 13, 3 : « illi sapientiae professores, de quorum ingeniis
omnis haeresis animatur » ; *An.* 3, 1 : « philosophis... patri-
archis, ut ita dixerim, haereticorum » ; cf. Fredouille,
p. 340 s.) ? Simon, de qui, selon Justin (I *Apol.*, 26) et surtout
Irénée (*Haer.*, I, 22, 2 ; I, 23, 2 ; I, 23, 4 ; I, 27, 4 ; II, *Praef.* ;
III, *Praef.*), dérivent toutes les hérésies (mais Tert. ne se
fait nulle part l'écho de cette filiation) ? Si aujourd'hui
l'influence du platonisme sur le valentinianisme n'est plus
mise en doute, le problème de savoir quel est le système
existant dont Valentin dépend directement n'est toujours

pas résolu : celui des Ophites (cf. Foerster, *Gnosis*, t. 1,
p. 122) ? ou plutôt celui des Barbélognostiques ? Il est en
effet admis que l'*Apokryphon de Jean* a joué un rôle important dans la genèse de la doctrine de Valentin (Sagnard,
p. 439 s. ; 588 s. ; G. Quispel, *Gnosis als Weltreligion*, Zürich
1951, p. 13 s. ; H. Jonas, *The Gnostic Religion*, Boston
1963², p. 177 ; 199 s. ; *supra*, p. 30. *Opinio = doctrina*, cf.
Test. 4, 2 : « Ea opinio Christiana etsi honestior multo
Pythagorica... etsi plenior Platonica... etsi Epicurea gra-
uior... » ; *An.* 3, 5 ; etc. — **Colorbaso** : cf. nos « Valentiniana » ; malgré les objections que l'on peut faire à cette
conjecture de Latinius (cf. encore Marastoni, p. 118), elle
nous paraît offrir un texte meilleur que tous ceux qui ont
été proposés (acceptée par Riley). Sur ce disciple de l'école
orientale, sans doute d'origine égyptienne, on sait très peu
de choses : peut-être est-ce son système qui est résumé *infra*,
36. Cf. H. Leisegang, art. « Valentinus », *RE* VII, col. 2271-
2272. — **delineauit** : rare avant Tert. (Plin., *Nat.*, 35, 89 ;
Apul., *Flor.*, 7, 6) ; employé au propre comme au figuré :
cf. *Marc.* III, 7, 6 ; IV, 40, 6 ; etc. *TLL* s. u. col. 458, 11 ;
cf. *infra*, 27, 3. — **Eam... intrauit** : constr. attestée dans la
langue classique, mais plus fréquente à époque impériale
(cf. Tac., *Ann.*, 11, 32, 6 : « Ostiensem uiam intrat » ; *TLL*
s. u. col. 58, 4). — **Ptolemaeus** : le disciple dont on connaît
le mieux la doctrine, grâce à la « grande notice » d'Irénée
(*supra*, p. 20), aux chap. 43-65 des *Extraits de Théodote*,
et à sa *Lettre à Flora* (= Epiph., *Pan.*, 33, 3-8 ; *SC* 24 *bis*) ;
Hipp., *Philos.*, VI, 21-37, en offre une variante postérieure
(thème B, selon la terminologie traditionnelle depuis
A. Lipsius, par opposition au thème A de la « grande
notice ») ; cf. Sagnard, qui, trente ans après sa publication,
demeure l'analyse la plus approfondie du système ptoléméen ;
W. Foerster, « Die Grundzüge der ptolemaeischen Gnosis),
NTS 6 (1959-60), p. 16-61. Cf. *infra*, 4, 2 ; 8, 4 ; 12, 4 ; 19, 2 ;
20, 3 ; 33, 1. — **nominibus... incluserat** : la doctrine de
Ptolémée se présenterait donc comme une interprétation
« polythéiste » du « monothéisme de Valentin, ou plus
justement : le système polyhypostatique de Ptolémée
s'opposerait au système monohypostatique et plurimodal

de Valentin, qui conçoit la « summa divinitatis » comme
individuelle et indivise, présentant des « modalités » non
réellement distinctes, alors que son disciple y voit un ensemble numérique dont le Dieu suprême est le « sommet »,
sans être le « tout » ; Valentin serait plus platonicien (les
modalités du Dieu suprême s'apparentent aux Idées intelligibles contenues en Dieu), Ptolémée plutôt « néoplato-
nicien » (le déploiement des éons comporte hiérarchie et
dégradation) ; cf. J. E. Ménard, *L'Évangile de Vérité, Rétroversion grecque et commentaire*, Paris 1962, p. 91 ; Moingt,
t. 2, p. 649 s. et t. 3, p. 956. Cette innovation dont Tert.
crédite Ptolémée, parfois suspectée (G. Quispel, « L'inscription de Flavia Sophè », p. 208, *Mél. J. de Ghellinck*, I,
Gembloux 1951, p. 201-214 (= p. 64 in *Gnostic Studies*, I,
Istanbul 1974, p. 58-69), semble confirmée par le *Tractatus
Tripartitus*, p. 69, 26 (où est affirmé le libre arbitre des
éons, ce qui suppose qu'ils sont des substances personnelles)
et peut-être p. 77, 7 (où l'expression « le mouvement qui
est le *logos* » rappelle la définition que Tert. donne ici des
éons : « sensus et affectus, motus diuinitatis »), cf. Kasser-
Malinine-Puech-Quispel-Zandee, t. 1, comm. *ad. loc.*, p. 334
et 341 ; parmi d'autres innovations qu'on peut attribuer
à Ptolémée : contemplation du Père par le Fils, transcendance
du Christ, principe de la double formation, distinction entre
Sagesse supérieure (Sophia) et Sagesse inférieure (Achamoth),
cf. Sagnard, p. 229-232 ; Ps. Tert., *Adu. omn. haer.*, 4. Sur
la notion de *persona* (cf. *infra*, 7, 3. 5) dans le valentinianisme et son rôle dans l'élaboration de la théologie trinitaire de Tert., Braun, p. 223 s. ; Moingt, t. 2, p. 647 s. D'autre
part, sur le type de coordination *A et B, C* (« sensus et
affectus, motus »), cf. *infra*, 29, 2 ; 37, 1 ; Bulhart, *Praef.*,
§ 86. Ces trois termes ne paraissent pas associés ailleurs,
mais l'on rencontre *sensus et affectus* (*Marc.* I, 25, 2 ; II, 27,
1 ; *An.* 32, 5), *sensus et affectiones* (*Marc.* IV, 1, 10), *motus
et sensus* (*Marc.* II, 16, 2), *sententiae, affectus, sensus, uirtutes,
passiones* (*Marc.* IV, 43, 9). *Diuinitas* = le Dieu suprême,
cf. *supra*, 3, 4. — **Heracleon** : les 51 fragments qui nous
sont parvenus de lui (48 sont extraits d'Orig., *Comm. sur
Jean* ; 2 de Clém. Alex., *Strom.*, IV, 9, 71, 1 - 73, 1 ; *Ecl.*,

25, 1 ; le dernier de Photius, *Ep.*, 134, *PG* 101, col. 984c)
sont réunis dans Foerster, *Gnosis*, t. 1, p. 162-183 ; com-
mentés dans Sagnard, p. 480-520 ; cf. aussi Y. Janssens,
« Héracléon, Commentaire sur l'Évangile selon saint Jean »,
Le Muséon 72 (1959), p. 101-151 ; 277-299 ; peut-être est-il
l'auteur du *Tractatus Tripartitus*, *supra*, p. 18, n. 5. —
Secundus : cf. *infra*, 38. — **Marcus** : cf. Irén., *Haer.*, I,
13-21, par qui nous connaissons plusieurs formules et rites
en usage chez les marcosiens, et surtout ses spéculations
arithmologiques : cf. Sagnard, p. 358-386 ; 416-439.

4, 3. circa : = *de*, sens attesté depuis Celse, surtout
usité dans la langue tardive ; autres ex. dans Hoppe, *Synt.*,
p. 37 ; cf. L. H. S., p. 226. — **Theotimus** : seule mention
de ce disciple (cf. *supra*, p. 39), mais elle suffit pour rapprocher son exégèse de celle de Ptolémée et Héracléon qui
voyaient dans les rituels et les prescriptions de la loi mosaïque
des « images et des symboles » qui ont « une signification différente depuis que la Vérité s'est manifestée » (Ptol., *Lettre à
Flora*, 5, 9, *SC* 24 *bis*, p. 60) ; cf. G. Quispel, *SC* 24 *bis*, p. 14 s. ;
Sagnard, p. 451-479 ; M. Simonetti, « ΨΥΧΗ e ΨΥΧΙΚΟΣ
nella gnosi valentiniana », p. 37-40, *RSLR* 2 (1966), p. 1-
47 ; pour Héracléon, frg. 22 sur *Jn* 4, 22 (= Orig., *Comm.
sur Jean*, 13, 19), cf. M. Simonetti, « Eracleone e Origene »,
p. 45, *VetChr* 3 (1966), p. 3-75. Critique de l'exégèse allégorique des valentiniens *infra*, 27, 3. — **operatus est** : en
général construit normalement + dat. (*Cult.* II, 3, 3 ; *Carn.*
7, 9 ; etc.) ; toutefois + *ad*, en *Res.* 53, 12 ; + *in*, *infra*, 10, 3.
Cf. *TLL* s. u. col. 690, 81. — **nusquam** : = *non*, cf. J. B.
Hofmann, *Lateinische Umgangssprache*, Heidelberg 1951[3],
p. 193. Sur l'ellipse de *esse* dans cette phrase, *supra*, 3, 5 ;
pour l'expression polémique, *supra*, § 1. — **ad hodiernum** :
apparaît chez Tert. en alternance avec *in hodiernum* antérieurement attesté (cf. Schneider, p. 204). — **Axionicus** :
en dehors de ce passage, uniquement mentionné par Hippol.,
Philos., VI, 35, 7, comme faisant partie, avec Bardesane, de
la branche orientale qui, contrairement à l'école italique,
enseignait que le corps de Jésus était spirituel (cf. sur cette
divergence Sagnard, *SC* 23, p. 5 s. ; Mahé, *SC* 216, p. 50 s. ;

autre divergence *infra*, 11, 2). — **memoriam... consolatur** :
cf. *Spec.* 12, 3 : « mortem homicidiis consolabantur » ; *An.*
44, 1 : « ciues Clazomenii Hermotimum (*sc.* mortuum)
templo consolantur » ; etc. ; cf. Hoppe, *Synt.*, p. 127-128
(qui traduit, inexactement à notre sens, « Axionicus hält
das Andenken des Valentinus in Ehren » ; *TLL* s. u. « conso-
lor » col. 480, 83 (s. u. « memoria » col. 678, 62, ne donne pas
d'autre exemple de cette *iunctura*). — **integra... regularum** : Tert. a cité trois disciples de l'école orientale (Colorbasus (?), Marcus, Axionicus) et quatre disciples de la branche
occidentale (Ptolémée, Héracléon, Secundus, Théotime) ;
le grand absent de cette liste est naturellement Théodote,
mais Alexandre cité et réfuté dans *Carn.* (*supra*, p. 28 ; 39)
n'est pas non plus mentionné. Tableau des valentiniens
des deux écoles dans H. Leisegang, art. « Valentinus » *RE*
VII, col. 2269-2272. Ce qui est dit ici d'Axionicus doit être
étendu à toute l'école orientale, caractérisée par une plus
grande fidélité à Valentin : la différence essentielle entre
les deux branches tient au fait que les occidentaux ont
valorisé l'élément psychique (cf. en dernier lieu, *Tractatus
Tripartitus*, t. 1, p. 346 ; 365 ; 377 ; 381 ; t. 2, p. 198 ; 209 ;
235). *Regularum*, au sing. ou au plur. pour désigner les
systèmes gnostiques (*infra*, § 4) : Braun, p. 448-449 ; pour
l'usage orthodoxe, *supra*, 4, 1. — **se... suadere** : m. à m. :
« faire croire (autrui à) soi-même » (cf., pour le vb. simple
et sa constr. + *aliquem*, *supra*, 3, 3), d'où « se faire accepter,
séduire ». L'interprétation de Hoppe, *Synt.*, p. 26, selon
laquelle *huic haeresi* serait un dat. final (« sich zu dieser
Häresie bekennen »), ne paraît guère recevable. — **haeresi** :
= *haereticis* (cf. *Nat.* II, 13, 5 : *mortalitas = mortales* ;
Carn. 7, 13 : *fraternitas = fratres* ; etc. *infra*, 10, 2 : *propinquitas = propinqui* ; *supra*, 1, 2). — **quantum...** :
obscurité due au fait que des deux idées conjointes
(1. l'hérésie est comme une prostituée ; 2. une prostituée
ne peut séduire qu'en renouvelant ses charmes), la première (« hérésie » = « prostituée ») est sous-entendue. —
lupae : attesté dès Plaute au sens de *meretrix*. Le fait
que, avec cette valeur métaphorique, *lupa* soit passé dans
l'usage courant exclut, nous semble-t-il, une construc-

tion appositionnelle du type *lupa femina* où *femina* ne
saurait avoir de justification ou de fonction, ni grammaticale (le genre n'exige pas d'être précisé), ni adjective,
que ce soit pour rendre l'image plus intelligible ou créer
un effet littéraire (puisque la métaphore est devenue ba-
nale), que ce soit pour indiquer un état ou une profession
(puisque *lupa* n'entre pas dans cette catégorie de substantifs);
cf. en fr. « une femme écrivain », « un professeur femme »,
« une mère poule », etc., mais « une tigresse », « une poule »,
etc. Dans son compte rendu de l'édition Kroymann, *CSEL*
47, C. Weyman, *Berliner Philolog. Wochenschrift* 28 (1908)
col. 1008, réfute l'hypothèse d'une glose, émise par l'éditeur
lui-même dans son apparat critique, en s'appuyant sur des
expressions comme *uentus turbo* (Pl., *Curc.*, 647), *lapis
silex* (Pl., *Poen.*, 290) et d'autre part Apul., *Mét.*, 5, 28, 2 :
« Tunc auis peralba illa gauia quae... » mais dans le premier
cas il s'agit de subst. en fonction d'adjectif (cf. L. H. S.,
p. 157 s. ; pour Tert. Hoppe, *Synt.*, p. 85 s.), dans le second,
d'une véritable apposition (« Alors l'oiseau au blanc plumage,
la mouette, qui... ») ; on ne pourrait pas non plus invoquer
Pl., *Stich.*, 746 : *meretrix mulier*, où le nom d'agent prend
naturellement une valeur adjective (cf. *infra*, 15, 5 : *illumi-
nator*). Cf. d'ailleurs *Nat.* I, 4, 12 : « Scio (aliquem)... maluisse
lupae quam Christiana (esse) maritum » ; *Pal.* 4, 9 : « Aspice
lupas, popularium libidinum nundinas » (cf. *Apol.* 25, 9 :
« Nec tantum... honoris Fatis Romanis dicauerunt, ... quantum prostratissimae lupae Larentinae »). — **formam** : sur
le sens érotique que le mot a tendu à prendre (beauté physique que l'on peut acquérir en mettant en valeur ses charmes
et en soignant sa toilette pour séduire les amants), cf. P.
Monteil, *Beau et laid en latin*, Paris 1964, p. 43 s. Rapprocher
Cult. II, 1, 2 : « (Christianae) perseuerant in pristinis studiis
formae et nitoris, eamdem superficiem sui circumferentes
quam feminae nationum » ; II, 12, 2 : « lenocinia formae...
prostituto corpori coniuncta ». — **supparare** : néologisme
(8 occurrences chez Tert.) ; pratiquement inusité ensuite (Jér.,
Lettres, 107, 10, 2 ; Mar. Vict., *Gram.*, 6, 19, 1 ; Glossateurs) ;
cf. *Cult.* II, 7, 2 (à propos de postiches) : « ne exuuias alieni
capitis... sancto et christiano capitis supparetis » ; *infra*, 14, 2.

4, 4. spiritale... semen : le πνευματικὸν σπέρμα qui
provient de l'enfantement « spirituel » produit par Sophia
extérieure au Plérôme (Enthymésis ou Achamoth) : la gnose
est précisément cette prise de conscience par le gnostique
de la parcelle de *pneuma* qu'il possédait en lui à son
propre insu, d'où l'orgueil de ces « parfaits », fustigé par
Irénée (Sagnard, p. 282 ; 388). — **recenseant** : = *censeant*
(*supra*, 3, 3). — **adstruxerint** : vb. de la langue impériale,
fréquent à partir de Pline le Jeune et chez les écrivains
chrétiens (*TLL* s. u. col. 978, 37). — **reuelationem... praesumptionem** : la *reuelatio*, communication par Dieu d'une
connaissance (Braun, p. 416), s'oppose à la *praesumptio*, purement humaine et, comme telle, dépréciée (« opinion fausse »,
« préjugé », etc. Cf. *Apol.* 10, 1 ; 49, 1 ; 50, 10 ; etc. Ce sens
apparaît chez Apul., *Mét.*, 9, 4, 2). Rapprocher les antithèses
reuelare-humana aestimatio (*Apol.* 45, 2), *reuelatio-aestimatio*
(*An.* 9, 3), etc. — **charisma** : apparaît chez Tert. qui,
après son passage au montanisme, ne désignera plus guère
par ce terme que le don de prophétie (cf. Waszink, p. 166).
Seconde caractéristique donc du valentinianisme selon Tert. :
les charismes, dont chaque gnostique se croit investi et qui
justifient innovations et variations doctrinales. Cette attaque
contre les valentiniens fournit un repère chronologique,
supra, p. 8. — **ingenium** : cf. *Apol.* 47, 9 : *ingenia philosophorum* ; *Res.* 18, 1 : *ingenia haereticorum* ; *infra*, 20, 3 ;
37, 1 ; 39, 2. Sens déjà attesté dans la langue païenne (Pl.
le Jeune, Tacite). Pour l'idée : *Praes.* 42, 8 : « Idem licuit
Valentinianis quod Valentino, idem Marcionitis quod Marcioni, de arbitrio suo fidem innouare ». — **nec unitatem
sed diuersitatem** : depuis nos « Valentiniana » p. 53-54,
où nous suggérions de conserver le texte transmis par les
mss, peu de progrès ont été accomplis : Marastoni, p. 121
et Morreschini, p. 904 proposent de suppléer, comme nous
en avions envisagé la possibilité, le premier *profitentur* ou
adseuerant, le second *quaerunt* ; d'autre part, Moingt, t. 4,
p. 248 corrige en « nec nouitatem (appellant) etiam diuersitatem » qu'il traduit : « ils n'appellent pas innovation ce
qui est pourtant d'une autre provenance et en opposition
avec Valentin », correction ingénieuse, mais mal accordée,

semble-t-il, au contexte et aux critiques habituelles de Tert. sur ce sujet : cf. *Praes.* 42, 6-7 : « scisma est enim unitas ipsa. Mentior si non etiam a regulis suis uariant inter se dum unusquisque proinde suo arbitrio modulatur quae accepit, quemadmodum de suo arbitrio ea composuit ille qui tradidit » et *supra*. Au contraire Riley, p. 29 et 130, conserve le texte des mss. Aux arguments en faveur de ce maintien déjà formulés, ajoutons *Spec.* 29, 4 : « satis nobis litterarum est, satis uersuum est,... nec fabulae, sed ueritates, nec strophae, sed simplicitates » ; *Pud.* 21, 17 : « ecclesia spiritus... non ecclesia numerus episcoporum » ; *infra*, 29, 3. *Nec = non*, cf. Bulhart, *Praef.*, § 75. — **seposita... dissimulatione sua** : pour le texte, cf. « Valentiniana », p. 54. *Sepositus* à l'abl. abs. est fréquent chez Tert. (*Nat.* I, 2, 8 ; *Marc.* II, 13, 1 ; *An.* 52, 1 ; Cf. Löfstedt, *Spr. Tert.*, p. 19). *Sua = eorum* (cf. Hoppe, *Synt.*, p. 102). La *dissimulatio* dont font preuve les valentiniens a été critiquée *supra*, 1, 4. — **diuidi** : cf. « Valentiniana » p. 54 ; malgré les objections de Marastoni, p. 122, la construction de Kroymann (*diuidi*) *de* ne s'impose sans doute pas, cf. Plin., *Nat.* 33, 31 : « diuisus... ordo (equester) erat... usurpatione nominum ». — **articulis** : même sens en *Herm.* 16, 1 ; 33, 2 ; le plus souvent « texte », « passage scripturaire », cf. Waszink, trad. *Herm.*, p. 154 ; *CCL*, t. 2, *Index* s. u. p. 1518. — **bona fide** : cf. *supra*, 1, 4. — **Varietate... ignorantiarum** : pour l'établissement du texte, « Valentiniana », p. 54-55. Contamination des deux thèmes précédemment développés : assimilation de l'hérésie à une prostituée et méconnaissance réciproque, par les valentiniens eux-mêmes, des différentes doctrines professées à l'intérieur de la secte, du fait de leur diversité et de leur incessant renouvellement : d'où d'une part l'ambivalence de *facies* (bien attesté, comme synonyme de *forma, aspectus*, en particulier dans la rhétorique : cf. ce passage dont Tert. pourrait s'être souvenu ici : Quint., *Inst. or.*, 2, 4, 28 : « in causis, quarum uaria et noua semper est facies » ; mais *facies* rappelle aussi § 3 *formam*) ; d'autre part le jeu de mots sur *colores* (au sens propre de « couleur », et donc ici « couleur du visage, teint », reprenant également « formam cotidie supparare » ; mais aussi au sens rhétorique de « pré-

textes, excuses » ; jeu de mots comparable en *Herm.* 33, 1
(l'hérétique exerçait la profession de peintre) : « Sed dum
illam (= materiam) Hermogenes inter colores suos inuenit,
scripturas enim dei inuenire non potuerit... ») ; sans compter
l'image, sous-jacente sans doute, du « maquillage de l'erreur » :
cf. Irén., *Haer.*, III, 15, 2 : « Suasorius enim et uerisimilis
est et exquirens fucos error ; sine fuco autem est ueritas et
propter hoc pueris credita est » (sur ce thème, notre article
« L'esthétique théorique des écrivains paléochrétiens », p. 367,
Mélanges J. Collart, Paris 1978, p. 365-376) ; *supra*, 1, 1
(*offucium*). *Regularum, supra,* 4, 3. *Ignorantiarum* : nombreux emplois de noms abstraits au pluriel, *supra*, 3, 3 ;
infra, 7, 1 ; 16, 3 ; 23, 1 ; 27, 2 ; Hoppe, *Synt.*, p. 88 s.

3. Les sources et le dessein (chap. V-VI).
   a. Les sources (chap. V).

Tertullien a l'intention de s'en prendre à la doctrine
primitive des principaux hérésiarques valentiniens
et, pour ce faire, utilisera les travaux de ses prédécesseurs : Justin, Miltiade, Irénée et Proculus (§ 1).
Mais si surprenant que soit le contenu de ces doctrines,
qu'on n'aille pas s'imaginer qu'elles ont été imaginées
pour les besoins de la cause ! (§ 2).

5, 1. archetypis : terme rare, que Tert. n'emploie pas
ailleurs ; la forme adj. apparaît chez Var., *Rus.*, 3, 5, 8
(« original, modèle »), puis Mart., 14, 93 (pocula archetypa) ;
7, 11, 4 (archetypas nugas) ; Juv., *Sat.*, 2, 7 (à propos de
portraits) : « archetypos... seruare Cleanthas » ; substantivé
en Mart., 8, 6, 1 ; cf. *TLL* s. u. col. 460. — **limes** : *TLL*
s. u. col. 1411, 81 commet une erreur d'interprétation en
suggérant de comprendre « limes principalium magistrorum »
(*limes* + génit.). Il s'agit ici naturellement du *limes refuta-
tionis.* — **adfectatis** : cf. *Iei.* 2, 4 : « Xerophagias uero
nouum adfectati officii nomen et proximum ethnicae superstitioni » ; peut-être *Nat.* II, 4, 17 : « otium adfectatae
mor ositatis eloquii artificio adornatum ». — **passiuorum** :
apparaît chez Apul., *Mét.*, 6, 10, 3 ; 9, 36, 4 ; fréquent chez

Tert. qui a forgé *passiuitas* (cf. *infra*, 30, 3) ; Waszink,
p. 122-123. Cf. *supra*, 4, 4 : « cum spiritale illud semen suum
sic in unoquoque recenseant », qui explique leur nombre
et leur dispersion. — **dicemur** : = *dicamur* (cf. L. H. S.,
p. 310-311). Sur l'interprétation de cette « précaution »,
cf. *supra*, p. 24. On rapprochera Cic. *Lucul.*, 98 : « nec uero
quicquam ita dicam ut quisquam id fingi suspicetur » ;
Scaur., 5, 7 ; Juv., *Sat.*, 6, 634-638 ; Apul., *Apol.*, 22, 5 ;
Fredouille, p. 192, n. 55. — **materias** : « fonds doctrinal », cf.
Pud. 8, 12 - 9, 1 : « (haeretici) secundum occasiones parabo-
larum ipsas materias confinxerunt doctrinarum... Nos autem
quia non ex parabolis materias commentamur, sed ex materiis parabolas interpretamur, nec ualde laboramus omnia in
expositione torquere, dum contraria quaeque caueamus » ;
avec le même sens, *materia* alterne avec le plur., cf. *Praes.* 38,
10 ; 39, 7 ; *infra*, 5, 2 ; 16, 3. — **sanctitate** : la *sanctitas* est la
qualité que reçoit le chrétien au baptême, au cours duquel
il est « sanctifié » par l'eau, elle-même rendue « sanctifiante »
par l'« esprit de sainteté » (cf. *Bapt.* 4, 1-4 ; *Apol.* 39, 9) ;
le terme désigne aussi parfois l'une des vertus chrétiennes
essentielles, la chasteté (*Mon.* 3, 8 ; *Virg.* 9, 1 ; *Pud.* 10, 9),
ou, dans le cas de Marie, la virginité et la monogamie (*Mon.*
8, 2), mais généralement les englobe avec d'autres vertus
(*Pat.* 13, 5 ; *Marc.* V, 15, 3 ; *Cast.* 10, 1 ; *Mon.* 8, 1). Pour
la *iunctura*, cf. *Cult.* II, 11, 2 : *sanctitas et grauitas*. — **nec** :
= *non* (*supra*, 3, 2). — **antecessores** : d'origine militaire
(B. Afr., 12, 1 « éclaireur, avant-coureur »), apparaît chez
Apul., *Flor.*, 9, 31 ; 15, 27, avec le sens de « devancier, prédé-
cesseur » dans une charge, une fonction. Tert. s'inscrit dans
une « tradition », celle-là même qui fait remonter l'Église
aux apôtres et qui garantit son autorité et son authenticité
(le mot est d'ailleurs appliqué à la succession apostolique
in *Praes.* 23, 1 ; 32, 1) : c'est une « prescription » contre les
hérésies (*Praes.* 32, 1 s. ; Fredouille, p. 223 s.) ; de plus, ces
prédécesseurs ont été « contemporains » des hérésiarques,
ce qui accrédite encore la polémique présente contre les
valentiniens. Cf. en contexte montaniste *Virg.* 3, 1 : « Sed
nec inter consuetudines dispicere uoluerunt illi sanctissimi
antecessores ». De « juridique » le mot n'a sous la plume de

Tert. guère plus que la « couleur » : ainsi comme parallèle
à *Pud.* 5, 15 : « moechum... idololatrae successorem, homi-
cidae antecessorem, utriusque collegam » (cité par A. Beck,
Römisches Recht bei Tertullian und Cyprian, Aalen 1967[2],
p. 104) on peut citer *Pud.* 5, 6 : « Pompam quandam atque
suggestum aspicio moechiae, hinc ducatum idololatriae
antecedentis, hinc comitatum homicidii insequentis ». —
haeresiarcharum : première attestation du mot en latin
et seule occurrence chez Tert. (cf. *TLL* s. u. col. 2500, 80 ;
A. Michel, *DTC* VI, col. 2207-2208). — **contemporales** :
apparaît chez Tert. (Aul. Gel., *Nuits,* 19, 14, *contemporaneus*
(+ dat.) est un hapax) qui le construit soit, comme ici,
+ génit. (*An.* 27, 4, où *eiusdemque = eiusdem,* cf. L. H. S.,
p. 188), soit + dat. (*Marc.* I, 15, 4), soit absolument (*Herm.*
6, 2 ; 7, 5); peu attesté ensuite (cf. *TLL* s. u. col. 652, 63).
En *Res.* 45, 5, *contemporo* est un hapax. — **prodiderunt
et retuderunt** : les deux verbes correspondent très exactement au titre de l'ouvrage d'Irénée : « Ἔλεγχος καὶ ἀνατροπή τῆς ψευδώνυμου γνώσεως (cf. *supra,* p. 20). Peut-on
en déduire que les traités des autres auteurs ici cités
étaient construits selon le même schéma binaire ? C'est
d'ailleurs le projet que Tert. avait peut-être envisagé de
réaliser, en deux temps (cf. *supra,* p. 11). *Retundere =
refellere,* comme souvent chez Tert. (*Marc.* II, 29, 1 ; *Prax.*
20, 1 ; etc. Waszink, p. 120). Pour les « sources » de l'opuscule,
supra, p. 27. s. — **sophista** : = *philosophus,* sans nuance
péjorative ici, cf. Waszink, p. 356 ; G. W. Bowersock, *Greek
Sophists in the Roman Empire,* Oxford 1969, p. 10-12
Fredouille, p. 352-353. — **curiosissimus** : Irénée avait
conscience d'avoir fait un travail important de documenta
tion et de recherche, estimant que ses prédécesseurs avaient
une connaissance insuffisante du gnosticisme (cf. *Haer.,* IV
Praef. 2, cité *supra,* 3, 5). Sur cette « curiosité » légitime
Fredouille, p. 427 s. — **explorator** : ce sens « intellectuel »
apparaît chez Apul., *Flor.,* 18, 30 : « Thales... geometriae...
primus repertor et naturae rerum certissimus explorato
et astrorum peritissimus contemplator » ; Tert. emploi
encore ce mot à deux reprises, *Apol.* 5, 7 : « Hadrianus...
omnium curiositatum explorator » et *Marc.* V, 17, 1 : « Mar

cion... quasi... diligentissimus explorator » (où Tert. précisément ne reconnaît pas cette qualité à l'hérétique). — **Proculus** : *supra*, p. 28. L'identification avec le personnage
mentionné en *Scap.* 4, 5, semble devoir être exclue (Quac-
quarelli, Comm. à *Scap.*, p. 110). — **uirginis** : cf. *Virg.* 8,
3 : « qui inter uiros uirgo est » ; 10, 1 : « uiri autem tot uir-
gines » ; etc. Hoppe, *Synt.*, p. 95. Cf. *supra*, s. u. *sanctitate.*
— **Christianae eloquentiae** : cf. Fredouille, p. 353. —
opere fidei : « œuvre dont l'objet est la foi, inspirée par la
foi ». L'expression, qui ne se rencontre pas dans les autres
traités de Tert., provient sans doute de *I Thess.* 1, 3 :
τοῦ ἔργου τῆς πίστεως (cf. *II Thess.* 1, 11). Pour désigner
les « œuvres de foi », en général ou en particulier, Tert.
recourt le plus souvent au pluriel (outre l'expression biblique
bona opera, par ex. *opera dilectionis, caritatis*, etc. ; *infra*, 30,
2 : *opera sanctitatis et iustitiae*; ou bien *Iei.* 9, 1 : *abstinentiae
operationes* ; cf. *infra*, 30, 1 : *operationes*) ; quelquefois le
sg. *operatio* (*Virg.* 13, 2 : *eleemosynae operatio* ; 14, 2 : *omnis
operatio*) ; *opus* paraît exceptionnel (cf. *Virg.* 14, 1 : « ad
huiusmodi (*sc.* uirginitatis) opus »). Cf. W. J. Teeuwen,
Sprachlicher Bedeutungswandel bei Tertullian, Paderborn
1926, p. 130 ; H. Pétré, *Caritas*, Louvain 1958, p. 241 s.
— **in isto** : = *in hoc*, fréquent dans la langue tardive, mais
beaucoup plus ancien (cf. L. H. S., p. 184), et par conséquent
sans caractère spécifiquement « africain » contrairement à
ce que laisse entendre Hoppe, *Synt.*, p. 104. — **optauerim** : subj. potentiel, cf. *infra*, 6, 2 ; 7, 2. 4 ; etc.

5, 2. Aut si : cf. *supra*, 2, 1. — **in totum** : = *omnino*,
très féquent chez Tert. (*infra*, 32, 2 ; Hoppe, *Synt.*, p. 101) ;
depuis Celse (L. H. S., p. 276). — **haereses** : cf. *supra*, 1, 1.
— **finxisse credantur** : cf. *supra*, 5, 1 : *dicemur finxisse*
et p. 24. — **mentietur** : valeur d'insistance du fut. potentiel,
cf. *supra*, 3, 2 *pudebit.* De même phrase suivante (*non aliae*)
erunt ; mais la nuance n'est pas identique dans les deux
cas : *mentietur* = « il faudrait supposer que... » ; *erunt* =
« elles ne peuvent pas être autres que... ». — **apostolus** :
cf. *supra*, 2, 3. — **praedicator** : cf. *supra*, 1, 1 : *praedicant.*
Allusion à *I Cor.* 11, 19 : δεῖ γὰρ καὶ αἱρέσεις ἐν ὑμῖν εἶναι,

souvent invoqué par Tert. (*Praes.* 4, 6 ; 30, 4 ; 39, 1.
7 ; *Herm.* 1, 1 ; *Marc.* V, 8, 3 ; *Res.* 40, 1 ; *An.* 3, 1 ;
Prax. 10, 8) ; sur les hérésies du temps de saint Paul, *supra*,
3, 4. — **stilo** : fréquent chez Tert. au sens d' « ouvrage »
(Hoppe, *Synt.*, p. 123). Sans doute dat. final (« pour son
ouvrage, en vue de son ouvrage »). — **ut** : la seconde place
de la conjonction est un trait archaïque et poétique (cf.
J. Marouzeau, *L'ordre des mots en latin*, Paris 1953, p. 82-85),
mais non absent de la prose cicéronienne (cf. Cic., *Lae.*, 87 :
« si quis asperitate ea est et immanitate naturae, congressus
ut hominum fugiat atque oderit... ») ; cf. *infra*, 14, 1. —
materias : cf. *supra*, 5, 1.

b. Problèmes de traduction et dessein de l'ouvrage (chap. VI).

La description du système valentinien pose un
problème de traduction : le plus souvent on conservera
les noms grecs des éons en donnant la traduction
dans la marge ; dans les quelques cas où ces noms
seront directement traduits dans le texte, la forme
grecque sera néanmoins indiquée entre les lignes,
au dessus du nom traduit § 1-2). Pour ce qui est de
la conception même de l'ouvrage, on s'est contenté
ici de raconter la doctrine valentinienne, sans chercher
à la réfuter, et si elle fait rire le lecteur, c'est qu'elle
est risible en soi. Le lecteur aura d'ailleurs raison
de rire, car la vérité a le droit de se moquer de l'erreur
(§ 2-3).

6, 1. libello : diminutif de « modestie » que Tert. utilise
volontiers pour désigner ses traités, de quelque dimension
qu'ils soient (*Marc.* I, 1, 7 ; *Carn.* 7, 1 ; 8, 3 ; *An.* 55, 5 ;
etc.). — **demonstrationem** : terme de rhétorique (= gr.
ὑποτύπωσις), cf. *Rhét. Her.*, 4, 68 : « Demonstratio est cum
ita uerbis res exprimitur, ut geri negotium et res ante oculos
esse uideatur ». Cette « figure » (dite encore *subiectio* ou
descriptio) convient tout à fait à cette partie du discours
qu'est la *narratio* en contribuant à la rendre plus « claire »

et plus « évidente » (cf. Quint., *Inst. or.*, 4, 2, 123 ; *supra*,
p. 23, n. 3). — **praemittentes sumus** : tour périphrastique, attesté dès Plaute et relevant de la *Volkssprache*
(L. H. S., p. 388), fréquent chez Tert. (Hoppe, *Synt.*,
p. 60). — **arcani** : sous sa forme substantive ou adj. fréquemment appliqué par Tert. aux doctrines gnostiques (*Carn.* 19,
1 ; *Res.* 19, 6 ; 63, 6 ; *Scorp.* 10, 1 ; *An.* 18, 3. 4 ; 50, 2 ;
infra, 8, 4) ; également au paganisme (*Bapt.* 2, 2 : « idolorum
sollemnia uel arcana » = μυστήρια ; *Res.* 24, 18 = *II Thess.*
2, 7) ; mais attesté aussi en contexte chrétien (*Praes.* 22, 3 ;
Vx. II, 5, 3 ; *Marc.* II, 19, 1 ; IV, 35, 7 ; *Idol.* 5, 3 ; *Pal.* 3, 5),
sans qu'il faille en déduire l'existence d'une discipline du
secret (cf. *supra*, p. 179 s. ; pour *Nat.* I, 7, 19, *supra*, 1, 4) ;
pour désigner la religion juive : *Apol.* 16, 3 ; enfin avec un
sens neutre (« archives », « secret », etc.) : *Apol.* 21, 19 ; 47,
12 ; 48, 14 ; *Res.* 35, 4 ; *infra*, 32, 4. Cf. Waszink, p. 258.
— **nominibus** : ceux des éons, cf. *supra*, 3, 4 ; 4, 2 ; *infra* 6,
2 ; 8, 2 ; 9, 2 ; 12, 5 ; 14, 1 ; etc. — **coactis** : cf. *supra*, 1, 3.
— **compactis** : le sens « linguistique » de *compingo* apparaît
chez Aul. Gel., *Nuits*, 11, 16, 4 : « ex multitudine et negotio
uerbum unum (= πολυπραγμοσύνη) compingere », et Front.,
Epist. M. Caes., 1, 6 : « Graece nescio quid ais te compegisse,
quod ut aeque pauca scripta placeat tibi ». Hormis ce passage, Tert. emploie ce vb. avec son sens courant (« assembler,
joindre »), par ex. *infra*, 12, 4. — **ambiguis** : même sens
infra, 12, 5 ; cf. *Res.* 21, 3 : « disciplina... ambigue adnuntiata
et obscure proposita » ; 63, 7 : *ambiguitatis obscuritate* ;
supra, 1, 4. — **quomodo... sumus** : inter. ind. à l'ind.,
cf. *infra*, 20, 3. — **proinde** : = *perinde*, en fonction adjective,
cf. Waszink, p. 408 ; Bulhart, *Praef.*, § 35 ; Schneider, p. 162.
— **formam** : au sens grammatical et « morphologique »,
cf. *TLL* s. u. col. 1079, 53. — **nec** : = *ne... quidem* (class.).
— **genera** : cf. *infra*, 34, 1 ; *TLL* s. u. col. 1901, 10. Tert.
distingue donc trois catégories de noms grecs d'éons dont
la traduction latine est délicate : d'une part ceux qui n'ont
pas leur équivalent exact et simple (par ex. Προαρχή,
Αὐτοφυής, etc.), d'autre part ceux dont la traduction latine
pose un problème de genre grammatical (par ex. Νοῦς, mais
Mens ; Σιγή, mais *Silentium*), enfin ceux qui désignent un

concept plus familier au grec qu'au latin (par ex. Παράκλητος, Ἐκκλησιαστικός, etc.).

6, 2. plurimum : = *persaepe* ; cf. *Apol.* 7, 4. 8 ; etc. Min. Fel., *Oct.*, 14, 3 ; etc. — **Graeca ponemus** : très vraisemblablement en caractères grecs, mais hormis quelques rares exceptions (*infra*, 7, 3) les copistes ont transcrit les termes grecs en caractères latins. Sur ces difficultés de traduction du grec en latin auxquelles se heurte Tert., on rapprochera les réflexions de Lucr., *De rer. nat.*, 1, 136-139 ; 830-832 ; etc. ; Cic., *Fin.*, 3, 3 s. ; *Tusc.*, 2, 35 ; *Nat. deor.*, 1, 8 ; etc. ; Sén., *Luc.*, 9, 2 ; 58, 1 s. ; 87, 40 ; etc. ; Apul., *Apol.*, 38, 5-9 ; etc. Cf. A. S. Pease, ed. *Nat. deor.*, t. 1, p. 143-145 ; R. Poncelet, *Cicéron traducteur de Platon*, Paris 1957. — **significantiae** : apparaît chez Quint., *Inst. or.*, 10, 1, 121, avec le sens de « valeur expressive, force d'expression » (cf. *Res.* 21, 1 : « ut nullam admittant figuratae significantiae suspicionem ») ; mais ici = *significationes* (cf. *infra*). — **limites** : sur l'utilité de prévoir des « marges » au moment de la rédaction, cf. Quint., *Inst. or.* 10, 3, 32-33 : « Relinquendae autem... erunt uacuae tabellae, in quibus libera adiciendi sit excursio. Nam interim pigritiam emendandi angustiae faciunt aut certe nouorum interpositione priora confundunt... Debet uacare etiam locus in quo notentur quae scribentibus solent extra ordinem, id est ex aliis, quam qui sunt in manibus loci occurrere » ; Jérôme, *Lettres*, 52, 2 : « ... ex latere in pagina breuiter adnotans quem intrinsecus sensum singula capita continerent ». Cf. W. Wattenbach, *Das Schriftwesen im Mittelalter*, Leipzig 1896[3] (= Graz 1958), p. 343. — **in lineis desuper** : c'est l'*interpositio* (cf. Cic., *Fam.*, 16, 22, 1 ; Quint., *Inst. or.*, 10, 3, 32, *supra*). Tert. adopte donc ce double principe : en règle générale, il donnera la traduction latine des noms des éons dans la marge ; dans les cas où il utilisera dans le texte l'équivalent latin, il prendra soin néanmoins d'intercaler entre les lignes, au-dessus du nom latin, l'original grec, afin que grâce à ce procédé « typographique » le lecteur puisse distinguer éventuellement entre « nom propre » d'éon et « nom commun » de notion (par ex. l'éon Aléthéia et le concept de « vérité »). Naturellement, la traduction manuscrite n'a reproduit ni les traductions marginales en latin, ni les « interpositions » en grec ; peut-être cependant en a-t-elle conservé des traces (*infra*, 9, 4 et 10, 3 ; 35, 2). Au sens de *uersus scripturae* il semble que *linea* ne soit pas attesté ailleurs (*TLL* s. u. col. 1437, 3). — **personalium nominum** : cf. *supra*, 4, 2 ; p. 17, n. 2 ; *infra*, 7, 3. — **ambiguitates** : équivoques dues à leur dualité de signification (selon que ces termes sont employés comme noms de personnes ou comme appellatifs). Cf. par ex. l'équivoque sur *inpatientia* due à sa dualité de sens, que signale Sén., *Luc.*, 9, 2 : « In ambiguitatem incidendum est si exprimere ἀπάθειαν uno uerbo cito uoluerimus et inpatientiam dicere : poterit enim contrarium ei quod significare uolumus intelligi ». *Supra*, 1, 4. — **communicant** : Tert. est le premier à employer ce vb. intransitivement ; cf. *An.* 5, 5 ; *infra*, 9, 1 (+ dat.) ; Hoppe, *Synt.*, p. 27 ; *TLL* s. u. 1957, 50 s. ; mais *infra*, 25, 2 : constr. trans.

Quamquam... distulerim : le subj. pft. potentiel en prop. subord. n'est fréquent que dans la langue post-class. (L. H. S., p. 334) ; pour Tert. nombreux ex. dans Hoppe, *Synt.*, p. 67 ; cf. *supra*, 5, 1 ; *infra*, 7, 2. 4. — **congressionem** : cf. *supra*, 3, 5. — **narrationem** : cf. *supra*, p. 13 s. — **suggillari** : terme populaire («couvrir de bleus, meurtrir»), et par suite «flétrir, bafouer » (à partir de T. Liv., 4, 35, 10) fréquent chez Tert., qui utilise également *suggillatio* (cf. *Apol.* 4, 1 ; 11, 4 ; 39, 14 ; *Praes.* 8, 5 ; 23, 1 ; etc.). — **delibatione transfunctoriā** : abl. de qualification, cf. R. Braun, *AFLNice* 11 (1970), p. 126, n. 19. *Transfunctoria* : deux occurrences seulement de ce néologisme (ici et *Marc.* I, 27, 1) dont le sens est « fait avec négligence, comme en passant » ; *delibatione* : terme rare (cf. *TLL* s. u. col. 437, 68) dont le sens figuré qu'il a ici (« atteinte légère, effleurement ») apparaît déjà dans le vb. *delibo* (« effleurer, prélever douce-ment »), cf. *TLL* s. u. col. 441, 21. 76. *Delibatio* au sens propre en *Pat.* 8, 1 ; *Marc.* I, 22, 8 ; *Res.* 7, 2. — **expugnatio** : = *oppugnatio*, cf. *supra*, 3, 3. — **lusionem** : sur les engage-ments à armes mouchetées (*lusio, prolusio*) qui préludaient aux véritables combats de gladiateurs, cf. J. Carcopino, *Vie quotidienne*, p. 277. Rapprochements avec Cic., *De*

orat., 2, 316-317 ; 325, dans Fredouille, p. 136 ; *supra*, p. 14.
Même métaphore *Marc.* III, 5, 1 : « His proluserim quasi
de gradu primo adhuc et quasi de longinquo ». — **deputa :**
= *puta*, déjà chez Plaute et Térence, mais non dans la
prose classique ; *supra*, 3, 3. Ici + double acc. (s. ent. « ea
quae dicturus sum ») ; pour les différentes constructions de
ce vb. chez Tert., Schneider, p. 126 ; *infra*, 20, 2 ; 22, 1 ;
24, 2 ; 25, 3 ; 30, 1 ; 32, 1. 5 ; 34, 1. — **lector :** Tert.
n'abuse pas du procédé puisqu'il n'interpelle directement
son lecteur qu'en deux autres occasions : *Marc.* III, 6, 1 et
IV, 6, 4. En revanche, dans le même ordre d'idées, il recourt
très fréquemment à l'artifice « diatribique », consistant à
s'adresser à un interlocuteur fictif, du type « habes... » (« et
maintenant tu connais... »), généralement pour conclure
un exposé (cf. *infra*, 24, 3 ; 25, 3 ; Bulhart, *Tert. St.*, § 43 ;
TLL s. u. « habeo », col. 2436, 73) ; également, selon la
tradition satirique, il apostrophe volontiers les destinataires
de ses traités (*Apol.* 1, 1 : « Romani imperii antistites » ;
Marc. I, 1, 5 : « Ne tu, Euxine, ... » ; V, 1, 2 : « Quamobrem,
Pontice nauclere, ... » ; *Mon.* 12, 5 : « Euasisti, psychice, si
uelis... » ; *Iei.* 12, 4 : « Spiritus diaboli est, dicis, o psychice » ;
Pud. 21, 16 : « Quid nunc et ad ecclesiam et quidem tuam,
psychice ? » ; etc. — **ante pugnam :** reprise de *distulerim
congressionem* (*supra*), métaphore qui, avec *supra* 3, 5
(*hunc primum cuneum congressionis*), annonce un ouvrage
de réfutation plus important contre les valentiniens ; cf.
supra, 11, 25. — **imprimam uulnera :** expression attestée
depuis Sén. Rh., *Contr.*, 1, 8, 3, et relativement fréquente,
cf. *TLL* s. u. « imprimo », col. 682, 3 ; R. Braun, *AFLNice*
11 (1970), p. 126.

6, 3. Si... satisfiet : le rire suscité par le sujet lui-même
(les *res*), non par des plaisanteries sur les mots : la distinction
est cicéronienne, cf. Fredouille, p. 152 s. ; *supra*, p. 16 s. —
digna... reuinci : cette constr. (+ inf. act. ou pass.) appartient à la poésie et à la prose impériale ; usuelle chez Tert.
(cf. Hoppe, *Synt.*, p. 49). — **ne :** = *ut non* (annoncé par *sic*) ;
substitution qui apparaît chez Columelle (L. H. S., p. 641),
dont Tert. offre plusieurs ex. (Hoppe, *Synt.*, p. 82). — **ador-**

nentur : cf. « Valentiniana », p. 55-56 ; ajouter : *Nat.* II, 4, 17 : « otium adfectatae morositatis eloquii artificio adornatum » ; cf. aussi *Cult.* I, 1, 2. — **proprie... cedit** : « échoit en propre à » (= *proprie euenit, contingit* ; cf. *TLL* s. u. « cedo », col. 732, 42). *Festiuitas,* terme cicéronien (*De orat.*, 2, 219) : cf. Fredouille, p. 155. — **Congruit** : = *decet* (*TLL* s. u. « congruo », col. 301, 37). — **laetans** : nouvel attribut de la « vérité », après la « simplicité » (*Supra,* 2, 1 s.) et la « scotophobie » (*supra,* 3, 1 s.). Cf. l'allégorie de Patience, dont les « sourcils expriment la joie » et le « rire est plein de menaces » (*Pat.* 15, 4 ; Fredouille, p. 60 s.) ; également notre chapitre « De risu », *ibid.*, p. 149 s. Mais l'idée est tout autant valentinienne : cf. le début de l'*Évang. Vérité*, 16, 31 : « L'Évangile de la Vérité est joie... » ; *Extr. Théod.*, 65, 2 ; *infra,* 12, 2. — **de aemulis... ludere** : au lieu de : + acc. ; de même, substitué à *ridere* + acc., *ridere de* + abl. (*Apol.* 2, 17). — **secura** : *Nat.* I, 6, 1 : « His propositionibus responsionibusque nostris quas ueritas de suo suggerit » ; II, 1, 5 : « Veritas... ipsa de sua uirtute secura est » ; *Apol.* 23, 7 : « Simplicitas ueritatis (= simplex ueritas) in medio est, uirtus illi sua assistit » ; *Scorp.* 1, 4 : « fides de suo tuta est ». Cf. Cic., *Lucul.*, 36 : « Facile etiam nobis absentibus nobis ueritas se ipsa defendet ». — **plane** : ironique (cf. *supra,* 1, 1) = *sane* (nombreux ex. dans Hoppe, *Synt.*, p. 112). — **ne risus... rideatur** : *rideatur = derideatur* (cf. *supra,* 3, 3). Opposition traditionnelle entre « faire rire » (de quelque chose ou de quelqu'un) en se montrant plaisant (*rideri*) et « faire rire » à ses dépens, en étant ridicule (*derideri*) ; cf. Cic., *De opt. gen. or.*, 11 : « cum, ... ad causas... adhibiti, derideantur ; nam si riderentur, esset id ipsum Atticorum » ; Pétr., *Satir.*, 61, 4 : « satius est rideri quam derideri » ; Quint., *Inst. or.*, 6, 3, 7 : « a derisu non procul abest risus ». — **officium** : cf. Fredouille, p. 115. — **Denique** : = *ita, itaque* (*supra,* 3, 5).

2e Partie : LA NARRATIO : LE MYTHE VALENTINIEN
(chap. VII-XXXII)

1. La formation du Plérôme (chap. VII-XIII).

a. L'Ogdoade (chap. VII).

Pour décrire la demeure des dieux valentiniens, telle expression d'Ennius évoquant l'Olympe serait inadéquate, tant les étages se superposent les uns au-dessus des autres (§ 1-2). Au sommet habite le dieu... Abîme, dont les valentiniens énumèrent tous les attributs comme si cela suffisait à prouver qu'il les possède (§ 3-4). Avec ce dieu coexiste d'ailleurs un autre principe, féminin celui-là, Ennoia, avec qui il forme la première syzygie (§ 5). De celle-ci proviennent Noûs et Vérité, ces quatre éons constituant la première tétrade. A leur tour Noûs et Vérité émettent Verbe et Vie (§ 6), qui eux-mêmes procréent Homme et Église (§ 7). On a donc l'Ogdoade, principe du Plérôme tout entier (§ 8).

7, 1. Primus : traditionnel dans l' « éloge » : cf. Lucr., *De rer. nat.*, 1, 117 : « Ennius... qui primus... » ; 1, 66-67 : « primum Graius homo... primusque... » ; etc. Quint., *Inst. or.*, 3, 7, 16 : « sciamus gratiora esse audientibus quae solus quis aut primus aut certe cum paucis fecisse dicetur... ». Pour Tert., cf. *Apol.* 19, 1 (*Fuld.*) : « Primus prophetes, Moyses... » ; *Cor.* 8, 2 : « Primus litteras Mercurius enarrauerit » ; etc. Cf. K. Thraede, art. « Erfinder II (geistesgeschichtlich) », *RLAC*, t. 5, col. 1230. — **Ennius** : suppression arbitraire de Kroymann (cf. « Valentiniana », p. 56). Autre souvenir d'Ennius (*Ann.*, 1, 13 W) en *An.* 33, 8 et peut-être aussi en *Apol.* 9, 13 : « uel intra uiscera sepulto » (*Ann.*, 2, 142 W : « Heu ! quam crudeli condebat membra sepulchro ») ; mais ce vers a été souvent imité (Acc., *Atrée*, 226 Ribbeck ; Lucr., *De rer. nat.*, 5, 990 ; Ov., *Mét.*, 15, 88) et Tert. a pu s'inspirer en particulier de l'un de ces deux derniers qu'il connaissait bien ; cf. Waltzing, p. 77 ; R. Braun, « Tertullien et les poètes latins », p. 25, *AFLNice* 2 (1967), p. 21-33. Sur la gloire d'Ennius en Afrique à l'époque de Tert., cf. G.Ch. Picard, *La civilisation de l'Afrique romaine*, Paris 1959, p. 302. — **elati... nomine** : cette interprétation repose sur le sens dérivé de *caenaculum*, « étage supérieur » cf. Var., *Ling. Lat.*, 5, 162 : « Posteaquam in superiore parte cenitare coeperunt, superioris domus uniuersa cenacula dicta » ; cf. *infra*, 31, 2. *Nomine* + génit. : *infra*, 28, 2 (Hoppe *Synt.*, p. 30). — **epulantem** : cette seconde interprétation repose sur le sens premier de *caenaculum*, « salle à manger » : Var., *ibid.* ; « ubi cenabant cenaculum uocitabant » (cf. J. Collart, Comm. *ad loc.*, p. 248-249). Le passage d'Homère auquel Tert. fait allusion n'est guère identifié. Pour Ennius, E. H. Warmington, *Remains of Old Latin*, t. 1, London 1961[3], p. 20-21, suggère de voir dans cette expression une allusion à l'assemblée des dieux réunis pour se prononcer sur le destin de Romulus (cf. Ov., *Mét.*, 14, 812 s.). — **haeretici** : cf. *supra*, 1, 1. — **quantas** : = *quam multas* (cf. *infra*, 15, 3), de même que *infra*, 7, 3, *tanta* = *tam multa* ; cf. Hoppe, *Synt.*, p. 106. — **supernitates supernitatum** : seules attestations du mot. Le génit. de renchérissement, suivi immédiatement d'un second (*sublimitates sublimitatum*), bien attesté dans la langue depuis Plaute, a pu être influencé également, chez les écrivains chrétiens, par les tournures bibliques du type *saecula saeculorum, caeli caelorum*, etc. (cf. L. H. S., p. 55) ; mais Tert. n'y recourt que rarement, cf., dans un contexte également polémique, *Pud.* 1, 6 : *episcopus episcoporum*. Pour le plur. de l'abstrait, *supra*, 4, 4. — **in** : valeur finale comme souvent chez Tert. (Hoppe, *Synt.*, p. 39). — **habitaculum** : terme introduit par Aul. Gel., *Nuits*, 5, 14, 21, pour désigner la « tanière » du lion, et qui, avec ce sens ou celui de « maison, habitation », ne se rencontre presque exclusivement qu'en trad. de la Bible et chez les auteurs chrétiens (cf. *TLL* s. u. col. 2466, 20). Comparer les plaisanteries sur les demeures des dieux de Lact., *Inst. diu.*, I, 16, 12, citant Ov., *Mét.*, 1, 173. — **dei sui cuiusque** : chacun des éons constituant le Plérôme, cf. *infra*, 7, 2 : *unicuique deo*.

7, 2. creatori nostro : plutôt que dat. d'intérêt, sans doute « datiuus auctoris », très fréquent chez Tert. (Hoppe, *Synt.*, p. 25). Par *creator*, qu'il a rapproché du sens dévolu à *conditor*, Tert. oppose d'une manière générale le *Deus Christianorum* au Dieu ou aux entités des hérétiques (cf. Braun, p. 372 s.). — **disposita sint** : subj. concessif (ironique). *Dispono* (*TLL* s. u. col. 1422, 44), *distribuere* (*TLL* s. u. col. 1545, 24) : termes d'architecture également (Vitr., *De arch.*, 3, 4, 3 ; 5, 15 ; 4, 1, 2 ; 2, 5 ; etc.) ; de même *forma*, « configuration, aspect extérieur » (cf. Suét., *Néron*, 16, 1 ; *TLL* s. u. col. 1070, 43). — **scalas** : cf. P. Fest., p. 54 : « cenacula dicuntur ad quae scalis ascenditur ». — **haereses** : cf. *supra*, 1, 1. — **fuerint** : subj. potentiel (*supra*, 6, 2). — **meritorium** : le contexte, la hauteur et les dimensions ironiquement prêtées à la demeure des dieux valentiniens, invitent à la concevoir comme une *insula* et non comme une *taberna* ; quant au sens de « lupanar ubi sunt scorta meritoria », il n'apparaît que plus tard, dans l'*Histoire Auguste* (cf. *TLL* s. u. « meritorium », col. 843, 66). La « concession » faite aux valentiniens consiste donc en ceci : même si l'on admettait le principe des espaces hiérarchisés du « ciel », la cosmologie valentinienne, par sa complication, la diversité des lieux célestes qu'elle postule, en devient grotesque. Sur l'indifférence des chrétiens aux représentations cosmologiques, cf. R. Minnerath, *Les chrétiens et le monde*, Paris 1973, p. 36 s. ; à l'inverse, pour leur importance dans les systèmes gnostiques, Orbe, *Est. Val.* V, p. 105 s.

7, 3. Insulam Feliculam : « gratte-ciel » situé dans la IXᵉ région, mentionné par les « Régionnaires », dont un certain Féliclès fut sans doute le constructeur ou le propriétaire (cf. S. B. Platner-T. Ashby, *A topographical Dictionary of ancient Rome*, London 1929, p. 281 ; L. Homo, *Rome impériale et l'urbanisme dans l'Antiquité*, Paris 1951, p. 555. Pour mémoire seulement : E. Nöldechen, « Das römische Kätzchenhotel und Tertullian nach dem Parthkrieg », *Zeitschrift für wiss. Theologie* 31 (1888), p. 207-249 ; 343-351. Vraisemblablement Tert. adapte à son propos un thème satirique : cf. Juv. *Sat.*, 3, 197 s. ; Carcopino, *Vie quotidienne*, p. 41. Il ne paraît pas y avoir eu d'immeubles à plusieurs étages en Afrique, cf. G. Ch. Picard, *Civilisation de l'Afrique romaine*, p. 220. — **tanta** : *supra*, 7, 1. — **tabulata caelorum** : *Scorp.* 10, 1 (sur l'itinéraire des âmes dans l'eschatologie valentinienne) : « Nimirum cum animae de corporibus excesserint et per singula tabulata caelorum de receptu dispici coeperint » ; *infra*, 32, 1-3 ; Orbe, *Est. Val.*, V, p. 116 s. Pour l'expression, cf. Sén., *Luc.*, 88, 22 (sur les décors de théâtre) : « pegmata per se surgentia... et tabulata tacite in sublime crescentia ». — **substantialiter... personaliter** : *supra*, 4, 2 ; 6, 2. Dans le système ptoléméen, Éon Parfait, Propator, Proarché, Bythos sont des « noms propres » : mais le premier (Éon Parfait) désigne la substance personnelle du Dieu suprême en tant que dotée de toutes les perfections (celles-ci n'apparaissent pas au même degré chez les autres éons), tandis que les autres noms désignent cette même substance en tant qu'elle se distingue des autres éons par le mode d'existence (Propator étant inengendré, les éons étant «proférés») ; cf. Braun, p. 223 s.; Moingt, II, p. 656. Sur ces noms Propator (Pro-père) et Proarché (Pro-principe), cf. Sagnard, p. 296 et 331. Bythos (Abîme) apparaît déjà chez Valentin, frg. 8 (= Hippol., *Refut.*, VI, 37, 6-8), cf. Sagnard, p. 125. — **in sublimibus** : Irén., I, 1, 1 : ἐν... ὑψώμασι — **congruebat** : Tert. n'abuse pas des plaisanteries sur l'étymologie, cf. *supra*, p. 17. — **Innatum** : ἀγέννητος ; attesté pour la première fois chez Tert. qui l'applique aussi au *Deus Christianorum* (Braun, p. 49). — **inmensum infinitum** : traduisent ἀχώρητος. Comme attribut de Dieu, *inmensus* ne se rencontre qu'en *Apol.* 17, 2 et *infinitus* uniquement pour désigner le Dieu valentinien ou la matière incréée telle que la conçoit Hermogène (*Herm.* 38, 1), cf. Braun, p. 52. — **inuisibilem** : ἀόρατος ; comme prédicat divin, cf. Braun, p. 53. Pour souligner sa transcendance, les valentiniens décrivent le Dieu suprême surtout en termes négatifs (Sagnard, p. 331 ; Orbe, *Est. Val.*, I, 1, p. 32 s. ; cf. *Tract. Tripart.*, p. 51, 28 : le Père est « inengendré » ; p. 52, 6 « sans commencement » ; p. 52, 7 : « sans fin » ; p. 56, 10-11 : « infini » ; etc.). L'abus de cette théologie apophatique

a entraîné, de la part de Tert., une certaine réserve à l'égard
de cette terminologie (Braun, p. 65 ; *supra*, p. 42 s.). Cf.
en dernier lieu R. Tremblay, *La manifestation et la vision de
Dieu selon saint Irénée de Lyon*, Münster 1978. — **aeternum** :
αἰώνιος, ἀίδιος. Sur les réserves de Tert. également à
l'égard de l'expression *Deus aeternus*, trop marquée sans
doute par ses attaches avec le culte impérial, cf. Braun,
p. 79. — **definiunt** : Tert. est l'un des premiers à constr. ce
verbe en ce sens avec un double acc. (s. ent. *eum = Bython*)
cf. *Herm.* 2, 4 : « bonum et optimum definiens deum » ; etc.
TLL s. u. col. 346, 48, qui ne cite pas d'autres ex. postérieurs.
— **quasi... definiant** : attribuer un nom ou un qualificatif
à un être ne suffit pas pour qu'il possède effectivement les
qualités qu'on lui prête de cette façon ; cf. *Marc.* I, 7, 2-3 :
« Si communio nominum condicionibus praeiudicat, quanti
nequam serui regum nominibus insultant, Alexandri et
Darii et Olofernae ? Nec tamen ideo regibus id quod sunt
detrahetur. Nam et ipsa idola gentium dei uulgo, sed deus
nemo ea re, qua deus dicitur. Ita ego non nomini dei nec
sono nec notae nominis huius summum magnum in creatore
defendo, sed ipsi substantiae, cui nomen hoc contigit »
(sur la doctrine « linguistique » sous-jacente à ce passage,
cf. Braun, p. 693). Cette idée nous a dissuadé de donner à
esse sa valeur pleine (« comme si c'était fournir la preuve
immédiate de son existence »). *Quasi statim...* : cf. *supra*,
2, 1. **(7, 4)** — **ut sic... dicatur** : texte et traduction délicats,
mais le sens général ne paraît guère douteux. *Sic (esse)* :
cf. *supra*, 3, 4. — **ante omnia** : = *ante omnes res, ante
mundum* (cf. Moingt, III, p. 1041) ; de même *infra*, 7, 4
post omnia (= *post mundum, postquam mundus fuit*).

7, 4. ut sit expostulo : *expostulo*, relativement fréquent
chez Tert. ; la construction + *ut* est assez rare avant lui (à
partir de Front., *Strat.*, 4, 1, 33), cf. *TLL* s. u. col. 1776,
73. — **huiusmodi** : pratiquement équivalent d'un subst.
indéclinable (cf. *eiusmodi*) ; se rencontre aussi bien dans les
tours prépositionnels qu'en fonction de sujet (cf. Hoppe,
Synt., p. 106 ; L. H. S., p. 70 ; Schneider, p. 158). — **post
omnia inueniuntur** : les « dieux » valentiniens n'étant pas

des dieux « créateurs » sont nécessairement postérieurs à la création. Argumentation analogue dans la polémique contre Marcion, dont le Dieu n'est pas, lui non plus, un Dieu créateur ; or la création est la raison et la preuve de l'existence de Dieu (cf. M. Spanneut, *Le stoïcisme des Pères de l'Église*, Paris 1969², p. 281-282). — **non sua** : puisque, précisément, ils n'ont pas créé le monde. *Sua = propria* (Hoppe, *Synt.*, p. 103). — **Sit itaque** : cf. nos « Valentiniana », p. 57 ; subj. concessif, *supra*, 7, 2. — **infinitis...** **aeuis** : renouvellement de la *iunctura* classique *infinitum tempus* (Lucr., *De rer. nat.*, 1, 550 ; Cic., *De nat. deor.*, 1, 2. 21.22 ; etc. ; *infinita aetas* : Lucr., 1, 233), avec sans doute un jeu de mots étymologique *aeon* (αἰών) -*aeuum*. — **ut ita dixerim** : subj. potentiel (*supra*, 6, 2). — **diuinitatis** : cf. *supra*, 3, 4. — **Epicurus** : cf, d'une part : *Nat.* II, 2, 8 : « Epicurei (deum exposuerunt) otiosum et inexercitum et, ut ita dixerim, neminem » ; *Apol.* 47, 6 ; *Nat.* II, 3, 4 : « Epicuri duritia » ; *An.* 3, 2 : « Epicuri stupor » ; d'autre part : *Marc.* I, 25, 3 (comme celui d'Épicure, le Dieu de Marcion est *immobilis* et *stupens*) ; II, 16, 2 ; IV, 15, 2. Cf. W. Schmid, art. « Epikur », *RLAC*, t. 5, col. 784.

7, 5. uolunt : cf. *infra*, 15, 1. — **in ipso et cum ipso** : pour rendre Irén., I, 1, 1 : συνυπάρχειν δ'αὐτῷ. Cette deuxième « personne » (cf. *supra*, 4, 2) est une individualité distincte (*cum ipso*), mais qui ne fait pas nombre (*in ipso*) ; il n'y a pas dualité d'hypostases à proprement parler, mais dédoublement d'une unité ; elle est une « disposition » (Irén. II, 12, 2 : διάθεσις) de l'éon mâle ; cf. *infra*, 37, 2. Sur les divergences des valentiniens au sujet du Dieu suprême, *infra*, 34. Les noms divers de cette seconde personne (cf. la polyonymie dans la théorie stoïcienne et les religions païennes) reflètent ses diverses « modalités » : Ennoia : la pensée première de Dieu tourné vers lui en un acte intuitif ; Charis (Χάρις), gratuité de la Pensée destinée à manifester par le Verbe les trésors cachés en Dieu ; Sigè (Σιγή), transcendance du Divin supérieur à toute parole (cf. sur ces dénominations Orbe, *Est. Val.*, I, 1, p. 294 s.). Pour le rapprochement et le jeu des prépositions, cf. *Herm.* 3, 2 ; *An.* 12, 3 ; etc. — **accidit** : il

ne paraît guère possible de conserver *accedunt* (malgré Hoppe,
Synt., p. 43 et Moingt, II, p. 657), dont la désinence *-unt*
s'explique vraisemblablement par la proximité de *nominant*,
et que *forte* invite à rejeter. D'autre part, sur la confusion
graphique entre *accēdo* et *accido*, cf. *TLL* s. u. « accedo »,
col. 253, 73 et s. u. « accido », col. 295, 28 (cf. aussi col. 290,
63. 75 ; etc. 294, 55), confusion qui a sans doute entraîné
l'équivalence sémantique partielle de ces deux verbes, qui
se sont rejoints au sens de « être attribué à », dont Tert. est le
premier témoin (Braun, p. 185). Cf. *Pud.* 19, 24 : « Cui enim
non accidet [-ced- *B*]... irasci... ? » ; d'autre part, *infra*, 14, 2.
— **mouere** : la correction *monere* s'appuie sur ἐννοηθῆναι,
qui chez Irén., I, 1, 1 fait sans doute jeu avec Ἔννοια,
mais le sens n'est pas exatement le même. En revanche
mouere (qui a l'avantage de permettre une pointe satirique
grâce au rapprochement avec *quiete* : cf. *Marc.* I, 25, 3-4)
offre un sens plus satisfaisant : « agiter dans son esprit » (cf.
Cic., *Diu.*, 2, 140 : « (res) in animis mouentur et agitantur »),
construit + *de*, comme *supra* : *ludere de* (6, 3). Moingt, II,
p. 657 et Riley conservent également *mouere* (ainsi que
accedunt) avec une traduction qui ne paraît guère acceptable
(le premier : « Ainsi parviennent-ils à le mouvoir..., à tirer
enfin de soi... » ; le second : « Perhaps they served... to
encourage him to produce... »). — **proferendo** : le vb. le
plus utilisé par Tert. pour rendre προβάλλειν. *Procedere*
(*infra*, 7, 6 ; 35, 2) ; *emittere* (*infra*, 7, 6), *edere* (*infra*, 9, 2)
sont plus rares. Sur l'usage orthodoxe de *proferre-prolatio*,
cf. *Prax.* 8, 1-2 ; Orbe, *Est. Val.*, I, 2, p. 519 s. ; Braun,
p. 294 s. ; Moingt, III, p. 975 s. ; *supra*, p. 44. — **tandem** :
c'est la fameuse question « Cur tam sero ? » posée par Tert.
à Marcion, par les païens aux chrétiens (cf. Fredouille,
p. 283-284), et déjà, à l'intérieur du paganisme, par les
épicuriens aux tenants d'un monde d'origine divine (Lucr.,
De rer. nat., 5, 168). — **hoc** : = *proferre initium rerum*.
Irén., I, 1, 1 est plus clair : καθάπερ σπέρμα τὴν προβολὴν
ταύτην. — **in... locis** : le réalisme de Tert. contraste avec
la pudeur d'Irénée (ὡς ἐν μήτρᾳ). Si *loci* est un euphémisme habituel (cf. Var., *Ling. Lat.*, 5, 15 : « loci mu-
liebres ubi nascendi initia consistunt » ; *An.* 25, 2 : *mulie-*

bribus locis ; 26, 2 : *in locis matris* ; cf. gr. τόποι), il semble
que l'expression *genitales loci* appartienne à la langue
vétérinaire : cf. Colum., *Rust.*, 6, 36, 2 : « iniecta genitalibus
locis (equae)... semina » ; 7, 9, 5 : « feminis (= subus)...
uuluae exulcerantur... ne sint genitales » ; etc. (cf. *TLL*
s. u. « genitalis », col. 1814, 14). — **efficitur** : = *fit*, cf.
Apol. 13, 6 : « maiestas (deorum) quaestuaria efficitur » ;
An. 8, 3 : « extra mare immobilis... nauis efficitur » ; etc.
(Cic., *Diu.*, 2, 3 : « philosophia uir bonus efficitur et fortis »).
— **utique silentio** : jeu étymologique (*supra*, 7, 3). Cf.
Lact., *Inst. diu.* ; I, 20, 35 : « Quis cum audiat deam Mutam
tenere risum queat ?... Quid praestare colenti potest quae
loqui non potest ? ». Pour la valeur ironique de *utique*, cf.
supra, 3, 4. — **Et Nus est quem...** : l'ordre des mots dans
les mss. (« et quem parit Nus est simillimum patri... ») ne
paraît pas grammaticalement acceptable : si, en effet, la
construction du type Virg., *Én.*, 1, 573 : « urbem quam
statuo uestra est » (attraction de l'antécédent au cas du
relatif : cf. L. H. S., p. 567) ou « quam statuo urbem, (ea)
uestra est » est bien attestée, on ne rencontre pas, semble-t-il,
le tour du type « quam statuo uestra est urbem » où la
principale serait enclavée dans la relat. Quant à la ponctuation de Kroymann (acceptée par Marastoni et Riley) :
Quem parit ? Nus est, simillimum... », elle se heurte à un
problème d'accord, l'acc. *simillimum* n'étant pas justifiable.
Nus (Νοῦς), Intelligence, cf. Sagnard, p. 300 ; Orbe, *Est*,
Val., I, 1, p. 333 s. (en tant qu'hypostase distincte de Bythos.
Noûs procède de la volonté divine ; en tant qu'hypostase
divine, il procède de la Pensée). Tert., *Praes.* 33, 8, traduit
Νοῦς par Sensus. *Simillimum et parem* : autrement dit
consubstantiel » (cf. *infra*, 18, 1 : *paria et consubstantiua*) ;
cette consubstantialité de Noûs à Bythos est un privilège
de cet éon, elle est solidaire de la connaissance qu'il en a
cf. Moingt, III, p. 968). — **per omnia** : = *omnino* (cf.
Cypr., *Ep.*, 4, 5 ; 55, 26 ; etc. ; *supra*, 5, 2 (*in totum*).

7, 6. Denique : = *itaque* (*supra*, 3, 5). — **inmensam** :
cf. *supra*, 7, 3. — **incomprehensibilem** : traduit en général
κατάληπτος, mais ici = ἀχώρητος ; cf. Sagnard, p. 313 ;

332 ; Braun, p. 54 ; *infra*, 9, 1 ; 11, 3. Erreur du *TLL* s. u.
col. 996, 22 qui y voit un synonyme de *praeclarus*. — **magnitudinem** : cf. Braun, p. 40 s. Sur l'importance du mot dans
le système valentinien, Sagnard, p. 332. — **proprie Monogenes** : à la différence de Pater (Πατήρ) et Initium omnium
('Αρχὴ τῶν πάντων), qui rappellent les noms Propator et
Proarché donnés au Dieu suprême (*supra*, 7, 3), Monogène
est un nom « propre » (*proprie*). Conception analogue dans
Tract. Trip., p. 56-57 : le Fils est l'Intelligence du Père et
a les mêmes propriétés que lui. Si Tert. conserve le nom
grec pour désigner l'éon valentinien (*infra*, 8, 2 ; 10, 3 ;
11, 1 ; 11, 2 ; 33, 2 ; cf. *An.* 12, 1 [*B*]), en revanche, dans son
emploi orthodoxe, il n'utilise que la traduction lat. (*unicus
unigenitus*), assez rarement du reste (dix occurrences), sans
doute parce que le vocable évoquait trop à ses yeux les
spéculations valentiniennes (cf. Braun, p. 248). — **agnoscitur** : allusion à la cérémonie de la reconnaissance d'enfant
et de la collation du nom le *dies lustricus*, cf. nos « Valentiniana », p. 57. Nos arguments en faveur d'*agnoscitur* contre
la correction *agnascitur*, acceptés par Riley, ont été repoussés
par Marastoni qui considère *agnascitur* comme une allusion
à la notion de « fruit du Plérôme » (p. 133). En fait, cette
notion n'est évoquée que plus loin (*infra*, 7, 7) et, de toute
manière, dans son acception botanique (parallèle à sa signification juridique), *agnasci* a le sens très précis de « pousser
à côté, croître sur, etc. », qui ne saurait convenir ici. C'est
du reste parce qu'il est essentiellement un terme technique
(juridique et botanique ou biologique) qu'il est peu probable
que Tert. ait pu le considérer comme le substitut du simple
nasci. Ce serait, au demeurant, la seule occurrence de ce
verbe dans son œuvre. — **processit** : cf. *supra*, 7,
(= προϐεϐλῆσθαι) ; Tert. l'utilise également pour désigner la
« procession » du Fils dans le mystère trinitaire (*Prax.* 2, 1 ;
7, 1 (*bis*) ; 7, 6), mais n'a pas pris conscience de l'intérêt de
ce vocable (Braun, p. 294). — **Veritas** : 'Αλήθεια. Sur la
syzygie Noûs-Aléthéia, cf. Orbe, *Est. Val.*, IV, p. 138 s.
— **quanto congruentius...** : mouvement exclamatif familier
à Tert. : cf. *infra*, 36, 1 ; *Apol.* 39, 9 ; *Cult.* II, 10, 5 ; etc.
— **Protogenes** : jeu étymologique (Premier-né), destiné

à faire apparaître l'incohérence des noms portés par les éons
et par conséquent, pour qui admet l'accord de principe
entre le nom et l'être désigné, l'incohérence de la doctrine
elle-même (cf. *infra*, 19, 1 ; *supra*, 7, 3). L'hypothèse de
T. D. Barnes, *Tertullian, A Historical and Literary Study*,
Oxford 1971, p. 221, selon laquelle Tert. ferait une allusion
dérisoire à l'aurige Protogène n'est guère, dans ces conditions,
convaincante, en tout cas n'est guère compatible avec la
chronologie, encore moins avec celle qu'il propose (cf. *ZKG*
1973, p. 319). Sur la suppression arbitraire de cette phrase
ironique par Kroymann, cf. « Valentiniana », p. 58. —
quadriga : cf. *Spec.* 9, 3-4 : « De iugo uero quadrigas Soli,
bigas Lunae sanxerunt. Sed et ' Primus Erichtonius currus
et quattuor ausus / Iungere equos rapidusque rotis insistere
uictor ' (Virg. *Georg.*, 3, 113-114)... Si Romae Romulus
quadrigam primus ostendit... » ; Castorina, p. 197. Métaphore satirique substituée à la référence faite par Irén. I,
1, 1, à la Tétractys pythagoricienne (de même *Haer.*, II,
14, 6) ; Sagnard, p. 337. Cf. *infra*, 36, 1. — **defenditur** :
cf. *Spec.* 29, 3 : « haec spectacula Christianorum... cursus
saeculi intuere, tempora labentia dinumera, metas consum-
mationis specta, societates ecclesiarum defende... » ; Castorina, p. 378. — **factionis** : prolongement de la métaphore.
Cf. P. Fest., p. 76 : « factio et factiosus initio honesta uoca-
bula erant, unde adhuc factiones histrionum et quadri-
gariorum dicuntur. Modo autem nomine factionis seditio
et arma uocantur » ; J. Hellegouarc'h, *Vocabulaire latin
des partis politiques*, p. 100 s. ; 112 s. ; *Carn.* 15, 3 : *Valentini
factiuncula* (diminutif de mépris) ; en *Apol.* 38, 1-2 ; 39, 1
(*negotia Christianae factionis*) c'est le vocabulaire dont
usent les païens pour désigner les chrétiens que rapporte
Tert. (cf. Waltzing, p. 247). — **matrix et origo cunctorum** :
Irén., I, 1, 1 : ῥίζαν τῶν πάντων ; II, 14, 6 : « uelut genesin
et matrem omnium ». *Matrix*, fréquent chez Tert. (cf.
Moingt, IV, p. 112-113), alors qu'il était jusque-là un vocable
essentiellement réservé aux « agronomes » (Varron, Colu-
nelle), cf. *TLL* s. u. col. 481, 77. Sur la notion de « racines »
dans le valentinianisme, cf. Sagnard, p. 436. *Cunctorum
= τῶν πάντων*) : les éons du Plérôme (K. Mueller », Beiträge

zum Verständnis der valentinianischen Gnosis », *NGG* 1920,
p. 179-180), et, secondairement, toutes choses (cf. Sagnard,
p. 425). — **ibidem** : = *statim* (*supra*, 3, 4). — **prolationis** : cf. *infra*, 37, 2 ; *supra*, 7, 5. — **officium** : Irén., I,
1, 1 : ἐφ᾽ οἷς προεϐλήθη. M. à m. : « les devoirs qu'impliquait
sa prolation » (= le fait d'avoir été proféré) ; Tert. utilise
une formule de type « administratif » ou « officiel », cf.
officium legationis (= *legati*) : Caes., *B. C.*, 3, 103, 4 : « con-
fecto legationis officio » (=« après s'être acquitté des devoirs
que comportait la fonction d'ambassadeur ») ; *officium
censurae* (= *censoris*) ; etc. ; ici = *officium prolati*. Cf. *TLL*
s. u. col. 523, 6. Monogène, intermédiaire entre le Dieu
suprême et les éons du Plérôme, a deux fonctions essentielles :
l'une de Principe du Plérôme (cf. *infra*, 8, 1) et en tant que
tel se manifestera comme Logos ; la seconde, de Sauveur
du Plérôme et pour cette fonction se fera connaître comme
Christ (cf. Orbe, *Est. Val.*, III, p. 96). — **emittit** : = προ-
ϐάλλειν ; rare chez Tert. à propos du Verbe (*Praes.* 13, 2 ;
Prax. 7, 9 ; cf. *supra*, 7, 5 ; *infra*, 7, 7). — **Sermonem
et Vitam** : Λόγον καὶ Ζωήν. Braun, p. 258 fait remarquer
que pour désigner le cinquième éon valentinien Tert. latinise
régulièrement son nom en Sermo (*infra*, 8, 1 ; 12, 4 ; 36, 2 ;
Praes. 33, 8) alors qu'il conserve Bythos, Sigè, etc. D'ailleurs
supra, 6, 2, il ne s'est pas expliqué sur les motifs de sa dis-
crimination, se bornant à préciser que d'une manière générale
il conserverait les noms grecs. Observons que dans ce §, les
trois derniers éons émis sont latinisés (Veritas, Sermo et
Vita ; toutefois pour ce dernier on a *infra*, 12, 1 : Zoa)
sans doute la tradition manuscrite est-elle responsable
en partie, de cette différence de traitement. Sur la syzygie
Sermo-Vita, cf. Orbe, IV, p. 151 s.

7, 7. utique : *supra*, 3, 4. — **nec** : = *ne... quidem* (*supra*,
6, 1). — **quale est ut** : tour interrogatif qu'affectionne
Tert. (Hoppe, *Synt.*, p. 82). — **haec soboles** : Sermo et
Vita. — **uniuersitatis** : l'ensemble des éons (Irén., I, 1,
1 : πάντων τῶν μετ᾽ αὐτὸν ἐσομένων). *Initium, formatio*
cf. *supra*, 7, 6 : Monogène en tant que Logos assurera la
formation selon la substance, en tant que Christ la formation

selon la gnose. *Formatio* : le substantif, comme le vb. *for-*
mare, (qui suggèrent l'idée d'organisation, de conformation,
opposée à celle de création) se rencontrent chez Tert. à
propos du *logos* stoïcien (*Apol.* 21, 10), de l'organisation
de la matière par le démiurge (*Herm.* 38, 3 ; 42, 1 ; 42, 2)
et dans le système valentinien (*infra*, 11, 3 : formation des
éons ; 18, 1 : formation des trois races d'hommes par Achamoth), cf. Braun, p. 386. Le substantif *formatio* appartient
par son origine au vocabulaire de l'architecture (Vitruve),
TLL s. u. col. 1088, 72. — **pleromatis** : πληρώματος. Sur
ce terme technique du gnosticisme (= « royaume » invisible
et spirituel de Dieu, constitué par les éons, opposé au κένωμα,
comme la Lumière aux Ténèbres, « au-delà » du Cosmos
et « précosmique », chambre nuptiale où le spirituel s'unira
à son prototype céleste), cf. R. A. Markus, « Pleroma and
Fulfilment », *VChr* 8 (1954), p. 193-224 ; Orbe, *Est. Val.*, IV,
p. 1 s. — **facit fructum** : cette expression, qui en latin
apparaît dans Var., *Rus.*, 3, 2, 13 (cf. *TLL* s. u. « fructus »,
col. 1398, 82), traduit le terme technique gnostique καρπο-
φορεῖν (cf. Sagnard, p. 432), qu'Irénée n'utilise pas, du
reste, en *Haer.*, I, 1, 1 (où il a προβεβλῆσθαι), mais qu'il
emploie à propos de l'émission du couple Homme-Église
en I, 8, 5 (commentaire du Prologue de Jean par Ptolémée).
— **Hominem et Ecclesiam** : Ἄνθρωπον καὶ Ἐκκλησίαν.
Cf. Sagnard, p. 302 s. ; Orbe, *Est. Val.*, IV, p. 154 s.

7, 8. Habes : cf. *supra*, 6, 2 (*lector*). — **ogdoadem,**
tetradem : cf. *infra*, 8, 4. L'énumération qui suit reprend,
sur le mode satirique, les nombreux attributs de l'Ogdoade :
« primitive Ogdoade, mère de tous les éons » (*Haer.*, I, 8, 5) ;
« fondamentale Ogdoade, Racine et Substance de Tout »
(*ibid.*, I, 1, 1) ; etc. Cf. Sagnard, p. 335. — **ex** : sens prégnant
(*supra*, 1, 1). — **coniugationibus** : substitué, sans doute
ironiquement, à *coniugium* qui traduit habituellement
συζυγία (cf. *supra*, 3, 4). Si, en effet, *coniugatio* apparaît
chez Cic., *Top.*, 12 ; 38, pour traduire συζυγία, c'est au
sens linguistique du terme (parenté de mots de même racine) ;
d'où ses divers sens techniques (métrique, astronomique,
etc.) ; première occurrence comme synonyme de *coniunctio*,

copulatio, dans Apul., *Flor.*, 18, 11 (expression proverbiale :
« coniugatione quadam mellis et fellis »), puis ici ; Tert. ne
l'emploie plus ailleurs ; également en contexte valentinien
dans Ps. Tert., *Adu. omn. haer.*, 4, 1, où il est présenté comme
la trad. de la *syzygie* gnostique ; en dehors du valentinianisme : Sol., 26, 3 ; Iul. Val., 1, 23 ; etc. Cf. *TLL* s. u. col.
323, 7. — **cellas** : éclairé par *Res.* 27, 4 s. (*cellae promae*).
— **ut ita dixerim** : subj. potent. (*supra*, 6, 2). — **primordialium** : rend ἀρχέγονον (Irén., I, 1, 1 ; I, 5, 2 ; etc.) ;
attesté pour la première fois chez Tert., cf. Braun, p. 274.
— **census** : Irén., I, 1, 1 : ῥίζαν καὶ ὑπόστασιν τῶν πάντων.
Tert. est le premier à employer *census* avec le sens dérivé
d' « origine », « nature » (de même *censeri* pour *oriri*),
dans la description du système valentinien (*infra*, 21, 1 ;
25, 3 ; 32, 1), mais aussi en dehors de ce contexte (*Nat.* I,
12, 12 : « omne... genus censum ad originem refert » = *Praes.*
20, 7 : « omne genus ad originem suam censeatur necesse
est » ; *Nat.* II, 1, 10 : « Triplici... genere deorum censum
(Varro) distinxit » ; II, 12, 26 : « Exstat apud litteras uestras
usquequaque Saturni census » ; etc.). Cf. Waltzing, p. 61 ;
Waszink, p. 82 ; *TLL* s. u. col. 808, 81. — **sanctitatis** :
cf. *supra*, 5, 1 ; ici ironiquement, pour désigner les éons ; de
même *maiestatis = deorum* (*supra*, 1, 2). — **criminum** :
déjà chez Cicéron avec la valeur de *scelus*, *uitium* (cf. *TLL*
s. u. col. 1193, 52). Il s'agit du « crime d'inceste » commis
par les éons (*fraterna conubia*). — **fecunditatis** : = *proles* ;
Tert. n'emploie pas ailleurs le mot avec cette valeur
concrète (cf. *infra*, 8, 5), rarement et tardivement attestée
selon *TLL* s. u. col. 416, 23, qui du reste ne cite pas ce
passage.

b. Achèvement du Plérôme (chap. VIII).

La constitution du Plérôme est achevée par l'émission de vingt-deux nouveaux éons, dix émanant de
Verbe et Vie, douze d'Homme et Église. Chacun
d'eux porte un nom propre (§ 1-2). Réflexions ironiques de Tertullien sur ces noms et sur le nombre
de ces émissions (§ 3-5).

Pleroma : Plenitudo diuinitatis tricenariae

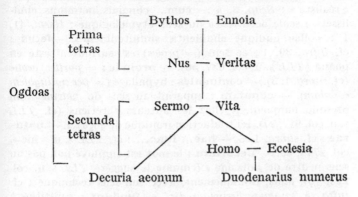

8, 1. **in patris gloriam** : Irén., I, 1, 2 : εἰς δόξαν τοῦ πατρός, c'est-à-dire « pour manifester la gloire du Père » (cf. *supra,* 7, 6 : « Nus simul accepit prolationis suae officium ») ; *infra,* 12, 4. — **fruticasset** : cf. *supra,* 7, 7 ; *infra,* 39, 2. Subj. de style indir. — **huic numero** : le nombre 8 (l'Ogdoade). Le datif indique le terme du mouvement (= *usque ad*), cf. Hoppe, *Synt.,* p. 27 ; L. H. S., p. 100. — **gestientes** : syllepse de nombre. — **de suo** : tour classique (« de ses fonds », par opposition à *de publico*), particulièrement fréquent chez Tert. avec le sens « de soi-même, tout seul, sans l'intervention d'autrui » ; cf. *infra,* 10, 1 ; Hoppe, *Synt.,* p. 103. — **ebulliunt** : pour traduire Irén., I, 1, 2 : τούτους... τοὺς αἰῶνας... προβεβλημένους. Sans doute terme « technique » (cf. Irén., I, 4, 1 : ἐκβεβράσθαι — *deferuisse* ; I, 30, 2 : ὑπερβλύται — *superebullientem* ; I, 30, 3 : ἀναβλυσθεῖσαν — *superebullit* ; II, 19, 4 : *ebulliens*), mais construit ici, avec une intention sarcastique, + acc. (= *gignere, proferre*) ; autres occurrences en contexte satirique : *Marc.* I, 27, 5 : « Age itaque qui deum non times quasi bonum, quid non in omnem libidinem ebullis, summum quod sciam fructum uitae omnibus qui deum non timent ? » ; *Idol.* 3, 1 : « Idolum aliquamdiu retro non erat. Priusquam huius monstri artifices ebullissent, sola templa et uacuae aedes erant » ; *Scorp.* 1, 5 : « tunc gnostici erumpunt, tunc Valentiniani proserpunt,

tunc omnes martyriorum refragatores ebulliunt » ; emploi
« réaliste » : *Scap.* 3, 4 : « cum... conuiuis uermibus ebul-
lisset » ; seule occurrence du sens étymologique : *Herm.* 41,
1 : « ollae undique ebullientis similitudinem ». — **fetus** :
cf. *infra*, 39, 1 ; ce sens (= *proles*) est surtout attesté en
poésie (*TLL* s. u. col. 637, 50). — **proinde** : = *pariter, aeque*
(cf. *supra*, 1, 3). — **coniugales** : hypallage (= *per coniugalem
copulam*). — **copulam** : apparaît au sens de *matrimonium*
presque uniquement chez les auteurs chrétiens (cf. *TLL*
s. u. col. 917, 77). Ici traduction ironique de συζυγία. — **naturae** : cf. *supra*, 1, 3. — **hac... illac...** : cf. *TLL* s. u. « hic »,
col. 2748, 39. — **decuriam** : le mot est employé non pas au
sens neutre de « dizaine » (comme le suggère *TLL* s. u. col.
223, 10), mais, ironiquement, avec son sens technique : cf.
infra, § 2 : *quos decuriam dixi.* — **fundunt** : substitué à
emittunt, proferunt, avec une intention sarcastique (cf.
fundere lacrimas, sanguinem, uoces, etc.). — **aequiperando** :
dat. final, cf. *infra*, 11, 1. *Aequiperare* + dat. (*parentibus*)
est une constr. rare et archaïque (Pac., *Trag.*, 407 R² ; Apul.
Plat., 1, 2, 183).

8, 2. Reddo : = *do* (*supra*, 3, 3), *refero*, cf. Quint., *Inst.
or.*, 8, 6, 76 ; Tac., *Hist.*, 4, 67 ; *infra*, 27, 1 ; *An.* 54, 1 ; 58,
1. — **nomina quos** : = *nomina eorum quos* (class.). *Bythios
et Mixis* (Βύθιος καὶ Μίξις) ; Abyssal, Profond et Mélange ;
Ageratos et Henosis (Ἀγήρατος καὶ Ἕνωσις) : Impérissable,
Non-Senescent et Union ; *Autophyes et Hedone* (Αὐτοφυὴς
καὶ Ἡδονή) : Autocréé, Né-de-soi-même et Plaisir ; *Acinetos
et Syncrasis* (Ἀκίνητος καὶ Σύγκρασις) : Immobile et Mélange ;
Monogenes et Macaria (Μονογενὴς καὶ Μακαρία) : Fils unique
et Félicité — **erunt** : futur d'affirmation (cf. *supra*, 3, 2),
alternant d'ailleurs avec un présent (*reddo*), cf. *infra*, 27, 1 :
reddo, mais 29, 1 : *colligam* (Löfstedt, *Krit. Bemerk.*, p. 64).
Paracletus et Pistis (Παράκλητος καὶ Πίστις) : Paraclet (sens
passif « Appelé à l'aide, Avocat » plutôt qu'« Intercesseur »,
qui est le sens « johannique ») et Foi ; *Patricos et Elpis*
(Πατρικὸς καὶ Ἐλπίς) : Paternel, Semblable au Père et
Espérance ; *Metricos et Agape* (Μητρικὸς καὶ Ἀγάπη) :
Maternel et Amour, Charité ; *Aeinus et Synesis* (Ἀείνους

καὶ Σύνεσις) : Éternellement Intelligent et Prudence ; *Ecclesiasticus et Macariotes* (Ἐκκλησιαστικὸς καὶ Μακαριότης) : Ecclésiastique, Issu d'Église et Béatitude ; *Theletus et Sophia* (Θελητὸς καὶ Σοφία) : Désiré et Sagesse. Dans les deux séries, les éons « mâles » désignent des « attributs », les éons « femelles » des « entités ». Dans la « décurie », les éons mâles développent les attributs de Logos, les éons femelles recréent les composantes de la Vie du Plérôme ; dans la dodécade, les éons mâles sont les attributs de l'Homme idéal, modèle du valentinien, les éons femelles, les vertus de l'Église elle aussi idéale, d'abord les trois vertus théologales (foi, espérance, charité), puis les vertus inhérentes à la Gnose. Dépendant de Logos, la « décurie » décrit un monde angélique et parfait ; issue d'Homme, la dodécade décrit l'histoire spécifiquement humaine du progrès intérieur. Cf. Orbe, *Est. Val.*, IV, p. 183 s. Pour les variantes mineures existant à propos de ces deux listes, Sagnard, p. 147 ; Orbe, *ibid.*, p. 180-181. — **de pari exemplo** : expression (quasi) technique ; cf. Quint., *Inst. or.*, 5, 11, 5, qui distingue en effet trois catégories d'exemples : l'*exemplum simile* (qui peut être soit *totum simile* soit *impar*), l'*exemplum dissimile* et enfin l'*exemplum contrarium*.

8, 3. Karthaginiensibus : hésitation de Tert. ou de la tradition sur le suffixe de l'ethnique : *Mart.* 4, 6 : *Carthaginiensibus* ; mais *Res.* 20, 8 : *-niensium TM -nensium PX* ; *Nat.* I, 18, 3 : *-nensem* ; *Pal.* 1, 1 : *-nenses.* Cf. Bulhart, *Praef.*, § 12. — **frigidissimus** : avec des nuances péjoratives diverses, comme qualificatif des orateurs, cf. *TLL* s. u. col. 1330, 23 (Cic., *Verr.*, 2, 121 : « alii etiam frigidiores erant, sed quia stomachabantur, ridiculi uidebantur esse » ; Quint., *Inst. or.*, 12, 10, 12 : « (Ciceronem) in salibus aliquando frigidum »). — **Latinus** : de langue latine malgré son nom grec ; ses origines expliquent sans doute l'exclamation grecque φεῦ. — **Phosphorus** : Φωσφόρος (« Porte-lumière »). Selon F. J. Dölger, « Der Rhetor Phosphorus von Karthago und seine Stilübung über den tapferen Mann », *Antike und Christentum* 5 (1936), p. 272-274, il s'agirait sans doute d'un sobriquet donné par les élèves à leur rhéteur.

De toute façon, comme nom propre, Φωσφόρος est attesté
dans les inscriptions grecques (cf. Pape, *Wörterbuch der
griechischen Eigennamen*, Braunschweig 1870³, p. 1658 s. u.)
et, comme surnom, dans les inscriptions latines (cf. *CIL* VI,
24292 ; 35551 ; 36786 ; etc.). — **uirum fortem peroraret** :
= *uiri fortis orationem peroraret*. Le rhéteur déclame dans le
rôle d'un héros. Le contexte (*uenio*...), la surprise manifestée
par les élèves, invitent à ne pas donner à *perorare* le sens
précis de « conclure, achever », mais celui du simple *orare*
(cf. *supra*, 3, 3). Pour la constr. cf. *Pud.* 21, 6 : « neque
prophetam nec apostolum exhibens » ; Prop., 4, 2, 39 :
« pastorem... curare » (= *pastoris partes agere*) ; Waszink,
p. 409-410. — **scholastici** : mot de la langue impériale
cf. Pétr., *Sat.*, 6. 1 ; Quint., *Inst. or.*, 12, 11, 16 ; Tac., *Dial.*,
15, 3 : « si quis... Ephesum uel Mytilenas concentu scholas-
ticorum et clamoribus quatit » ; etc. — **familiae** : dat.
compl. d'*acclamant* (« à l'adresse de la famille de Phosphorus ») cf. Cat., 67, 14 : « Ad me omnes clamant : ' ... culpa
tua est ' » ; Sén., *Luc.*, 27, 2 : « Clamo mihi ipse : ' Numera
annos tuos... ' » ; 47, 13 : adclamabit mihi tota manus
delicatorum : ' Nihil hac re humilius... ' ». Cf. *infra*, 14, 3.
La plaisanterie repose sur le fait que les *scholastici* feignent
de prendre *uictoria*, *felicitas*, *ampliatus*, etc. pour les noms
des personnes constituant la « famille » du rhéteur (cf.
Dölger, *art. cit.*). Effectivement, ils sont tous les sept attestés
dans l'onomastique, cf. I, Kajanto, *The latin Cognomina*,
Helsinki 1965.

8, 4. Audisti : cf. *infra*, 15, 2 ; *supra*, 6, 2 (*lector*). —
Fortunatam : l'éon Macaria ou, plutôt, si l'on en juge par
le choix qui est fait ici, l'éon Macariotes (*supra*, § 2). Sa
traduction latine a-t-elle été introduite dans le texte par
la tradition manuscrite ou par Tert. lui-même pour assurer
la transition avec le § 3 (*fortunatus*) et mieux préparer ainsi
la pointe finale ? Cf. *supra*, 6, 2. — φεῦ : cf. Irén., I, 11, 4
(à propos des incohérences des doctrines valentiniennes) :
'Ιού 'Ιού ! καὶ φεῦ φεῦ ! Τὸ τραγικὸν γὰρ ὡς ἀληθῶς ἐπειπεῖν
ἔστιν ἐπὶ τῇ τοιαύτῃ ὀνοματοποιίᾳ καὶ τῇ τοσαύτῃ τόλμῃ ;
I, 15, 4 (au sujet de l'arithmologie de Marc le Magicien) :

ταῦτα δὴ ὑπὲρ τὸ ᾿Ιού ! καὶ τὸ φεῦ ! καὶ ὑπὲρ τὴν πᾶσαν τρα-
γικὴν φώνησιν καὶ σχετλιασμόν ἐστιν. Ce rapprochement laisserait penser que si l'anecdote du rhéteur Phosphorus n'est pas
inventée de toutes pièces, du moins a-t-elle été retouchée, et
ne constitue peut-être pas, dans ces conditions, sur la vie
« universitaire » carthaginoise un témoignage aussi sûr qu'on
incline à le croire (Monceaux, *Hist. litt. de l'Afrique chrét.*, t. 1,
p. 180 ; G. Ch. Picard, *Civilisation de l'Afrique rom.*, p. 304-
305 ; L. Staeger, *Das Leben im römischen Afrika im Spiegel der
Schriften Tertullians*, Zurich 1973, p. 13). — **Hoc... illud :**
tour class. (cf. Cic., *Tusc.*, 5, 103 : « hic est ille Demosthenes »),
mais ici d'une emphase ironique. *Erit*, fut. à valeur d'insistance (*supra*, 3, 2). — **Pleroma** : cf. *supra*, 7, 7 ; ici suivi de
sa traduction (*plenitudo*). — **arcanum** : cf. supra, 6, 1. —
diuinitatis : cf. *supra*, 3, 4. L'expression *plenitudo diuinitatis*
apparaît également en contexte orthodoxe : *Marc.* II, 13, 5 :
« iustitia... plenitudo est diuinitatis » ; II, 29, 1 : « Quodsi
utraque pars bonitatis atque iustitiae dignam plenitudinem
diuinitatis efficiunt omnia potentis... » ; *Prax.* 14, 2 : « Inue-
nimus... a multis... uisum quidem Deum secundum hominum
capacitates, non secundum plenitudinem diuinitatis ». —
Videamus : ne peut avoir le sens plein de « voyons,
jugeons... », puisque aussi bien Tert. se garde de résumer les
spéculations arithmologiques des valentiniens et reprend
aussitôt son récit (§ 5 : *Interim*). *Videamus* prend donc ici
le sens de « à nous de voir, on verra une autre fois, peu
importe... » qui est généralement celui du tour (bien antérieur
à Tert., mais qu'il utilise avec prédilection) *uiderit, uiderint*
(cf. *infra*, 8, 5 (*interim*) ; 9, 2 ; Schneider, p. 250 ; Ernout-
Thomas, *Syntaxe latine*, p. 251-252). — **priuilegia numerorum** : Tert. saute les explications symboliques des valentiniens rapportées par Irén., I, 1, 3 (les 30 éons du
Plérôme = les trente ans de vie cachée du Sauveur ou
encore la somme des heures dont il est fait état dans la
parabole des ouvriers envoyés à la vigne) et, plus longuement, I, 14-15 (arithmologie de Marc le Magicien),
cf. Sagnard, p. 358 s. ; Orbe, *Est. Val.*, IV, p. 174 s.
Sur l'addition ⟨ *et denarii* ⟩ proposée par Kroymann, cf.
« Valentiniana », p. 58.

8, 5. Interim : mouvement comparable après *uidero*
dans Cic., *De orat.*, 2, 33 : « de me uidero ; nunc hoc propono »
(« pour ce qui me concerne, je verrai une autre fois ; maintenant... » ; cité par Ernout-Thomas, *Synt. lat.*, p. 251). —
deficit : cf. Min. Fel., *Oct.*, 24, 3 : « Cur enim, si (dei) nati
sunt, non hodieque nascuntur ? Nisi forte iam Iuppiter
senuit et partus in Iunone defecit et Minerua canuit antequam peperit » ; la plaisanterie est d'ailleurs ancienne :
cf. Sén., frg. 119 (= Lact., *Inst. diu.*, I, 16, 10) : « Quid
ergo est... quare apud poetas salacissimus Iuppiter desierit
liberos tollere ? Utrum sexagenarius factus est ?... ». Cf. aussi
Tat., *Orat.*, 1, 3. — **uis, potestas** : équivoque (volontaire ?)
sur ces deux termes (= δύναμις, ἐνέργεια) par lesquels
sont également désignés les éons (cf. Sagnard, p. 637 et
640). La ponctuation adoptée par Kroymann est justifiée :
les parenthèses sont fréquentes chez Tert. (peut-être faut-il
voir dans ce procédé une influence d'Apulée ? cf. Bernhard,
Der Stil des Apul. von Madaura, p. 91 s.). — **quasi** : cf.
supra, 2, 1. — **non et** : = *et non* (*et non... et nulla*) ; pour la
postposition de *et*, véritable tic stylistique de Tert., cf.
Bulhart, *Praef.*, § 90. — **coagula** : si le mot est encore perçu
comme métaphorique dans Plin., *Nat.*, 7, 66 : « germine e
maribus coaguli modo hoc in sese glomerante », il est considéré comme un terme technique dans Aul. Gel., *Nuits*, 3,
16, 20 : « numerum dierum quibus, conceptum in utero,
coagulum conformatur » ; cf. *Carn.* 16, 5 : « Dei uerbum
potuit sine coagulo in eiusdem carnis transire materiam ».
Tanta = tam multa (*supra*, 7, 1). — **et** (*quinquaginta,
Sterceiae*) **et** (*centum, Syntrophi*) : le premier *et = etiam*,
quoque ; le second = *uel, aut*. Tert. répond à une question
de ce type, pour justifier le nombre des apôtres et des disciples : *Marc.* IV, 24, 1 : « Adlegit et alios septuaginta apos-
tolos super duodecim. Quo enim duodecim secundum totidem
fontes in Elim, si non et septuaginta secundum totidem
arbusta palmarum ? ». Sur ses réserves à l'égard de la
symbolique des nombres dans l'exégèse, cf. *Pud.* 9, 1-3
(§ 3 : « Huiusmodi enim curiositates et suspecta faciunt
quaedam et coactarum expositionum subtilitate plerumque
deducunt a ueritate »). — **Sterceiae** : « Bonne d'enfant,

torcheuse » ; cf. Kajanto, *The latin Cognomina*, p. 246.
— **Syntrophi** : « Frère de lait » (élevé avec d'autres) ? ou
« Aide-nourricier » ? ; cf. Pape, *Wörterbuch der griech.
Eigennamen*, p. 1459 ; F. Bechtel - A. Fick, *Die griechischen
Personennamen*, Göttingen 1894, p. 257.

c. Le mythe de Sophia (chap. IX-X).

Seul de tous les éons, Noûs-Monogène a le privilège
de connaître le Père infini, sans avoir toutefois la
possibilité de leur faire partager cette connaissance :
d'où leur agitation et leur douleur (IX, 1-2). Mais
le désir de connaître le Père provoque une agitation
plus grande chez le dernier éon de la dodécade,
Sophia. Jalouse de Noûs, elle s'élance à la « recherche »
du Père, éprouvant avec violence une passion qui
aurait entraîné sa perte si elle n'avait trouvé aide et
secours auprès d'Horos, qui lui permet de déposer
l'Intention qui l'animait en même temps que la
passion qui accompagnait son Intention (§ 2-4).

Il existe une autre version des « malheurs » survenus
à Sophia. Au milieu de l'agitation et des souffrances
que lui fait éprouver sa passion de connaître le Père,
elle devient enceinte et enfante un être de sexe féminin
(X, 1). Le trouble causé en elle par cette naissance
parthénogénétique suscite diverses passions qui
deviendront des substances et seront à l'origine de
la matière. Pour la « guérir », le Père, par l'intermédiaire de Noûs-Monogène, émet alors l'éon Horos
(§ 2-3).

Horos donc, qui est également désigné par d'autres
noms, purifie de ses maux Sophia, la rend à son
« époux » et expulse hors du Plérôme son Intention
et la passion qui lui était survenue (§ 3-5).

9, 1. hoc : l'accord avec l'attribut est exceptionnel dans
la langue impériale (cf. L. H. S., p. 442); toutefois, pour
l'attraction du verbe, cf. *infra*, 20, 2 ; 31, 1. — **exceptio** :
sur l'origine biblique de l'expression et sa traduction par

240   CONTRE LES VALENTINIENS

Tert., cf. Braun, p. 211-212. — **solus Nus...** : cf. *supra*,
7, 6. — **inmensi** : cf. *supra*, 7. 3. — **gaudens, exultans** :
leur emploi adject. est class., cf. *TLL* respectivement col.
1952, 60 et 1711, 32. — **illis utique maerentibus** :
« drame bourgeois » (cf. *supra*, p. 17 s.) ; sur *utique*, cf. 3, 4.
— **Plane** : également ironique (cf. *supra*, 1, 1). — **communicare** : cf. *supra*, 6, 2. — **norat** : les formes contractes
sont en fait les seules en usage sous l'Empire, cf. Quint.,
Inst. or., 1, 6, 17. — **quantus... pater** : s. ent. *esset*
(cf. *supra*, 3, 5). *Incomprehensibilis*, cf. *supra*, 7, 6. —
intercessit : là où Irén., I, 2, 1 dit simplement κατέσχεν...
αὐτὸν ἡ Σιγή, Tert. recourt ironiquement à un vb. qui
rappelle la procédure de l'*intercessio*. — **tacere** : cf. pour
le jeu de mots *supra*, 7, 5 ; pour le silence auquel sont tenus
les hérétiques, *supra*, 1, 4 ; cf. Irén., IV, 35, 4, *SC* 100,
p. 874 : « oportet enim eam quae sit sursum Sigen per id
quod est apud eos silentium deformari ». — **praescribit** :
+ inf., dès Tacite (cf. *Pud.* 19, 22 ; etc. L. H. S., p. 346) ;
pour le sens « jussif » du vb. chez Tert., cf. Fredouille, p. 196.
— **uolentis** : ce mécanisme de gnose chez les éons est la
transposition de la psychologie du valentinien : le désir de
connaître le Principe infini est la condition du salut, mais
ne peut être satisfait que progressivement ; cf. Sagnard,
p. 258 ; pour la même doctrine dans les fragments d'Héracléon, *ibid.*, p. 498-499. — **in** : + acc. final (*supra*, 7, 1).

9, 2. macerantur : vb. ancien dans la langue (au propre
comme au figuré), mais absent du lexique de Cic., César,
Salluste et Tac., cf. *TLL* s. u. col. 10, 23 ; Ernout-Meillet
Dict. étym., s. u. p. 375. — **dum... uruntur** : duplication
à des fins de « dramatisation » ; Irén., I, 2, 1 dit simplement :
αἰῶνες ἡσυχῇ πως ἐπεπόθουν... — **ediderant** : exceptionnel
pour rendre προβάλλειν, cf. Braun, p. 295 ; *supra*, 7, 5
Sophia est le 12e éon de la dodécade émise par Homme et
Église, et par conséquent le 30e éon du Plérôme, cf. *supra*
8, 2. — **nouissima natu** : expression plaisamment forgée
d'après *minima natu*. — **uiderit** : cf. *supra*, 8, 4 (s. u
uideamus). — **soloecismus...** : parce que *aeon* est du mas
culin (d'où, pour respecter le « solécisme », notre traductior

« l'éon dernière-née »). — **Sophia** : cf. *supra*, 2, 2. Sur le personnage et son mythe, cf. Orbe, *Est. Val.*, IV, p. 235 s. ; G. C. Stead, « The Valentinian Myth of Sophia », *JTS* 20 (1969), p. 75-104 ; G. W. Macrae, « The Jewish Background of the Gnostic Sophia Myth », *NT* 12 (1970), p. 86-101 ; pour le *Tractatus Tripartitus*, où Sophia n'est pas mentionnée comme une figure personnifiée, cf. J. Zandee, « Die Person der Sophia in der vierten Schrift des Codex Jung », *Le origini dello gnosticismo*, Leiden 1967, p. 203-214. — **incontinentia** : class. (cf. *Rhét. Hér.*, 1, 5, 8 ; Cic., *Cael.*, 25 où il est coordonné à *intemperantia*), mais rare, et, au sens moral, « stoïcien », cf. Aul. Gel., *Nuits*, 17, 19, 5 : « Epitectus... solitus dicere est duo esse uitia... taeterrima intolerantiam et incontinentiam, cum aut iniurias... non... ferimus, aut a quibus rebus uoluptatibusque nos tenere debemus non tenemus » ; cf. *TLL* s. u. col. 1018, 1. Avec ce même sens sexuel, *Apol.* 46, 11 ; *Pud.* 1, 16 ; 6, 16 ; etc. Absent chez Irénée, ce trait est conforme à l'esprit du mythe de Sophia, du moins à l'une de ses variantes plus primitives : le thème de la sensualité comme origine de la chute apparaît en effet dans l'*Apokryphon de Jean* (Cod. II, 14, 9-15, 8 ; Cod. IV, 15, 1-5 ; cf. aussi *Tract. Tripart.*, 75, 17-19 ; *Extr. Théodote* 31, 3 ; le thème a sans doute été ensuite intellectualisé et christianisé en désir d'union extatique. *Sui = sua* (cf. Hoppe, p. 18). — **Phileti** : c'est sans doute ironiquement que désormais Tert. désigne effectivement de ce nom (« Bien aimé, Chéri ») l'époux de Sophia, Thélétus (« Désiré »), cf. *infra*, 2, 1 ; 30, 1 ; 32, 5. Cf. Braun, p. 580, n. 1 et nos « Valentiniana », p. 73, n. 22. Ajoutons que Valentin, frg. 6 (= Clém. Alex., *Strom.*, VI, 6, 52, 4) appelle le Christ « bien aimé » (ὁ φιλούμενος), que l'expression « le Fils bien aimé » apparaît dans l'*Évangile de Vérité*, p. 30, 31 et que dans le *Tractatus Tripartitus*, p. 87, 8, le Sauveur est appelé l'« Aimé ». — **sine... societate** : Sophia éprouve ses passions seule, sans être unie à son époux : il s'agit donc, en un sens, d'un adultère, et les « spirituels », issus de Sophia, ont une mère, mais pas de père légitime, cf. *Extr. Théod.*, 68 ; *Tract. Tripart.*, p. 78, 12 et comm. *ad loc.*, p. 348. — **inquirere** : = *quaerere* (*supra*, 3, 3). L'infinitif de but après un vb. de

mouvement est une construction pré- et post-classique
(cf. *infra*, 14, 3 ; Hoppe, *Synt.*, p. 42 ; L. H. S., p. 344 ;
Schneider, p. 178). — **exorsum... fuerat** : extension aux
vb. déponents ou semi-déponents des formes surcomposées
du passif ; fréquente chez Tert. (Hoppe, *Synt.*, p. 60), elle
est plus rare dans la langue (cf. L. H. S., p. 321-322). *Exorior*,
usuel dans toute la latinité pour peindre les « passions de
l'âme » (cf. *TLL* s. u. col. 1577, 7), traduit ici le vb. plus
neutre ἐνήρξατο d'Irén., I, 2, 2. — **deriuarat** : Tert. est le
premier à construire intrans. ce vb., mais sera peu suivi
(cf. *TLL* s. u. col. 638, 43 ; *supra*, 3, 1) ; cf. *Pud.* 21, 9 ;
infra, 29, 2 (mais passif en 25, 2 et 35, 1) ; pour la forme
contracte, *supra*, 9, 1. Le « désir » de connaître le Père s'est,
pour ainsi dire, « concentré » dans l'éon le plus faible, le
plus éloigné du Principe, et donne lieu, en quelque sorte
à un « abcès de fixation ». Irén., I, 2, 2, dit d'ailleurs, avec
le sens médical du vb., ἀπέσκηψε ; cf. Galen., *Ad Glauconem
de med. meth.*, 2, 9 (Kühn, IX, p. 116) : « Aposcemmata..
affectiones uocant, quum humores loco, quem prius infesta
bant, relicto in alterum confluunt », ([ἀποσκήμματα]... ὀνομά
ζουσι... οὕτω τὰς διαθέσεις ἐκείνας, ὅταν χυμοί τινες ἐνοχλοῦντε
πρότερον ἑτέρῳ μορίῳ καταλιπόντες ἐκεῖνο εἰς ἕτερον μεταστῶσιν)
On rapprochera la comparaison, elle aussi médicale, d
Tert. : « ut solent uitia in corpore... » (cf. aussi *Scorp.* 1
10 : « si plagam satiauerit, intimatur uirus et properat in
uiscera ; statim omnes pristini sensus retorpescunt, sangui
animi gelascit, caro spiritus exolescit, nausea nomini
(Christiani) inacrescit »). Pour l'intérêt porté par Tert. au
sciences naturelles et médicales, cf. W. P. Le Saint, *Tertullia
Treatises on Penance*, London 1959, p. 183 ; Fredouill
p. 423. — **connata** : = *nata* (cf. *supra*, 3, 3). Sans dout
néologisme (*TLL* s. u. col. 344, 69, signale à tort comm
première attestation de cette forme : Hil., *Trin.*, 5, 11

9, 3. dilectionis : Irén., I, 2, 2 : ἀγάπης. Nette prédom
nance chez Tert. de *dilectio* sur *caritas* pour rendre la notic
d'ἀγάπη, aussi bien sous sa plume qu'en citations script
raires ; le mot n'est pas attesté avant les anciennes tra
et Tert., mais il est vraisemblable qu'il était déjà en usa

chez les païens, cf. *Apol.* 39, 16 : « cena nostra de nomine
rationem sui ostendit : id uocatur quod dilectio penes Grae-
cos » ; H. Pétré, *Caritas*, p. 49 s. ; 69 s. — **gaudentem** :
+ *de*, constr. attestée à partir de Pline le Jeune (cf. L. H. S.,
p. 120), fréquente chez Tert. (Hoppe, *Synt.*, p. 34). —
impossibilia : la « passion » de Sophia pour le Père est en
fait *hybris* ; conception proche de Plot., *Enn.*, 4, 8, 5, 16-19 ;
5, 1, 1, 1-5 ; cf. *Tract. Tripart.*, p. 77, 25 et comm. *ad loc.*,
p. 343. — **contendens... erat** : cf. *supra*, 6, 1. — **extenditur
adfectione** : Irén., I, 2, 2 : ἐκτεινόμενον ἀεὶ ἐπὶ τὸ πρόσθεν ;
il s'agit de l'extension vers l'avant (cf. *Phil.*, 3, 13 : τοῖς
δὲ ἔμπροσθεν ἐπεκτεινόμενος), vers l'infini, consécutive à l'élan
pour la recherche du Père. Mais l'expression de Tert. est
ambiguë. — **dulcedinis** : sans doute contresens ou inadvertance, plutôt, de Tert., car de ces lignes il est difficile
de comprendre qu'il s'agit en réalité de la « douceur » du
Père (Irén., I, 2, 2 : ὑπὸ τῆς γλυκύτητος αὐτοῦ) ; ce thème
mystique apparaît également dans l'*Évang. Vérité*, 24, 9 ;
31, 20 ; etc. ; *Tract. Tripart.*, p. 53, 5. Notre traduction
« respecte » cette mélecture. — **deuorari... dissolui** : inf.
en fonction d'abl. = (a) *deuoratione*, (a) *dissolutione* ; cf.
Hoppe, *Synt.*, p. 42. — **in reliquam substantiam** : Irén.,
I, 2, 2 : ἄν... ἀναλελύσθαι εἰς τὴν ὅλην οὐσίαν, εἰ μή..., « elle
allait se dissoudre dans l'essence du Tout (= du Plérôme), si... » ; cf. aussi I, 3, 3. Il n'est pas sûr, ici non plus,
que Tert. ait saisi le sens exact du passage qu'il traduit :
rien n'indique que, à ses yeux, *substantia* désigne la *substantia
pleromatis* ; même équivoque en *Prax.* 8, 2 où il résume le
« drame » de Sophia en termes à peu près identiques : « Valentinus προβολὰς suas discernit et separat ab auctore et ita longe
ab eo ponit ut aeon patrem nesciat. Denique desiderat nosse
nec potest, immo et paene deuoratur et dissoluitur in reliquam substantiam ». Cf. Braun, p. 179 ; Moingt, II, p. 426 ;
Orbe, *Cristología gnóstica* II, p. 409. — **nec alias quam** :
= *neque ullo alio modo nisi.* — **bono fato** : ironique (d'après
Virg., *Én.*, 6, 546 : *melioribus... fatis* ; Hor., *Carm. saec.*, 28 :
bona... fata ; Sén., *Troad.*, 636 : *meliore fato* ; etc.), mais,
sous l'ironie, la remarque est juste : le drame qui se joue au
sein du Plérôme et dont Sophia est l'un des acteurs essentiels

est prévu et voulu par Dieu pour que le monde visible prenne naissance ; tout ce qui arrive provient d'une « économie » fixée par le Père (cf. *Tract. Tripart.*, p. 76, 23 s. qui voit dans ce monde un reflet du monde supérieur du Plérôme et ne professe pas à cet égard le pessimisme qu'éprouve pour le « néant » (le monde visible) l'*Évangile de Vérité*; cf. comm. *ad. loc.*, p. 340). — **Horon** : « Limite » ("Ορος), appelé également Crux, « Croix » (Σταυρός); Lytrotes, «Rédempteur » (Λυτρω-τής) ; Carpistes, « Celui qui acquitte » ? « Arbitre, Juge » ? (Καρπιστής), cf. Sagnard, p. 154 ; et *infra*, 10, 3 : Metagogeus, « Guide » (Circumductor) ; Horothetes « Celui qui délimite » ; sur toutes ces appellations, cf. Orbe, *Est. Val.*, IV, p. 599 s. — **incursasset** : vb. du vocabulaire militaire (cf. T.-Liv., 36, 14, 12). Pour la forme contracte, *supra*, 9, 1. — **quae-dam... custos** : pour les parenthèses, cf. *supra*, 8, 5. — **fundamentum... custos** : ponctuation incertaine (cf. nos « Valentiniana », p. 58 ; depuis, Riley, p. 37 : « huic uis est : fundamentum, uniuersitatis illius extrinsecus custos » ; Ma-rastoni, p. 64 : « huic uis : est fundamentum uniuersitatis illius ⟨ et ⟩ extrinsecus custos »), texte lui-même obscur du fait, sans doute, d'une rédaction trop hâtive de la part de Tert. Cf. Irén., I, 2, 2 : τῇ στηριζούσῃ καὶ ἐκτὸς τοῦ ἀρρήτου μεγέθους φυλασσούσῃ τὰ ὅλα συνέτυχε δυνάμει, « elle (= Sophia) rencontra la puissance (= Horos) qui consolide et garde hors de la Grandeur Inexprimable (du Père) l'ensemble (des éons) »; en réalité, Noûs-Monogène ayant le privilège de connaître le Père, l'ensemble des éons désigne ici le Plérôme moins la Tétrade (Bythos-Sigè et Monogène-Vérité) ; autrement dit, l'une des fonctions d'Horos est de séparer du reste du Plé-rôme la Tétrade, fonction confirmée dans l'épisode de l'hémorrhoïsse (*Haer.*, I, 11, 1) ; il s'agit du reste d'une innovation de Ptolémée : Valentin (cf. *Haer.*, I, 11, 1) dis-tinguait pour sa part deux Limites (ὅροι), l'une, qui séparait le premier couple (Bythos-Sigè) des autres éons, l'autre, qui éliminait Sophia hors du Plérôme (cf. Sagnard, p. 230). Tert. a donc rendu ici τὰ ὅλα par *uniuersitas* (comme *supra*, 7, 7 et *infra*, 39, 1) et στηρίζειν par *fundamentum*; si l'on admet que ἐκτὸς (τοῦ ἀρρήτου μεγέθους) φυλασσούσῃ (τὰ ὅλα) est tra-duit par *extrinsecus custos*, il faut comprendre : « Horos, gar-

dien des éons (maintenus) à l'extérieur, à l'écart, à distance
(de la Grandeur Inexprimable, c'est-à-dire, en réalité, de
la Tétrade) », autrement dit rapporter l'adv. *extrinsecus* en
fonction adjective à *uniuersitatis* et non à *custos*, ce qui n'est
ni le sens ni la construction les plus obvies. En fait, il semble
bien que Tert. ait retenu de ce passage d'Irénée les deux
fonctions générales d'Horos, celle de « fondement » du Plérôme et d'autre part celle de «limite» du même Plérôme : Horos est en effet la «limite extérieure, inférieure» du Plérôme,
qu'elle sépare du *kenôma*; cette fonction, qui ressort bien de
infra, 14, 3-4, est peut-être mieux soulignée dans les *Extraits
de Théodote*, 22, 4 ; 42, 1 (école orientale) et dans le «thème B»
(ptoléméen plus récent) rapporté par Hippol., *Philos.*, VI, 31, 5.

9, 4. **persuasa** : terme technique (Irén., I, 2, 4 : πεισθέντα
ὅτι ἀκατάληπτός ἐστιν ὁ πατήρ); cf. *supra*, 1, 4. — **inuestigatione** : class. mais relativement rare, et surtout généralement
suivi d'un génit. *rerum* ou *naturae*; toutefois, Sén., frg. 14 Haase
p. 34 : « amicum (creditis)... inueniri... sine ulla inuestigatione ? »; *TLL* s. u. col. 167, 55. — **Animationem (Enthymesin)** : c'est-à-dire la Tendance, l'Intention, le désir
fallacieux de Sophia qui est ainsi séparé d'elle et qui, guéri
de la « passion » qui lui est survenue, deviendra la seconde
Sophia, ou encore Achamoth. Pour traduire Ἐνθύμησις Tert.
a recouru, sans doute à dessein, à un mot extrêmement rare
puisqu'il n'est attesté qu'une seule fois dans la langue
païenne, au sens propre du reste (Cic., *Tim.*, 10) ; il ne
l'utilise qu'en deux autres occasions (au sens propre) :
Marc. II, 3, 3 ; *An.* 19, 5 (cf. *TLL* s. u. col. 85, 67) ; le *Vetus
Interpres* a traduit par *intentio*. Pour les majuscules et la
juxtaposition du latin et du grec, cf. « Valentiniana »),
p. 59. — **exposuit** : « purification » opérée par Horos (cf.
Irén., I, 2, 4 : κεκαθάρθαι). Tert. est ici le premier à utiliser
ce vb. métaphoriquement avec pour objet des « passions »,
des « tendances » de l'âme (cf. *TLL* s. u. col. 1760, 8) ; mais
un jeu de mots implicite n'est pas exclu, cf. *infra*, 10, 2.

10, 1. **Sed quidam...** : la variante rapportée jusqu'au
§ 3 (entier, selon G. C. Stead, *JTS* 20 [1969], p. 78 ; jus-

qu'à : ... *ita uariant*, selon Sagnard, p. 34 ; 152-153) et
correspondant à Irén., *Haer.*, I, 2, 3-4 (... Μεταγωγέα καλοῦσι
ou ... εἶναι θέλουσι selon que l'on suit l'un ou l'autre de
ces deux critiques) reflète l'enseignement du « thème B »,
tel qu'il est transmis par Hippol., *Philos.*, VI, 30, 6 - 31, 5.
Deux traits principaux distinguent le mythe de Sophia
selon le thème A (Ptolémée ; ici *supra*, 9, 2-4) et selon le
thème B (ptoléméen plus récent) : dans l'un et l'autre,
l'élan transgresseur de Sophia se manifeste indépendamment de son « époux » ; mais d'une part, selon A, Sophia
tente de percer le mystère du Père, alors que, selon B, elle
veut imiter le pouvoir génésique du Père en dehors de
toute union ; d'autre part, selon A, sa prétention aboutit
à la formation et à la déposition d'Enthymesis et de sa
passion, tandis que, selon B, elle contribue à l'émission
d'un « avorton » ; cf. Stead, p. 78. — **exitum** : cf. *supra*, 3,
4. — **somniauerunt** : *Nat.* I, 11, 1 : « somniastis caput
asininum esse deum nostrum » ; II, 13, 1 ; *An.* 28, 5 ; etc.
Vb. habituel dans les polémiques (cf. Min. Fel., *Oct.*, 12,
3 : « tu qui immortalitatem postumam somnias »), correspondant ici à Irén., I, 2, 3 : μυθολογοῦσιν. — **deiectionem** :
un des premiers ex. de ce sens dérivé presque uniquement
attesté chez les écrivains chrétiens (cf. *TLL* s. u. col. 402,
19). — **deformatam** : (s.-ent. *esse*) + abl. causal class.
et ancien dans la langue : cf. Acc., *Trag.*, 612 W : « uulnere
taetro deformatum » ; Apul., *Apol.*, 74, 7 : « priusquam
isto caluitio deformaretur » ; etc. (Luc., 8, 56 : « deformem
pallore ducem »). Cf. *TLL* s. u. col. 371, 28. — **credo** : très
fréquent en parenthèses (cf. *TLL* s. u. col. 1137, 19). —
incuria : cf. *Cult.* II, 2, 5 : « naturalis speciositatis... dissimulatione et incuria » ; mais déjà Lucil., 727-728 W :
« Hic cruciatur fame / frigore inluuie inbalnitie inperfunditie
incuria » ; Apul., *Mét.*, 8, 7, 5 : « inedia denique misera et
incuria squalida » ; cf. *TLL* s. u. col. 1081, 4. — **uti quae...
dolebat** : relative causale à l'ind. (*uti = ut*), cf. *Apol.* 25,
11 ; 46, 7 ; etc. Hoppe, *Synt.*, p. 74. Pour la ponctuation de
la phrase et la correction *uti quae*, cf. « Valentiniana »,
p. 59. — **opera** : cf. le sens érotique que ce terme a chez
Plaute en particulier (*TLL* s. u. col. 662, 25.70). — **conce-**

pit : mais *procreat* ; *uariatio temporis*, cf. Löfstedt, *Spr. Tert.*, p. 23 s. ; Bulhart, *Praef.*, § 112 ; *infra*, 31, 1. — **sortita est** : ce sens (« obtenir du sort, de la destinée ») est fréquent à l'époque impériale ; mais Tert. est le premier à construire ce vb. avec un inf. (ici *parere*) en fonction d'acc., cf. *An.* 12, 3 ; 37, 1 ; etc. Waszink, p. 160. — **de suo** : cf. *supra*, 8, 1. — **parere** : cf. Arist., *Hist. an.*, 6, 2, 559b 22-24 : ὦπται γὰρ ἱκανῶς ἤδη ἀνόχευτοι νεοττίδες ἀλεκτορίδων καὶ χηνῶν τίκτουσαι ὑπήνεμα ; 560b 30-561a » ; Ps. Arist., *Hist. an.* 10, 6, 637b 12-21 ; Plin., *Nat.*, 10, 166 : « inrita oua... aut mutua feminae inter se libidinis imaginatione concipiunt aut puluere nec columbae tantum, sed et gallinae, perdices, pauones... » ; cf. d'Arcy Wentworth Thompson, *A Glossary of greek Birds*, Oxford 1895, p. 21 s. u. Ἀλεκτρυών. Ce trait a sans doute été suggéré à Tert. par Irén., II, 12, 4 : les éons, privés de leurs compagnes, en sont réduits à engendrer par eux-mêmes, comme des poules qui seraient sans coq. — **uultures feminas** : *femina*, comme *mas*, est normalement employé en apposition pour désigner le sexe d'une plante ou d'un animal (cf. *TLL* s. u. « femina » col. 463, 48 ; s. u. « mas » col. 423, 84) ; sur cette croyance, cf. Plut., *Mor.*, 286c ; Élien, *Nat. anim.*, 2, 46 ; etc. ; d'Arcy Wentworth, *op. cit.*, p. 48 s. u. Γύψ. A noter que Tert. utilise ici à des fins polémiques des données qu'Origène (*C. Celse*, 1, 37, *SC* 132, p. 176) ou Basile de Césarée (*Hom. sur l'Héxaéméron*, 8, 180a-b, *SC* 26, p. 460 s.), par exemple, mentionnent à des fins apologétiques : la parthénogénèse, chez certains animaux, montre que la conception virginale du Christ s'inscrit dans l'ordre naturel. Cf. W. Speyer, art. « Geier », *RLAC* t. 9, col. 457.

10, 2. Et tamen... mater... metuere : après ces réflexions sarcastiques, retour au mythe de Sophia (*Et tamen...*) Au prix d'une légère correction (suppression de *et* devant *metuere*) on peut, semble-t-il, conserver la tradition manuscrite. La conjecture *matres* et la ponctuation qu'elle entraîne (« et tamen sine masculo matres ») aboutissent en fait à une reprise tautologique de « uultures feminas tantum aiunt ». *Metuere, haerere, curare* : inf. de narration, bien adaptés ici au récit : cf. *Cor.* 1, 2 : « Denique singuli designare, eludere

CONTRE LES VALENTINIENS

eminus, infrendere comminus » ; mais, naturellement, Tert.
a peu d'occasions d'y recourir (cf. Hoppe, *Beitr.*, p. 41.
— **insisteret** : = *instaret*, cf. *Marc.* IV, 39, 18 : *insistat* =
Luc 21, 34 : ἐπιστῇ (Vg : *superueniat*) ; *Res.* 24, 13 : *insistat*
= *II Thess.* 2, 2 : ἐνέστηκεν (Vg : *instet*) ; etc. *TLL* s. u.
col. 1925, 26 ; d'autre part, cf. Cic., *Diu.*, 1, 63 : « id ipsum
uident... instare mortem » ; Sén., *Luc.*, 70, 8 : « si certa
mors instabit ». *Finis* : sc. *feminae*. Passage invoqué à
tort par Massuet, *PL* 7, col. 233 pour défendre la dépendance de Tert. par rapport au *Vetus Interpres.* — **haerere de** : la constr. class. de ce vb. en ce sens est *in* +
abl. (Cic., *Fin.*, 1, 20 ; etc. *TLL* s. u. col. 2498, 61). —
curare de : cf. *Apol.* 31, 1 ; 39, 13 ; etc. Hoppe, *Synt.*,
p. 35 ; Tert. utilise aussi la constr. arch. et post-class.
+ dat. (*Apol.* 46, 7) ; dans la langue class. : *curare* + acc.
— **mutuaretur** : emploi passif du déponent trans., cf.
Nat. II, 4, 3 : « (uocabulum) de appellatione ueri dei mutua-
tum (esse) » ; Hoppe, *Synt.*, p. 62 ; P. Flobert, *Les verbes
déponents latins*, Paris 1975, p. 366 ; mais sens actif en
Apol. 45, 4 (*infra*). — **forma... exponendi** : la mythologie
abonde en récits d'enfants abandonnés et exposés pour
divers motifs (cf. P. Grimal, *Dict. Mythologie*, Index II,
p. 565 s. u. « Enfants-Exposé »), parfois repris par les tragiques, par ex. Eur., *Alopé* (trag. perdue) ; *Mélanippée
enchaînée*, *Mélanippée la Philosophe*, également perdues
(= Enn., *Melannipa*) ; pour la comédie, où l'intrigue repose
fréquemment sur un tel stratagème, cf. Pl., *Cist.*, 184-187 :
« Ei rei nunc suam / Operam usque assiduo seruus dat, si
possiet / Meretricem illam inuenire, quam olim tollere, / Cum
ipse exponebat, ex insidiis uiderat » ; Tér., *Heaut.*, 629-630 :
« (puellam) ei (= Corinthiae anui) dedi / Exponendam » ;
Hec., 400-401 : « Continuo exponetur ; hic tibi nihil est
quicquam incommodi, / Et illi miserae indigne factam
iniuriam contexeris » ; comme thème de déclamation, cf.
Sén. Rh., *Contr.*, 10, 4, 16 ; Ps. Quint., *Decl.*, 306. *Formam* :
TLL s. u. col. 1076, 23 mentionne cette occurrence sous la
rubrique : « modus et ratio qua res aliqua agitur (interdum
i. q. ritus, caerimonia) » ; sans doute vaut-il mieux retenir
le sens indiqué col. 1085, 17 : « exemplum quod ad imitandum

proponitur » ; cf. Quint., *Inst. or.*, 1, 6, 16 (*forma loquendi*) ;
Apol. 45, 4 : « leges... uestras... de diuina lege... formam
mutuatas (esse) » ; *Marc.* IV, 8, 5 : « ex forma iam prioris
exempli » ; *Idol.* 18, 5 : « ex forma dominica agere debebis » ;
etc. — **citra pudorem** : contrairement à l'interprétation
souvent proposée (entre autres par Hoppe, *Synt.*, p. 37
citra = « wider, gegen »), la préposition a ici son sens class.
« en deça de, sans aller jusqu'à, sans », comme en *Carn.* 25,
1 : « citra singularum... opinionum congressionem » ou
Idol. 13, 5 : « citra diei obseruationem ». En fait, Tert., qui
pense surtout aux intrigues de la comédie, feint d'ignorer
les exemples de grossesses « merveilleuses » et « innocentes » :
ainsi celle de Danaé (dont deux tragédies de Livius Andro-
nicus et de Naevius porte le nom), séduite par une pluie d'or
et dont l'enfant fut abandonné (avec sa mère) ; cf. P. Grimal,
op. laud., p. 571 s. u. « Naissance-Sans accouplement ». Quoi
qu'il en soit, le caractère sexuel du mythe de Sophia est
nettement plus accusé dans ce thème B que dans le thème A
précédent, cf. *supra*, 9, 2 s. u. *sine coniugis... societate.* — **in
male** : = *male* (Cic., *Inu.*, 1, 106 ; *Brut.*, 250 ; etc. Hoppe,
Synt., p. 100). — **deserebant** : = *deficiebant*, cf. *An.* 51, 3 ;
Pal. 2, 6. — **succidit** : = *cadit* (*supra*, 3, 3). — **propinquitas** : = *propinqui* (cf. *supra*, 1, 2 ; 4, 3). — **Causa mali
tanti** : le fait que chez Virgile ces mots s'appliquent à Lavinie
est sans doute une raison supplémentaire pour admettre
qu'ils désignent ici Sophia plutôt que Noûs-Monogène,
comme comprennent en général les traducteurs. Au demeurant, la « faute » de Sophia est librement assumée,
même si elle était prévue, les éons étant doués de libre
arbitre (cf. *supra*, 4, 2) ; le *Tract. Tripart.*, p. 75, 35, insiste
d'ailleurs sur le fait que Sophia est seule responsable de sa
chute. Au contraire, loin d'avoir provoqué la faute de
Sophia, Monogène souhaitait faire partager aux autres éons
la connaissance du mystère du Père et il en fut empêché
par Sigè (*supra*, 9, 1). Nous comprenons : la faute de Sophia
est telle et telles ses conséquences, qu'il ne faut pas moins
de l'intercession du Plérôme tout entier en sa faveur auprès
du Père ; si Monogène intervient tout particulièrement,
c'est qu'étant, à tous égards, plus proche du Père, il sera un

intercesseur plus efficace. Sur cette citation littérale, cf.
C. Weyman, *Berliner Philolog. Wochenschr.* 28 (1908),
col. 1014-1015 ; toutefois, à signaler le changement de cas :
causā, apposition à *pro ea* (chez Virgile *causa* est au nominatif).
Autre réminiscence virgilienne en contexte antivalentinien,
à propos des trente éons du Plérôme, *Marc.* I, 5, 11 : « triginta
aeonum fetus » = *Én.*, 8, 43-44 : « ... sub ilicibus sus / triginta
capitum fetus enixa iacebit » ; cf. R. Braun, « Tertullien et
les poètes latins », p. 23, *AFLNice* 2 (1967), p. 21-33. —
exitus : cf. *supra*, 10, 1.

10, 3. operantur : sur ce vb., ici employé absolument,
cf. Braun, p. 382 s. — **peruenit** : cf. *infra*, 16, 3. Pour
l'établissement du texte cf. « Valentiniana », p. 60. Tert.
s'écarte ici légèrement d'Irén., I, 2, 3 : πρώτην ἀρχὴν ἐσχηκέναι
τὴν οὐσίαν τῆς ὕλης, ἐκ τῆς ἀγνοίας καὶ τῆς λύπης καὶ τοῦ φόβου
καὶ τῆς ἐκπλήξεως. Cf. *infra*, 15. — **in haec** : Irén., I, 2, 4 :
ἐπὶ τούτοις. — **promit** : = *emit*, cf. *supra*, 3, 3 ; Irén., I, 2,
4 : προβάλλεται, cf. *supra*, 7, 5. Le « thème A » (*supra*, 9, 3)
n'expliquait pas l'origine de l'éon Horos. — **feminam
marem** : cf. Irén., I, 2, 4 : «πατήρ... Ὅρον... προβάλλεται ἐν
εἰκόνι ἰδίᾳ ἀσύζυγον ἀθήλυντον» (*Vet. Interpr.* : «Pater... Horon...
praemittit in imagine sua, sine coniuge masculo-femina »)
Sagnard traduit p. 349 : « Le Père émit Limite... à sa propre
image : sans conjoint (ἀσύζυγον, *sine coniuge*), sans femme
(ἀθήλυντον, lat. *masculo-feminam*) ». Du rapprochement de
ces textes on a déduit des conclusions divergentes sur la
dépendance éventuelle de Tert. par rapport à la vieille
traduction latine (cf. *infra*, p. 368) : pour Hort, à la
suite de Massuet (W. Sanday-C. H. Turner-A. Souter
Nouum Testamentum s. Irenaei..., Oxford 1923, p. xii)
Tert. en écrivant *feminam marem* a reproduit la traduction *masculo-feminam* du *Vet. Interpr.* qui lui-même soit
s'est mépris sur le sens de ἀθήλυντον, soit avait sous les
yeux un texte portant ἀρρενόθηλυν ; au contraire, pour
F. C. Burkitt, *JTS* 1923, p. 66, *masculofemina* du *Vet.
Interpr.* et *femina mas* de Tert. n'ont pas le même sens ; par
ce mot hybride Tert. traduit à la fois ἀσύζυγον et ἀθήλυντον
et sa traduction montrerait qu'il ne disposait pas de cell

du *Vet. Interpr.* (*sine coniuge masculofemina* ou *-minam*).
En réalité, il est vraisemblable que l'original grec comportait
ἀρρενόθηλυν. En effet, sur la nature de Bythos, on discerne
chez les valentiniens deux traditions, dont la seconde présente elle-même deux variantes : d'une part, celle qui considère que Bythos a une « compagne » (Sigè), d'autre part celle
qui considère qu'il est seul (cf. Hippol., *Philos.*, VI, 29, 3-4) ;
mais sa « solitude » peut être conçue de deux façons : soit on
admet que Bythos est « asexué », au-dessus de la distinction
mâle-femelle, soit on considère qu'il réunit les deux sexes,
qu'il est hermaphrodite. Irén., I, 11, 5 (cf. *infra*, 34) rapporte ces trois opinions : οἱ μὲν γὰρ αὐτὸν ἄζυγον λέγουσι,
μήτε ἄρρενα μήτε θήλειαν, μήτε ὅλως ὄντα τι. Ἄλλοι δὲ ἀρρενόθηλυν αὐτὸν λέγουσιν εἶναι, ἑρμαφροδίτου φύσιν αὐτῷ περι-
άπτοντες. Σιγὴν δὲ πάλιν ἄλλοι συνευνέτιν αὐτῷ προσάπτουσιν,
ἵνα γένηται πρώτη συζυγία.

Or la suite d'Irén., I, 2, 4 (τὸν γὰρ πατέρα ποτὲ μὲν μετὰ
συζυγίας τῆς Σιγῆς, ποτὲ δὲ καὶ ὑπὲρ ἄρρεν καὶ ὑπὲρ θῆλυ εἶναι
θέλουσιν) permet de reconstituer ces trois conceptions. Il y a
d'une part ceux qui imaginent Bythos sans compagne (ἀσύζυ-
γος), androgyne (ἀρρενόθηλυς) ; d'autre part ceux qui veulent
qu'il forme un couple (μετὰ συζυγίας) avec Sigè ; enfin ceux
qui le situent au-dessus de toute différenciation sexuelle (μήτε
ἄρρεν μήτε θῆλυ, ὑπὲρ ἄρρεν ὑπὲρ θῆλυ), et qui par conséquent,
comme les premiers cités, le voient sans compagne. D'autre
part, outre le fait que ἀθήλυντον après ἀσυζύγον ne pourrait
être ici qu'une tautologie, il n'y a pas d'autre occurrence
de cet adjectif chez Irénée. Quant au *Vetus Interpres* il traduit régulièrement ἀρρενόθηλυς par *masculofemina* (I, 1, 1 ; I,
21, 5 ; I, 30, 3) ou par *masculofemineus* (I, 18, 2) : on peut
penser qu'il eût choisi un autre vocable pour rendre ἀθήλυντος.
Enfin, paléographiquement, comme le reconnaît lui-même
Hort, *art. cit.*, le passage de ἀρρηνόθηλυν à ἀθήλυντον est
aisément explicable. Pour ce qui est du texte de Tert. (qui
donc ne fournit aucun élément en faveur de sa dépendance
à l'égard du *Vetus Interpres*), ἀσύζυγον n'a pas été traduit,
sans doute parce qu'il paraissait faire double emploi avec
ἀρρηνόθηλυν. Pour expliquer *femina mas* on est tenté en
général de considérer *femina* ou *mas* comme des substantifs

à valeur adjective (cf. *supra*, 4, 4 ; 10, 1 ; Waszink, p. 421 ;
TLL s. u. « femina », col. 462, 1)) ; peut-être serait-il plus
juste d'y voir un composé par juxtaposition : cf. *Carn.* 13,
4 : *anima caro*, et 13, 6 : *caro anima* (cf. Mahé, *SC* 217,
p. 383), à côté de *Carn.* 13, 5-6 : *carnea anima* et *caro animalis* ;
Pud. 21, 17 : *ecclesia spiritus, ecclesia numerus* (*supra*, 4, 4).
— **quia... uariant** : Tert. se borne à résumer Irén., I, 2, 4
(cf. *supra* l'opinion des valentiniens qui donnent une compagne à Bythos et de ceux qui le placent au-dessus de toute
sexualité). La remarque est toutefois peu claire pour le
lecteur qui aura retenu de *supra*, 7, 5 que Bythos possède
en Sigè une compagne avec laquelle il forme une syzygie, d'un
type particulier, mais une syzygie tout de même, alors que
l'éon Horos est présenté comme étant seul, sans compagne,
offrant donc de Bythos une « image » en contradiction avec
ce qui a été dit en 7, 5. Cf. *infra*, 34.

Adiciunt... : retour au thème A, après la « variante » du
thème B (10, 1-4). — **Circumductorem** : hapax (cf. *TLL*
s. u. col. 1135, 44). Le mot se trouvait-il dans le texte (et
Metagogeus dans l'interligne), comme peut-être *supra*, 9,
(Animatio-Enthymesis) ? ou bien dans la marge ? Cf. *supra*
6, 2. — **10**, 4. **praedicant** : cf. *supra*, 1, 1. — **repressam..
purgatam... confirmatam... restitutam** : après avoir
été « persuadée » (*supra*, 9, 4), Sophia est maintenant guérie
si *repressam* n'a pas d'équivalent dans Irén., I, 2, 4, en
revanche *purgatam* = κεκαθάρθαι, *confirmatam* = ἐστηρίχθαι
restitutam = ἀποκατασταθῆναι. Cf. Sagnard p. 644 s. u. καθαίρω
et p. 654 s. u. στηρίζω. — **censu** : si souvent chez Tert. *censu*
= *origo, natura* (cf. *supra*, 7, 3), il arrive comme ici que le mot
conserve métaphoriquement, et très atténuée, sa couleur
institutionnelle (*infra*, 29, 3 ; 33, 2 ; *Nat.* II, 1, 10 ; II, 12, 3
Marc. II, 10, 5) ; cf. *TLL* s. u. col. 808, 47. — **Enthymesin**
la séparation et l'expulsion d'Enthymésis constituent la
« purification » de Sophia, cf. Sagnard, p. 262. — **adpen
dicem** : Irén., I, 2, 4 : σὺν τῷ ἐπιγενομένῳ πάθει (*Vet.
Interpr.* : « cum appendice passione »)) ; cf. *supra*, 9, 4
« cum passione quae insuper acciderat » = Irén., I, 2, 2
σὺν τῷ ἐπιγενομένῳ πάθει (*Vet. Interpr.* : « cum ea qua

acciderat passione »). Introduit dans la langue avec une
acception très concrète (« portions de champs rattachées
à d'autres », cf. Var., *Rust.*, 1, 16, 1 ; 3, 9, 2), exceptionnellement en contexte anthropologique (Cic., *Hort.*, Ruch 86
= Non. 42, 7) : « adpendicem animi esse corpus ») ou affecté
à des personnes (T.-Liv., 21, 5, 11 : « Carpetanorum cum
adpendicibus Olcadum Vaccaeorumque »), *adpendix* est
un terme relativement fréquent chez Tert. (5 occurrences,
dont 3 en contexte psychologique ou moral : ici et *Marc.* I,
25, 2 : « ceteris adpendicibus sensibus et adfectibus » ; *Iei.* 17,
3 : « Adpendices... gulae lasciuia atque luxuria » ; dans les
2 autres, avec un sens plus neutre : *Res.* 8, 4 : « ieiunia et
seras et aridas escas et adpendices huius officii sordes » ;
An. 55, 4 : « prophetae adpendices dominicae resurrectionis »).
Plus que le choix d'*adpendix* par Tert., ce qui a frappé les
commentateurs, c'est, naturellement la double convergence
entre lui et le *Vet. Interpr.* ici et *supra*, 9, 4, convergence
d'autant plus surprenante ici que *adpendix* ne paraît
pas l'équivalent le plus immédiatement attendu (comme
synonyme d'ἐπιγενόμενος les glossateurs anciens donnent
superueniens, futurus, cf. *Glossae Graeco-latinae* éd. Gœtz-
Gundermann, t. 2, p. 307 ; t. 7, p. 521). Plusieurs hypothèses
ont été avancées, que nous résumons brièvement dans ce
qui nous paraît être l'ordre croissant de leur vraisemblance :
1. Certains (Massuet, *PL* 7, col. 234 ; d'Alès, *RecSR* 6 [1916]
p. 135 ; etc.) voient dans *Val.* 10, 4 *adpendicem passionem*
un élément déterminant en faveur de la dépendance de
Tert. par rapport à l'ancienne version lat. 2. Pour F. C.
Burkitt, *JTS* 1923, p. 66-67, *adpendix* est un terme médical,
comme on en rencontre plusieurs sous la plume du *Vet. Interpr.* et qu'il rapproche de Cael. Aur., *Chron.*, 2, 8, 114 : « de
iis tussiculis quae aliarum fuerint adpendices passionum » :
cette convergence avec le médecin africain du Ve s. (?),
ajoutée à d'autres, signalées par A. Souter, *Nouum Testamentum s. Irenaei...*, Oxford 1923, p. xcv-xcvi, tendrait
à prouver la date tardive de la version latine. 3. Partisan
lui aussi d'une datation tardive pour cette version, H. Jordan
« Das Alter und die Herkunft der latein. Uebersetzung
des... Irenaeus », *Theol. Studien, Th. Zahn... dargebracht,*

Leipzig 1908, p. 158, estime que le *Vet. Interpr.* a emprunté
cette traduction à Tert. 4. L'hypothèse de Hort, *Nouum
Testamentum s. Irenaei*, p. xlii-xliii, a le mérite d'expliquer
la double coïncidence signalée plus haut entre Tert. et le
Vet. Interpr. en *Val.* 9, 4 et 10, 4. Pour Hort, il n'y aurait
rien de vraiment surprenant à ce que Tert. eût rendu ἐπιγινόμενον πάθος (expression attestée dans le vocabulaire
stoïcien) par *adpendix passio* : la traduction serait recherchée,
mais adéquate, surtout si l'on tient compte de la faveur
qu'a ce terme chez lui dans son acception morale et psychologique (*adpendix* serait mis pour *accidens* = ἐπιγινόμενον,
cf. *supra*, 9, 4). Mais cette éventualité ne saurait expliquer
ni l'occurrence du terme sous la plume du *Vet. Interpr.* dont
le littéralisme est bien connu, ni la convergence entre lui
et Tert. En effet, en admettant que le *Vet. Interpr.* ait eu
en main *Val.*, pourquoi se serait-il départi ici, et ici seulement
ou presque, de ses habitudes ? d'autre part, si l'on suppose
qu'il est antérieur à Tert., on n'imagine guère qu'il ait
spontanément recouru à une telle traduction. Il y a d'ailleurs
d'autres termes techniques stoïciens, appliqués justement
aux passions, comme ἐπόμενον, προσαρτήμα, ou προσηρτημένον,
dont *adpendix* pourrait être considéré comme l'équivalent normal. En conclusion, pour Hort, ἐπιγινόμενον et
adpendix sont synonymes ; mais si *adpendix* = ἐπιγινόμενον
chez Tert. est concevable, cette traduction est impensable
sous la plume du *Vet. Interpr.* qui, lui, a dû lire ἐπαρτωμένῳ.
Pour notre part, nous serions tenté de penser, non pas,
comme Hort, que Tert. et le *Vet. Interpr.* ont disposé de
deux textes différents, l'un portant ἐπιγινομένῳ (celui que
Tert. aurait eu sous les yeux), l'autre ayant ἐπαρτωμένῳ
(celui dont disposait le *Vet. Interpr.*), mais que tous deux,
indépendamment l'un de l'autre, ont lu ἐπαρτωμένῳ. En
effet d'autres exemples (cf. *infra* : *crucifixam*) d'accords
entre Tert. et le *Vet. Interpr.* contre Irénée grec permettent
de penser qu'ils ont connu une tradition différente de celle
qu'a eue Épiphane : c'est en tout cas l'hypothèse la plus
économique. Cf. *infra*, p. 368. — **crucifixam** : Irén., I, 2, 4 :
ἀποσταυρωθῆναι d'après Tert. et *Vet. Interpr.* (*crucifixam*) ;
ἀποστερηθῆναι mss. Cf. Sagnard, p. 248, qui, citant *Gal.* 5, 24

(οἱ δὲ τοῦ Χριστοῦ... τὴν σάρκα ἐσταύρωσαν σὺν τοῖς παθήμασιν
καὶ ταῖς ἐπιθυμίαις), interprète ce passage comme un cas
d'« exemplarisme inversé » appliqué à la « crucifixion »
d'Enthymésis. Si les fonctions de Limite (Horos sépare et
délimite) et de Croix (Horos consolide, affermit, confirme)
se recouvrent, c'est grâce à des superpositions métaphoriques
de ce type. — **extra eum** : = *extra censum pleromatis.*
Extra... factam : = Irén., I, 2, 4 : ἐκτὸς αὐτοῦ γενομένην.
Cf. *Marc.* V, 17, 12 = *Ephés.* 2, 13 : « At nunc... in Christo
uos, qui eratis longe, facti estis prope in sanguine eius » ;
Pud. 9, 15 : « longe a Domino... factus [iac- *Oehler*] » ; Löfstedt, *Spr. Tert.*, p. 94 s. — **10, 5. malum... foras** : aparté
sarcastique au milieu d'une phrase narrative (cf. *supra*, 9,
2 ; *infra*, 11, 2 ; etc.). Expression proverbiale rapprochée
par A. Otto, *Sprichwörter der Römer*, p. 208 n° 1026, du
mot rapporté par Diog. Laer., 6, 50 : μηδὲν κακὸν εἰσίτω ;
mais cf. *Marc.* V, 7, 2 = *I Cor.* 5, 2.13 : « auferri, iubens,
malum de medio » (= *Deut.* 13, 6 ; 17, 7 ; 22, 24) ; *Pud.* 19,
9 = *Apoc.* 22, 15 : « Canes uenefici, fornicator, homicida
foras » ; d'autre part, *CIL* IV, 4278 : « fures foras frugi
intro ». — **spiritalem... substantiam** : Irén., I, 2, 4 :
πνευματικὴν οὐσίαν ; il s'agit d'Enthymésis, non de la
« passion » qui l'accompagne et qui donnera la substance
des éléments matériels. — **impetum** : Irén., I, 2, 4 : ὁρμήν.
Vocabulaire stoïcien, comme est d'origine stoïcienne cette
distinction entre une ὁρμὴ φυσική et une ὁρμὴ πλεονάζουσα
ou πάθος, qui est « passion », « maladie » ; cf. G. Quispel,
« Philo und altchristliche Häresie », *ThZ* 5 (1949), p. 429-
436. — **informem et inspeciatam** : Irén., I, 2, 4 : ἄμορφον
δὲ καὶ ἀνείδεον (οὐσίαν) ; I, 4, 1 : ἄμορφος καὶ ἀνείδεος ὥσπερ
ἔκτρωμα ; Hippol., *Philos.*, VI, 30, 8 : οὐσίαν ἄμορφον καὶ ἀκα-
τασκεύαστον ; VI, 31, 2 : ἔκτρωμα. Enthymésis est encore
informis, faute de posséder une organisation interne, elle
est *inspeciata*, faute d'avoir la beauté et la perfection de
l'être ; cf. *infra*, 14, 1 : « nec forma nec facies ulla ». Les
gnostiques appliquaient à Enthymésis, fruit de la « passion »
de Sophia, l'« annonce » de la passion du Christ par *Is.* 53,
2 : « οὐκ εἶχεν εἶδος οὐδὲ καλλός. » ; cf. Moingt, II, p. 484.
Cf. d'autre part Orbe, *Est. Val.*, IV, p. 313 s. ; *Herm.* 40, 2 :

« Quid hodie informe in mundo, quid retro speciatum in materia, ut speculum sit mundus materiae ? » Stob., *Ecl.*, 1, 10, 16 (*Dox. Graec.*, p. 275) ; ὕλη ἄμορφος καὶ ἀνείδεος ; etc. *Inspeciatus* : hapax (cf. *TLL* s. u. col. 1943, 13). — **nihil** : rien de mâle, de pléromatique ; la substance spirituelle, « pneumatique » (Pneuma = Rouah, qui est féminin) est du féminin, et Enthymésis est une femme issue d'une femme (Sophia) ; de même chaque spirituel valentinien est enfant de la Femme ; au contraire, le Père comme le Plérôme sont du masculin ; à la fin des temps, chaque valentinien (substance femelle) sera uni à son ange du Plérôme (substance mâle). — **fructum infirmum** : par opposition à ce que sera l'éon Jésus, « fruit parfait » du Plérôme (*infra*, 12, 4). Pour qualifier *fructus*, l'adj. *infirmus* n'est guère habituel dans la langue (seule *iunctura* signalée par *TLL* s. u. « fructus », col. 1397, 67). — **feminam** : en fonction adjective, cf. *supra*, 10, 1 et 3.

d. Émission des éons Christ et Esprit-Saint (chap. XI).

Pour affermir et consolider définitivement le Plérôme, Monogène procède à l'émission d'un nouveau couple Christ et Esprit-Saint : couple infâme puisqu'il réunit deux éons de sexe masculin (§ 1). Admettre qu'Esprit-Saint est féminin ne heurte pas moins la nature, car celui-ci se voit assigner la même fonction que son « compagnon » masculin, Christ, une fonction d'harmonisation au sein du Plérôme et d'enseignement — conception qui est du reste à l'origine d'une scission à l'intérieur du valentinianisme. Le rôle de Christ est d'enseigner aux éons la nature de leurs unions et la fonction révélatrice de Monogène (§ 2). Ce dernier point n'appelle pas de remarque particulière ; en revanche, comment croire que l'incompréhensibilité du Père puisse être cause de la permanence éternelle des éons, tandis que sa compréhensibilité serait celle de leur naissance et de leur formation ? (§ 3-4). Quant à Esprit-Saint, sa mission consiste à apprendre aux éons à rendre grâce au Père et à goûter le véritable repos (§ 4).

11, 1. extorrem : ironique, contraste avec l'expression technique d'Irén., I, 2, 5 : μετὰ τὸ ἀφορισθῆναι. — **coniugi reducem** : cf. *supra*, 10, 4 : *coniugio restitutam. Extorrem, reducem*, équivalents de subst. verbaux (par imitation de la construction participiale = *post eiectam Enthymesin et post Sophiam reductam*), cf. Hor., *Od.*, 1, 37, 12 : *una sospes nauis* ; Tac., *An.*, 1, 36, 2 : *gnarus hostis* ; L. H. S., p. 393. — **ille iterum** : allusion sarcastique à l'activité de Monogène (*supra*, 9, 1 ; 10, 3), encore soulignée par la reprise de *ille* devant ses deux noms (*supra*, 10, 3 : *Monogenes Nus*). — **de patris... prospectu** : Irén., I, 2, 5 κατὰ προμήθειαν τοῦ Πατρός ; cf. *supra*, 9, 1 : *de patris nutu*. D'autre part, *Spec.* 1, 5 : « consilio potius et humano prospectu, non diuino praescripto ». — **solidandis... figendo** : dat. final de l'adj. vb., construit de façon autonome et substitué à *ad* + gérond. ou *ut* + subj. : tour de la syntaxe impériale, fréquent chez Tert., cf. *supra*, 8, 1 ; *infra*, 16, 1 ; 32, 4 ; Hoppe, *Synt.*, p. 55. Irén., I, 2, 5 : εἰς πῆξιν καὶ στηριγμὸν τοῦ Πληρώματος. — **concussio** : apparaît chez Sén., *Nat.*, 6, 25, 4 au sens de « tremblement de terre » (cf. *Marc.* IV, 39, 10) ; Tert. est le premier à lui donner la valeur métaphorique de *perturbatio* (*Apol.* 7, 3 ; *An.* 10, 1 ; etc.) ; cf. *TLL* s. u. col. 117, 39. — **excludit** : « faire éclore », dans la langue des volaillers (cf. Lucr., *De rer. nat.*, 5, 801-802 : « Principio genus alituum uariaeque uolucres / Qua relinquebant exclusae tempore uerno » ; Quint., *Inst. or.*, 2, 16, 16 ; *TLL* s. u. col. 1271, 83) ; associations de sens et confusions graphiques fréquentes avec *excudo* (cf. *infra*, 36, 1 ; *TLL* s. u. col. 1290, 68) et *excutio* ; cf. B. Rehm, *Glotta* 26 (1936) p. 266 s. ; A. Ernout, *Latomus* 5 (1946), p. 265-266. — **copulationem** : assez rare ; employé par Cicéron (réunion d'hommes ou assemblage de choses), Quintilien (sens grammatical), Apulée (sens philosophique : *Socr.*, 152 : « corpus atque animum... quorum communio et copulatio sumus ») ; ici comme équivalent de συζυγία (*coniugium*) avec sans doute une intention satirique ; ce terme ne reparaît pas ailleurs sous la plume de Tert. (cf. *TLL* s. u. col. 919, 20). — **putem** : cette 1re pers. du subj. en incise est, semble-t-il, exceptionnelle (la remarque vaudrait également pour *cre-*

dam) ; peut-être *Res*. 47, 17, fournit-il un autre exemple (si toutefois *putem* n'y dépend pas de *ut*) : «Age nunc, quod ad Thessalonicienses ut ipsius solis radio putem scriptum... » — **masculorum** : cf. *infra*, 11, 2.

11, 2. femina... Spiritus Sanctus : Tert. ignore que l'hébr. rūah («esprit ») est du féminin, comme il ignore le sens du nom donné à Enthymésis, Achamoth (= hébr. hokhmōth, « sagesse »), cf. *infra*, 14, 1. En fait Tert. ne connaissait de l'hébreu que quelques mots courants, quelques noms (mais il ne paraît pas savoir qu'Isaac signifie « rire », cf. Fredouille, p. 150, n. 25) ; cf. sur ce point les conclusions de C. Aziza, *Tertullien et le judaïsme*, Paris 1977, p. 216, qui, trop prudemment, semble-t-il, hésite à repousser catégoriquement l'hypothèse selon laquelle Tert. aurait pu connaître l'hébreu. Sans vouloir tirer de ces « ignorances » des conclusions qu'elles n'autorisent certainement pas, on peut toutefois penser qu'elles ne devaient guère favoriser, à tout le moins, de véritables discussions exégétiques et textuelles avec les rabbins de Carthage. — **erit** : cf. *supra*, 3, 2. — **uulneratur** : sans doute au sens érotique ; cf. avec un vb. de sens voisin, *Pal*. 4, 4 : «pugil Cleomachus... cum incredibili mutatu de masculo fluxisset, intra cutem caesus et ultra... ». La suite explique ce sarcasme (*munus enim... unum*) : si l'on peut assigner aux deux éons (dans l'éventualité où ils seraient de sexe différent) la même mission, c'est qu'ils sont en mesure d'accomplir, à tous égards, les mêmes fonctions. — **concinnationem** : première attestation de ce vocable qui rend ici l'idée de καταρτισθῆναι (Irén., I, 2, 5). — **officium** : cf. *Praes*. 28, 5 : «Spiritus Sanctus... neglexerit officium » ; cf. *supra*, 7, 6. — **scholae** : seul passage où Tert. applique ce terme aux hérétiques ; ailleurs il désigne naturellement l'école du grammairien, du rhéteur, etc. (*Test* 1, 6 ; *Idol*. 10, 3. 7 ; *supra*, 8, 3), les écoles ou les sectes philosophiques (*Apol*. 46, 10 ; *Praes*. 7, 4 ; etc.), mais aussi le christianisme (*Scorp*. 9, 1 ; 12, 1) ; métaphoriquement : *Pal*. 4, 2 et sans doute *Apol*. 35, 6. — **cathedrae** : seul passage également où le mot se rapporte aux hérésies ; ailleurs il est employé soit au sens propre (« siège ») : *Spec*. 3,

6 ; *Orat.* 16, 4 ; soit en citation scripturaire : *Ps.* 1, 1 (*in cathedra pestilentiae*) : *Spec.* 27, 4 ; *Marc.* II, 19, 2 ; IV, 42, 8 ; *Pud.* 18, 4 ; ou *Matth.* 23, 2 (*super cathedram Moysi*) : *Mon.* 8, 7 (*bis*) ; pour *Praes.* 36, 1 : *cathedrae apostolorum* (sens matériel, selon Refoulé, *SC* 46, p. 137, n. 1 ou symbolique, selon M. Maccarrone, «Apostolicità, episcopato e primato di Pietro», *Lateranum* 42 [1976], p. 104 ?). — **inauguratio**: néologisme, dont il n'y a que deux autres attestations (Serv. *auct. Aen.*, 4, 262 ; P. Fest. p. 343, 10), cf. *TLL* s. u. col. 839, 22. *Quaedam*, pour atténuer ou excuser le néologisme. — **diuidendae doctrinae** : pour le vb. cf. *supra*, 4, 4. Renseignement précieux qui nous éclaire sur la séparation du valentinianisme en deux branches, l'une orientale, l'autre occidentale (cf. *supra*, 4, 3 et p. 39 s.). Si pour Ptolémée (école italique) Christ et Esprit-Saint participent à la même mission, c'est naturellement parce qu'ils ont été émis ensemble dans ce dessein. Au contraire, Théodote (école orientale) enseignait que Christ était issu de Sophia, après son exclusion du Plérôme, et qu'après avoir abandonné Sophia il était remonté au Plérôme, où il priait les éons pour elle (cf. *Extr. Théod.*, 23, 2 ; 32, 2-3 ; 33, 3 ; 39) ; quant à Esprit-Saint, toujours pour l'école orientale, identifié à Sophia (cf. Hippol., *Philos.*, VI, 35, 7), il fournit sa substance spirituelle («pneumatique») au Sauveur engendré en passant par Marie (*ibid.*, 35, 4). Cette école orientale était donc en accord avec l'enseignement de Valentin, tel qu'il est résumé par Irén., I, 11, 1 : Christ fut émis par la Mère, exclue du Plérôme, en vertu du souvenir qu'elle conservait des meilleures choses, non sans honte ; Esprit-Saint, par la Vérité (trad. lat. ; par Église, gr.) pour examiner et faire fructifier les éons (Cf. *Évang. Vérité*, p. 26, 26 - 27, 7, où Esprit-Saint est présenté comme émanant de la Vérité) ; cf. H.-Ch. Puech-G. Quispel, *VChr* 8 (1954), p. 30-31. — **inducere** : construit avec double acc. (= *docere*), cf. *infra*, 11, 4 ; *An.* 9, 7, Waszink, p. 175-176 ; *TLL* s. u. col. 1237, 14. — **coniugiorum** : cf. *supra*, 3, 4. — **uides... plane** : cf. *supra*, 10, 5. — **innati** : Irén., I, 2, 5 : ἀγεννήτου ; cf. *supra*, 7, 3, la définition de Bythos, mais ici substantivation de l'adj. — **coniectationem** : apparaît chez Plin., *Nat.*, 2, 22, avec

un sens analogue et une valeur satirique comparable :
« Inuenit... medium sibi ipsa mortalitas numen quo minus
etiam plana de deo coniectatio esset » ; cette valeur péjorative n'est pas rare, cf. *ibid.*, 2, 162 ; Aul.-Gel., *Nuits*, 14,
1, 33 ; pour Tert., *An.* 46, 3, (*imbecillitatem coniectationis
incusant*), qui est la seconde occurrence de ce vocable dans
son œuvre. Cf. *TLL* s. u. col. 311, 55. — **idoneos** : également
+ gén. gérond. *Res.* 14, 3 ; *Pud.* 20, 1 ; mais + dat. gérond.
infra, 25, 2 ; *Res.* 36, 2. — **generandi** : cf. « Valentiniana »,
p. 60. — **agnitionem** : Irén., I, 2, 5 : ἐπίγνωσιν. Terme
de la langue impériale (une seule attestation chez Cic., *De
nat. deor.*, 1, 1) et surtout chrétienne (= ἐπίγνωσις). —
quod... sit : extension du subj. à un tour qui normalement
ne le comporte pas, sans doute sous l'influence des constr.
du type *dico, scio.* etc. + subj., cf. *infra*, 28, 1 ; Hoppe,
Synt., p. 75. *Est* + inf. = ἔστιν, ἔξεστιν (Irén., I, 2, 5 :
οὐκ ἔστιν οὔτε ἰδεῖν οὔτε ἀκοῦσαι αὐτόν), cf. *supra*, 1, 3 ;
infra, 17, 1 ; Hoppe, *Synt.*, p. 47. — **capere... neque comprehendere** : Irén., I, 2, 5 : ἀχώρητος... καὶ ἀκατάληπτος.
Supra, 7, 3, Tert. a rendu l'idée d'infinitude (ἀχώρητος)
par *inmensus, infinitus* (Braun, p. 52) ; d'autre part, pour
l'idée d'incognoscibilité (ἀκατάληπτος), il a utilisé (*supra*, 7,
6 ; 9, 1) *incomprehensibilis* (cf. Braun, p. 52). Le tour ici
choisi est déjà dans Cic., *Luc.*, 18. — **non uisu... non auditu** : cf. Irén., I, 2, 5 (*supra*). Insaisissable par l'esprit,
la divinité suprême l'est également par les sens : cf. *supra*, 7,
3 : *inuisibilem* (Braun, p. 53). *Inaudibilis* est absent du
lexique de Tert. Sur cette activité de l'éon Christ, cf. Orbe,
Est. Val. III, p. 141 s. — **compotiri** : néologisme (sur
potior, -iri), attesté ensuite chez Paul N. + acc. (deux
occurrences), cf. Flobert, *Verbes déponents latins*, p. 153.

11, 3. **tolerabo quod** : au lieu de la prop. inf. attestée
en poésie depuis Ennius, en prose depuis Salluste (L. H. S.,
p. 356) ; pour le développement de *quod* complétif chez
Tert. (le plus souvent + subj., cf. *supra*, § 2), cf. Hoppe,
Synt., p. 75. — **ne nos...** : pour le maintien du texte des
mss, cf. « Valentiniana », p. 60-61. Tert. souligne donc une
analogie extérieure entre valentinianisme et orthodoxie

sur le rôle médiateur du Fils (cf. entre autres textes : *Apol.*
21, 28 : « Dicimus et palam dicimus et uobis torquentibus
lacerati et cruentati uociferamur : ' Deum colimus per
Christum '. Illum hominem putate, per eum se cognosci et
coli Deus uoluit » ; cf. J. Stier, *Die Gottes- und Logos-Lehre
Tertullians*, Göttingen 1899) avant d'ironiser sur le contenu
de l'enseignement donné aux éons par ce Christ. Sur le
dédoublement Christ-Fils Unique (Monogène) pratiqué par
les « multiformis Christi argumentatores », cf. *Carn.* 24 ;
Prax. 27-28. — **Magis** = *potius* (déjà chez Catulle et
Cicéron), cf. *Apol.* 9, 12 ; 14, 1 ; 24, 4 ; etc. Hoppe, *Beitr.*,
p. 84 ; L. H. S., p. 497. — **quod docebantur** : cf. *supra*,
§ 2 (*quod* + subj.) — **incomprehensibile** : première attestation de cet adj. neutre avec valeur de subst. (cf. *TLL*
s. u. col. 996, 43) ; en revanche, dans cet emploi *comprehensibile* se lit peut-être chez Cic., *Ac.*, 1, 41 (cf. *TLL* s. u.
col. 2154, 78) ; les deux sont réunis en *Apol.* 48, 11 : « ut
omnia aemulis substantiis sub unitate constarent, ex uacuo
et solido, ex animali et inanimali, ex comprehensibili et
incomprehensibili, ex luce et tenebris, etc. ». Cf. Irén., I,
2, 5 : τὸ ἀκατάληπτον... τοῦ πατρός. — **perpetuitatis** :
rend Irén., I, 2, 5 : τῆς αἰωνίου διαμονῆς. Ce sens de « durée
permanente, éternité » est virtuellement contenu dans
l'expression class. *ad perpetuitatem*, « pour toujours ». La
« comprehensibilité » (*comprehensibile*) du Père est le Fils
(cf. *infra*, § 4) : cette fonction de Fils-Monogène-Noûs est
à rapprocher de celle qui est dévolue à Logos-Verbe (et Vie),
supra, 7, 7. Pour l'interprétation de ce passage, cf. Sagnard,
p. 312, qui le rapproche du commentaire du Prologue johannique de Ptolémée tel qu'il est rapporté par Irén., I, 8, 5 ;
cf. aussi Orbe, *Est. Val.* II, p. 51 s. Cf. *supra*, 7, 7, s. u.
« formatio ». — **dispositione** : sens neutre et général,
éclairé ici par le contexte (*doctrinae, quod docebantur*) : au
sens d' « arrangement », de « disposition » (que le mot a en
particulier dans la rhétorique) s'ajoute l'idée plus active
de « conception, élaboration » : cf. *Nat.* II, 9, 1 (où le mot
désigne la théologie tripartite de Varron) ; *Herm.* 14, 4
(la classification, la doctrine d'Hermogène) ; etc. *Supra*, 1,
3. — **insinuatur** : cf. *Marc.* I, 19, 5 ; *Mon.* 8, 7. Sens méta-

phorique et construction non attestés antérieurement à
Tert. (cf. *TLL* s. u. col. 1916, 81 ; 1917, 56). — **adprehendi,
inadprehensibile, adprehensibile** : sans différence de
sens avec *comprehendi, -ensibile, incomprehensibile* (cf.
supra, § 2). — **natiuitatis** : propriété de ce qui est soumis
aux lois biologiques (et terrestres) de la naissance (cf. *supra* :
generatio) ; cf. Braun, p. 319. — **egentium perpetuitatis** :
par opposition aux « origines éternelles » du Fils et de l'Esprit
dans la théologie trinitaire, cf. Moingt, III, p. 1015 s.

11, 4. Filium : Noûs-Monogène, qui assure (par l'intermédiaire de Logos-Verbe, qui procède de lui) aux éons la « formation » selon la substance, puisqu'il est cause de leur individuation ; quant au Christ (qui procède également du Fils =
Noûs-Monogène), il est chargé de leur donner la « formation »
selon la « gnose », c'est-à-dire la saisie du Père, qui ne peut se
faire que par le Fils (cf. Sagnard, p. 401). — **adprehendatur** :
reprise ironique pour souligner d'une part le pouvoir limité
de médiation attribué au Fils-Monogène, puisqu'il a besoin
pour cela du Christ, d'autre part l'incapacité des éons à
« saisir » par eux-mêmes non seulement le Père, mais encore
ce qu'il y a de « saisissable » en lui, c'est-à-dire le Fils. —
edocuit : cf. *supra*, 1, 4. — **propria** : pour séduisante que
soit la correction de Kroymann (*prouincia* ; cf. *supra*, § 2 :
munus), elle ne s'impose sans doute pas, d'autant que :
d'une part, Tert. emploi presque toujours *prouincia* au sens
concret de « territoire administratif » (deux exceptions :
An. 42, 3 et *infra*, 20, 1, mais le sens « géographique » sub-
siste) ; d'autre part, il s'agit d'une seule mission (*unum
munus*) répartie entre les deux éons : à *Christi erat* (§ 2)
correspond *Spiritus Sancti propria* (*erant*). Sur cette activité
d'Esprit-Saint, cf. Orbe, *Est. Val.* III, p. 146 s. — **peraequati** : rare et technique (« niveler », « égaliser » la terre)
Peraequatio est un néologisme de Tert. qui, contrairement
à ce que suggère Waszink, p. 309, n'est sans doute pas un
emprunt à la langue juridique ; cf. *infra*, 12, 3. — **gratiarum
actionem** : Irén., I, 2, 6 : εὐχαριστεῖν ; selon Orbe, *Est
Val.* IV, p. 336 s., non pas « prière d'action de grâce », mais
communion au substrat divin transmis par la gnose ; cf

infra, 30, 3. — **inducerentur** : cf. *supra*, 11, 2. — **quietem** : rapproché par Orbe, *ibid*. p. 341, des *Actes de Thomas*, 27.

e. Émission du Sauveur (Jésus) (chap. XII).

Au sein du Plérôme toute altérité est donc désormais abolie entre les éons mâles d'une part, entre les éons femelles d'autre part (§ 1). Goûtant la joie du vrai repos tous chantent des hymnes en l'honneur du Père (§ 2), et ils mettent en commun ce qu'ils possèdent de meilleur comme s'ils participaient à une sorte de pique-nique (§ 3). Le résultat de cette collecte, c'est l'éon Jésus, Fruit parfait du Plérôme, qui n'est pas sans rappeler le choucas d'Ésope, la Pandore d'Hésiode, etc. Les valentiniens auraient pu d'ailleurs lui trouver un nom bouffon plus approprié à sa nature ! (§ 4-5). Enfin, pour le servir, sont émis des anges qui lui sont consubstantiels (§ 5).

12, 1. **forma... scientia** : les éons sont nom, forme et gnose (cf. *Extr. Theod.*, 31, 3). Le rôle d'Esprit-Saint a été de les rendre égaux non pas en substance, puisque celle-ci était déjà identique pour tous en tant qu'êtres pléromatiques, mais en individualité, en personnalité (*forma*) et en connaissance, en gnose (*scientia*) ; cf. Moingt, II, p. 511-512. Il s'ensuit que leurs noms sont interchangeables (« Refunduntur in Nus omnes, etc. »). — **peraequantur** : cf. *supra*, 11, 4. — **aliud... alteri** : toute altérité, toute différence est abolie, tout au moins chez les éons de même « sexe ». Notre traduction tente de rendre l'opposition entre *aliud* (autre chose, nature différente) et *alteri* (prochains, autrui). — **Refunduntur** : = *confunduntur*, cf. *supra*, 3, 3. Ironique ; Irén., I, 2, 6 : γενομένους. — **Ouidius...** : sur la connaissance que Tert. avait de ce poète, cf. R. Braun, *AFLNice* 2 (1967), p. 29 ; pour les réminiscences ovidiennes dans le « portrait » de Marcion (*Marc*. I, 1, 4-6), Fredouille, p. 46.

12, 2. **Exinde** : Irén., I, 2, 6 : ἐπὶ τούτῳ (trad. lat. *in hoc* ; cf. S. Lundström, *Studien zur latein. Irenäusüber-*

setzung, Lund 1943, p. 110-111). — **constabiliti** : vb. rare, attesté chez Plaute (*Capt.*, 453), Térence (*Ad.*, 771), Lucrèce (2, 42), puis chez Tert. et les écrivains chrétiens (cf. *TLL* s. u. col. 503, 48) ; traduit ici Irén., I, 2, 6 : στηριχθέντα ; cf. *infra*, 39, 1. — **requiem ex ueritate** : = *requiem ueram* (cf. *supra*, 11, 4) ; cf. *Marc.* I, 6, 2 : « ex aequo (= aequos) deos confessus » ; *An.* 28, 3 : « testimonium quoque ex falso (= falsum) est » ; etc. Hoppe, *Synt.*, p. 102. — **gaudii fructu** : cf. Cic., *Cat.*, 2, 8 : *fructus libidinum* ; *Lael.*, 87 : *fructus uoluptatum* ; Lucr., 2, 971 ; 5, 1410 : *fructus dulcedinis* ; etc. Aul. Gel., *Nuits*, 14, 1, 36 : « futurum gaudii fructum spes praeflorauit ». — **hymnis** : Irén., I, 2, 6 : ὑμνῆσαι. Sénèque est peut-être le premier à avoir fait cet emprunt au grec (Frg. 88 : « nisi Cereri fecissent et hymnos cecinissent ») ; cf. aussi Apul., *Flor.*, 18, 39. Chez Tert., en contexte chrétien et liturgique : *Orat.* 28, 4 ; *Vx.* II, 8, 8 ; etc. (cf. E. Dekkers, *Tertullianus en de geschiedenis der liturgie*, Brussel-Amsterdam 1947, p. 31 s.). Sur ces cantiques offerts spontanément au Père, cf. Orbe, *Est. Val.* IV, p. 341 s. (nombreux parallèles dans les littératures gnostique et hermétique). — **concinunt** : vb. de la langue poétique (cf. Hor., *Od.*, 4, 2, 33 : *Concines... Caesarem*) et post-classique, presque uniquement (cf. *TLL* s. u. col. 52, 42). — **Diffundebatur... laetitia** : cf. Cic., *Fin.*, 5, 70 : « (eum) tanta laetitia perfundi arbitramur ». Dans cet emploi, *diffundi* est tout aussi classique (cf. Cic., *Lael.*, 48). — **filiis, nepotibus** : asyndète, cf. *supra*, 3, 4. — **Quidni... liberato** : pour l'établissement du texte, cf. « Valentiniana », p. 61-62. *Omni* = *pleno*, *perfecto*, comme souvent chez Tert. (cf. *An.* 26, 1 ; 28, 2 ; etc. Waszink, p. 336). — **pleromate liberato** : cf. *supra*, 11, 1. — **nauclerus** : plutôt que « capitaine de navire » ou « pilote », sans doute celui qui, à bord, représente l'armateur et a la responsabilité commerciale du transport des passagers et des marchandises : Tert. paraît connaître en effet ce sens technique (cf. *Marc.* I, 18, 4 ; III, 6, 3 ; IV, 9, 1 ; V, 1, 2 ; *Praes.* 30, 1 : dans tous ces passages il s'agit de Marcion ; J. Rougé, *Recherches sur l'organisation du commerce maritime...*, Paris 1966, p. 229 s.) — **nauticorum lasciuias gaudiorum** : « classicisme :

dans le choix de la place des déterminants (cf. Cic., *Tusc.*, 4,
40 : « Fratris repulsa consulatus »), maniérisme dans l'emploi
du génitif (pléonastique) d'inhérence : *lasciuias gaudiorum*
(cf. Bernhard, *Der Stil des Apuleius*, p. 174) ; mais cf. déjà
Lucr., *De rer. nat.*, 5, 1400 : *lasciuia laeta*. Sur cette scène
de vie quotidienne, cf. L. Stäger, *Das Leben im römischen
Afrika im Spiegel der Schriften Tertullians*, Zurich 1973, p. 53.

12, 3. symbolam : calque de συμβολή (« écot pour un
pique-nique », d'où aussi « pique-nique » : cf. Aristoph.,
Ach., 1210 ; Xén., *Banquet*, 1, 16) qui apparaît dès Pl.,
Curc., 474 : *symbolarum collatores*, « collecteurs d'écots »,
« amateurs de pique-nique » ; d'où *Epid.*, 125 : le repas
lui-même. Cf. Tér., *Eun.*, 540 ; etc. Le mot appartient
essentiellement au vocabulaire de la comédie (cf. Cic., *De
orat.*, 2, 233 : « collectam a couiua... exigis »). Tert. ne
l'emploie qu'ici (*bis*). Cf. A. d'Alès, « ' Symbola ' (Tertullien,
Adv. Val. 12) », *RecSR* 25 (1935) p. 496. — **ad... exultant** :
cf. + *de* : *Apol.* 49, 4 ; *Marc.* IV, 32, 2 ; + *in* et abl. : *Pat.*
11, 9 (cf. Cic., *Sest.*, 88 ; *Tusc.*, 2, 65 ; etc.) ; + abl. : *Spect.*
30, 7 (cf. Cic., *Cat.*, 1, 23 ; *Sest.*, 133 ; etc.). — **quod...
florebat** : *TLL* s. u. col. 918, 12 ne mentionne que cet
exemple d'acc. grec. — **peraequatione** : cf. *supra*, 11, 4 ;
12, 1. — **(12, 4) unum... omnes** : il n'est peut-être pas
nécessaire de supposer une lacune avant *unum* comme veut
Kroymann, cf. « Valentiniana », p. 62 ; ni Riley ni Marastoni ne l'ont d'ailleurs suivi.

12, 4. ex aere collaticio : cf. Otto, *Sprichwörter*, n° 29 ;
CIL X, 411 : « (Volceis) ex pecunia publica et conlaticia,
quam municipes et incolae sua uoluntate contulerunt » ;
Ps. Quint., *Decl.*, 6, 1 : *sepultura collaticia*. — **compingunt** :
cf. *supra*, 6, 1. — **Iesum** : récapitulant toutes les « vertus »
du Plérôme, il est émis non par « prolation » mais par « collation » : cf. Orbe, *Est. Val.*, III, p. 156 s. ; IV, p. 346 s.
Pour les épithètes et les noms qu'il reçoit : Orbe, *ibid.*, IV,
p. 356 s. ; sur l'épithète τὰ Ὅλα (Omnia), A. H. B. Logan,
« The Meaning of the Term « the All » in Gnostic Thought »,
Studia Patrist., 14, 3 (1976), p. 203-208 (= *TU* 117).

Après Horos, Christ et Esprit-Saint, cet éon Jésus est donc en fait le trente-quatrième du Plérôme : cf. Irén., II, 12, 6. — **de patritis** : s. ent. *nominibus* (cf. *cognominant*) ; Irén., I, 2, 6 : πατρωνυμικῶς. — **defloratione** : création de Tert. qui ne reparaît pas ailleurs dans son œuvre et qui est rarement attestée par la suite (trois occurrences dans *TLL* s. u. col. 361, 38). — **constructum** : cf. *infra*, 26, 2 et 39, 1 ; mais aussi en contexte christologique orthodoxe : *Marc.* V, 5, 9 : « si nec natus ex uirgine Christus nec carne constructus... ». — **gragulum Aesopi** : cf. *infra*, 13, 1 : *Soteris pauoninum ornatum*. Sur la postérité de cette fable (éd. Chambry, 162 ; = Phèdre 1, 3 ; Babrios 72 ; allusions dans Horace, *Ep.*, 1, 3, 15 ; Lucien, *Pseudol.*, 5) cf. D. Bieber, *Studien zur Geschichte der Fabel*, Berlin 1906, p. 34 ; 50. Autre allusion à une fable (perdue) d'Ésope (*L'âne sortant d'un puits*) dans *Marc.* IV, 23, 3. ; cf. A. d'Alès, « Tertullien helléniste », *REG* 50 (1937), p. 329-362. *Gragulum* : cette graphie, qui remonte à l'étymologie varronienne (*gregatim*), est fréquente (cf. Var., *Ling. lat.*, 5, 76 ; édit. Collart, p. 193 ; *TLL* s. u. « graculus » col. 2133, 39). — **Pandoram Hesiodi** : allusion au mythe de la première femme, créée avec l'aide de tous les dieux : Hés., *Théog.*, 571 s. ; *Trav.*, 60 s. Autre référence à Pandore dans *Cor.* 7, 3. Déjà Irén., II, 21, 2 : « de quo (= Salvatore) et Hesiodus poeta splendide significauit Pandoram, id est *omnium munus*, nominans eum, ob hoc quod ex omnibus optimum munus in eo sit collocatum, etc. » ; cf. aussi II, 14, 5 ; 30, 4. — **Acci patinam** : allusion à une *satura* d'Accius (cf. Diomède, p. 482 : « olim carmen, quod ex uariis poematibus, satura uocabatur, quale scripserunt Pacuuius et Accius ») ? Elle est rapprochée par Krahner, *Zeitschr. für die Altertumswiss.* 10 (1852) col. 396-397, de Cic., *Fam.*, 9, 16, 7 : « Nunc uenio ad iocationes tuas, cum tu secundum Oenaum Accii non, ut olim solebat, Atellanam, sed, ut nunc fit, mimum introduxisti. Quem tu mihi Popilium, quem Denarium narras, quam tyrotarichi patinam ! » (cf. aussi *Att.*, 4, 8, 1). Selon Pfligersdorffer, *Innsbrucker Beitr. zur Kulturwiss.* 3 (1955), p. 218, qui propose de lire *Arri*, il faudrait voir une référence à Hor, *Sat.*, 2, 3, 86 : « epulum arbitrio Arri » (somptueux repas funèbre, cf. Cic., *In Vat.*, 30) ou *ibid.*, 243 s. « Quinti progenies Arri, par nobile fratrum, / nequitia et nugis prauorum et amore gemellum, / luscinias soliti inpenso prandere coemptas, / quorsum abeant ? » ; peut-être une confusion s'est-elle introduite avec le célèbre plat de l'acteur Esopus (cf. Plin., *Nat.*, 10, 141 : « Clodii Aesopi, tragici histrionis, patina HS C̄ taxata » ; *ibid.*, 35, 163) dont le fils est mentionné dans le passage d'Horace cité (v. 239) et auquel Tert. fait allusion en *Pal.* 5, 6 (« Aesopus histrio... centum milium patinam confiscauit ») ; toutefois, contre cette explication ingénieuse : le fait qu'elle ne rend pas compte exactement de l'intention de Tert., qui est de se gausser non pas du caractère magnificent ou somptuaire de l'éon de Ptolémée, mais de sa nature mêlée et hétéroclite. — **Nestoris cocetum** : la mixture (κυκέων) de farine d'orge, de fromage râpé et de vin, préparée par Hécamède pour être offerte à Patrocle sous la tente de Nestor (*Iliade*, XI, 624 s.). En dehors de ce passage, le terme *cocetum* n'apparaît que ches les glossateurs, où il désigne un mets composé de miel et de pavot (cf. *TLL* s. u. col. 1396, 4). — **miscellaneam Ptolemaei** : selon Oehler, t. 2, p. 398, Tert. songerait à la Καινὴ ἱστορία de Ptolémée Chennos. Plus probablement, Tert. vise ici l'hérétique que son invention bigarrée (l'éon Jésus) rend digne de figurer sur cette liste... Cf. Juv., *Sat.*, 11, 20, où l'adj. désigne déjà une nourriture mélangée (« sic ueniunt ad miscellanea ludi ») ; ici. s.-ent. *escam* ou *saginam*. Cf. *TLL* s. u. « miscellaneus », col. 1078, 35 ; Pfligersdorffer, *art. cit.*

12, 5. Quam : pour *quanto* (+ compar.), cf. *Spec.* 19, 3 ; *Idol.* 2, 3 ; Löfstedt, *Spr. Tert.*, p. 11. — **propius** : comprendre sans doute : « propius a re, a uero » ; cf. *Marc.* IV, 13, 6 : « adfectauit carissimo discipulorum (= *Pierre*) de figuris suis peculiariter nomen communicare, puto propius quam de non suis ». — **de... scurris** : sens prégnant de la prép. (« en tirant de, en empruntant à, en s'inspirant de »), cf. *Marc.* IV, 13, 6 (*supra*) ; ci-dessus en 12, 4 : *de patritis* (*nominibus*). Pour l'établissement du texte, cf. « Valentiniana », p. 62. *Osciae* : cf. Acr. ad Horat. 1 *Sat.* 5,

54 : « Campania Oscia dicta est ». — **Pancapipannirapiam** :
on peut sans doute conserver ce *uerbum sesquipedale* (= *pan,
capere, pannus, rapere*) qui rappelle le titre d'une *fabula
atellana* de Pomponius, les *Pannuceati*, les « Arlequins »
(cf. J.-P. Cèbe, *Caricature et parodie dans le monde romain*,
p. 39), et également le substantif *panniculus* qui désigne
le *stupidus* du mime, habillé de la tunique d'Arlequin, ou
encore Juv. *Sat.*, 3, 158 : « inter / pinnirapi cultos iuuenes ».
De cette création, rapprocher *Pal.* 4, 3 : *ille scytalosagitti-
pelliger* (= Hercule). — **extrinsecus** : cf. *supra*, 9, 3 et
infra 18, 2. — **inornassent** : néologisme (= *ornassent*, cf.
supra 3, 3) qui apparaît en deux autres passages (*Res.* 16,
8 et *An.* 19, 3), attesté une seule fois postérieurement (Sol.,
20, 11) selon *TLL* s. u. col. 1763, 15. La substitution du
pl. q. pft. du subj. à l'impft. (normalement attendu ici,
proferunt étant un prés. « historique ») est fréquente chez
Tert. (trait de langue populaire), cf. Hoppe, *Synt.*, p. 69 s. ;
Bulhart, *Praef.*, § 37 ; L. H. S., p. 321-322 ; l'explication
de Hoppe, *ibid.*, p. 70 (*inornassent* = *inornasse uiderentur*)
ne nous paraît pas s'imposer. Pour la forme contracte,
cf. *supra*, 9, 1. Irén., I, 2, 6 dit plus simplement (rappelant
d'ailleurs *supra*, 12, 4) : εἰς τιμὴν τὴν αὐτῶν (trad. lat. :
ipsorum), mais il faut sans doute lire avec Holl : αὐτοῦ,
comme nous y invite ce passage de Tert. — **proferunt** :
Irén., I, 2, 6 est plus précis : συμπροβεβλῆσθαι. — **par
genus** : en apposition ; Irén., I, 2, 6 : ὁμογενεῖς. Cf. Orbe,
Cristología gnóstica, I, p. 119-121. — **consubstantiuos** :
s. ent. : *eos esse contendunt*. Tert. n'emploie que dans ce
traité (*infra*, 18, 1 et 37, 2) ce néologisme compromis à ses
yeux par les abus qu'en faisaient les gnostiques (cf. Braun,
p. 198-199). — **ambigue** : cf. *supra*, 6, 1. Irén., I, 2, 6 :
δορυφόρους... αὐτῷ... ὁμογενεῖς Ἀγγέλους συπροβεβλῆσθαι. Pour
Moingt, III, p. 961, « l'ambiguïté » qui « troubla Tertullien »... « tient principalement au verbe συμπροβέβλῆσθαι » :
en réalité, il semble plutôt que l'imprécision que Tert. s'est
empressé de dénoncer concerne ὁμογενεῖς, bien qu'il sût
que l'identité consubstantielle n'implique pas l'identité
de toutes les propriétés individuelles. — **coaequales** :
apparaît chez Pétrone et Columelle (cf. *TLL* s. u. col. 1372,

17), mais employé surtout à partir des premières trad. de
la Bible et de Tert. (cf. *Apol.* 11, 14 ; *Herm.* 8, 3 ; 9, 1 ; 40,
1 ; *An.* 33, 4).

f. Résumé et transition (chap. XIII).

Les chapitres précédents ont exposé la formation
et la constitution du Plérôme et décrit les événements
qui s'y sont déroulés (§ 1). Mais ce n'était que la
première partie du mythe, le premier acte d'une
tragédie, qui se prolonge maintenant à l'extérieur
du Plérôme (§ 2).

13, 1. **ordo** : « agencement du récit » (cf. *infra*, 33, 1),
d'où ici « récit » ; cf. *Pud.* 9, 11 : « Plus est igitur, si nec
expedit in Christianum conuenire ordinem filii prodigi » ;
TLL s. u. col. 956, 625. — **primam professionem** : = *id
quod primum profitentur de...* Irén., I, 3, 1 : πραγματεία. —
pariter : renforce *et* ; cf. *Apol.* 24, 3 : « exercitu... deorum
pariter et daemonum » ; Blaise, *Dict.*, s. u. p. 594. — **nascentium... aeonum** : cf. chap. 7-8. *Generantium = pro-
creantium, proferentium* (cf. *supra*, 11, 3). — **Sophiae...
casum** : cf. chap. 9-10. *Ex desiderio patris* : cf. *supra*, 9, 1 :
in desiderium sui. — **Hori... auxilium** : cf. chap. 9, 3 et
10, 4. — **Enthymeseos... expiatum** : cf. chap. 9, 4 et
10, 4. *Expiatum* (= *expiationem*) : création de Tert. qui ne
reparaît pas dans son œuvre et très rarement reprise ensuite
(deux occurrences, dans Ps. Ruf. et Aug., selon *TLL* s. u.
col. 1702, 4). *Coniunctae passionis* : cf. *supra*, 9, 4 (*cum
passione*) et 10, 4 (*illam adpendicem passionem*). — **Christi...
paedagogatum** : cf. chap. 11. *Paedagogatum* : hapax
(Hoppe, *Beitr.*, p. 138). — **aeonum... reformatum** : cf.
chap. 11, 4 - 12, 3. *Reformatum* (= *reformationem*) : hapax
(Hoppe, *Beitr.*, p. 139). — **Soteris... ornatum** : cf. chap.
12, 4. — **angelorum... antistatum** : cf. *supra*, 12, 5.
Comparaticium : hypallage ; cf. *supra*, 12, 4 (*par genus* ;
consubstantiuos). Seule attestation de cet adj. (= *comparem*) ;
la forme de Cod. Theod., 7, 6, 3 (a. 377) a un autre sens
(« fourni par contribution », de *comparo*) : cf. *TLL* s. u. col.

2005, 47 (mais l'hésitation sur le sens de l'adj. ici n'est
guère justifiée). *Antistatum* (=*eminentiam*, *supra*, 12, 5) :
hapax (cf. *TLL* s. u. col. 184, 62 ; Hoppe, *Beitr.*, p. 133).

13, 2. inquis : cf. *supra*, 6, 2 s. u. *lector*. — **ualete et
plaudite** : formule finale traditionnelle dans la comédie
(cf. Pl., *Mén.*, 1162 : « Nunc spectatores ualete et nobis
clare plaudite » ; etc.). — **proicite** : cf. Hor. *A. P.*, 97-98 :
« ... uterque / proicit ampullas et sesquipedalia uerba ». La
correction de Kroymann (*explodite*) est séduisante (cf. Hor.,
Sat., 1, 10, 76-77 : « ... nam satis est equitem mihi plaudere,
ut audax / contemptis aliis explosa Arbuscula dixit » ;
Aus., *Lud. sept. sap.*, 188 : « Pars plaudite ergo, pars offensi
explaudite »), mais sans véritable justification. — **coetum** :
= *congressum*, *turbam* (cf. *TLL* s. u. col. 1444, 26). —
decucurrisse : au sens de « avoir lieu, se dérouler », à
partir de Sénèque (cf. *TLL* s. u. col. 231, 49 s.) ; cf. *Marc.* IV,
1, 3 ; *An.* 10, 7 ; etc. — **tragoediae scaena** : cf. Irén., I,
4, 3 : τραγῳδία πολλὴ λοιπὸν ἦν ἐνθάδε ; I, 9, 5 : τῇ σκηνῇ
ταύτῃ. — **trans siparium** : cf. Cic., *De prou. cons.*, 14 : *post
siparium*. — **coturnatio** : hapax (*TLL* s. u. col. 1086, 32 ;
Hoppe, *Beitr.*, p. 134). — **exitus** : au sens d' « événements,
péripéties tragiques » (cf. *supra*, 3, 4) ; *TLL* s. u. col. 1537, 5,
à tort, semble-t-il, comprend = *scaena*, *exodium*. — **sub
uisu patris** : la leçon des mss (*sinu*), acceptée par tous les
éditeurs sans exception, ne nous paraît guère pouvoir être
maintenue. On rencontre chez Tert. en référence à *Luc*
16, 22 (εἰς τὸν κόλπον Ἀβραάμ. = *in sinum Abrahae*) soit
in sinu Abrahae (*Marc.* III, 24, 1 ; IV, 34, 10 ; *Idol.* 13, 4 ;
An. 7, 4 ; 55, 2), soit *de sinu Abrahae* (*Marc.* III, 24, 2) ;
d'autre part : *de sinu Socratis* (*An.* 46, 9) ; *de sinu mortis*
(*Res.* 28, 2) ; *in sinu* [-um : OB] (*Pud.* 6, 7), « tout bas » ;
(*gladius*) *sub sinu* (*Cult.* I, 7, 2) ; il n'y a pas de citation
textuelle de *Jn* 1, 18 (εἰς τὸν κόλπον τοῦ πατρός = *in sinu
Patris* ; en *Pat.* 5, 7 « in uno patris sinu » est sarcastique
[= Satan]). Outre que *sub* pour *in* ne paraît guère attesté,
l'expression johannique (bien qu'utilisée par les gnostiques,
cf. *Extr. Théod.*, 6, 2 ; 7, 3 ; G. Quispel, « L'inscription de
Flavia Sophè », *Gnostic Studies*, t. 1, p. 64.) n'a pas de raison

d'être rappelée ici, même en contexte ironique. En revanche l'expression anthropomorphique *sub uisu patris* est beaucoup mieux adaptée à ce passage sarcastique ; elle est d'ailleurs préparée par *supra*, 11, 1 : « de patris cura atque prospectu » et 11, 2 : « uisu... eius (= patris) ». Une réminiscence de *Luc* 16, 22 ou de *Jn* 1, 18 aura conduit à substituer *sinu* à *uisu*. — **hori custodis** : cf. *supra*, 9, 3. — **in libero** : cf. *Apol.* 1, 1 : « in aperto et edito » ; *supra*, 3, 1.

2. Achamoth et Démiurge. Cosmogonie (chap. XIV-XXIII).

a. Formation d'Achamoth selon la substance (chap. XIV).

Créature déchue et avortée, Achamoth (Enthymésis) se trouve rejetée hors du Plérôme, dans les espaces étrangers à la lumière. Mais, pris de pitié pour elle, l'éon Christ la rejoint pour lui donner la formation selon la substance (§ 1), et réintègre le Plérôme, aussitôt ce devoir accompli (§ 2). Prise de désir pour lui, elle tente de le retrouver, mais se voit arrêtée par Horos à la limite du Plérôme (§ 3). Dans cette situation, elle est accablée par diverses passions : le chagrin, la crainte, la consternation, l'ignorance, auxquelles s'ajoutent la « conversion » vers celui qui l'avait vivifiée (§ 4).

14, 1. Namque Enthymesis : ce chapitre reprend donc
histoire d'Enthymésis interrompue en 10, 4(5) (= Irén., I,
, 4), les chap. 11-12 (= Irén., I, 2, 5-6) ayant été consacrés
Christ et Esprit-Saint et, d'autre part, à l'éon Jésus.
'ert. passe sous silence les paragraphes I, 3, 1-5 d'Irén.,
ui reproduisent une seconde liste de citations scripturaires
ivoquées par les valentiniens (cf. *supra*, p. 22). — **siue** :
:aditionnel pour désigner une même divinité sous ses
ifférentes appellations, en particulier dans les prières, cf.
·. Appel, *De Romanorum precationibus*, Giessen 1909,
, 30 ; E. Norden, *Agnostos Theos*, Berlin 1923², p. 144.

— **Achamoth** : ni Hippolyte (« thème B »), ni les *Extr.
Théod.* ne désignent de ce nom la seconde Sophia, la Sophia
exclue du Plérôme c'est-à-dire Enthymésis ; Sagnard en
avait déduit (p. 165-166) que ce nom n'avait pas été donné
par Ptolémée, mais qu'Irénée, l'ayant rencontré dans une
source secondaire, l'avait utilisé à la fois par commodité et
dans un dessein satirique. En fait, Achamoth ou Echmoth
apparaît pour désigner la seconde Sophia dans au moins
deux traités valentiniens de Nag Hammadi, d'une part la
Première apocalypse de Jacques, 35, 5-9, d'autre part l'*Evan-
gile de Philippe*, Sent. 39 (cf. G. W. Macrae, « The jewish
Background of the Gnostic Sophia Myth », p. 94-95, *NT* 12
(1970), p. 86-101 ; G. Sfameni Gasparro, « Il personnaggio
di Sophia nel Vangelo secondo Filippo », p. 264, *VChr* 31
(1977), p. 244-281). Cette distinction entre les deux Sophia
serait, selon Ps. Tert., *Adu. omn. haer.*, 4, 7, une innovation
de Ptolémée et Secundus ; Valentin, suivi par l'école orientale
(*Extr. Theod.*, 31, 3 ; cf. *supra*, 11, 2), n'aurait conçu qu'une
seule Sophia, d'ailleurs exclue du Plérôme après sa faute
(cette Sophia unique est appelée, au demeurant, Achamoth
dans Ps. Tert., *ibid.*, 4, 3-4 ; *Ev. Phil.*, Sent. 39, désigne
par Achamoth ou Echamoth Sophia, par Echmoth la
« Sophia de la mort » : cf. J.-E. Ménard, comm. *Ev. Phil.*,
p. 156 ; R. M. Grant, *LODG*, p. 143 ; 154 ; G. Sfameni
Gasparro, *art. cit.*, p. 264 s.) ; cette opposition entre Sophia
supérieure et Sophia inférieure se retrouve dans des courants
gnostiques autres que valentiniens, par ex. dans l'*Écrit
sans Titre* (N. H. 2, 5), 160, 1 (cf. Tardieu, *Trois mythes
gnostiques*, p. 97). — **quod... scripta** : pour l'établissement
du texte, cf. nos « Valentiniana », p. 63 ; sur ce type de
constr. part. cf. Hoppe, *Synt.*, p. 59 ; Waszink, p. 89. —
ininterpretabili nomine : cf. *supra*, 11, 2 ; *infra*, 14, 2.
L'ironie est soulignée par le néologisme *ininterpretabilis*
que Tert. n'emploie pas ailleurs (cf. *TLL* s. u. col. 1635, 70)
— **cum... passionis** : cf. *supra*, 9, 4 ; 10, 4 ; 13, 1. *Indiuiduae* : cf. *Pat.* 5, 7 : « (inpatientiam et malitiam) indiuiduas..
adoleuisse » ; 15, 7 : « cum ergo spiritus dei descendit, indi-
uidua patientia comitatur eum ». — **aliena** : + gén., cf. *infra*
26, 2 : *salutis alienum* (cf. 30, 3 s. u. *legitimum*) ; cette constr

est attestée dans Lucrèce et dans les ouvrages philosophiques de Cicéron (cf. L. H. S., p. 79). — **uacuum atque inane** : cf. Lucr., *De rer. nat.*, 1, 439 : « hoc id erit uacuum quod inane uocamus » ; 507 : « quacumque uacat spatium quod inane uocamus » ; 523 : « omne quod est spatium uacuum constaret inane » ; etc. Chez Lucr. *uacuum* et *inane* sont pratiquement équivalents : peut-être *uacuum* correspond-il plutôt à ἀσώματον et *inane* à κενόν (Ernout-Robin, comm. au *De rer. nat.* t. 1, p. 105 ; cf. aussi Bailey, comm. t. 2, p. 652-653). Cette référence sarcastique à Épicure est propre à Tert. (Irén., I, 4, 1 : ἐν σκιᾶς καὶ κενώματος τόποις) ; elle lui permet d'éviter de formuler l'opposition gnostique Plérôme-Kénôme, lumière-ténèbres (cf. Sagnard, p. 270-271 ; Orbe, *Est. Val.*, IV, p. 313 s.). Pour l'allusion à Épicure, cf. *supra*, 7, 4. — **miserabilis** : Cic., *Brut.*, 90 : + *propter* ; Curt., 4, 10, 22 : + *ob* ; Quint., *Inst. or.*, 6, 1, 11 : + *in* et abl. — **nec forma nec facies** : s. ent. *illi* (= Achamoth). Irén., I, 4, 1 : ἄμορφος καὶ ἀνείδεος ὥσπερ ἔκτρωμα ; cf. *supra*, 10, 4 (5) : *informem et inspeciatam*. Tert. traduit *Is.* 53, 2 (οὐκ εἶχεν εἶδος οὐδὲ κάλλος) : « non habebat speciem nec decorem » (*Iud.* 14, 2 ; *Marc.* III, 7, 2 ; III, 17, 1) ou : « nec formam habuit nec speciem » (*Carn.* 15, 5). Tert. a-t-il eu conscience de cette application scripturaire (cf. Moingt, II, p. 484) ? et, dans l'affirmative, la « traduction » qu'il proposerait de ce verset ici serait-elle destinée à le dissimuler ? *Forma et facies* est en effet, depuis Naev., *Trag.*, 3 W : « Contemplo placide formam et faciem uirginis », une *iunctura* souvent attestée en des contextes divers (Pl., *Mil.*, 1027 ; Lucr., *De rer. nat.*, 5, 1176 ; Cic., *Off.*, 1, 15 ; Ov., *Ars*, 2, 108 ; Quint., *Inst. or.*, 2, 15, 6 ; etc.). — **defectiua** : ce serait la première attestation de cet adj. : cf. *infra*, 38, 1 : « defectricem illam uirtutem » (=Achamoth), où *defectrix* est un hapax. Au sens général de « défectueux », « imparfait », se rencontre surtout chez les écrivains chrétiens (cf. Aug., *Conf.*, II, 6, 12 : *quaedam defectiua species*) ; plus fréquent avec sa valeur technique grammaticale (« défectif »), cf. *TLL* s. u. col. 290, 56. — **abortiua** : apparaît pour la première fois chez Hor., *Sat.*, 1, 3, 45, mais surtout attesté chez les écrivains chrétiens (cf. *TLL* s. u. col. 126, 30).

— **genitura** ; Tert. semble le premier à donner à ce terme
le sens de « créature, être créé » ; cf. *An.* 23, 5 ; *infra*, 22, 1 ;
Waszink, p. 302. Pour l'établissement du texte et l'anacoluthe, cf. nos « Valentiniana », p. 63-64. — **Dum ita
rerum habet** : = *dum ita (se) habet (illa)*, par imitation
du tour gr. οὕτω τῶν πραγμάτων ἔχουσα. Cf. *Herm.* 39, 3 :
« quando quae hodie uidentur aliter habeant quam pristina
fuerunt » ; *Cult.* I, 3, 2 : « hoc si non tam expedite haberet » ;
Hoppe, *Synt.*, p. 20 et 63 ; Waszink, p. 354. Il n'est pas
exclu pourtant, à notre sens, que *dum ita rerum habet = dum
ita res (se) habet* ; cf. le tour familier *bene habet*, « tout va
bien » ; d'autre part pour le gén., cf. *Pal.* 4, 7 : *tunc locorum*
(d'après *tunc temporis*). — **flectitur** : sens moyen, cf. Ov.,
Mét., 2, 718 ; Plin., *Nat.*, 8, 105 ; etc. *TLL* s. u. col. 894,
78. — **a superioribus** : cf. *infra*, 22, 2 : *superiorum magis
gnarum* ; sur l'emploi des adj. et part. neutres aux cas
obliques, Hoppe, *Synt.*, p. 97-98. — **deducitur per Horon** :
parenthèse, cf. *supra*, 8, 5. Traduit Irén., I, 4, 1 (Χριστόν)
διὰ τοῦ Σταυροῦ ἐπεκταθέντα. Il y a « extension » de Christ
sur (la) Croix : Christ descend jusqu'à (la) Limite (Ὅρος =
Σταυρός) du Plérôme pour secourir Achamoth ; par induction
à partir du calvaire historique du Christ, les valentiniens
opèrent une transposition mythique, d'où l'extension de
Christ en croix (« exemplarisme inversé »), cf. Sagnard
p. 245 ; *supra*, 9, 3. Si ce sens de *deducitur* est « classique »
(cf. Cic., *Or.*, 113 : *deduxerat... manum* ; Manil., 1, 324 ;
457 ; etc. *TLL* s. u. « deduco », col. 282, 48), la formulation
est obscurcie du fait que Tert. désigne l'éon en le nommant
Horos au lieu de Crux. — **aborsum** : = *abortiuum*. — **ut**
en seconde position, cf. *supra*, 5, 2. — **de suis uiribus**
la « dynamis », la puissance (Irén., I, 4, 1 : τῇ ἰδίᾳ δυνάμει
émanée de l'éon Christ. Cf. Sagnard, p. 449. — **informet.**
formā : cf. Irén., I, 4, 1 : μορφῶσαι μόρφωσιν. *Formā =
formatione* : sur cette double « formation », cf. Sagnard
p. 159 s. ; 262 s. ; Orbe, *Est. Val.*, IV, p. 377 s. Christ e
Esprit-Saint qui avaient donné aux éons du Plérôme l
formation selon la « gnose » (cf. *supra*, 11, 1 s.) donnen
à Achamoth la formation selon la « substance » ; elle recevr
la formation selon la « gnose » du Sauveur (*infra*, 16).

14, 2. peculio : ironique ; cf. *infra*, 25, 1. — **odor in-corruptibilitatis** : Irén., I, 4, 1 : τινα ὀδμὴν ἀφθαρσίας. Achamoth n'est donc pas complètement dépourvue de l'Esprit. Sur ce thème, rapprochements scripturaires et valentiniens (en particulier *Év. Vérité*, 33, 39 s.) dans Orbe, *Est. Val.*, IV, p. 379 s. ; ajouter P. Meloni, *Il profumo dell'-immortalità : L'interpretazione patristica di Cantico* 1, 3, Roma 1975 (sur le symbolisme du parfum, figurant l'Esprit-Saint dans la théologie gnostique du IIe siècle, cf. p. 60). Pour l'expression, cf. *Mart.* 2, 4 : « uos odor estis suauitatis » (= *Gen.* 8, 21 ; *Éphés.* 5, 2) ; elle ne heurtait pas la langue païenne (cf. Cic., *Cluent.*, 73 : *odor suspicionis* ; *De orat.*, 3, 161 : *odor urbanitatis* ; etc. Cf. *TLL* s. u. « odor », col. 469, 3 s.). *Incorruptibilitas* : plutôt qu'une création de Tert. (dix occurrences dans son œuvre), sans doute un emprunt à la langue philosophique contemporaine (cf. Braun, p. 62). — **quo** : = *ut eo* ; sans comparatif, attesté à toutes les époques, plus fréquent dans la langue tardive : cf. L. H. S., p. 679 ; pour Tert., cf. *infra*, 26, 2 ; *Apol.* 27, 1 ; 47, 1 ; etc. — **compos** : = *conscia*; cf. *An.* 2, 2 ; 24, 4 ; 34, 3 ; etc. *infra*, 21, 1 ; Waszink, p. 558. Importance de la prise de conscience dans le mécanisme de gnose, cf. Sagnard, p. 409. — **casus** : cf. *supra*, 10, 2. — **potiorum** : cf. *supra*, 14, 1 : *a superioribus*. — **desiderio** : cf. *infra*, 14, 3. — **suppararetur** : le sens exact est difficile à préciser ; sans doute = *pararetur* (cf. *supra*, 3, 3), *se pararet* (cf. Cic., *Or.*, 122 : *se parare ad discendum* ; T.-Liv., 21, 31, 1 : *se parare ad proelium*) constr. + dat. (*desiderio*). Irén., I, 4, 1 : ὅπως ... ὀρεχθῇ τῶν διαφερόντων. Sur ce vb. attesté presque uniquement chez Tert., *supra*, 4, 3. *Potiorum* : cf. *supra*, 14, 1, s. u. *superioribus*. — **non sine... societate** : cf. *supra*, 9, 2 : « sine coniugis Phileti societate ». — **Vsus... rerum** : cf. les expressions *causae rerum, natura rerum*, etc, où le gén. *rerum* est explétif. — **ex liberalita-tibus** : déjà chez Tacite et Suétone, avec valeur concrète, pour désigner les « largesses impériales », cf. *Apol.* 29, 3 ; *Cor.* 1, 1 ; Hoppe, *Synt.*, p. 92 s. Ici le tour prépositionnel est pratiquement l'équivalent de l'adv. *liberaliter* ; allusion ironique à la multiplicité des noms que peuvent recevoir les éons, conformément à ce que Sagnard, p. 240 s. a appelé la « loi de filiation nominale », et qui trahit l'une des préoccupations constantes de Tert. (cf. 7, 3 ; 7, 6 ; 19, 1 ; *supra*, p. 17). — **accedere** : = « être attribué à » ; sur ce sens, cf. *supra*, 7, 5 ; Braun, p. 185. — **Enthymesis** : c'est-à-dire le « désir fallacieux » qui s'est manifesté (*actu*) par une conduite « désordonnée », provoquant la chute de l'éon (cf. *supra*, 9, 2-4). — **Achamoth... quaeritur** : cf. *supra*, 11, 2. — **de matre** : Irén., I, 4, 1 : (καλεῖσθαι) Σοφίαν... πατρωνυμικῶς (ὁ γὰρ πατὴρ αὐτῆς Σοφία κλήζεται). Achamoth s'appelle Sophia *comme son père* dans la mesure où elle ne provient que d'un seul principe (sa « mère Sophia »), cf. Sagnard, p. 163. Tert. a modifié le texte d'Irénée, sans doute pour ne pas avoir à donner d'explication sur cette apparente anomalie (cf. *infra*, p. 366). — **ex angelo** : obscurité. Cf. Irén., I, 4, 1 : (καλεῖσθαι) καὶ Πνεῦμα ἅγιον ἀπὸ τοῦ περὶ τὸν Χριστὸν Πνεύματος.

14, 3. **Accipit** : = *concipit* ; cf. *Marc.* IV, 34, 16, où *accipere* = *suscipere* et *Res.* 52, 18 ; *Pud.* 18, 12, où *concipere* = *suscipere* ; cf. Hoppe, *Synt.*, p. 45 ; *supra*, 3, 3. — **desiderium** : = *cupiditatem*, cf. *supra*, § 2. — **lumen** : terme technique du valentinianisme, cf. Sagnard, p. 659 s. u. φῶς. — **inquirere** : inf. final après vb. de mouvement, cf. *supra*, 9, 2, où comme ici *inquirere* = *quaerere* (cf. *supra*, 3, 3). — **Quem si... quomodo...** : comment chercher ce que l'on ne connaît pas ? adaptation ironique de la célèbre aporie du *Ménon*. — **ut... operatum** : part. accordé avec valeur circonstantielle soulignée par la conjonction, cf. *supra*, 14, 1. *Operatum* : cf. Braun, p. 382 s. — **matris eius** : Sophia (d'en haut) ; allusion à l'action bienfaisante d'Horos sur elle (*supra*, 9, 3-4). — **inclamauerit in eam** : constr. attestée chez Aul. Gel., *Nuits*, 5, 9, 6 ; cf. *supra*, 8, 3. — **Iao** : forme brève et populaire de Yahvé, qui se répand aux approches et au début de l'ère chrétienne dans les milieux syncrétistes et apparaît fréquemment dans les textes magiques : cf. O. Eissfeld, « Jahwe-Name und Zauberwesen » *ZMR* 42 (1927), p. 176 s. (= *Kleine Schriften*, I (1962), p. 162 s.) ; cf. aussi F. Wutz, *Onomastica Sacra*, t. 1, Leipzig 1914, p. 124 : Ἰαὼ κύριος ἢ θεὸς ἢ ἀόρατος ; K. Mueller,

« Beiträge zum Verständnis der valentinianischen Gnosis »,
NGG 1920, p. 194 ; Orbe, *Est. Val.*, IV, p. 397 s. ; Tardieu,
Trois mythes gnostiques, p. 62 s. (Iao comme archonte plané-
taire). — **« Porro Quirites »** : cf. Labér. (= Macr., *Sat.*, 2,
7, 4) : « Porro Quirites, libertatem perdimus » ; Apul., *Mét.*, 8,
29, 5 : « Nec diu tale facinus meis oculis tolerantibus, ' Porro
Quirites ' proclamare gestiui ». — **« Fidem Caesaris »** :
cf. *Nat.* I, 10, 33 : « iam per deos deierandi periculum euanuit,
potiore habita religione per Caesarem deierandi... facilius
enim per Caesarem peierantes punirentur quam per ullum
Iouem ! » ; I, 17, 6 : « Sed aliud, opinor, est non iurare per
genium Caesaris » ; Schneider, p. 227 ; Apul., *Mét.*, 9, 42,
1 : « militum pro comperto de nobis adseuerantium fidemque
Caesaris identidem implorantium ». Pour l'acc. exclamatif,
cf. Sén. Rh., *Contr.*, 1, 4, 11 : « fili, tuam fidem, ostende...
manus me non perdidisse » ; Ps. Quint., *Decl.*, 16, 1.

14, 4. in scripturis : les ouvrages gnostiques (cf. Irén.,
I, 4, 1 : ὅθεν τὸ 'Ιαὼ ὄνομα γεγενῆσθαι φάσκουσι ; I, 21, 3 ;
30, 4. 10). Tert. n'emploie que très rarement ce mot
pour désigner des ouvrages profanes ou auxquels il ne
reconnaît aucune autorité, cf. J. E. L. Van der Geest, *Le
Christ et l'Ancien Testament chez Tertullien*, Nijmegen 1972,
p. 4-5. — **quominus** : à cause de l'idée d'empêchement
implicitement contenue dans *depulsa* : cf. Tac., *An.*, 11, 34,
5 : « Vibidiam depellere nequiuit quin (quid : *M*) multa
cum inuidia flagitaret... ». — **habens** : + inf. = *potens*,
déjà chez Cic., fréquent chez Tert. et dans la langue tardive
(cf. Hoppe, *Synt.*, p. 43). — **Crucem... Horon** : cf. *supra*,
9, 3. — **Catulli Laureolum** : ce mime célèbre représentait
un brigand mis en croix et livré aux bêtes. Cf. Juv., *Sat.*, 8,
185-188 : « ... uocem, Damasippe, locasti / sipario, clamosum
ageres ut Phasma Catulli. / Laureolum uelox etiam bene
Lentulus egit, / iudice me dignus uera cruce » ; Catullus
est encore cité par Juv., *Sat.*, 12, 29 s. ; 13, 111 ; allusions
à son mime Laureolus : Mart., *Spect.*, 7, 4 ; Suét., *Calig.*, 57,
9 ; Josèphe, *Ant. Jud.*, 19, 94 ; cf. H. Bardon, *Littérature
latine inconnue*, t. 2, p. 128-129 ; mais Tert. ignore, ou feint
d'ignorer, la possibilité de remplacer l'acteur par un con-

damné (cf. Mart., *Spec.*, 7). Autres mimes d'autres mimo-
graphes (Hostilius, Lentulus) et pantomimes cités en *Nat.* II,
14, 44 ; *Apol.* 15, 1-2 ; *Pal.* 4, 4 ; cf. R. Braun, « Tertullien
et les poètes latins », *AFLNice* 2 (1967), p. 30 ; J. H. Waszink, « Varrone nella letteratura cristiana dei primi secoli »,
Atti. Congr. Intern. Studi Varroniani, Rieti 1976, p. 209-223
(selon l'auteur, Tert. a sûrement connu les Satyres ménippées
et les Pseudo-tragédies de Varron, dont des citations se
trouvent sans doute dispersées dans *Val.* et *Pal.*). — **quia...
fuerit exercitata** : *exercitare* est construit ici avec un double
acc. (= *docere*) ; ce sens et cette construction ne paraissent
guère attestés ailleurs (*TLL* s. u. col. 1387, 34). Le temps
surcomposé, fréquent chez Apulée (cf. Callebat, *Sermo
cotidianus*, p. 302) et dans la langue tardive, n'a pas de
valeur particulière. Pour *quia* + subj., cf. Hoppe, *Synt.*,
p. 76. Pour *nullus* comme négation déclinée (= *non*) en
fonction autre que sujet ou attr., cf. *Apol.* 21, 9 : « Dei filius
nullam de impudicitia habet matrem » (mais déjà Cic, *Att.*,
7, 20, 1 : « bellum nostri nullum administrant ») ; cf. Ernout-
Thomas, *Syntaxe latine*, p. 153 ; L. H. S., p. 205. — **ut
destituta, ut... intricata** : cf. *supra*, 14, 3 : *ut... operatum.*
Destituta : cf. *infra*, 15, 4. *Intricata* : cf. Pl., *Pers.*, 457 :
« Nunc ego lenonem ita hodie intricatum dabo ». — **passioni... perplexae** : cf. *supra* 9, 4 ; 13, 1 ; Irén., I, 4, 1 :
τοῦ πάθους... πολυμεροῦς καὶ πολυποικίλου ὑπάρχοντος. —
adfligi : cf. Cic., *Tusc.*, 3, 43 : « si quem tuorum adflictum
maerore uideris ». — **maerore... metu... consternatione...
ignorantia** : Irén., I, 4, 1 : παθεῖν λύπην μέν... φόβον δέ...
ἀπορίαν τε ἐπὶ τούτοις, ἐν ἀγνοίᾳ δὲ τὰ πάντα. Cf. *supra*, 10, 3
les passions de sa mère Sophia (d'en haut). Ces quatre
passions ne sont pas sur le même plan : comme dans le
stoïcisme, c'est l'ignorance qui entraîne les autres (cf. Orbe,
Est. Val., IV, p. 251) ; sur les interférences entre ce vocabulaire stoïcisant et le récit de la Passion du Christ, cf.
Orbe, *ibid.*, p. 421 ; pour les appuis scripturaires dont se
prévalaient les valentiniens, Irén., I, 8, 2. — **inceptum** :
supra, 14, 3 : « prosiluit et ipsa lumen eius inquirere... fortasse
adprehendisset si non... ». — **luce** : cf. *supra*, 14, 3 : *lumen.*
— **sicut... ita et** : *et* est usuel chez Tert. pour soutenir le

second membre d'une corrélation quelle quelle soit (*is...
qui et* ; *tot... quot et* ; *ita... sicut et ; sicut... ita et ; ubi... illic
et* ; etc. Cf. Löfstedt, *Spr. Tert.*, p. 25 s.). — **uita** : même
crainte de la part de sa mère Sophia (cf. *supra*, 10, 2). —
consternatione : = *pauore, perturbatione* ; le mot se
rencontre à partir de Tite-Live (cf. *TLL* s. u. col. 508,
13). — **nec ut mater...** : le texte n'est pas sûr, mais le
sens n'est guère affecté par cette incertitude, cf. « Valentiniana », p. 64. — **deterius** : s. ent. *est* ; en fonction
prédicative l'adv. est attesté à toutes les époques, en particulier dans la langue familière (cf. Pétr., *Sat.*, 64, 2 :
solebas suauius esse) ; mais aussi Sall., *Jug.*, 87, 4 : *laxius
licentiusque futuros* ; cf. L. H. S, p. 205. — **fluctu** : abl.
abs. sur le même plan « logique » que *maerore, metu,
consternatione, ignorantia*. Pour le sens métaphorique, cf.
Lucr., *De rer. nat.*, 6, 34 : « uoluere curarum tristis in
pectore (hominum) fluctus » ; Sén., *Thy.*, 36. — **conuersionis... conuersionem** : il ne s'agit plus d'une « passion »,
mais d'une « disposition », cf. Irén., I, 4, 1 : διάθεσιν τὴν
τῆς ἐπιστροφῆς ἐπὶ τὸν ζωοποιήσαντα. Sur cette notion, qui
se situe entre la formation selon la substance et la formation selon la gnose, cf. P. Aubin, *Le problème de la* « *conversion* », Paris 1963, p. 96 s. ; Orbe, *Est. Val.*, IV, p. 406 s.
— **uiuificata fuerat et... temperata** : cf. *supra*, s. u. :
« fuerit exercitata ». *Vivificata* : Irén., I, 4, 1 : ζωοποιήσαντα
Ce vb. n'apparaît chez Tert. qu'en citation, textuelle ou
implicite (cf. Braun, p. 540). *Temperata* : = *instituta, parata*,
cf. *Apol.* 21, 30 : « ... diuinitatem, non qua (Christus)...
homines... ad humanitatem temperaret » ; *Pud.* 21, 8 :
« magis euersoris fuisset... ceteros ad delinquentiam tem-
perare » ; Hoppe, *Beitr.*, p. 108.

    b. Les éléments du monde (chap. XV).

    Les philosophes qui croient la matière éternelle
vont pouvoir apprendre son origine ! (§ 1). En effet,
selon les valentiniens, de la conversion d'Achamoth
procède l'âme du monde et celle du Démiurge, tandis
que les autres éléments sont issus de son chagrin et

de sa crainte. C'est ainsi que l'élément liquide est né
de ses larmes (§ 2). On aura une idée de ses souffrances
par la quantité et la diversité des larmes qu'elle a
versées ! Il lui est arrivé pourtant de rire, en pensant
à l'éon Christ (§ 3-4) ; c'est de son rire que provient
la lumière (§ 5).

15, 1. materia quam innatam : cf. *supra*, 7, 13 et 11, 2
(= ἀγέννητος, dans la définition de Bythos) ; Braun, p. 49 s.
Pour cette allusion ironique à la philosophie, cf. *Apol.* 11, 5 :
« Totum enim hoc mundi corpus siue innatum et infectum
secundum Pythagoram, siue natum factumue secundum
Platonem... » ; 47, 8 : « Sic et de ipso mundo, natus innatusue
sit, decessurus mansurusue sit, uariant ». L'idée que pour
Pythagore la matière est incréée est en fait une interprétation
tardive de la doctrine ; chez les platoniciens eux-mêmes
elle n'apparaît clairement qu'avec Apul., *De Plat.*, 1, 191 :
« materiam uero inprocreabilem incorruptamque (Platon)
commemorat » ; elle est en revanche exposée par Arist.,
Phys., I, 9, 192a28 (ἄφθαρτον καὶ ἀγένητον) ; 209b11 ; pour
les stoïciens, cf. *SVF* I, § 509 (« ingenita materia... una
cum materia mundus ingenitus ») ; II, § 408 (ὕλη... ἀγένητός
τε καὶ ἄφθαρτος οὖσα) ; cf. J. C. M. Van Winden, *Calcidius
on Matter, His Doctrine and Sources*, Leiden 1959, p. 75 s.
Pour la polémique de Tert. contre Hermogène sur ce sujet,
cf. J. H. Waszink, « Observations on Tertullian's treatise
against Hermogenes », *VChr* 9 (1955), p. 129-147. — **uolunt** :
polémique et même péjoratif comme *supra*, 7, 5 et *infra*,
26, 2 ; 30, 1 ; 36, 1 ; 38 — mais cicéronien. — **originem et
substantiam** : Irén., I, 4, 2 : ταύτην (= τὴν ἐπιστροφήν)
σύστασιν καὶ οὐσίαν τῆς ὕλης γεγενῆσθαι λέγουσιν, ἐξ ἧς ὅδε ὁ
κόσμος συνέστηκεν. En toute rigueur de termes, il ne saurait
y avoir, pour la philosophie grecque, de *substantia materiae*, puisque aussi bien la matière (ἡ ὕλη) « est antérieure
à toutes les catégories, y compris celle de l'*ousia* » (J. Moreau,
Aristote et son école, Paris 1962, p. 99). — **in... struem
mundi** : *in* final, cf. *Herm.* 43, 1 : « (materia) stetit in dei
compositionem » ; *supra*, 7, 1. Tert. réserve de préférence
strues, struo, et les mots de la même famille, à la création

de l'homme ; toutefois *Herm*, 40, 1 : « in hac exstructione mundi » ; cf. Braun, p. 387. — **Mercurius ille Trismegistus** : sur la place emphatique de *ille*, cf. *TLL* s. u. col. 361, 50 s. Première attestation de la forme latine *Trismegistus*. Le document le plus ancien où le nom d'Hermès (= Thoth) serait associé à une forme de l'adj. est un ostracon découvert à Saqqâra récemment (daté de 168-164 a. C.) et sur lequel on peut lire : τὰ ῥηθέντα μοι ὑπὸ μεγίστου καὶ μεγίστου θεοῦ μεγάλου Ἑρμοῦ ; la forme Τρισμέγιστος est plus tardive, sans doute postérieure à l'ère chrétienne ; cf. W. B. Emery, *JEA* 52 (1966), p. 3-8 ; T. C. Skeat-E. G. Turner, *JEA* 54 (1968), p. 199-208. Sur l'assimilation Thoth-Hermès-Mercure, cf. A. J. Festugière, *La révélation d'Hermès Trismégiste*, t. 1, Paris 1950[3], p. 67 s. — **magister omnium physicorum** : nombreuses allusions à Trismégiste dans le *De anima* : 2, 3 ; 15, 5 ; 28, 1 ; 33, 2. Tert. connaissait peut-être la littérature hermétique par Albinus (cf. *An.* 28, 1), mais une connaissance directe n'est pas exclue (cf. Waszink, p. 47*). De tous ces passages il ressort que *physicus* doit être entendu au sens ancien de φυσικός (philosophe traitant de la nature et du monde) et non au sens hellénistique du mot (savant spécialisé dans l'occultisme) ; l'hésitation de Festugière, *op. cit.*, p. 79, n. 2, n'est donc pas fondée, d'autant que Tert. ne paraît connaître que le premier sens : cf. en particulier *Apol.* 46, 8 : « Thales ille princeps physicorum », mais également *Nat.* II, 1, 10-11 ; 2. 1.14 ; 5, 13 ; 6, 7 ; 9, 1.8 ; *Marc.* I, 13, 3 ; *Carn.* 20, 6 ; *An.* 15, 5. **recogitauit** : = *cogitauit*, cf. *supra*, 3, 3.

15, 2. Audisti : cf. *supra*, 8, 4 ; 6, 2 s. u. *lector.* — **conuersionem** : cf. *supra*, 14, 4. — **anima... mundi** : sur cette doctrine, cf. J. Moreau, *L'âme du monde de Platon aux stoïciens*, Paris 1939 ; son influence sur le gnosticisme, Sagnard, p. 579. D'autre part, cf. *An.* 33, 2 : « Mercurius Aegyptus... dicens animam digressam a corpore non refundi in animam uniuersi » ; voir aussi *An.* 12, 1. — **constitisse** : cf. *infra*, 24, 2. — **Demiurgi... dei nostri** : Tert. n'utilise le terme Demiurgus qu'en référence au valentinianisme. En dehors de ce traité, il n'apparaît qu'une seule fois, en

Scorp. 10, 2, dans une phrase prêtée aux valentiniens ;
cf. Braun, p. 380-381. — **maerorem et timorem** : Irén., I,
4, 2 : ἐκ δὲ τοῦ φόβου καὶ τῆς λύπης τὰ λοιπὰ τὴν ἀρχὴν
ἐσχηκέναι. En fait, les quatre « passions » sont à l'origine
des quatre éléments (le saisissement de stupeur donne la
terre ; la crainte, l'eau ; la tristesse, l'air ; l'ignorance, le
feu), comme le précise Irén., I, 5, 4, mais Tert. ne reproduit
pas ce passage ; il y a d'ailleurs quelques incertitudes dans
ces classifications, à l'intérieur même de la notice d'Irénée,
incertitudes dues sans doute à la pluralité des sources ;
cf. Sagnard, p. 178-179 ; pour le *Tract. Tripart.*, 98, 2-3,
cf. comm. *ad loc.*, p. 378.

15, 3. aestimandum : souvent employé (comme *exis-
timare*) pour désigner une pure conjecture, une vue de
l'esprit (cf. *infra*, 24, 1). Tert. l'applique donc volontiers
aux hérétiques ou aux philosophes : cf. *Herm.* 18, 1 : « ut
Hermogenes existimauit, habuit deus materiam longe
digniorem et idoniorem, non apud philosophos aestimandam,
sed apud prophetas intellegendam » ; *infra*, 30, 1 ; de même
pour *aestimatio* (= *suspicio, praesumptio*), cf. *Apol.* 45, 2 :
humana aestimatio. — **exitum duxerit** : *exitus*, cf. *supra*,
10, 1-2. *Ducere = habere* (cf. *Nat.* I, 5, 8 : *ducere nomen*),
ferre. Cf. *TLL* s. u. col. 2159, 3. — **quantis... inundauerit** :
interr. indirecte développant *hinc* plutôt que prop. relative
équivalant à « lacrimarum generibus (abl. instr. de mesure)
quantis inundauerit », où le subj. serait d'indétermination
(cf. *Apol.* 50, 9 : « flagella... tantum honoris... conferunt
quantum sanguinis fuerint » ; Waltzing, p. 323). Pour
quanti = quot, cf. *supra*, 7, 1. — **Habuit et salsas...** :
passage ironique partiellement inspiré d'Irén., I, 4, 4. —
guttas : poétique pour *lacrimae* (cf. Ov., *Pont.*, 2, 3, 90).
— **bituminosas** : chez Vitruve et ici seulement (cf. *TLL*
s. u. col. 2022, 65). — **ferruginantes, sulphurantes** :
néologismes sarcastiques (le premier est un hapax, cf. *TLL*
s. u. col. 575, 23) pour *ferrugineus* et *sulphureus*. — **utique
et** : = *et utique* ; cf. *supra*, 8, 5. — **Nonacris... Lyncestarum... Salmacis** : cf. *An.* 50, 3 : « Legimus quidem
pleraque aquarum genera miranda, sed aut ebriosos reddit

Lyncestarum uena uinosa aut lymphaticos efficit Colo-
phonis scaturigo daemonica aut Alexandrum occidit
Nonacris Arcadiae uenenata ». Cf. pour les textes latins,
Vitr., 8, 3, 16 : « est in Arcadia Nonacris nominata terrae
regio quae habet in montibus e saxo stillantes frigidissimos
humores. Haec autem aqua Στυγὸς ὕδωρ nominatur, quam
neque argenteum neque aeneum neque ferreum uas potest
sustinere, sed dissilit et dissipatur... » ; 8, 3, 17 : « ... sunt
nonnullae acidae uenae fontium, uti Lyncesto » ; Ov.,
Mét., 4, 271-388 (légende de la nymphe Salmacis), et spéc.
385-386 : « Quisquis in hos fontes uir uenerit, exeat inde /
Semiuir et tactis subito mollescat in undis » ; 15, 229-231 :
« ... Lyncestius amnis, / Quem quicumque parum moderato
gutture traxit, / Haud aliter titubat quam si mera uina
bibisset » ; Sén., Q. N., 3, 20, 6 (= Ov., Mét., 15, 329 s.) ;
3, 25, 1 : « Quaedam aquae mortiferae sunt nec odore nota-
biles nec sapore. Circa Nonacrin in Arcadia Styx appellata
ab incolis aduenas fallit... » ; Plin., Nat., 2, 230 : « Lyncestis
aqua quae uocatur acidula uini modo temulentos facit » ; 2,
231 : « Iuxta Nonacrim in Arcadia Styx... pota ilico necat ».
Cf. RE 13, 2 s. u. « Lynkestis », col. 2469 ; 17, 1 s. u. « Nona-
kris 1. », col. 859-860 ; 25, 2 s. u. « Salmakis 2. », col. 1977.
— Alexandrum : cf. Plut., Alex., 77, qui rapporte, sans
y croire, les conditions dans lesquelles Alexandre aurait été
empoisonné par Antipater avec la complicité d'Aristote
qui aurait fourni l'eau de Nonacris ; Arr., 7, 27, 1-2 ; etc.
Waszink, p. 522. — Lyncestarum : s. ent. aqua ; cf. Cult. II,
2, 5 : « sciatis... naturalis speciositatis (s. ent. suggestum)
oblitterandum » ; Prax. 12, 4 : « ad cuius (s. ent. imaginem)
faciebat » ; 15, 8 : « sine rationis (s. ent. gubernaculo) » ;
G. Thörnell, « Studia Tertullianea I », p. 3, UUÅ 1917 ;
Löfstedt, Spr. Tert., p. 5-7 ; cf. aussi supra, 7, 4, s. u.
uiusmodi. — se soluerit : rare et poétique en ce sens, cf.
Ov., Ars. 2, 237 « ... feres imbrem caelesti nube solutum » ;
Stace, Ach., 1, 929-930 : « ... Cara ceruice mariti / fusa noui
lacrimas iam soluit et occupat artus » ; cf. aussi Lucr., De
rer. nat., 6, 706 ; Stace, Th., 9, 530. — quae masculos
nolles : s. ent. efficit. Cf. Mart., 14, 174 : « masculus intrauit
fontes, emersit utrumque ». Sur le pouvoir « démoniaque »

de l'eau, cf. *Bapt.* 5, 4 : « An non et alias sine ullo sacramento immundi spiritus aquis incubant adfectantes illam in primordio diuini spiritus gestationem ? Sciunt opaci quique fontes et auii quique riui et in balneis piscinae et euripi in domibus uel cisternae et putei qui rapere dicuntur, scilicet per uim spiritus nocentis ; nam et esietos et lymphaticos et hydrophobas uocant quos aquae necauerunt aut amentia uel formidine exercuerunt ».

15, 4. pipiauit : ce vb. ne se rencontre qu'ici et en *Mon.* 16, 5 : *infantes pipiantes* (*pipan-* mss). Sur cette onomatopée, cf. Ernout-Meillet, *Dict. étym.* [4], p. 509. — **luctus et lacrimas** : = *lacrimas luctus, luctuosas.* — **Proinde** : = *pariter,* cf. *Apol.* 6, 10 ; 9, 16 ; etc. Porte sur *ducta sunt.* — **corporalia elementa** : Irén., I, 4, 2 : ἀπὸ δὲ τῆς λύπης καὶ ἐκπλήξεως τὰ σωματικὰ τοῦ κόσμου στοιχεῖα (= la terre) ; cf. Sagnard, p. 179 ; *supra,* 15, 2. *Corporalis,* apparaît chez Sénèque, aussi bien au sens de « relatif au corps humain » qu'au sens de « qui est un corps, matériel », cf. *TLL* s. u. col. 993, 3. — **circumstantia** : Tert. paraît être le seul à avoir utilisé ce terme avec le sens précis de « circonstance malheureuse, danger pressant, etc. », cf. *Orat.* 10 ; *Bapt.* 17, 3; *Res.* 30, 9 ; etc. *TLL* s. u. col. 1173, 2. — **circumspectu** : au sens propre, chez Cicéron, Tite-Live, etc. (cf. *Iei.* 5, 2 ; *Pal.* 3, 3) ; au sens figuré, comme ici, cf. Ov., *Tr.,* 4, 6, 44 : « in circumspectu sui mali » ; Sén., *De otio,* 5, 4 ; Apul., *Mét.,* 11, 19, 3. Cf. *TLL* s. u. col. 1168, 65. — **destitutionis** : *supra,* 14, 4 : *ut destituta.* Pour ce sens (= *desolatio, solitudo*), cf. *Apol.* 37, 6 ; *An.* 38, 6. — **qua... recordans** : *qua* (« dans la mesure où, en tant que, parce que ») est fréquent chez Tert., en particulier avec un part., cf. Hoppe, *Synt.,* p. 59 ; L. H. S., p. 653; *infra,* 33, 2 ; *supra,* 6, 3 ; 14, 1. *Recordor* + gén. : constr. post-class. (cf. L. H. S., p. 81). — **Christi** : la leçon des mss (*conspecti Christi*) maintenue par tous les éditeurs n'est pas recevable puisque *supra,* 14, 3, il a été précisé que l'éon Christ avait donné à Achamoth la formation selon la substance sans qu'elle eût eu la possibilité de le voir (*ut inuisibiliter operatum*) ; il est donc hautement vraisemblable que *conspecti* s'explique ici par une

réminiscence de *circumspectu*. — **eodem gaudii risu** : pour
l'établissement du texte, cf. « Valentiniana », p. 65. L'équivalence *idem* = *ipse*, plus rare que l'inverse, est attestée en
Apol. 9, 2 ; cf. Waltzing, p. 70 ; Bayard, *Le Latin de saint
Cyprien*, p. 133. *Gaudii risu* (= *laeto risu*), gén. d'inhérence
(cf. *supra*, 12, 2 : *lasciuias gaudiorum*) ou, peut-être, de
définition : cf. Aug., *Ciu. Dei*, XVI, 31 : « risus ille etiamsi
gaudii fuit » (*cf. Apol.* 18, 2 : *uiros... iustitiae* ; Hoppe, *Synt.*,
p. 18-19). — **effulsit** : normalement construit avec l'abl.
(*ex- fulgeo*) : cf. Virg., *Én.*, 9, 731 : « noua lux oculis (Turni)
effulsit », ou, métaphoriquement, Tac., *Dial.*, 20, 4 : « ⟨ sensus ⟩
aliqui arguta et breui sententia effulsit ».

15, 5. Cuius... cogebat ? la ponctuation de Kroymann
n'est pas indispensable (cf. « Valentiniana », p. 65). La phrase
présente partiellement le rythme d'un septénaire trochaïque :
« Cŭiŭs hōc | prōuĭ|dēntĭ|aē bĕnĕ|fĭcĭūm | quae ĭllām | rĭdē|re
cogebat ? ». Littéralement : « De quelle providence relevait
(s. ent. *erat*) ce bienfait, elle qui l'incitait à rire ? ». — **prouidentiae** : longtemps Tert. est demeuré réservé à l'égard de
ce terme lié à une conception stoïcienne, non chrétienne,
du monde, d'où les contextes ironiques ou dépréciatifs dans
lesquels il apparaît : cf. *infra*, 25, 1 ; *Apol.* 18, 7 ; *An.* 17, 11 ;
20, 5. Ses scrupules ont été peu à peu dissipés : cf. *Res.* 6, 3 ;
Iei. 4, 1 ; *Prax.* 26, 6. Braun, p. 132 s. — **elementum** : la
lumière considérée ici comme un « élément » (= *ignis*) par
similitude avec la lune, le soleil, etc. ; mais *TLL* s. u. col.
347, 8, ne mentionne pas d'autres exemples de cet emploi. —
radiauerit : subj. pft. à valeur potentielle, cf. *supra*, 6, 2.
— **instrumentum** : sur la polysémie de ce terme chez
Tert. cf. Braun, p. 463. Ici au sens concret de « éléments
constitutifs, équipement », cf. *Spec.* 2, 2 : « (Deus) ea (=
saxa, caementa, marmora) ad instrumentum terrae (= ad
instruendam terram dedit) ». — **saeculo** : = *mundo* (*supra*).
Pour *saeculum* avec ce sens neutre (« monde, terre »), cf.
A. P. Orbán, *Les dénominations du monde chez les premiers
auteurs chrétiens*, Nijmegen 1970, p. 185 ; *Marc.* I, 17, 4 ;
23, 7 ; etc. Sans doute complt. de *defuderit* (rare et poétique
avec un acc. désignant une chose autre que liquide, *TLL*

s. u. col. 376, 5), cf. Hor., *Ép.*, 1, 12, 28-29 : « ... aurea
fruges / Italiae pleno defundit Copia cornu ». — **inlumina-
torem** : néologisme, que Tert. emploie aussi avec une valeur
métaphorique (*Apol.* 21, 7 ; *Marc.* IV, 17, 13). — **rigatorem** :
autre néologisme. Pour l'emploi des noms d'agent en -*tor*,
-*trix*, en fonction adjective, cf. Hoppe, *Synt.*, p. 94. — **horrore** : + gén. objectif ; cf. *infra*, 18, 2 : « cum magno horrore
blasphemiae ». — **Omnem...** : le texte des mss peut être
conservé (cf. « Valentiniana », p. 65). — **discussisset** :
irréel, comme *poterat* et *noluisset*. — **uel ne** : = *uel ut...
non*, « fût-ce même dans des conditions telles que », cf.
Apol. 21, 2 ; *Scap.* 4, 1 : *uel quia* ; *Apol.* 23, 19 ; *Prax.* 2,
3 : *uel ne* ; etc. Pour *ne* = *ut non*, cf. Hoppe, *Synt.*, p. 82 ;
Waszink, p. 139-140. — **desertores suos** : Christ et Esprit-
Saint (cf. *supra*, 14, 2). Ce passage sarcastique sur le « rire
illuminateur » d'Achamoth n'a pas son équivalent dans Irénée.

c. Formation d'Achamoth selon la « gnose » (chap. XVI).

La mission de former Achamoth selon la « connaissance » est confiée à l'éon Sauveur Jésus. Il
s'avance donc vers elle, entouré de son escorte angélique (§ 1). A sa vue, Achamoth se couvre d'un voile,
le salue et le contemple. Il l'accueille, lui donne la
formation selon la gnose et la purifie de toutes ses
passions (§ 2). De celles-ci, il fait une matière incorporelle, qui pourra se transformer en corps matériels.
Il y eut ainsi deux substances, l'une, mauvaise, issue
des passions d'Achamoth, l'autre, passible, issue de
sa « conversion ». Telle est la « matière » qui a opposé
Tertullien à Hermogène (§ 3).

16, 1. enim : = *enimuero* (cf. *Apol.* 13, 6 ; 16, 3 ; etc.).
Reprise du récit concernant le salut d'Achamoth qui avait
été interrompu à la fin du § 14, 4. — **more materno** :
cf. *supra*, 10, 3 : « (Sophia) conuertit ad patrem... in preces
succidit ». — **quem... pigebat... proficisci** : Tert. reproduit
une réflexion ironique qui est déjà dans Irén., I, 4, 5 :
... εἰκὸς ὅτι ὤκνησεν ἐκ δευτέρου κατελθεῖν, τὸν Παράκλητον...

ἐξέπεμψεν. — **uicarium praeficit** : la correction de
Kroymann (*uicarium praefecti*) ne paraît guère avoir de
justification. Pour les emplois courants du mot et son
usage trinitaire chez Tert., cf. Moingt, IV, p. 254-255. —
Paracletum Soterem : cf. *Extr. Théod.*, 23, 1-2 : « Les
valentiniens appellent Jésus le Paraclet, car il est venu
plein d'éons [i. e. en tant que Fruit des éons] en tant qu'il
est sorti du Tout [i. e. du Plérôme] ; car le Christ, abandon-
nant la Sagesse qui l'avait émis [doctrine de l'école orientale]
et étant entré au Plérôme, demanda du secours pour la
Sagesse qu'il avait laissée au dehors : et par suite de l'as-
sentiment des éons, Jésus est émis comme un Paraclet
[= aide pour l'éon qui a transgressé Sagesse] » ; *SC* 23,
p. 104-107 (trad. légèrement retouchée) ; cf. Orbe, *Est.
Val.*, IV, p. 434 s. Tert. le désigne ici en juxtaposant deux
de ses noms, cf. *supra*, 10, 3 : *Monogenes Nus*. — **erit** :
cf. *supra*, 3, 2. — **largito... omnibus** : à quelques détails
près, les traducteurs ont compris : « le Père lui ayant donné
le pouvoir suprême sur tous les éons, en les lui soumettant
tous », ou « pour que tous ceux-ci lui soient soumis ». Grammaticalement possible, cette traduction n'est guère satisfaisante pour plusieurs raisons. D'une part, elle aboutit à
une tautologie. Elle ne répond pas, d'autre part, à l'esprit
du mythe : il ne s'agit pas de donner au Sauveur tout pouvoir
sur le Plérôme (qui a retrouvé son unité et sa sérénité), mais
de transférer au Sauveur toute la « dynamis » individuelle
de tous les éons pour qu'il puisse agir efficacement *en dehors*
du Plérôme, pour que ce fruit du Plérôme en ait aussi la
« puissance » dans la mission qu'il va accomplir *à l'extérieur*.
Une telle interprétation supposerait d'ailleurs, de la part
de Tert., un contresens sur Irén., I, 4, 5 : ἐνδόντος αὐτῷ
πᾶσαν τὴν δύναμιν τοῦ πατρὸς καὶ πᾶν ὑπ' ἐξουσίαν παραδόντος
καὶ τῶν Αἰώνων δὲ ὁμοίως (*Vetus Interpr.* : « praestante
ei uirtutem omnem Patre et omnia sub potestate tra-
dente, et aeonibus autem similiter »). En réalité, le seul
obstacle, du point de vue du sens général, à une équivalence
satisfaisante entre le texte d'Irénée et celui de Tert. est la
présence de *eis* (*subiciendis eis omnibus*), qui, dans l'état
de la tradition, ne peut que renvoyer à *uniuersorum aeonum*.

Une suppression, facile à admettre du point de vue paléo-graphique (*eis* entraîné par « largito *ei* »), rend la phrase plus intelligible, plus cohérente à l'exposé du mythe, et évite d'imputer à Tert. un contresens sur un passage qui n'offre aucune difficulté d'interprétation. *Subiciendis omnibus* paraît être d'ailleurs l'écho des formules de *I Cor.* 15, 27-28 et *Éphés.*, 1, 22, qui s'associent tout naturellement à celle de *Col.* 1, 16 que Tert. trouve dans Irénée. Pour le pluriel neutre aux cas obliques (*subiciendis omnibus*), cf. *supra*, 14, 1 ; pour le dat. final de l'adj. vb., cf. *supra*, 8, 1. — **apostolum** : cf. *supra*, 2, 3. L'une des rares références scripturaires invoquées par les valentiniens mentionnées par Tert. (cf. *supra*, p. 22), sans doute parce qu'il ne se sens pas gêné, au moins d'un point de vue extérieur, par l'utilisation qu'ils en font. Sur l'emploi de *condere* par Tert., surtout en citations ou en commentaires de l'Écriture, cf. Braun, p. 351-352 ; cf. *infra*, 20, 1. — **officio** : cf. Ov., *Mét.*, 15, 691-692 : « ... turbaeque sequentis / Officium... dimittere » ; Pline, *Pan.*, 76, 9 : « Ipsius quidem officium tam modicum... ut antiquus aliquis magnusque consul sub bono principe incedere uideretur » ; Suét., *Iul.*, 71 : « inter officia prosequentium fascesque lictorum » ; etc. — **coaetaneorum** : apparaît chez Apulée ; Irén., I, 4, 5 : μετὰ τῶν ἡλικιωτῶν... ; cf. *supra*, 12, 5. — **credas et :** = *et credas* ; cf. *supra*, 8, 5.

16, 2. Ibidem : = *statim* (cf. *supra*, 3, 4 ; 7, 6). Sans doute ici en fonction adjective (= *cito aduentu*), cf. Waszink, p. 84-85, — **pompatico** : mot rare, qui apparaît chez Front., *ad M. C.*, 3, 17, avec un sens rhétorique (*pompaticas orationes*) ; cf. aussi Apul., *Mét.*, 10, 29, 3, avec le sens qu'il a ici : « Ad conseptum caueae prosequente populo pompatico fauore deducor » ; *Cult.* II, 9, 4. — **uelamentum sibi obduxit** : par imitation du tour *sibi aliquam rem induere*. Illustration scripturaire : *I Cor.* 11, 10, cf. Irén., I, 8, 2 ; *Extr. Théod.*, 44, 2. — **ex officio** : cf. Apul., *Mét.*, 11, 19, 1 : « Adfatis... ex officio singulis » ; *uenerationis et uerecundiae*, couple synonymique tout à fait dans la manière d'Apulée (cf. Bernhard, *Stil des Apul.*, p. 165). *Primo* : avec double valeur, celle de l'adj. (le « premier ») et celle de l'adv. (« en premier lieu »), cf. Tac.,

An., 13, 1, 1 : « Prima nouo principatu mors Iunii Silani...
paratur ». — **suggestum** : = *pompam, comitatum* ; cf. *Res.*
12, 2 : « nox cum suo... suggestu (= stellis) » ; au sens figuré :
Pud. 5, 6 : « Pompam quandam atque suggestum aspicio
moechiae, hinc ducatum idololatriae antecedentis, hinc
comitatum homicidii insequentis ». *Fructiferum* : apparaît
chez Sén., *Luc.*, 98, 2, et rarement attesté avant Tert. qui
lui-même ne l'emploie qu'ici (cf. *TLL* s. u. col. 1367, 13).
Irén., I, 4, 5 : σὺν ὅλῃ τῇ καρποφορίᾳ. Il s'agit naturellement
des anges qui escortent le Sauveur (*supra*, 16, 1) ; sur cette
notion de « fruit » dans le valentinianisme, cf. *supra*, 8, 1.
— **Quibus... uiribus** : Tert. paraît avoir quelque prédilection pour cette attraction du relat. au cas de l'antécédent ; cf. *infra*, 30, 1 : « qua uolunt interpretatione » ; *Apol.*
28, 1 : « me conueniat Ianus iratus qua uelit fronte » ; etc.
— Κύριε χαῖρε : selon Rönsch, *Das Neue Testament Tertullians*, p. 137, allusion à *Matth.* 26, 49 « χαῖρε, ῥαββί » ; dans
ce contexte satirique une telle référence nous paraît toutefois
peu vraisemblable. De toute évidence Tert. tire un effet
ironique de cette formule de salutation grecque ; cf. Lucil.
ap. Cic., *Fin.*, 1, 9 (Warm. 92-93) : « Χαῖρε, inquam, Tite !...
Χαῖρε, Tite ! » ; Perse, *Chol.*, 8 : « Quis expediuit psittaco
suum « Chaere » / Picasque docuit uerba nostra conari ? » ;
dans cet emploi comme titre de politesse κύριε n'apparaît
dans les textes qu'à date relativement récente (*Jn* 12, 21 ;
etc.). L'addition *dicens* de Kroymann n'est pas nécessaire,
cf. *infra*, 3, 5 ; 31, 1 ; Hoppe, *Synt.*, p. 145. — **confirmat** :
terme technique (cf. *supra*, 10, 4 ; Sagnard, p. 654 s. u.
στηρίζω). Irén., I, 4, 5, ne mentionne pas cette étape du
mécanisme de gnose chez Achamoth : en revanche elle fait
partie de la formation de Sophia d'en haut (*supra*, 10, 4).
Sans doute Tert. a-t-il vu là l'occasion d'un jeu de mots
confirmat-conformat). *Conformare* = *formare* (cf. *infra*, 27,
3 ; *supra*, 3, 3) ; Irén., I, 4, 5 : κἀκεῖνον μορφῶσαι
αὐτὴν μόρφωσιν τὴν κατὰ γνῶσιν. — **agnitione** : = *scientia*
supra, 12, 1 ; 14, 1 ; *infra*, 30, 1), *sententia* (*supra*, 12, 3).
— **expumicat** : hapax (cf. *TLL* s. u. col. 1813, 7). — **non
eadem neglegentia...** : expliqué par ce qui suit : « exer-
itata... uiriosa ». Au contraire Sophia (d'en haut) avait

pu être purifiée, par Horos, de ses passions, sans qu'il eût
à en tenir compte, parce qu'elles étaient moins vigoureuses
(cf. *supra*, 10, 4). — **in exterminium** : *in* final (cf. *supra*, 7,
1). *Exterminium* : création de Tert., cf. *Iud.* 8, 1 et 17 ;
11, 6 (citation d'*Éz.*). Irén., I, 4, 5 : οὐ γὰρ ἦν δυνατὸν
ἀφανισθῆναι ⟨ αὐτά ⟩.

16, 3. uiriosa : dérivé de *uires*, très rarement attesté ;
sous la forme adv. en *An.* 19, 4 ; cf. Waszink, *Mnemosyne*
12 (1944), p. 74-75. — **massaliter** : attesté uniquement
chez Tert., ici et *Fug.* 13, 3 (avec un sens différent : « en
masse, en totalité »), cf. Hoppe, *Beiträge*, p. 145. — **solidata** : cf. *supra*, 11, 1. — **incorporalem** : accueillie par
Riley, cette correction est indispensable (cf. « Valentiniana »,
p. 66), malgré Marastoni (p. 177). — **paraturam** : Tert.
fait preuve d'une grande prédilection pour ce terme
qu'il a forgé, et qui a presque toujours un sens concret
(= *apparatus, instrumentum, materia*), cf. H. Fine, *Die
Terminologie der Jenseitsvorstellungen bei Tertullian*, Bonn
1958, p. 57 ; *infra*, 26, 2. Bien venu ici (« préparatif, apprêt,
dispositif ») pour désigner un état de transition entre la
passion incorporelle et la matière proprement dite. A noter
que, contrairement au stoïcisme, les passions sont conçues,
par les valentiniens, comme des « incorporels », puisqu'elles
sont issues, malgré tout, du Plérôme. — **indita... natura**
abl. abs. succédant à un part. accordé (*commutans*) : *variatio*
recherchée par les historiens (Salluste, Tite-Live, Tacite
Suétone) et Apulée (cf. Bernhard, *Stil des Apul.*, p. 42)
— **habilitate** : = *uirtute, facultate* ; cf. *Res.* 58, 6 (= *utili
tas*) ; *TLL* s. u. col. 2465, 47. — **posset** : suj. *paratur*
(cf. « Valentiniana », p. 66). — **peruenire in** : cf. *supra*, 10
1. — **aequiperantias corpulentiarum** : = *aequas corpu
lentias* ; cf. *Apol.* 22, 6 : « eadem... obscuritate contagionis
(= *contagione pariter obscura*) ; *An.* 32, 6 : « agrestes ama
ritudines frondium » (= *amarae frondes*) ; Waszink, p. 388
Aequiperantia est un hapax (*TLL* s. u. col. 1011, 57). *Corpu
lentia*, terme rare qui apparaît chez Plin., *Nat.*, 1, 11, 118
11, 283 (« embonpoint, obésité »). Tert. l'emploie le plu
souvent au sing., « matérialité, corporéité, densité » (= *cor*

poralitas), cf. *An.* 9, 8 : « corpulentia animae ex densatione solidata est » ; *Res.* 17, 3 : « (anima) habet corpulentiam propriam » ; *Carn.* 3, 7 : « uti conuersi in corpulentiam humanam angeli nihilominus permanerent » ; etc. ; trois fois seulement au plur. (= *corpora, substantiae*), cf. *An.* 5, 2 ; 24, 4 ; ici, « la matière constitutive de l'être », synonyme de *substantia*, comme l'indique le contexte immédiat ; cf. Braun, p. 183. Pour l'emploi fréquent des abstraits au plur., *supra*, 4, 4. — **condicio** : le sens ontologique est bien marqué (*qualitas, natura, status*), cf. *supra*, 14, 4 ; *infra*, 29, 4. Sur ce terme, cf. Braun, p. 362 s. — **de uitiis** : les quatre « passions » d'Achamoth (cf. *supra*, 14, 4). — **de conuersione** : cf. *supra*, 15, 2. — **passionalis** : Irén., I, 4, 5 : ἐμπαθῆ. Mais Tert. a créé cet adj. antérieurement, dès *Test.* 2, 3 : « si deus irascitur, corruptibilis et passionalis est » ; cf. aussi *Test.* 4, 1 : « sine carnis passionalis facultate ». Ce néologisme ne reparaît pas ailleurs sous sa plume. — **erit** : cf. *supra*, 3, 2. — **materia** : jeu de mots (ὕλη et ὑπόθεσις). En réalité, seule la substance issue des passions constitue la « matière », cf. *supra*, 15, 2 ; *infra*, 17, 2 ; 20, 1. — **commisit** : sens qui apparaît chez Suétone ; cf. *An.* 2, 5 ; *Prax.* 30, 1 ; sens différent *supra*, 1, 4 ; 3, 2 ; *infra*, 25, 3. — **cum Hermogene** : rappel de l'*Aduersus Hermogenem* (entre 198 et 206, cf. Braun, p. 721) ; du *De censu animae*, écrit également contre Hermogène quelques années plus tard, nous ne possédons que des allusions par le *De anima*, écrit peu de temps après (208-211) ; cf. aussi *Praes.* 30, 13 et 33, 9. Tert. est, avec Hippol., *Philos.*, VIII, 17 ; X, 28, notre principale source sur Hermogène (cf. Waszink, *Treatise against Herm.*, p. 3). — **operatum** : (s. ent. *esse*). Vb. utilisé en particulier dans *Herm.* pour souligner un aspect de la création qui n'est pas l'aspect essentiel, celui de travail ou d'œuvre organisatrice de Dieu, cf. Braun, p. 383 ; cf. *infra*, 20, 3.

d. Enfantement des spirituels par Achamoth (chap. XVII).

Délivrée enfin de tous ses maux, Achamoth éprouve une grande joie. La contemplation des lumières

angéliques lui fait même concevoir un fruit spirituel
(§ 1), qu'elle enfante. Trois causes ont donc produit
trois genres de substances (§ 2).

17, 1. ecce : adv. expressif adapté au style narratif ;
fréquent en particulier chez Apulée (cf. Callebat, *Sermo
cotidianus*, p. 88 ; 422). Tert. l'utilise le plus souvent en
tête de phrase (comme Apulée) ; mais également, dans le
cours d'une phrase, au début de la prop. principale. Les
occurrences en citations scripturaires sont plus nombreuses
d'un tiers environ. — **frugescit** : Irén., I, 4, 5 : ἐκτὸς τοῦ
πάθους γενομένην. Création de Tert. qui n'utilise ce vb.
qu'ici et en *Res.* 22, 8 (également au sens figuré) ; une seule
attestation postérieure (Prud., *Sym.*, 2, 914, au sens propre)
selon *TLL* s. u. col. 1403, 15. Sur cette notion technique
cf. *supra*, 7, 7 ; 8, 1 ; etc. — **concalefacta** : très rare, mais
attesté chez Cicéron au sens propre ; pour le sens métaphorique, *TLL* s. u. col. 3, 81, ne signale, outre cette occurrence, qu'Irén. (lat), I, 13, 3 (= διαθερμανθεῖσα) et Non.,
p. 92. — **angelicorum luminum** : Irén., I, 4, 5 : τῶν σὺν
αὐτῷ φώτων... τουτέστιν τῶν ἀγγέλων τῶν μετ' αὐτοῦ. Pour
l'expression « anges de lumière », cf. *Act.* 12, 7 ; *II Cor.* 11,
14. Au pluriel τὰ φῶτα désigne soit les anges soit les éons ;
au sing., le Christ, le Sauveur, le Père ou le Plérôme, cf.
Sagnard, p. 659 s. u. φῶς. — **ut ita dixerim** : cf. *supra*, 6,
2. — **subfermentata** : hapax (cf. Hoppe, *Beitr.*, p. 145).
— **pudet** : précaution, renforcée par *quodammodo*, pour
annoncer *subsuriit*. *Exprimere* : « s'exprimer » et non
pas « traduire », car Irén., I, 4, 5, écrit simplement : διδάσ-
κουσιν. — **subsuriit** : hapax (conjecture de Ph. le Prieur) =
suriit (cf. *supra*, 3, 3). — **et ipsa** : = *ipsa* (cf. *Apol.* 4, 6 ;
30, 1 ; etc. L. H. S., p. 483). — **illos** : = *angelos* ; syllepse
de genre (*angelicorum luminum*). — **intumuit** : première
occurrence au sens de *fieri grauidam* ; puis Lact., *Inst.*, 4,
12, 1 ; Jér., *Epist.*, 22, 2, 1 (= *Gen.* 38, 24). Cf. *TLL* s. u.
col. 99, 16. — **laetantis, ex laetitia prurientis** : pour
l'asyndète et l'établissement du texte, cf. Hoppe, *Beitr.*,
p. 53 ; nos « Valentiniana » p. 66-67. — **imbiberat** : cf. Cic.,
Verr., 1, 42 : « nisi de uobis malam opinionem animo ιmbi-

bisset » ; d'autre part, *Vx.* I, 7, 3 : « facultatem continentiae...
imbibamus ». — **intimarat** : apparaît chez Apul., *Plat.*, 2,
5, 227 : « cui (uirtus) fuerit fideliter intimata » ; *Mund.*, 287.
Cf. *TLL* s. u. col. 17, 44. Pour la forme contracte, *supra*, 9, 1.
Irén., I, 4, 5 est beaucoup plus clair : « Quant à Achamoth,
dégagée de sa passion, elle conçut de joie, la vision des
Lumières qui étaient avec le Sauveur, c'est-à-dire des anges
qui l'accompagnaient. Devenue grosse à cette vue, elle
enfanta des « fruits » à leur image, enfantement spirituel
à la ressemblance des « pages » du Sauveur » ; cf. Sagnard,
p. 388 s.

17, 2. denique : cf. *supra*, 3, 5 ; 6, 3. — **trinitas** : Tert. est
notre premier témoin de ce vocable. L'a-t-il forgé (Moingt III,
p. 746) ? ou plutôt emprunté aux valentiniens eux-mêmes,
(Braun, p. 151 s.) ? Les premières occurrences du mot dans
son œuvre sont en référence à l'anthropologie valentinienne
(cf. *Praes.* 7, 3 ; *An.* 21, 1 ; mais *An.* 16, 4 à propos des
trois parties de l'âme chez Platon). Cf. aussi K. Woelfl,
Das Heilswirken Gottes durch den Sohn nach Tertullian,
Roma 1960, p. 86-87. — **generum** : Irén., I, 5, 1, est plus
précis : τριῶν... τούτων ὑποκειμένων κατ' αὐτούς (= le
substrat, le fond de l'être). Cf. *infra*, 29, 1. — **materiale** :
= ὑλικόν. Cf. *supra*, 16, 3 : *de uitiis pessima*. — **animale** :
= ψυχικόν. Cf. *supra*, 16, 3 : *de conuersione passionalis*.
— **spiritale** : = πνευματικόν. *Ex imaginatione* : jeu de
mots : *imago* (cf. *supra*, 17, 1 : *ad imaginem ipsam*) et *cogitatio* : l'imagination d'Achamoth, frappée par la vue des
anges, lui a fait concevoir une substance à leur image,
c'est-à-dire spirituelle. Si, dans le passage correspondant
d'Irén., I, 5, 1, on lit simplement : τοῦ δὲ ὁ ἀπεκύησεν,
τουτέστι τὸ πνευματικόν, en revanche telle « formule » des
Marcosiens est plus explicite : Irén., I, 13, 6 (Sagnard,
p. 418) : « Toi (= Sophia d'en haut) que les « Grandeurs »
(= les anges) qui contemplent sans cesse la Face du Père
prennent pour guide et pour conductrice, afin, par toi, de
tirer en haut leurs « formes » (= les natures spirituelles des
gnostiques), — ces « formes » qui sont nous-mêmes et que
la Femme à l'audace magnanime (= Achamoth), frappée

par l'image (du Sauveur et de ses anges) a, pour le bien du
Pro-Père, émises à leur image, alors qu'elle avait présentes
à l'esprit comme dans un songe les réalités d'en haut... ».
Imaginatio : rare et peu attesté avant Tert., cf. Plin., *Nat.*,
10, 166 : « inrita oua... mutua feminae inter se libidinis
imaginatione concipiunt » ; 20, 68 (= *somnia*) ; Tac., *An.*,
15, 36, 1 : « prouincias Orientis... secretis imaginationibus
agitans ».

e. Le Démiurge (chap. XVIII).

Achamoth aurait voulu « former » chacune de ces
trois substances, mais, étant elle-même de nature
spirituelle, elle ne peut agir sur le spirituel (§ 1).
Elle se tourne donc vers l'élément psychique, et
façonne le Démiurge, autrement dit notre Dieu,
Père et Roi de tout ce qui est venu après lui — si
l'on peut dire ! En effet, à son insu, Achamoth le
guidait dans son œuvre (§ 2). Le nom qu'on lui donne,
Métropator, reflète d'ailleurs cette ambiguïté. Mais
on l'appelle également Père des psychiques, c'est-à-
dire des êtres de droite, Démiurge des hyliques,
c'est-à-dire de ceux de gauche, enfin Roi des uns et
des autres (§ 3).

18, 1. trium... liberorum : les trois substances issues
diversement d'Achamoth. Cf. *infra*, 31, 2 s. u. *leges Iulias*.
— **exercitior :** + dat. selon *TLL* s. u. col. 1378, 40, uniquement ici et Hégés., 2, 13, 2. — **non ita :** = *ita non*, cf. Löfstedt, *Spr. Tert.*, p. 48 ; Bulhart, *Praef.*, § 90-91 ; *supra*, 8,
5. — **ut et :** cf. *supra*, 14, 4. — **fere enim...** : adaptation
d'un principe qui remonte aux présocratiques (Anaxagore,
Héraclite, Démocrite) cf. Théophr., *De sensibus*, § 2 (Diels,
Dox. gr., p. 499) : τὸ μὲν ὅμοιον ἀπαθὲς ὑπὸ τοῦ ὁμοίου ;
§ 49 (*ibid.*, p. 513) : οὐ γὰρ ἀλλοιοῦται τὸ ὅμοιον ὑπὸ τοῦ
ὁμοίου. — **paria et consubstantiua** : cf. *supra*, 12, 5. — **in
alterutrum** : non classique au sens réciproque ; fréquent
chez Tert., cf. Hoppe, *Synt.*, p. 103-104 ; L. H. S., p. 178.
— **societas naturae** : cf. *An.* 25, 8 : « quo facilius anima

cum anima conseretur ex societate substantiae quam spiritus
nequam ex diuersitate naturae »; cf. *supra*, 11, 2 : *societas
officii*. — **negauit** : pft. « gnomique ».

18, 2. prolatis... disciplinis : Irén., I, 5, 1 : προβαλεῖν
τε τὰ παρὰ τοῦ Σωτῆρος μαθήματα. Précision qui complète
ce qui n'est que suggéré par *conuertit* (plus explicitement,
Irén., I, 5, 1 : τετράφθαι δὲ ἐπὶ τὴν μόρφωσιν τῆς γενομένης
ἐκ τῆς ἐπιστροφῆς αὐτῆς ψυχικῆς οὐσίας). Ces « enseignements » sont les « images » des éons (faites en leur honneur,
cf. *infra*, 19, 1), qui fourniront au Démiurge les « idées »
et les « formes » de l'univers. Ces « enseignements » tirés du
Sauveur (ou plutôt que le Sauveur produit par Achamoth)
donnent à la substance psychique (et donc au Démiurge)
une première formation sensible. Cf. Sagnard, p. 406-407.
— **horrore** : cf. *supra*, 15, 5. — **fingit** : Irén., I, 5, 1 :
μεμορφωκέναι. Dans ses écrits de théologie orthodoxe Tert.
réserve *fingere* (= gr. πλάττειν) à la création de l'homme
(Braun, p. 399). — **deum... omnium praeter haereticorum** : Tert. saisit l'occasion de souligner l'accord, au
moins partiel, du paganisme et du christianisme sur l'existence de Dieu, pour mieux rejeter les gnostiques : cf.
Carn. 15, 4 : « ethnici non credendo credunt, at haeretici
credendo non credunt » ; *supra*, 3, 2-3. Sur le dualisme
auquel aboutit le valentinianisme (Bythos d'une part,
Démiurge de l'autre), *Res.* 2, 2 : « alterius diuinitatis haeretici » ; 2, 8 : « certi enim (haeretici) quam laborent in alterius
diuinitatis insinuatione aduersum deum mundi omnibus
naturaliter notum de testimoniis operum... » ; 14, 7 : « nescio
quis (deus) haereticorum ». — **Demiurgum** : cf. *supra*, 15,
2. — **uniuersorum quae...** : Tert. résume le passage correspondant d'Irénée, en retenant surtout la fonction de
« fabricateur » ; Irén., I, 5, 1 : τὸν πατέρα καὶ βασιλέα πάντων,
τῶν τε ὁμοουσίων αὐτῷ. — **Ab illo...** s. ent. *facta sunt* (ou
formata sunt : cf. Irén., I, 5, 1 : μεμορφωκέναι) ; sur les
ellipses, fréquentes chez Tert. cf. *supra*, 3, 5. — **si tamen** :
mouvement sarcastique, cf. *supra*, 1, 1. — **nihil sentiens
eius** : part. prés. + gén. pour désigner une action momen-
tanée n'est pas classique (cf. Ernout-Thomas, *Syntaxe*

lat., § 71-72 ; L. H. S., p. 80). *Nihil = non*, appartient à la langue usuelle, particulièrement fréquent en lat. tardif (Bulhart, *Praef.*, § 76 ; L. H. S., p. 454) ; cf. *Mart.* 2, 7 : « nihil [non *FL VX*] uides alienos deos » ; *Fug.* 13, 1 « nil [non *X VL*] minanti ». Autre interprétation possible : *nihil eius*, « rien de celle-ci ». — **sigillario... ductu** : le subst. *sigillarius* (cf. *supra*, 12, 5) est également employé en fonction adjective en *An.* 6, 3 : « uelut sigillario motu superficiem intus agitante » ; cf. Hor., *Sat.*, 2, 7, 82 ; Perse, 5, 128-129 ; l'image remonte à Plat., *Lois* 1, 644e ; Arist., *De mot. anim.*, 7, 701b1 ; cf. Waszink, p. 136-137. — **Extrinsecus** : en fonction adj. déjà Lucr., *De rer. nat.*, 1, 1042 : « *plagae... extrinsecus* » (« les chocs provenant de l'extérieur »), cf. *ibid.* 1, 528 : *plagis extrinsecus icta* ; 1, 1055 : *ictibus externis* ; cf. *Praes.* 4, 7-8 : « nominis Christiani extrinsecus superficies, etc. » ; *Pal.* 1, 1 : « pallii extrinsecus habitus ». D'autre part, *Prax.* 19, 1 : « (haeretici) ipsum creatorem aut angelum faciunt aut ad alia quae extrinsecus, ut opera mundi, ignorantem quoque subornatum » ; pour le commentaire de cette remarque, propre à Tert., cf. Orbe, *Est. Val.*, II, p. 250-251. — **operationem** : attesté à partir de Vitr., 2, 9, 9, ce terme est employé par Tert. soit au sens concret (= *opera mundi*, cf. *Marc.* I, 16, 2 ; *Res.* 5, 2 ; 9, 1), soit comme ici avec une signification plus abstraite (cf. *Herm.* 20, 3 ; 32, 5 ; *Marc.* V, 4, 3 ; etc.) ; cf. Braun, p. 383-384. — **mouebatur** : la constr. avec *in* + acc. est déjà attestée chez Virg., *Én.*, 6, 813 ; 7, 306 ; Sén., *Luc.*, 94, 90.

18, 3. Denique : cf. *supra*, 6, 3 ; 17, 2. — **ambiguitate** : incertitude due à la dualité des auteurs (l'un, véritable ; l'autre réputé tel et persuadé de l'être) et à la part qui leur revient respectivement ; cf. avec une signification approchante *supra*, 6, 1 ; 12, 5. — **Metropatoris** : gr. Μητροπάτωρ, « Mère-Père ». Ce nom apparaît également dans la *Mégalè Apophasis* (Hippol., *Philos.*, VI, 17, 3) et dans l'hymne orphique cité par Clém. Alex., *Strom.*, V, 125, 2. — **miscuerunt** : cf. T.-Liv., 38, 46, 1 : « nomen mixtum esse Gallograecorum » ; Aul. Gel., *Nuits*, 2, 22, 10 : « (uentum) plerique Graeci mixto nomine, quod inter notum et eurum sit,

εὑρόντον, appellant ». — **appellationibus** : la distinction que
fait ici Tert. entre *nomen* et *appellatio* reflète celle des gram-
mairiens, cf. Don., *Gramm.*, 4, 373, 5 : « nomen unius hominis,
appellatio multorum, uocabulum rerum est » ; Serv., *Comm.
in Don.*, 406, 32 : « proprium est quod unius est, ut Hector,
appellatiuorum quod multorum est, ut homo ». Cf. Braun,
p. 692-693. — **status et situs** : cf. *Marc.* I, 13, 5 (à propos
de l'allégorie physique des divinités païennes) : « Et superiores quidem situ aut statu substantias sufficit facilius
deos habitas quam deo indignas » ; II, 12, 3 : « Omnis situs
habitus effectus motus status ortus occasus singulorum
elementorum iudicia sunt creatoris » ; Moingt, III, p. 801 s.
— **operum** : *supra* : *operibus* ; équivalent favori de Tert.
pour ποίημα, cf. Braun, p. 346. — **quidem... uero...
autem...** : = μέν... δέ... δέ..., *primum - deinde - postremo* ;
cf. *infra*, 19, 1 : *quidem - autem - uero* ; 26, 1 : *quidem - uero -
ceterum* ; 26, 2 : *quidem - uero - ceterum - autem* (= *primum -
deinde - tum - postremo*). — **commendant** : = *collocant*, seul
exemple de ce sens signalé par *TLL* s. u. col. 1853, 31. —
communiter : = *generaliter* (cf. *TLL* s. u. col. 1983, 49).
— **in uniuersitatem** : = *in uniuersos, uniuersorum* (l'abstrait pour le concret, cf. *supra*, 1, 2. 4 ; 3, 1) ; (tour
prépositionnel substitué au gén. obj., cf. *Apol.* 23, 15 :
« nostra in illos (= illorum) dominatio » *Marc.* II, 3, 1 :
« ineuntes examinationem in deum notum » ; Hoppe, *Synt.*,
p. 40 ; cf. Irén., I, 5, 1 : συμπάντων δὲ βασιλέα. Les psychiques
sont formés par le souffle et à la ressemblance du Démiurge,
ce qui explique qu'il soit appelé leur père ; les hyliques
sont seulement façonnés à son image, il est donc leur
« démiurge » (appellatif) ; le nom de roi convient enfin au
Démiurge parce qu'il règne sur les uns et sur les autres :
cf. *infra*, 24, 2. Pour les différentes « figures » du Démiurge
(Jean-Baptiste, Moïse, le « regulus » de Capharnaüm) selon
Héracléon, cf. Sagnard, p. 513 s. ; sur sa place et son
rôle dans le *Tract. Tripart.*, 99-104, cf. Introd. *ad. loc.*,
p. 59 s.

f. Réflexions ironiques de Tertullien (chap. XIX).

Les divers noms attribués au Démiurge sont, en rigueur de termes, tout à fait impropres, car ils lui prêtent une activité qu'il n'a pas eue en réalité. Conviennent-ils mieux alors à Achamoth ? Ce serait méconnaître le rôle caché du Sauveur qui fournit les « images » des réalités du Plérôme (§ 1). Il y a d'ailleurs tant d' « images » dans le système valentinien qu'on croirait avoir affaire à la production d'un mauvais peintre ! (§ 2).

19, 1. **de quibus nomina** : s. ent. (*capta, tracta*) *sunt*. Cf. *supra*, 3, 5. — **haec omnia** : c'est-à-dire *pater, demiurgus, rex* (*supra*, 18, 3) qui s'appliqueraient beaucoup mieux à Achamoth, puisqu'elle était (semble-t-il) l'auteur véritable des réalisations attribuées au Démiurge. Comme presque tous les anciens, Tert. pense que le nom reflète la réalité qu'il exprime, qu'il y a ou qu'il doit y avoir accord (naturel ou conventionnel) entre le nom et la chose : cf. *Herm.* 19, 2 ; *Carn.* 13, 1-4 ; *Prax.* 9, 4 ; *supra*, p. 17 et 7, 6 ; Braun, p. 692-693. — **nisi quod... nec ab illa** : = *si tamen ab illa* (cf. *supra*, 18, 2). Mot à mot : « excepté le fait que..., le cas où..., à moins que... (les choses n'aient pas été, n'auraient pas été, faites non plus par elle) ». — **commentatam** : (s. ent. *esse*). Ironique, d'après les expressions usuelles : *commentari causam, orationem, mimum*, etc. Cette signification (= *fingere, imaginari*), plusieurs fois attestée chez Tert. (*Apol.* 21, 30 ; 40, 10 (?) ; *Marc.* I, 18, 4 ; etc.) ne se rencontrerait, antérieurement, qu'une seule fois, chez Fronton (p. 234, 16 N) ; elle est ensuite fréquente sous la plume des auteurs chrétiens (cf. *TLL* s. u. col. 1865, 3). Contrairement à la suggestion de Kroymann il n'y a sans doute pas lieu de supposer une lacune avant *imagines* : le gén. *aeonum* est en facteur commun (complt. de *in honorem* et de *imagines*), cf. « Valentiniana », p. 67. Ces « images » qu'a faites Achamoth, ou plutôt que le Sauveur a faites par elle, sont les « enseignements » tirés du Sauveur, c'est-à-dire les « idées » fournies au Démiurge pour qu'il forme l'univers (cf. *supra*, 18, 2). — **sit operatus** : cf. *supra*, 16, 3 ; *infra*, 20, 3. — **inuisibilis** : cf. *supra*, 7, 3 ; *inuisibilem* + dat. : première attestation de cette constr., fréquente chez Irénée lat. ; puis Marius Victor., Augustin (cf. *TLL* s. u. col. 220, 68). — **incogniti** : cf. *supra*, 9, 1 ; *incognitam et inuisibilem* : cf. *supra*, 18, 2. — **daret** : = *redderet* (cf. *supra*, 3, 3). — **scilicet** : correction nécessaire : il s'agit d'une précision, non d'une opposition ou d'une concession ; Achamoth est connue des éons et inconnue du Démiurge de la même façon qu'au début de la formation du Plérôme le Père était connu de Noûs-Monogène mais non du reste du Plérôme. — **effingeret** : + double acc., seul ex. de cette constr. (cf. *TLL* s. u. col. 186, 8) ; cf. *supra*, 18, 2 : *fingit*. C'est-à-dire que le Sauveur le façonna comme une image de Monogène, cf. Irén., I, 5, 1 : αὐτήν... ἐν εἰκόνι τοῦ ἀοράτου πατρὸς τετηρήκεναι ; II, 7, 2. Le rôle du Sauveur est prépondérant, cf. Sagnard, p. 204-206. — **Archangeli** : Irén., I, 5, 1 : (ἐν εἰκόνι) τῶν... λοιπῶν Αἰώνων... Ἀρχαγγέλους τε καὶ Ἀγγέλους. Les anges assistent le Démiurge dans l'économie de la création, cf. *Tract. Tripart.*, 100, 15-18.

19, 2. imagines : jeu de mots (cf. *supra*, 16, 3 : *materia*) : *imago* au sens concret (*simulacrum*) et valentinien (reflet, idée) ; pour l'importance de ce terme dans le système, cf. Sagnard, p. 638 s. u. εἰκών. — **tantas** : = *tam multas*, cf. *supra*, 7, 1. — **feminam** : cf. *An.* 33, 9 : *femina Dido* ; *infra*, 33, 2 (cf. Cic., *Har. resp.*, 27). — **ignarum matris** : cf. *supra*, 18, 2. — **Nu** : addition sinon indispensable, du moins nécessaire. Démiurge est l'image de Noûs (*supra*, 19, 1) qui dès le commencement a connu le Père (*supra*, 9, 1). Cf. *Tract. Tripart.*, 110, 35-36 : le Démiurge est l'image de l'image du Père. — **mulum...** cf. Otto, *Sprichwörter*, p. 43, qui comprend, à tort, semble-t-il, « das eine ist nicht besser als das andere ». En réalité Tert. dénonce le procédé qui consiste à réduire à une unité artificielle, par assimilation ou confusion des plans, des entités qui se situent, dans le mythe, à des niveaux différents (ce que pour le Plérôme Sagnard, p. 240 s. a appelé la loi de communication entre

les éons), en laissant de côté ce qu'il y a de spécifique à
chacune d'elles — comme si l'on voulait nier les différences
qui séparent Valentin de Ptolémée (cf. *supra*, 4, 1 s.).

g. La création de l'univers par un Démiurge ignorant
(chap. XX-XXI).

Placé en dehors du Plérôme, le Démiurge fabrique
l'univers après avoir transformé en substances
corporelles les substances psychiques et hyliques qui
étaient jusque-là incorporelles. Il dispose sept cieux
et place, au sommet son propre trône (XX, 1).
D'où le nom de Sabbat qui lui est attribué. Ces cieux
sont de nature intelligente, ce sont des anges, comme
d'ailleurs le Démiurge et le Paradis, où séjourna
Adam, au milieu des nuages et des arbres (§ 2). Sans
doute Ptolémée devait-il se souvenir de contes d'enfants pour imaginer ainsi des arbres dans les espaces
célestes. Il est vrai que son Démiurge était « ignorant »... Mais pourquoi sa mère Achamoth ne l'a-t-elle
pas guidé ? (§ 3). Celle-ci reçoit encore divers autres
noms. Mais le Démiurge était tellement persuadé
d'agir seul qu'il allait jusqu'à proclamer : « Je suis
Dieu et il n'y en a pas d'autre que moi » (XXI, 1).
Et pourtant, comment pouvait-il se croire seul,
comment ne soupçonnait-il pas qu'il était l'œuvre
de quelqu'un d'autre ? (§ 2).

20, 1. (prouinciam) condidit : jeu de mots sur le sens
institutionnel (« fonder » une ville, une province) et sur le
sens philosophique (« créer ») ; cf. Braun, p. 352 ; *supra*, 16,
1. Jeu de mots comparable *infra*, 20, 3 (*institui*). — **repurgata... materialium** : Irén., I, 5, 2 dit plus simplement : διακρίναντα... τὰς δύο οὐσίας συγκεχυμένας. — **detrusae** : cf. *supra*, 15, 1 s. — **ex incorporalibus... aedificat** :
cf. *supra*, 16, 3. La création des éléments s'est donc faite
en deux temps : le Sauveur a transformé les substances
issues de la « conversion » et des « passions » d'Achamoth
en substance incorporelle (psychique et hylique), puis le

Démiurge a fait de celle-ci des substances corporelles, psychiques et hyliques, les corps célestes étant psychiques,
les corps terrestres étant hyliques. *Aedificare* ne traduit
que deux fois chez Tert. (ici et *Marc.* III, 9, 3) l'idée de
construction : en effet, ce vb. était en train de prendre un
sens très spécialisé, sans rapport avec l'idée de création
(« instruire », « édifier »), cf. Braun, p. 387. — **caelorum** :
cf. *infra*, 31, 1-2.

20, 2. Sabbatum : ce nom du Démiurge n'apparaît ni
dans nos sources patristiques (Irénée, Hippolyte, *Extr. de
Théodote*), ni, semble-t-il, dans les traités de Nag Hammadi.
Dans l'*Év. de Philippe*, Sent. 8, Sabbat désigne le Plérôme
(cf. Ménard, comm. *ad loc.*, p. 127). — **dictum** : attraction
de l'attr., cf. « Valentiniana », p. 67. — **hebdomade** :
« Hebdomade » est l'un des noms du Démiurge (cf. Irén., I,
5, 2 ; Hippol., *Philos.*, VI, 32, 7). En dehors du système valentinien (cf. *infra*, 23, 1 ; 31, 2) Tert. emploie fréquemment
hebdomas pour désigner une durée de sept jours (*An*, 37,
4 ; 48, 4), de sept ans (*Iud.* 8, 11), etc. — **Ogdoada** : =
Ogdoas ; Tert. n'utilise qu'ici la désinence de la 1re décl. ;
partout ailleurs il recourt aux formes en *-as*, *-adis* (cf. *supra*,
7, 8 ; *infra*, 35, 1 ; 36, 2 ; 38 ; *Praes.* 33, 8 ; etc.) ; cf. Bulhart, *Praef.* § 7. Sur ce nom donné à Achamoth, cf. Sagnard,
p. 164 ; 175. — **primigenitalis** : traduit Irén., I, 5, 2 :
ἀρχεγόνου καὶ πρώτης. Mot très rare, attesté ici pour la
première fois et qui ne reparaît qu'en citation de *Deut.* 21,
17 chez Ambroise (*PL* 16, 1073) ; peut-être choisi à dessein
par Tert. pour éviter *primogenitus* qui caractérise le Verbe-
Fils de la théologie orthodoxe (cf. Braun, p. 255, n. 1).
— νοερούς : en tant que « reflets », qu' « images » psychiques
de Noûs-Monogène (Νοῦς). Terme technique appliqué plus
généralement aux éléments pneumatiques (cf. Sagnard,
p. 648 s. u.) — **angelos** : l'identification des cieux avec les
anges et les archanges est une adaptation valentinienne des
hiérarchies angéliques juives, cf. H. Bietenhard, *Die himm-
lische Welt im Urchristentum und Spätjudentum*, Tübingen
1951, p. 37 ; Orbe. *Est. Val.*, V, p. 105. — **Paradisum...
quartum** : la localisation du Paradis au quatrième Ciel

serait due à l'influence de la littérature juive, selon L. Ginz-
berg, « Die Haggada bei den Kirchenvätern », *Monatschrift
für Gesch. und Wiss. des Judentums*, 42 (1898), p. 547 s.,
suivi par Sagnard, *SC* 23, p. 165 ; cette influence est en
revanche écartée par Orbe, *Est. Val.*, V, p. 108 (le vrai
Paradis pour les Valentiniens est le Plérôme). Pour une
étude récente de la conception du Paradis en milieu gnostique
non valentinien (l'*Écrit sans titre*, NH II, 5), Tardieu, *Trois
mythes gnostiques*, p. 141 s. — **ex cuius uirtute** : les êtres
du Plérôme sont eux-mêmes des « puissances » (δυνάμεις),
d'eux émane une *dynamis* (cf. *infra*, 37, 1 - 2 ; 38, 1). Mais
ce n'est pas le privilège du spirituel : le Démiurge et ses
anges sont également, par analogie, des « puissances » de
la substance psychique, cf. Sagnard, p. 437 s. ; p. 637 s. u.
δύναμις. — **sumpserit** : constr. absolue ; cf. nos « Valentiniana », p. 68 ; *supra*, 3, 1. — **deuersatus** : = *uersatus*
(cf. *supra*, 3, 3) ; de même *Nat.* II, 9, 22 ; *Marc.* II, 27, 2 ;
infra, 30, 3 ; déjà Apul., *Socr.*, 8, 138 ; etc. *TLL* s. u. col.
852, 10. — **inter nubeculas arbusculas** : ajout ironique
propre à Tert. pour souligner l'impossibilité d'accorder
entre eux le « paradis céleste » des valentiniens et le « paradis
terrestre » de la *Genèse*. Les deux diminutifs ont une valeur
sarcastique ; cf. avec une intention péjorative, *Marc.* I, 22,
8 : « Homo damnatur in mortem ob unius arbusculae deli-
bationem » ; *Scorp.* 5, 11 ; *Iei.* 3, 2 ; Waszink, p. 271.

20, 3. **Ptolemaeus...** : Tert. feint de croire que les
valentiniens transportaient au quatrième Ciel le paradis
terrestre de la *Genèse*, que leur Paradis de l'Hebdomade
était conçu comme le paradis du récit de la création. Cf.
supra, 4, 2. — **dicibulorum** : deux occurrences seulement
de ce terme selon *TLL* s. u. col. 957, 49, la seconde, avec
un vocalisme différent (*dicābulum*), dans Mart. Cap., 8,
809. Cf. *supra*, 3, 3 une première comparaison avec des
contes pour enfants. — **in mari poma... in arbore pisces** :
thème d'*adynaton* (êtres ou choses en dehors de leur milieu
naturel), cf. Lucr., *De rer. nat.*, 3, 784-786 : « Denique in
aethere non arbor, non aequore in alto / nubes esse queunt,
nec pisces uiuere in aruis, / nec cruor in lignis neque saxis

sucus inesse » ; cf. aussi 1, 161-166 ; Virg., *Buc.*, 1, 59-60 ;
Ov., *Mét.*, 14, 37-39 ; etc. ; E. Dutoit, *Le thème de l'adynaton
dans la poésie antique*, Paris 1936, p. 171 ; J. Bompaire,
Lucien écrivain, Imitation et création, Paris 1958, p. 663 s.
(thème du monde à l'envers). — **in caelestibus** : (*locis*),
cf. *supra*, 3, 1 ; 14, 1 ; 14, 2. — **nuceta** : pourquoi cet arbre
en particulier ? parce que son fruit était familier aux Romains (distribution de noix lors des noces, jeux d'enfants,
etc.) ? — **operatur** : cf. *supra*, 16, 3. — **ignorans** : emploi
abs. (cf. *supra*, 20, 2 : *sumpserit*). Équivoque : « ne sachant
qui était le véritable auteur de la création » (cf. *supra*, 18,
2 ; 19, 2) et « ne sachant ce qu'il faisait, ce qu'il devait faire »
(*imperitus*). — **institui** : nouveau jeu de mots (*condere* et
inserere). Au sens de « créer » que Tert., à la suite d'Aulu-
Gelle, donne volontiers à *instituo* se superpose celui de
« planter » que ce vb. avait dans la langue courante (cf.
Braun, p. 390 s. ; 392, n. 3). Équivoque comparable, *supra*,
20, 1 (*condere*). — **effectum suum ministrabat** : notre
interprétation repose sur *suum = eius* [*Demiurgi*] (cf. Hoppe,
Synt., p. 102-103) et *ministrabat = administrabat* (cf. *supra*,
3, 3), *regebat*, cf. *TLL* s. u. « ministro » col. 1017, 19 ; cette
trad. s'accorde bien avec Irén., I, 5, 3 : τὸν Δημιουργὸν
φάσκουσιν... πεποιηκέναι δ'αὐτὰ τῆς ᾿Αχαμὼθ προβαλλούσης...
αἰτίαν δ'αὐτῷ γεγονέναι τὴν Μητέρα τῆς ποιήσεως ταύτης
φάσκουσι. Mais il y a une autre interprétation possible :
« elle qui mettait son efficacité à son service » (au service
du Démiurge), où *ministrabat* aurait son sens le plus
courant (= *praebebat, praestabat*) et *effectum* (*suum* réfléchi)
une valeur plus abstraite (= *uirtutem*), d'ailleurs bien attestée ; cf. *infra*, 33, 2. — **ante Valentinianorum ingenia** : cf.
supra, 15, 2 : « Demiurgi id est dei nostri » ; *infra*, 32, 5 :
« homo sum Demiurgi ». *Pater, Deus, Rex*, ces noms ou ces
titres ont été en effet revendiqués, antérieurement aux spéculations gnostiques, pour le Dieu créateur des chrétiens (pour
rex, cf. *Prax.* 15, 8 = *I Tim.* 1, 17 : « Regi autem saeculorum, immortali, inuisibili, soli Deo »). *Ingenia*, péjoratif
comme *supra*, 4, 4 ; *infra*, 37, 1 ; 39, 2. — **cur sibi quoque
ista noluit esse nota** : le texte de *P* peut être sans doute
maintenu ; mais, contrairement à ce que nous écrivions

dans nos « Valentiniana », p. 68, *ista* (*nota*) n'est pas un neutre plur. désignant les créations du Démiurge : celui-ci en effet ne crée pas à son propre insu, sans savoir qu'il crée ; en revanche il ignore que, dans cette création, il n'est qu'un instrument et, corrélativement, il ignore l'existence de sa mère Achamoth et ne sait pas que son rôle se borne à en réaliser les productions, les idées : cf. Irén., I, 5, 3 : « Toutes ces créations le Démiurge était persuadé qu'il les fabriquait de lui-même : mais il ne faisait que réaliser les productions d'Achamoth. Il fit un ciel sans connaître le ciel ; il modela l'homme en ignorant l'homme ; il fit apparaître la terre sans connaître la terre ; et ainsi pour toutes choses, il ignora les idées de ce qu'il faisait, et même sa propre Mère » (Sagnard, p. 181-182). C'est ce dernier trait (l'ignorance de sa Mère) que retient ici Tert. en le présentant avec une certaine emphase pour en souligner le caractère étonnant. *Ista... nota* se rapporte donc à Achamoth (c'est d'ailleurs ainsi qu'avait compris Hoppe, *Synt.*, p. 103, en corrigeant *ista* en *ita*). Pour *sibi = ei* (*Demiurgo*), cf. Hoppe, *ibid.* et *supra* : *effectum suum* ; pour *ista = haec* ou *illa*, comme souvent chez Tert., cf. Hoppe, *Synt.*, p. 104. Le texte proposé par Kroymann aboutit sensiblement au même sens, mais après correction de *M*. Pour l'indicatif dans l'inter. ind., cf. Hoppe, *Synt.*, p. 72. — **postea quaeram** : à la question ainsi formulée (par Tert.), il n'y a pas de réponse explicite dans le système valentinien. En réalité, étant de nature psychique, le Démiurge n'a pas accès au spirituel et ne peut donc connaître le processus dont le Plérôme a été le théâtre et qui est à l'origine d'Achamoth (cf. *infra*, 21, 1 ; 25, 1-3) ; son ignorance, toutefois, n'est pas définitive : elle cessera lors de la venue du Sauveur qui lui apprendra son rôle inférieur et secondaire, sorte de « gnose psychique (cf. *infra*, 28, 1). On notera donc le parallélisme, à un niveau inférieur, avec la gnose communiquée tardivement aux éons du Plérôme : ceux-ci n'ont eu accès à la connaissance du Père qu'après (et grâce à) l'émission de Christ et Esprit-Saint (cf. *supra*, 11, 2-4). Mais, naturellement, en posant cette question, Tert. n'a d'autre but que de souligner une difficulté, au moins apparente, dans le système.

21, 1. Interim : absent chez Irén., I, 5, 3, cet adv. permet à Tert. de maintenir en éveil l'attention du lecteur et de faire accepter cette phrase consacrée aux « surnoms » d'Achamoth, qui à cette place constitue une sorte de bloc erratique, cf. *supra*, 14, 1-2 (= Irén., I, 4, 1) ; Sagnard, p. 165. — **Sophiam** : selon la « loi de filiation nominale » (Sagnard, p. 240) ; mais déjà *supra*, 14, 2. — **cognominari** : s. ent. *eam* (= *Achamoth*), ellipse fréquente chez Tert., cf. Hoppe, *Synt.*, p. 49. — **Terram** : (Γῆν), nom qui provient du « thème B » (cf. Hippol., *Philos.*, VI, 30, 9 ; Sagnard, p. 165) : elle est la bonne Terre, la Terre promise (*Ex.* 33, 3). — **Matrem** : c'est-à-dire la mère des spirituels, des valentiniens, leur Mère. — **Spiritus Sanctus** : parce qu'elle est un principe féminin (cf. *supra*, 14, 2). Tert. omet trois autres noms signalés par Irénée (I, 5, 3) : Ogdoade (déjà *supra*, 20, 2 = Irén., I, 5, 2), Jérusalem (provient du « thème B » : Hippol., *Philos.*, VI, 30, 9 ; 32, 9 : elle est la « Jérusalem céleste » de saint Paul) et Seigneur, κύριος (non pas en vertu de sa nature, mais de son rôle essentiel). — **quasi marem** : cf. *supra*, 11, 2. — **illi honorem...** : pour l'établissement et l'interprétation du texte, cf. nos « Valentiniana », p. 68 ; ajouter, pour le dat. adnominal chez Tert., Bulhart, *Praef.*, § 19. — **ne dixerim** : cf. *supra*, 6, 2. — **Alioquin** : reprise du récit concernant le Démiurge interrompu à la fin du § 20, 3. — **compos** : cf. *supra*, 14, 2. — **census** : = *naturae*, cf. *supra*, 7, 3 ; 10, 4. — **inualitudine** : = *infirmitate, impotentia*. Mot rare, dont nous avons ici la première attestation (cf. *TLL* s. u. col. 117, 79). Construit + inf., cf. *Idol.* 21, 5 : « secundum praeceptum ne per deum quidem remaledicere... » ; *Cast.* 10, 1 : « Rape occasionem... non habere cui debitum solueres » ; Hoppe, *Synt.*, p. 42. — « **Ego deus...** » : de nombreux écrits gnostiques font prononcer au Démiurge ces paroles du Dieu de l'A. T., cf. Tardieu, *Trois mythes gnostiques*, p. 66 ; 303.

21, 2. retro : = *olim, antea* (cf. *supra*, 7, 4). Déjà chez Cicéron. — **factum** : s. ent. *se esse* ; sur l'ellipse du sujet, cf. *supra*, 21, 1 : (*eam*) *cognominari*. — **factitatorem, factitatore** : ce mot, qui ne se rencontre pas en dehors de

Tert. (cinq occurrences) n'est jamais associé au vrai Dieu,
cf. Braun, p. 337. — **facti** : la tentative de Tert. pour faire
de *factum* au sens de « création » l'équivalent de τὸ ποίημα
fut sans lendemain (*Nat.*, *Herm.*), cf. Braun, p. 341. Le mot
signifie d'ailleurs ici « être façonné, organisé ». — **suspectus** : = *suspicax, suspicans* ; ce sens actif, que l'on rencontre
déjà chez Apul., *Mét.*, 9, 20, 3 est fréquent chez Tert., cf.
Waltzing, p. 152. Pour l'ellipse (*se natum esse*), cf. *supra*, 3, 5.

h. Le Diable (chap. XXII).

Les valentiniens font provenir le Diable de la
« tristesse » d'Achamoth (§ 1). Ils en font aussi
l'œuvre du Démiurge, mais sa nature spirituelle le
place au-dessus du Démiurge (§ 2).

22, 1. Tolerabilior : comparatif de « concession » à
valeur ironique comme souvent : *Nat.* I, 13, 1 : « Alii plane
humanius... » ; *Marc.* I, 5, 1 : « Honestior et liberalior Valentinus... » ; etc. ; *infra*, 34, 1 ; 36, 1 ; 38. — **infamia** : =
calumnia, maledictio ; *blasphematio* ; cf. *Marc.* II, 10, 2 ;
III, 23, 3 (*diabolum* : sans doute jeu étymologique *infamia-
diabolus* (le Calomniateur, le Médisant). — **uel quia** :
cf. *supra*, 15, 5 : *uel ne*. — **capit** : cf. Blaise, *Dict.*, s. u. « I
capio », p. 130. Mais *capit* au sens passif (= ἐνδέχεται)
n'est pas exclu : « une origine plus sordide est admissible,
possible » ; cf. *Marc.* IV, 11, 11 ; Hoppe, *Synt.*, p. 48, n. 1.
— **ex nequitia... maeroris** : = *ex nequam maerore* (cf.
supra, 15, 2 ; 16, 3). — **ex... deputatur** : cf. *infra*, 32, 1.
— **spiritalium... genituras** : Irén., I, 5, 4 : τὴν πνευματικὴν
τῆς πονηρίας ὑπόστασιν. Il ne semble pas, malgré Moingt,
II, p. 374, que Tert. ait voulu rendre ὑπόστασις par *geni-
turae*, cf. *supra*, 14, 1. Les démons et les esprits du mal
occupent une place plus grande dans le « thème B » que
dans la notice d'Irénée qui n'y fait plus allusion (cf.
Sagnard, p. 173).

22, 2. opus Demiurgi : Irén., I, 5, 4 : κτίσμα τοῦ Δημιουρ-
γοῦ. Le Démiurge crée les êtres hyliques aussi bien que

psychiques (cf. *supra*, 20, 1) ; le Diable est hylique, puisque issu d'une passion. — **Munditenentem** : correspond
au κοσμοκράτωρ d'*Éph.* 6, 12 (cf. *Marc.* V, 18, 12 ; *Fug.* 12,
3), non attesté en dehors de Tert. (Vulg. *rectores mundi*),
qui utilise également *mundipotens* (*Res.* 22, 11 = *Éphés.* 6,
12) ; en *An.* 23, 2 *mundipotens* = κοσμοποίος des gnostiques
(cf. Waszink, p. 299-300). — **superiorum... gnarum** :
Irén., I, 5, 4 : γιγνώσκειν τὰ ὑπὲρ αὐτόν ; sur le plur. neutre
aux cas obliques, *supra*, 14, 1 ; 20, 3. Que le Diable, qui est
hylique, puisse avoir connaissance de ce qui est au-dessus
de lui, c'est-à-dire du spirituel, ne s'accorde pas avec l'enseignement du « thème A » (= la doctrine de Ptolémée
rapportée par Irénée) ; selon Sagnard, p. 202, cet élément
ferait partie du « thème B » ou même de systèmes non valentiniens comme celui que résume Irén., I, 30, 5-7. — **ut
spiritalem natura** : contresens ou inadvertance de Tert.
(Irén., I, 5, 4 : ὅτι πνεῦμά ἐστι τῆς πονηρίας [*Vet. Interpr.* :
« quoniam sit spiritalis malitia »]) ? traduction sur un texte
fautif ? altération de la tradition manuscrite ? cf. *infra*,
p. 366. — **cui** : dat. d'agent, cf. Hoppe, *Synt.*, p. 25. — **procurantur** : emploi ironique d'un terme « institutionnel ». Sur
le rôle du diable dans la naissance et la propagation des
hérésies, cf. *Praes.* 31, 1 ; 34, 5 ; 40, 2. 8 : « Et ideo neque a
diabolo inmissa esse spiritalia nequitiae, ex quibus etiam
n i unt, dubitare quis debet... » ; etc.

    i. Géographie de l'univers et rappel de l'origine des
    éléments (chap. XXIII).

    Les valentiniens distinguent quatre grands espaces
superposés : tout en haut, le Plérôme ; au-dessous,
une région intermédiaire habitée par Achamoth ;
encore au-dessous, l'Hebdomade du Démiurge (§ 1) ;
enfin, notre monde où séjourne le Diable, et qui est
constitué d'éléments provenant des malheurs de
Sophia-Achamoth ; l'un d'eux est particulièrement
utile, c'est l'air (§ 2). Quant au feu, sans doute est-il
issu de ses accès de fièvre (§ 3).

23, 1. potestatum : correspond à ἐξουσίαι (*Éphés*. 6, 12, cf. *supra*, 22, 2 ; *Col*. 2, 15) ; cf. *Marc*. III, 21, 3 : « (dei templum) constitutum super omnes eminentias uirtutum et potestatum » ; III, 23, 5 ; V, 6, 7 ; *Prax*. 19, 1 : « (haeretici) mundum ab angelis et potestatibus diuersis uolunt structum... ». — **in summis summitatibus** : cf. *supra*, 7, 1 et 3 ; Braun, p. 44, n. 4. — **tricenarius pleroma** : cf. *supra*, 8, 4 : « pleroma... diuinitatis tricenariae plenitudo ». Bien que *pleroma* soit neutre, il n'est sans doute pas nécessaire de corriger ici en *tricenarium* : on peut en effet supposer un jeu de mots implicite avec *trecenarius*, centurion prétorien commandant les 3 000 *speculatores* de la garde impériale (cf. Durry, *Cohortes prétoriennes*, p. 138), d'où le choix du vb. *praesidet*. Ce jeu de mots n'aurait rien de surprenant chez ce fils de centurion (sur cette précision biographique récemment contestée, cf. *ZKG* 1973, p. 317 s.). On se demandera même si *pleroma* n'est pas une glose explicative introduite dans le texte. — **Inferius** : en fonction prépositionnelle (= *infra*, *sub* + acc.), cf. Löfstedt, *Spr. Tert.*, p. 14. Le *TLL* s. u. « infra » col. 1486, 38, ne signale qu'une seule autre occurrence de cet emploi (*inferius* + abl. dans *Lib.*, *Iubil.*, 32, 34 : « sepelierunt eam inferius ciuitate »). — **metatur** : = *habitat*, de même que *An*. 14, 5 et *Pal*. 2, 2, *metatio* = *domicilium*, *hospitium* (cf. Waszink, p. 219). Aussi bien pour le vb. que pour le subst. correspondant Tert. est notre premier témoin de cette évolution sémantique (cf. *TLL* s. u. « metatio » col. 878, 60 et « metor » col. 893, 73). — **medietatem** : cf. *infra*, 31, 1 ; 32, 1. Irén., I, 5, 4 : οἰκεῖν... τὴν Μητέρα... ἐν τῇ Μεσότητι. Terme introduit avec précaution par Cic., *Tim*., 23, pour traduire μεσότης ; fréquent ensuite chez Apulée, Chalcidius, Augustin, Boèce (cf. *TLL* s. u. col. 554, 40). En dehors de *Val.*, Tert. ne l'utilise qu'une fois, *Bapt*. 3, 3 (récit de la création). — **hebdomade** : cf. *supra*, 20, 2.

23, 2. Magis : = *potius*, cf. *supra*, 11, 3. — **coelementato et concorporificato** : tous deux sont des hapax (cf *TLL* s. u. col. 1410, 40 et 89, 56). — **ut supra dictum est** *supra*, 15, 1 s. Même formule de renvoi chez Irén., I, 5, 4

καθὼς προείπαμεν ; mais alors que celui-ci résume brièvement l'origine des quatre éléments (la terre provenant du
saisissement d'Achamoth, l'eau de sa crainte, l'air de sa
tristesse, le feu de son ignorance), Tert. choisit deux éléments
(air et feu) plus spécialement comme prétextes à ironiser.
— **qua** : = *quia* (cf. *supra*, 15, 4) ; explique *utilissimis*.
— **haberet** : sujet *mundus* ? ou peut-être constr. impers.
+ acc. (= « il y a ») ? La première attestation incontestable
de ce tour est, toutefois, plus tardive : S. H. A., *Tac.*, 8, 1 :
« habet in Bibliotheca Vlpia... librum elephantinum » (cf.
L. H. S., p. 416). — **reciprocandi...** : bref « éloge » de l'air ;
sur ce genre littéraire en vogue sous l'Empire, cf. Cousin,
Études sur Quintilien, I, p. 191 s. ; pour Tert. cf. l'« éloge
de l'eau » dans *Bapt.* 3, 2-5 et celui de la *patientia*, du *pallium*
dans les traités du même nom ; pour le procédé (énumération), cf. *Pud.* 1, 1 ; Apul., *Apol.*, 7, 5 ; 18, 6 ; 74, 6. Celui-ci
paraît d'inspiration « stoïcisante » ; cf. *De nat. deor.*, 2, 83 :
« animantes... adspiratione aeris sustinentur ; ipseque aer
nobiscum uidet, nobiscum audit, nobiscum sonat, nihil
eorum sine eo fieri potest... » ; 2, 101 : « (aer) annuas frigorum
et calorum facit uarietates... » ; T.-Liv., 21, 58, 4 « cum iam
spiritum includeret (uentus) nec reciprocare animam sine-
ret » ; Philon, *De prou.*, 73 : « (aer)... respirationis causa
comperitur » (= *SVF* II, § 1147) ; sur l'importance de l'air
dans les sensations, cf. Théophr., *De sens.*, I, 39-40 (*Dox.
Graec.*, p. 510) : théorie de Diogène d'Apollonie ; pour les
stoïciens, *SVF* II, § 863-871. — **colasset** : cf. Lucr., *De
rer. nat.*, 2, 474-475 : « ... per terras... / (umor) percolatur... » ;
Sén., *Q. N.*, 3, 5 : « Colaturque in transitu mare » ; Plin.,
Nat., 31, 38. 48. Pour la forme contracte, cf. *supra*, 9, 1.
C'est la seule attestation de ce verbe chez Tert.

23, 3. **elementis atque corporibus** : Irén., I, 5, 4 :
τὰ σωματικά... τοῦ κόσμου στοιχεῖα. — **inflabellatus** : hapax,
comme d'ailleurs le simple *flabello* en *Pal.* 4, 6 (cf. Hoppe,
Beitr., p. 147). — **quia nondum ediderunt** : critique
gratuite, car Irén., I, 5, 4, donne également l'explication
de l'origine du feu, qui provient de l'ignorance d'Achamoth (cf. *supra*, 23, 2) ; plus exactement, le feu est

inhérent aux éléments, comme le sont leur mort et leur corruption, de la même façon que l'ignorance d'Achamoth est cachée dans ses autres passions (saisissement, crainte, tristesse) ; cf. *Extr. Théod.*, 48, 4. — **argumentabor** : cf. *infra*, 24, 1 s. u. « quod unde... »

3. Le genre humain, le Christ de l'Évangile et la Consom- mation finale (chap. XXIV-XXXII).

a. Création de l'homme « terrestre » et « psychique » (chap. XXIV).

Après avoir fait le monde, le Démiurge s'est pré- occupé de façonner l'homme. Il commence par choisir une terre spéciale, fluide et invisible (§ 1). De son souffle il anima ensuite cet homme, qui est ainsi terrestre et psychique, fait à son image et à sa res- semblance (§ 2). Il le recouvre alors d'une enveloppe charnelle, qui est la tunique de peau visible (§ 3).

24, 1. Cum : ellipse de *sint* (ou *sunt*) en subord., cf. *supra*, 3, 5 ; Hoppe, *Synt.*, p. 144. — **de deo uel de diis** : cf. *supra*, 3, 2-4. — **molitus** : Irén., I, 5, 5 : δημιουργήσαντα. Ce vb. est celui auquel recourt le plus volontiers Tert. pour désigner la construction du monde par le Dieu créateur, cf. Braun, p. 387 s. ; sur les antécédents païens de cet emploi (Cicéron, Sénèque, Apulée), *Id.* p. 388, n. 1. — **manus confert** : renouvellement de l'expression usuelle « manu aliquid facere », avec sans doute une pointe satirique (*ma- num conferre* = « engager la lutte »), cf. *Praes.* 33, 8 : « Marcion manus intulit ueritati » ; *Marc.* IV, 5, 6 : « manus illi (Lucae) Marcion intulit ». — **substantiam** : la « matière constitu- tive » de l'être (Braun, p. 183), en l'occurrence hylique (terrestre) et invisible (cf. *infra*). — **arida** : comme souvent dans les textes gnostiques, le récit de la *Genèse* est à l'arrière- plan de la création de l'homme, cf. *Tract. Tripart.*, 104, 4 s. ; Tardieu, *Trois mythes gnostiques*, p. 85 s. Pour comprendre ici la distinction entre la « terre sèche » et la matière fluente et invisible (que les *Extr. Théod.*, 50, 1, appellent « la matière

multiple et complexe »), il faut se reporter à la différence
entre la terre sèche (*arida*) de *Gen.* 1, 9 et la *terra inanis et
uacua* de *Gen.* 1, 1 : la seconde est invisible, inachevée et
en un sens immatérielle, la première visible et matérielle,
cf. *Herm.* 29, 2 : « Postea... quam facta est, futura etiam
perfecta, interim erat inuisibilis et rudis, rudis quidem hoc
quoque ipso, quod inuisibilis, ut nec uisui perfecta, simul
et ut de reliquo nondum instructa, inuisibilis uero, ut adhuc
aquis tamquam munimento genitalis humoris obducta, qua
forma etiam adfinis eius, caro nostra, producitur » ; Orig.,
Princ., II, 9, 1. — **aridā... terram** : pour la construction,
cf. Hor., *Epod.*, 2, 37 : « Quis non malarum quas amor curas
habet,/... obliuiscitur ? » (= *malarum curarum quas*); *Sat.*,
1, 4, 2 : « alii quorum comoedia prisca uirorum est » (= *alii
uiri quorum*) ; *infra*, 26, 2 (mais épithète et « antécédent » au
même cas) : « animalen... quem mox induerit Christum ».
— **quasi... siccauerit** : cf. nos « Valentiniana », p. 69 ;
malgré Riley (p. 55 et 158) et Marastoni (p. 82 et 193), nous
continuons à penser que *non siccauerit* est incompatible
avec la pensée et la doctrine même de Tert. (comme l'avait
bien compris Kroymann en proposant de lire *non succida
fuerit*). L'argumentation de Tert. est celle-ci : les valentiniens
prétendent que pour créer l'homme le Démiurge a recouru
non pas à la « terre sèche » que nous connaissons, mais à une
matière fluide qui lui est antérieure : précision sans objet,
rétorque Tert., car au moment de la création de l'homme
la terre ne pouvait encore être sèche, les eaux venant d'être
séparées ; l'homme a été créé du « limon de la terre » (*Gen.* 2,
7), c'est-à-dire d'un mélange de « terre » et d'« eau ferti-
lisante », cf. *Herm.* 29, 2 (*supra*) ; *Bapt.* 3, 5 : « Non enim
ipsius quoque hominis figulandi opus sociantibus aquis
absolutum est ? adsumpta est de terra materia, non tamen
habilis nisi humecta et succida quam scilicet ante quartum
diem segregatae aquae in stationem suam superstite humore
limo temperarant » ; *An.* 27, 7 : « De limo caro in Adam.
Quid aliud limus quam liquor opimus ? Inde erit genitale
uirus. Ex afflatu dei anima. Quid aliud afflatus dei quam
uapor spiritus ? » (suit l'exposé de sa doctrine traducianiste).
En fait la divergence profonde entre gnosticisme et Grande

Église tient à ce que pour les valentiniens l'homme a été
créé en deux temps, d'abord immatériel et invisible (cf. *Gen.*
2, 7), puis, après l'exclusion du Paradis (situé au quatrième
Ciel, cf. *supra*, 20, 2), visible et matériel, ayant revêtu les
« tuniques de peaux » (cf. *Gen.* 3, 21 ; *infra*, 24, 3) ; ces deux
temps sont mieux marqués et expliqués dans les *Extr.
Théod.*, 50-55, que dans la notice d'Irén., I, 5, 5. Cette
exégèse gnostique de *Gen.* 3, 21, selon laquelle les « tuniques
de peaux » représentent la chair hylique, concrète, tangible
et visible, est réfutée par Tert. qui interprète ce verset
littéralement, *Res.* 7, 2.6 : « Neque enim, ut quidam uolunt,
illae pelliciae tunicae, quas Adam et Eua paradisum exuti
induerunt, ipsae erunt carnis ex limo reformatio, cum
aliquanto prius et Adam substantiae suae traducem in
feminae iam carne recognouerit... Quam (= carnem) postea
pelliciae tunicae, id est cutes superductae, uestierunt.
Vsque adeo, si detraxeris cutem, nudaueris carnem. Ita
quod hodie spolium efficitur, si detrahatur, hoc fuit in-
dumentum, cum superstruebatur. Hinc et apostolus circum-
cisionem despoliationem carnis appellans tunicam cutem
confirmauit » ; cf. P. Siniscalco, *Ricerche sul « De resurrectione »*, Roma 1966, p. 121 ; également *Cult.* I, 1, 2 ; *Marc.*
II, 11, 2. Traces de l'interprétation gnostique dans Origène,
cf. Sagnard, p. 43, n. 1 ; M. Simonetti, « ΨΥΧΗ e ΨΥΧΙΚΟΣ
nella gnosi valentiniana », p. 17, n. 64, *RSLR* 2 (1966), p. 1-
47; Borret, *SC* 136, p. 290-291. — **adhuc** : = *etiamtum*,
cf. Hoppe, *Synt.*, p. 109. En *Apol.* 47, 3 ; *Scorp.* 10, 5 ;
etc. *adhuc tunc* = *etiam tunc*. — **siccauerit** : intrans.
(cf. *supra*, 3, 1) ; déjà Cat., *Agr.*, 112 : « Vuas relinquito
in uinea et ubi pluerit et siccauerit, tum deligito ». — **inuisibili corpore materiae** : Irén., I, 5, 5 : ἀπὸ τῆς ἀοράτου
οὐσίας ; contrairement à son habitude (cf. *supra*, 9, 3 ;
Braun, p. 179) Tert. ne traduit donc pas ici οὐσία par *sub-
tantia*. Pour la périphrase *corpore materiae*, cf. Lucr., *De
rer. nat.*, 1, 770 : « ignis terraeque... corpus » ; 2, 232 : « corpus
aquae » ; etc. — **philosophicae** : sans doute allusion à la
conception aristotélicienne de l'ὕλη qui n'est pas quelque
chose de sensible (*De caelo*, 2, 5, 332 a 35 : ἀναίσθητος) et
qui est inconnaissable par elle-même (*Mét.*, Z 10, 1036 a 9 :

ἄγνωστος καθ᾽ αὐτήν). — **de fluxili et fusili eius** : neutres
subst. (*infra*, 24, 2). Irén., I, 5, 5, : ἀπὸ τοῦ κεχυμένου καὶ
ῥευστοῦ τῆς ὕλης. *Fluxilis* : attesté seulement ici et *infra*,
§ 2. *Fusilis* : en ce sens (*quod fundi potest*), quatre attestations antérieures (Cés., *B. G.*, 5, 43, 1 ; *Aetna* 533 ; 536 ;
Ov., *Mét.*, 11, 126) ; comme équivalent de χώνευτος (= *quod
fundendo factum est*), presque uniquement en citations scripturaires (cf. *TLL* s. u. col. 1654, 79). — **quod unde...
nusquam et** : cf. « Valentiniana », p. 69. Même idée que
supra, 23, 3 (« quia nondum ediderunt, ego interim argumentabor »), mais présentée ici de manière plus provocante ;
cf. *Nat.* II, 12, 24 : « Potest incorporaliter fingi quoduis
quod non fuerit omnino ; uacat fingendi locus ubi ueritas
est » (*Prax.* 10, 8 : « Plane nihil Deo difficile, sed si tam
abrupte in praesumptionibus nostris hac sententia utamur,
quiduis de Deo confingere poterimus, quasi fecerit quia
facere potuerit ») : réflexion, en un sens, très « romaine » :
dans la reconstitution du passé, la légende se substitue à
l'histoire là où font défaut les documents ; le mythe comme
prolongement du connu. — **aestimare** : cf. *supra*, 15, 3.
— **nusquam** : sens plein ? substitut de *non* (L. H. S., p. 337 ;
454 ; cf. *supra*, 4, 3 ; cf. *infra*, 29, 3) ?

24, 2. fusile et fluxile : cf. *supra*, § 1. — **liquoris,
liquor** : non pas donc, selon cette vue imaginaire, le *liquor
opimus* du limon (qui est défini « aquae et terrae commixtio »
par Aug., *Gen. contra Manich.*, 2, 7, 8 ; cf. *An.* 27, 7, cité
supra, § 1), mais le liquide provenant des larmes de Sophia
(cf. *supra*, 15, 2). — **qualitas** : au sens fort, la seconde
catégorie stoïcienne (τὸ ποιόν), c'est-à-dire ce qui détermine
les différences dans la matière. — **gramis** : *TLL* s. u. col.
2165, 28, ne signale en dehors de ce passage et des Glossateurs
que deux autres occurrences : Pl., *Curc.*, 318 ; Pline, *Nat.*, 25,
155. — **constitisse** : (= *ortum esse*) sens ingressif du pft.,
cf. *supra*, 15, 2 ; *infra*, 39, 1 ; *An.* 1, 1 ; Waszink, p. 83. —
faeces : très fréquent + gén. d'un terme désignant un
liquide (en particulier le vin), cf. *TLL* s. u. 170, 55, qui ne
cite pour cette *iunctura* que ce seul passage. — **aquarum** :
gén. part. du neutre *quod*, constr. familière et archaïque

(Ernout-Thomas, *Synt. lat.*, p. 49 ; L. H. S., p. 52). — **desidet** : semble être la première attestation de ce vb. appliqué à des choses (cf. *TLL* s. u. col. 696, 4). — **Figulat :** forgé par Tert. comme un doublet de *fingere*, qu'il n'emploie qu'en trois autres occasions (*Bapt.* 3, 5 (?) ; *Carn.* 9, 2 ; *Cast.* 5, 1) et qui n'est pas attesté en dehors de lui. Remarques identiques pour *figulatio* (*Res.* 5, 4 ; *An.* 25, 2) ; cf. Braun, p. 402 s. — **ita** : = *itaque, igitur*, déjà chez Cic., *De nat. deor.*, 2, 36 (cf. L. H. S., p. 513) ; substitution usuelle chez Tert., généralement en début de phrase, mais parfois comme ici en seconde position, cf. *Fug.* 6, 6 : « Atque ita omnes aierunt... » ; Bulhart, *Praef.*, § 73. — **de afflatu suo animat :** Irén., I, 5, 5, est plus loin de *Gen.* 2, 7 : εἰς τοῦτον ἐμφυρῆσαι τὸν ψυχικόν. En revanche ce verset est cité dans la notice d'Hippol., *Philos.*, VI, 34, 5 et apparent dans *Extr. Théod.*, 50, 2. *De*, instrumental (Callebat, *Sermo quotidianus*, p. 202) ; cf. *infra*, 25, 2. — **choicus** : Irén., I, 5, 5 dit ici ὑλικόν mais plus haut χοικόν (= *terrenus*), c'est-à-dire fait de limon (χοῦς). Tert. est le premier à utiliser ce décalque du grec, en contexte gnostique (*infra*, 24, 3 ; 25, 2-3 ; 29, 2-3 ; 32, 1), en citation (*Res.* 49 *passim* = *I Cor.* 15, 47-49), ou au neutre (*An.* 40, 3) comme synonyme de *caro*. Ne reparaît ensuite que dans la trad. lat. d'Irénée et chez Jérôme (cf. *TLL* s. u. col. 1014, 24 ; Waszink, p. 452). — « **ad imaginem et similitudinem** » : l'homme hylique est à l'image (proximité, identification), l'homme psychique est à la ressemblance (distance, médiation) ; cette interprétation valentinienne (Irén., I, 5, 5 ; *Extr. Théod.*, 50, 1) est celle des gnostiques en général (cf. *Écrit sans titre*, 160, 35), cf. Simonetti, *art. cit.*, p. 20 ; Tardieu, *op cit.*, p. 96 ; cf. aussi R. McL. Wilson, « The Early History of History of the Exegis of *Gen.* 1, 26 », *TU* 63 (1957), p. 420-437. — **quadruplex** : cf. *infra*, 25, 3. — **deputetur** : cf. *infra*, 32, 1.

24, 3. Habes : cf. *supra*, 6, 2 s. u. *lector*. — **pelliceam tunicam** : cf. *supra*, 24, 1. Sur la création de l'homme, la source ptoléméenne des *Extr. Théod.*, 50-55, présente un récit plus cohérent, dans la mesure où les quatre éléments sont énumérés et décrits dans l'ordre « chronologique » :

hylique, psychique, spirituel et enfin charnel (les tuniques
de peaux), le seul qui soit concret (chair hylique visible),
postérieur à l'exclusion du Paradis.

b. L'homme « spirituel » (chap. XXV).

Achamoth avait transmis au Démiurge, sans qu'il
s'en doutât, la semence spirituelle qu'elle tenait de
Sophia (§ 1). A son tour le Démiurge la fit passer
dans l'homme terrestre lorsqu'il l'anima de son
souffle : cette semence est destinée à recevoir le
Logos (§ 2). Elle est l'Église des spirituels, l'image
de l'Église d'en haut, et l'origine de l'Homme qui
est en eux — spirituel par Achamoth, psychique par
le Démiurge, terrestre du fait de sa substance, matériel du fait de sa chair (§ 3).

25, 1. peculium : ironique sans doute comme *supra*, 14,
2. Cependant, sans intention satirique, cf. *Bapt.* 20, 5 :
« petite de domino peculia gratiæ distributiones charisma-
tum subiacere » ; avec un sens neutre : *An.* 37, 5 : « peculia
(= proprietates) animae » ; avec sa valeur technique : *Fug.*
11, 2. — **seminis spiritalis** : cf. *Carn.* 19, 1 : « semen illud
arcanum electorum et spiritalium quod sibi imbuunt ». —
sequestrauerat : = *seposuerat, deposuerat* ; cf. *infra*, 25, 2 ;
An. 14, 5 ; *Res.* 27, 5 ; 38, 2 ; Waszink, p. 219. — **gnaro** :
cf. *supra*, 22, 2 ; mais ici employé absolument (non class.
et plus rare, cf. *Nat.* I, 20, 11 ; *Pal.* 3, 3). Sur l'ignorance
du Démiurge, *supra*, 20, 3. — **prouidentiae** : cf. *supra*,
15, 5. Irén., I, 5, 6 : ἀρρήτῳ προνοίᾳ.

25, 2. Ad hoc : comme corrélatif de *ut* final apparaît
chez Tite-Live (cf. L. H. S., p. 643). — **animam** : cf. *supra*,
24, 2. — **de suo afflatu** : cf. *supra*, 24, 2 ; — **in... communicaret** : constr. analogique de *transferre, conferre in* :
cf. *An.* 19, 2 ; *Marc.* III, 15, 2 ; etc. ; *supra*, 6, 2. — **quasi
per canalem animam** : = *per animam quasi* (*per*) *canalem* ;
cf. Cic., *Tusc.*, 5, 90 : « Quare ut ad quietum me licet uenias »
(= *ad me ut ad quietum*) ; Löfstedt, *Spr. Tert.*, p. 61 s.

Peut-être allusion implicite à l'expression *canalis animae*,
« trachée artère » (Plin., *Nat.*, 8, 29). — **deriuaretur** :
cf. *infra*, 29, 2. — **feturatum** : forgé par Tert. pour rendre
Irén., I, 5, 6 : κυοφορηθέν. Seule autre occurrence : Diosc.,
2, 145, p. 233, 10 (= *procreatus*), cf. *TLL* s. u. col. 636, 22.
— **Sermoni perfecto** : la semence « spirituelle » (« pneumatique ») croît ici-bas avec le valentinien, se nourrit, se
perfectionne ; elle reçoit une éducation et une formation
qui la rendront apte à « recevoir le Logos parfait », c'est-à-
dire à entrer dans le Plérôme lors de la consommation finale
(cf. *infra*, 29, 3 ; Sagnard, p. 394 s. ; 403). Tert. suit ici de
près Irén., I, 5, 6, qui lui-même reproduit sans doute très
fidèlement un document valentinien (cf. Sagnard, p. 184).

25, 3. **cum** : + ind. prés. (*committit*), mais subord. au
pft. (*latuit*) ; nombreux exemples de cette discordance chez
Tert., cf. Löfstedt, *Spr. Tert.*, p. 24. — **traducem** : métaphore qui a la faveur de Tert., cf. *An.* 9, 6 : « anima, qua
flatus et spiritus tradux » ; 36, 4 : « ita et animae ex Adam
tradux fuisset in femina » ; etc. Hoppe, *Synt.*, p. 177 ;
Waszink, p. 175 ; O'Malley, *Tertullian and the Bible*, p. 71 ;
Moingt, IV, p. 240-241. — **latuit homo... insertus et...
inductus** : s. ent. *Demiurgum*. La constr. *lateo aliquem*
(= λανθάνω τινά), attestée dès Varron, est bien représentée
chez Tert. (cf. *Marc.* II, 25, 3 : « speculatorem uineae...
furunculus non latet » ; *Praes.* 22, 5 ; *Idol.* 15, 5 ; etc.) ;
d'autre part, l'extension du tour participial (équivalent
d'un substantif verbal) au nominatif est class. (cf. Ernout-
Thomas, *Synt. lat.*, § 292). Irén., I, 5, 6 : ἔλαθεν... τὸν
Δημιουργόν ὁ συγκατασπαρείς. — **flatu** : contrairement à
ce qu'écrit Hoppe, *Beitr.*, p. 19-20 (suivi par Waszink,
p. 533), Tert. présente des formes de dat. en -u (cf. Bulhart,
Praef. § 1). — **quia...** : cf. *supra*, 25, 2. — **Ecclesiae supernae speculum** : Irén., I, 5, 6 : ἀντίτυπον τῆς ἄνω Ἐκκλησίας.
La semence de Sophia, qui caractérise l' « élu » (le valentinien) en faisant de lui un « spirituel », est la réplique, l'image,
de l'Église d'en haut (éon) ; de la sorte, le valentinien en
possession de cette semence « reproduit » la syzygie Homme-
Église du Plérôme ; cf. Sagnard, p. 302 s. ; de la même

façon, les « spirituels » constituent ici-bas l'Église, antitype
de celle d'en haut, une et indivisible par opposition à celle
des psychiques qui est multiple et divisée (cf. *supra*, 4, 4,
le thème polémique inverse adressé par Tert. aux valentiniens). Tert. réserve l'adj. *supernus* presque uniquement aux
conceptions philosophiques (cf. *Nat.* II, 2, 18 ; *An.* 54, 1)
et gnostiques (*An.* 18, 4 ; 50, 2 ; *Scorp.* 10, 5 ; *infra*, 30, 3),
cf. Braun, p. 44. — **censum** : sur ce sens, *supra*, 7, 8. Pour
l'établissement du texte, cf. nos « Valentiniana », p. 70.
— **ab Achamoth, a Demiurgo, substantia, carne** :
ab + noms propres (= cause, origine), mais abl. sans prép.
pour désigner l'instrument, la matière, le point de vue.
Irén., I, 5, 6, ne fait pas cette distinction et emploie dans
les quatre cas ἀπό + gén. — ἀρχῆς : propre à Tert. pour
rappeler *supra*, 24, 1 (*materia philosophica*) par référence
ironique au terme qui, dans le platonisme, désigne les réalités
primordiales, les principes métaphysiques d'où procède ce
qui existe (cf. Plat., *Tim.*, 48 c ; Apul., *De Plat.*, 190) ;
cf. aussi la distinction stoïcienne entre « principes » et
« éléments », les premiers (ἀρχαί) étant « incorporels » et
« sans forme », les seconds (στοιχεῖα) ayant au contraire
une « forme » (cf. *SVF* II, § 299 = Diog. Laer., *Vies*, 7,
134). — **materialem** : correction de Kroymann, préférable à la correction inverse : *carn⟨alem⟩ materia*, dans
la mesure où elle ménage un chiasme (*choicum... materialem*)
tout à fait dans la manière de Tert. Cette « chair matérielle »,
c'est naturellement le corps concret, visible (les « tuniques
de peaux », cf. *supra*, 24, 3). — **Habes** : cf. *supra* 24, 3 ;
6, 2. — **quadruplum** : cf. *supra*, 24, 2. — **Geryonem** :
plaisanterie au second degré, puisque le monstre mythologique est seulement « triple » (cf. d'ailleurs *Pal.* 4, 3).
Appliqué à Adamas dans le système des Naassènes, cf.
Hippol., *Philos.*, V, 6, 6 ; 8, 4.

   c. Constitution du Christ de l'Évangile (chap. XXVI-
      XXVII).

      Les trois éléments, caractéristiques des trois races
   d'hommes, n'ont pas la même destinée : le spirituel

est promis au salut, l'hylique à la mort, quant au psychique son sort dépend de sa conduite ici-bas (XXVI, 1). C'est d'ailleurs pour contribuer à son salut que le monde a été fait et qu'est venu le Sauveur. Il y a deux théories relatives à la « constitution » du Christ. Selon la première, le Sauveur d'en haut a revêtu le spirituel et le psychique, et s'est vu entourer d'un corps de substance psychique également, mais visible et passible (§ 2). Selon la seconde théorie, le Christ, produit par le Démiurge, est passé par Marie (XXVII, 1). Il est constitué de quatre substances : l'élément spirituel, qui lui vient d'Achamoth ; l'élément psychique, qui provient du Démiurge ; un élément « indicible » ; le Sauveur enfin, c'est-à-dire la colombe descendue sur lui (§ 2). Au moment de la Passion, c'est le Christ psychique et visible qui a souffert (§ 3).

26, 1. exitum : = *fortunam post mortem,* cf. *infra,* 32, 1 ; *Marc.* IV, 29, 10 ; *Res.* 59, 2 ; *An.* 7, 2 ; sens différent, cf. *supra,* 3, 4. — **singulis :** l'expression *quadruplex res* ou *quadruplex Geryon* (*supra,* 24, 2 et 25, 3) faisait allusion aux quatre éléments ou substances qui constituent l'homme complet (Adam, les spirituels valentiniens) : l'hylique, le psychique, le spirituel (qui sont tous trois invisibles) et d'autre part le revêtement de chair, le corps, qui est également hylique, mais tangible et visible (les tuniques de peaux). Adam ne transmet par hérédité que l'hylique (l'invisible et le visible ; pour les deux autres éléments il n'est qu'un intermédiaire (le psychique provient du Démiurge, le spirituel d'Achamoth) : sans quoi, nous serions tous spirituels ou, tout au moins, tous psychiques. En fait à partir d'Adam, trois « races » sont engendrées : la race hylique (inaugurée par Caïn), la race psychique (Abel), la race spirituelle (Seth). Il y a beaucoup d'hyliques, peu de psychiques, très peu de spirituels. Naturellement, l'homme hylique a aussi une *psychè,* mais de nature hylique, elle ne provient pas du souffle du Démiurge. En d'autres termes, étant entendu que tout homme possède un corps de substance hylique visible,

ce qu'on appelle l'homme hylique est composé uniquement
de substance hylique ; l'homme psychique est revêtu d'un
homme hylique (invisible) ; l'homme spirituel est revêtu
d'un homme psychique et d'un homme hylique : au moment
de la mort a lieu la séparation des divers éléments du composé
humain qui ont chacun leur destinée propre. Cette loi des
« enveloppements » est bien expliquée par les valentiniens :
l'homme spirituel (invisible) est par rapport à l'homme
psychique (invisible) comme la moelle par rapport à l'os ;
l'homme psychique est par rapport à l'homme hylique
(invisible) comme l'os par rapport à la chair : l'hylique est
donc constitué d'une seule substance, le psychique de deux,
le spirituel de trois, chacun étant par ailleurs recouvert
d' « une tunique de peau ». Cette anthropologie est beaucoup
mieux exposée par la source ptoléméenne des *Extr. Théod.*
50 s. ; pour le commentaire, Sagnard, p. 233 s. et surtout
Simonetti, *art. laud.*, en particulier p. 16. Cf. *infra*, 29, 1.
— **diuidunt** : connote l'idée de « distinction, différenciation »
et celle d' « attribution », cf. *infra*, 28, 1 ; 29, 1 ; *Res.* 57, 9 ;
Pud. 2, 12 : « haec (delicta) diuidimus in duos exitus » ;
etc. *TLL* s. u. col. 1608, 8. — **materiali... id est carni** :
la synonymie est inexacte. Si, en effet, tout homme (depuis
l'exclusion du Paradis du quatrième Ciel) possède une
« chair », un corps, « matériel », « terrestre » (= la tunique de peau), d'où l'expression *carne materialem* (*supra*,
25, 3), en revanche, selon l'anthropologie et l'eschatologie
valentiniennes, il n'y a pas, à proprement parler, d'« élément », d'« homme » charnel, comme « race » spécifique,
caractérisée. L'erreur de Tert. s'explique sans doute par
la proximité de l'expression précédente (*carne materialem*)
ou par une confusion entre le schéma paulinien chair-âme-
esprit et la tripartition valentinienne hylique-psychique-
spirituel, qui ne se recouvrent pas — à moins qu'il ne faille
considérer « id est carnali » comme une glose marginale
erronée introduite dans le texte. — **quidem... uero...
ceterum** : cf. *supra*, 18, 3. — **sinistrum... dextrum** :
cf. *supra*, 18, 3. Les psychiques sont à droite, les hyliques
à gauche (cf. *Extr. Théod.*, 43, 1 ; 47, 2 ; *Év. Philippe*, Sent.
10 ; 40), répartition qui révèle ce qui les associe et ce qui

les dissocie : les associe le fait qu'ils soient, les uns et les autres, issus du trouble qui envahit Achamoth ; les dissocie le fait que les psychiques proviennent de sa conversion, les hyliques de ses passions (cf. *supra*, 17, 2) ; mais cette différence entre eux est moindre que celle qui sépare psychiques et hyliques des spirituels, issus de la joie d'Achamoth à la vue du Sauveur (cf. *supra*, 17, 1). Mais si d'un point de vue anthropologique (création de l'homme) le psychique est rapproché de l'hylique, d'un point de vue eschatologique (rédemption), le psychique se rapproche du spirituel, l'hylique étant par nature destiné à la destruction et à la dissolution (cf. *infra*, 29, 1 s.). — **debito** : = *dedito, destinato*, cf. *An.* 9, 1 ; 24, 11 ; déjà T.-Liv., 24, 25, 3 ; cf. G. Thoernell, « Studia Tertullianea », II, p. 32, *UUÅ* 1921. Sens différent *infra*, 29, 4. — **adnuerit** : le destin du psychique est déterminé par son propre choix ; cf. *infra*, 30, 1 s. — **in animalis comparationem** : *in* final, cf. *supra*, 7, 1. *Comparatio* : sens rare et technique (« appariement, attelage », cf. Col., *Rust.*, 6, 2, 13 : *comparatio boum*). Cf. Irén., I, 6, 1 : ὅπως ἐνθάδε τῷ ψυχικῷ συζυγὲν μορφωθῇ (τὸ πνευματικόν). Sur les problèmes posés par cette cohabitation du « spirituel » et du « psychique », cf. Sagnard, p. 397 s. (le spirituel joue parmi les psychiques le rôle du sel et de la lumière, mais reçoit une « éducation » spirituelle, ce qui permet au psychique de recevoir conjointement une éducation psychique) ; Simonetti, *art. laud.*, p. 35 (le psychique n'est pas inutile au salut du spirituel : cf. Irén., I, 7, 4 ; 7, 5 ; Hippol., *Philos.*, VII, 27, 6 et 22, 10 ; du reste dans la pratique, le gnostique fait une sorte d'apprentissage au sein de la Grande Église avant de suivre l'enseignement réservé aux gnostiques ; l'interprétation de Simonetti paraît confirmée par *Tract. Tripart.*, 126, 20 s., cf. t. II, Comm. *ad loc.* p. 23). — **conuersationibus** : = *familiaritate, societate conuersantium, conuictu* (cf. *TLL* s. u. col. 851, 10).

26, 2. animalem : Irén., I, 6, 1 : ἔδει γὰρ τῶν ψυχικῶν καὶ αἰσθητῶν παιδευμάτων (*Vet. Interpr.* : « Opus erat enim animali sensibilibus disciplinis »). Pour Simonetti, *ibid.*, le τῶν ψυχικῶν des mss doit être conservé (cf. *supra*, § 1). Il

faut remarquer que l'accord *Vet. Interpr.* - Tert. contre Irén.
gr. peut s'expliquer, comme d'en d'autres cas, par le fait
qu'ils ont eu sous les yeux une tradition différente de celle
d'Épiphane (cf. *infra*, p. 367). Quoi qu'il en soit de l'original
grec, et quelles que soient les conséquences pour l'interprétation du système selon qu'on lit τῷ ψυχικῷ ou τῶν ψυχικῶν,
il est clair que dans l'esprit de Tert. (qui a supprimé la
phrase précédant immédiatement : (τὸ πνευματικὸν εἶναι
λέγουσι «τὸ ἅλας καὶ τὸ φῶς τοῦ κόσμου», *Matth.* 5, 13), le
« psychique », pour obtenir le salut, a besoin d'une éducation
d'ordre « sensible », c'est-à-dire « psychique », reposant en
particulier sur la pratique des « bonnes œuvres » (cf. *infra*,
30, 1) ; encore fallait-il, pour que cela fût possible, certaines
conditions : la création du monde, la faculté laissée au
psychique de se déterminer. — **In hoc... in hoc** ; portent
plus sur ce qui précède qu'ils n'annoncent « in salutem
scilicet animalis », comme du reste le suggère *scilicet* (précision explicative). — **paraturam** : cf. *supra*, 16, 3. —
Soterem : le Sauveur d'en haut, l'éon Jésus, Fruit
du Plérôme (*supra*, 12, 4). — **animalis** : l'«élément »,
l'« homme » psychique. Tert. omet la précision d'Irén., I,
6, 1 : ἐπεὶ καὶ αὐτεξούσιον ἐστιν, sans doute parce que
supra, 26, 1 « inter materialem spiritalemque nutanti » lui
a paru suffisamment explicite. — **Alia...** : nous revenons
à la ponctuation traditionnelle, adoptée également par Riley
et Marastoni, contre celle de Kroymann (« [... animalis],
alia adhuc... monstruosum. Volunt »). — **adhuc** : = *etiamtum*, cf. *supra*, 24, 1. — **compositione monstruosum** :
supra, 12, 3-5. — **uolunt** : cf. *supra*, 15, 1. — **prosicias** :
cf. Lucil., 484 W = Non., 220, 17 : « ' Prosecta ' exta quae
aris dantur ex fibris pecudum dissecta, sunt generis neutri...
Feminino ' cenam, inquit, nullam neque diuo proseciam
ullam ' » ; *prosicies*, chez Var. ap. Non., 220, 23 : *prosiciae*,
Sol., 5, 23 ; Arn., *Nat.*, VII, 25 : «omnes has partes quas prae-
sicias dicitis accipere dii amant ». Irén., I, 6, 1 : τὰς ἀπαρχάς.
— **summam** : allusion implicite à *Rom.* 11, 16 (καὶ το
φύραμα) absente à cette place chez Irénée, qui cite ce verset
plus loin, I, 8, 3 : « Les prémices, enseignent-ils, c'est l'élément pneumatique ; la pâte pétrie, c'est nous, l'Église

psychique, dont le Sauveur a assumé la masse, et qu'il a soulevée avec lui, car il était le ferment » (Sagnard, p. 142 ; 186) ; en revanche, *Extr. Théod.*, 58, 2, citent ce verset dans l'exposé de la « constitution » du Christ de l'Évangile (parallélisme avec Tert.). — **quidem... uero... ceterum... autem** : cf. *supra*, 18, 3. — **animalem... quem... Christum** : disjonction de l' « antécédent » et de son épithète, cf. Apul., *Mét.*, 11, 6, 4 : « nec... quisquam deformem istam quam geris faciem perhorrescet » ; avec régimes différents de l'un et de l'autre, *supra*, 24, 1. Le Christ psychique est « fils » du Démiurge (cf. *Ext. Théod.*, 59, 2) : implicite ici, cette précision est explicite dans la « variante » doctrinale exposée *infra*, 27, 1. — **ceterum corporalem...** : légère anacoluthe = « (uolunt Soterem induisse) corporalem (substantiam) ex animali substantia sed... ingenio constructam » ; elle est plus marquée dans le quatrième membre (« materiale autem nihil... »). — **inenarrabili ingenio rationis** : Irén., I, 6, 1 : ἀρρήτῳ τέχνῃ. *Inenarrabili*, cf. *infra*, 37, 1. *Ingenio rationis* = *ingeniosa ratione*, cf. Hoppe, *Synt.*, p. 19 ; Médan, *Latinité d'Apulée*, p. 316 s. — **constructam** : (s. ent. *substantiam*), cf. *supra*, 12, 4. — **administrationis** : lapsus ou contresens de Tert. Cf. Irén., I, 6, 1 : ἀπὸ... τῆς οἰκονομίας περιτεθεῖσθαι σῶμα, ψυχικὴν ἔχον οὐσίαν (*Vet. Interpr.* « a dispositione autem circumdatum corpus, animalem habens substantiam ») ; trad. Sagnard, p. 188 ; 399 : « Par « l'économie » (de l'Incarnation), il s'est vu entouré d'un corps de substance (également) psychique ». La source ptoléméenne des *Extr. Théod.*, 59, 4, est particulièrement claire, et explique bien le sens de cette οἰκονομία : « Un corps fut donc tissé pour lui, de substance psychique invisible, corps arrivé dans le monde sensible par la « dynamis » d'une divine préparation » (Σῶμα... αὐτῷ ὑφαίνεται ἐκ τῆς ἀφανοῦς ψυχικῆς οὐσίας, δυνάμει δὲ θείας ἐγκατασκευῆς εἰς αἰσθητὸν κόσμον ἀφιγμένον). — **tulisse** : mais *supra* : *induerit*. Cf. Braun, p. 310 s. — **quo** : = *ut* final sans comparatif, cf. *supra*, 14, 2. Le Christ psychique était invisible. Cette substance psychique, dont s'enveloppe le Sauveur, est donc une substance particulière, conçue par l'économie de l'Incarnation, car l'élément psychique en lui-même est invisible.

— **defunctui** : hapax (*TLL* s. u. col. 376, 18). — **ingratis** :
réflexion, sans doute ironique, de Tert. L'interprétation fait
difficulté : Kellner : « nur zum Schein » ; Riley : « for an
ungrateful world » ; *TLL* s. u. col. 1559, 17 : « sine noxa »
(C. Moussy, *Gratia et sa famille*, Paris 1966, p. 339 : « sans
dommage ») ; nous nous rallions à Hoppe, *Synt.*, p. 126 :
« wider Willen ». — **quam** : = *magis, potius quam*, cf. Hoppe,
Synt., p. 77 ; *Beitr.*, p. 47 ; L. H. S., p. 593-594. — **salute** :
sans doute la bonne leçon. *Egeo* + acc. (d'un subst.) ne
se rencontre, et encore rarement, que dans les trad. de la
Bible (cf. *TLL* s. u. col. 235, 32 et 58). — **alienando** : =
alienantes ; rare dans la prose class. cette substitution est
fréquente à époque impériale ; cf. Hoppe, *Synt.*, p. 56. — **a
spe... salutis** : les valentiniens admettaient la résurrection,
mais la résurrection d'un corps « pneumatique » ; sur l'ambiguïté qu'ils entretenaient à cet égard, cf. *Res.* 19, 6 ; *supra*,
p. 38.

27, 1. Nunc : transition fréquente chez Tert., cf. *supra*,
8, 1 ; *infra*, 29, 1 ; Fredouille, p. 80. — **reddo de** : cf. *An.* 7,
3 : « reddam de isto » ; à rapprocher du tour « refero de
aliqua re » (« faire part de quelque chose ») ; avec une
autre constr. et un sens légèrement différent, *supra*, 8, 1.
Tert. expose donc à la suite deux variantes doctrinales sur
la constitution du Christ de l'Évangile, sautant ainsi plusieurs
paragraphes d'Irénée (I, 6, 2-4 et I, 7, 1) consacrés au salut
réservé aux psychiques et aux spirituels (Irén., I, 6, 2), à
la discipline et à la licence des valentiniens (Irén., I, 6, 3-4),
à la consommation finale (Irén., I, 7, 1) ; le premier et le
troisième thèmes seront abordés ensuite. Sur cet effort de
regroupement et de synthèse, cf. *supra*, p. 20 s. — **quidam** :
cette variante (= Irén., I, 7, 2), qui ne figure pas dans
la section ptoléméenne des *Extr. Théod.*, ne s'accorde
qu'imparfaitement avec la christologie « italique » précédente (*supra*, 26, 2 = Irén., I, 6, 1), cf. Orbe. *Est. Val.*,
V, p. 63 ; III, p. 192 s. ; D. A. Bertrand, *Le baptême de
Jésus. Histoire de l'exégèse aux deux premiers siècles*, Tübingen 1973, p. 71 s. Rappelons que la christologie opposait
école orientale et école occidentale : pour la première, le

Christ de l'Évangile est né « spirituel », pour la seconde il
est né « psychique », cf. *supra*, 4, 3 ; 11, 2. — **inflatu** :
cf. *supra*, 25, 2. — **infulciunt** : sur ce terme utilisé dans
un contexte comparable en *An.* 11, 3 et 23, 4, cf. Waszink,
p. 197. — **fartilia** : selon *TLL* s. u. col. 286, 72, deux attestations antérieures à Tert., Plin., *Nat.*, 10, 52 : « (anseris
iecur) fartilibus in magnam amplitudinem crescit » ; Apul.,
Mét., 6, 31, 6 (*per iocum*) : « fartilem asinum exponere ».
— **denique** cf. *supra*, 3, 5 ; « Valentiniana », p. 71. —
prolatum : Irén., I, 7, 2 : προβαλέσθαι ; cf. *supra*, 7, 5.
— **promulgatum prophetis** : dat. « auctoris », cf. *supra*,
7, 2. Il s'agit du Christ psychique, attendu et prophétisé.
— **in praepositionum quaestionibus positum** : noter
d'une part la figure étymologique *praepositionum-positum* ;
d'autre part la contamination des deux tours : *positum esse
in aliqua re* (« dépendre de, reposer sur »), et *proponere
quaestionem* (Cic., *Fam.*, 7, 19 ; Nep., *Att.*, 20, 2) ou *ponere
quaestiunculam* (Cic., *De orat.*, 1, 102). — **per uirginem,
non ex uirgine** : expliqué par ce qui suit (« transmeatorio... ») ; de même Irén., I, 7, 2 : διὰ Μαρίας διοδεύσαντα
καθάπερ ὕδωρ διὰ σωλῆνος ὁδεύει. Dans Hippol., *Philos.*, VI,
35, 4 ; 36, 3, on lit seulement διὰ τῆς Μαρίας bien que
l'emploi de la prép. διά ne suffise pas à dénoncer l'hérésie
(cf. Justin, *Dial.*, 75, 4 ; 85, 2 ; etc.) ; Tert. réfute longuement ce jeu de prépositions en *Carn.* 20-21 ; cf. Mahé,
SC 217, p. 416 s. Jeu comparable sur les prépositions à
propos de la création du monde, ou de l'émission du spirituel
et du psychique : Cf. Héracléon, frg. 1 (Sagnard, p. 483) ;
Extr. Théod., 55, 2 ; Orbe, *Est. Val.*, II, p. 179 s. ; *Cristologia
gnóstica*, I, p. 425 s. — **editum** : Irén., I, 7, 2 : (διὰ Μαρίας)
διοδεύσαντα ; cf. *supra*, 9, 2 : *edere* = προβάλλειν. —
transmeatorio, generatorio : néologismes, dont le premier
est un hapax (Hoppe, *Beitr.*, p. 145) et le second ne sera
repris que par Ambroise au neutre substantivé (*TLL* s. u.
col. 1789, 63). — **processerit** : cf. *supra*, 7, 6 ; *infra*, 35, 2,
mais conservant ici son sens propre.

27, 2. sacramento : tout en suivant les analyses de
D. Michaélidès, *Sacramentum chez Tertullien*, Paris 1970,

p. 305-307, nous ne croyons pas que la traduction qu'il propose (« signe baptismal ») convienne ici, ne serait-ce qu'à cause de la précision temporelle (*tunc in...* = Irén., I, 7, 2 : ἐπὶ τοῦ βαπτίσματος) qui invite à donner ici un sens concret à *sacramentum* ; cf. E. De Backer ap. J. De Ghellinck, *Pour l'histoire du mot sacramentum*, t. I, Louvain-Paris 1924, p. 111-112 : « cérémonie mystérieuse du baptême. » Sur le baptême de Jésus dans le valentinianisme, cf. D. A. Bertrand, *op. laud.*, p. 68-82 ; surtout Orbe. *Est. Val.*, III, p. 325 s. — **Iesum** : cf. Sagnard, p. 375 : « le Sauveur Jésus, fruit des éons, dynamis du Plérôme, qui contient en lui la syzygie Christ-Pneuma, restauratrice du Plérôme, et qui porte aussi ce nom de Christ, est descendu sur le Jésus psychique de la terre, sur le Jésus de l' « économie » d'Incarnation, pour en faire le Christ Jésus, Sauveur des pneumatiques (et même, d'une certaine façon, des psychiques) ». — **columbae** : cf. *supra*, 3, 1 ; F. Suehling, « *Die Taube als religiöses Symbol im christlichen Altertum*, Fribourg 1930, p. 234 s. Sur l'arithmologie de Marc le Mage à propos de la colombe (περιστερά), cf. Irén., I, 15, 3 ; Sagnard, p. 373 s. — **condimentum** : au propre comme au figuré, utilisé à toute les époques depuis Plaute (*TLL* s. u. col. 142, 22). — **farsura** : seule occurrence avec ce consonantisme (*TLL* s. u. col. 286, 59) ; *fartura* : Var., *Ling.*, 5, 111 ; etc. Vitr., 2, 8, 7 ; etc. — **inenarratiua** : hapax (*TLL* s. u. « inenarrandus », col. 1294, 32) ; cf. *supra*, 26, 2 : « inenarrabili rationis ingenio constructam ». — **Soter** : le Sauveur Jésus, Fruit du Plérôme, appelé également l' « Esprit du Christ » (Irén., I, 7, 2 : Πνεῦμα Χριστοῦ), c'est-à-dire représentant la syzygie Christ-Esprit Saint. — **Christo** : le Christ de l'Évangile. — **impassibilis inlaesibilis inadprehensibilis** : Irén., I, 7, 2 : οὐ γὰρ ἐνεδέχετο παθεῖν αὐτὸν ἀκράτητον καὶ ἀόρατον ὑπάρχοντα. *Impassibilis*, comme son contraire *passibilis*, apparaît pour la première fois chez Tert. qui n'en est sans doute pas le créateur (cf. Braun, p. 64). *Inlaesibilis* : création de Tert. (une seule occurrence postérieure mentionnée par *TLL* s. u. col. 336, 13 : Lact., *De ira*, 17, 14), qui ne l'utilise pas ailleurs. *Inadprehensibilis* : cf. *supra*, 11, 3. — **prehensiones** : archaïque (Var. ap. Aul. Gel., *Nuits*, 13,

12, 4), avec ici une intention sarcastique (cf. *inadprehensi-bilis*). Sur le plur. du terme abstrait, *supra*, 4, 4. ; sans doute ici pour désigner les modalités concrètes de l'action. — **discessit** : contrairement à ce que laisse entendre cette « notice », ce quatrième « élément » n'est donc pas « consti-tutif », mais « temporaire », cf. Orbe, *Est. Val.*, V, p. 67.

27, 3. nec... admisit iniurias : Irén., I, 7, 2 : τοῦτον... ἀπαθῆ διαμεμενηκέναι. Tert. reprend tout naturellement le vocabulaire sénéquisant de l'impassibilité du sage : cf. le sous-titre même du *De const. sap.* : « Ad Serenum nec iniuriam nec contumeliam accipere sapientem » ; *De ira*, 2, 14, 1 : « numquam... iracundia admittenda est » ; etc. — **insub-ditiuum** : hapax, = *impassibilem* (= *non subditum inuriis, passioni*) ; cf. *TLL* s. u. col. 2026, 70. — **ne... quidem Demiurgo compertum** : cf. *supra*, 25, 1. — **carneus** : cf. *supra*, 26, 2 ([*substantiam*]... *rationis ingenio constructam*) ; 27, 2 ([*substantia*] *corporali inenarratiua*) ; Irén., I, 7, 2 : ἔπαθεν... ὁ κατ' αὐτοὺς ψυχικὸς Χριστὸς καὶ ὁ ἐκ τῆς οἰκονομίας κατεσκευασμένος. Dans ses ouvrages doctrinaux (*Marc., Carn., Res.*) Tert. applique au Christ incarné cet adj. (= ἔνσαρκος) qui ne comporte pas la nuance péjorative attachée à *carnalis* (cf. Braun, p. 303). — **delineationem** : attesté uniquement ici (= *imaginem*) et en *Marc.* V, 4, 8 (« esquisse », *imago futura*) ; *delineare* fait partie de son vocab. exégétique (« fournir une esquisse des choses à venir ») cf. J. E. L. van Der Geest, *Le Christ et l'Ancien Testament chez Tertullien*, Nijmegen 1972, p. 204-205 ; mais *supra*, 4, 2 = « dessiner, tracer ». — **formando** : dat. final, cf. *supra*, 16, 1. *Formando... forma*, cf. 14, 1 : « informet... sub-tantiae, non scientiae forma ». *Substantiualis, agnitionalis* (cf. *supra*, 16, 2) : hapax l'un et l'autre (cf. Braun, p. 195). — **fuerat innixus** : pour la forme surcomposée, *supra*, 9, 2. La crucifixion du Christ de l'Incarnation est l'« image » de la crucifixion du Christ d'en haut sur Horos (Stauros), cf. *supra*, 14, 1 ; Sagnard, p. 244 s. — **imagines** : cf. *supra*, 19, 1-2. — **urgent** : présentation polémique, mais juste de ce que Sagnard, p. 244 a appelé la « loi de l'exemplarisme inversé » ; cf. Irén., I, 7, 2 : πάντα... ταῦτα τύπους ἐκείνων εἶναι λέγουσι. — **imaginarii** : cf. avec des nuances diverses : *Marc.* III, 8, 4 : « Putatiuus habitus, putatiuus actus : imaginarius operator, imaginariae operae » ; III, 11, 4 : « uane natiuitatis fidem consilio imaginariae carnis expugnandam putauit » ; *Res.* 19, 2 : « resurrectionem... mortuorum manifeste adnuntiatam in imaginariam significationem distorquent, adserentes ipsam etiam mortem spiritaliter intellegendam » ; etc.

d. Instruction du Démiurge (chap. XXVIII).

Le Sauveur met fin à l'ignorance du Démiurge en lui dévoilant toutes choses ; il lui apprend aussi qu'il peut espérer rejoindre le lieu de sa mère (§ 1). En attendant la « consommation » finale il assume le gouvernement de ce monde (§ 2).

28, 1. adhuc : = *etiamtum*, cf. *supra*, 24, 1. — **nescius** : s. ent. *erat*, cf. *supra*, 3, 5 ; de même : *intellegens* (*erat*). — **contionabatur** : cf. *supra*, 21, 1. — **ne huius quidem... intellegens** : réflexion propre à Tert. Il faut sans doute donner à *intellegens* (construit + gén. : déjà Cic., *Fin.*, 2, 63, cf. *TLL* s. u. col. 2103, 4 ; L. H. S., p. 80) une valeur prégnante : l'ignorance du Démiurge porte non sur *l'objet* de ses réalisations, mais sur leur *comment* ; il croit toujours être seul (cf. *supra*, 21, 1) ; en l'occurrence, il ne sait pas que certaines prophéties ont été seulement annoncées par son canal, sans qu'il ait été leur véritable inspirateur (application de la distinction διά-ἀπό-ὑπό, cf. *supra*, 27, 1). — **diuidunt** : sur ce sens, cf. *supra*, 26, 1 ; Waszink, p. 260. — **prophetiale** : hapax (Hoppe, *Beitr.*, p. 144). — **semen** : la semence spirituelle qui se trouve en certains hommes privilégiés. Rapprocher ces trois catégories de prophéties des trois parties de la « loi mosaïque » distinguées par Ptolémée (*Lettre à Flora*), et de la tripartition introduite à l'intérieur de la première partie, cf. Sagnard, p. 459 ; Simonetti, *art. laud.*, p. 37. Par rapport à Valentin la divergence est notable : cf. Hippol., *Philos.*, VI, 35, 1 (trad. Siouville) : « Tous les prophètes et (l'auteur de) la Loi ont parlé sous

l'inspiration du Démiurge, dieu stupide, dit Valentin ;
eux-mêmes étaient stupides et ne savaient rien. C'est pour
cela que le Sauveur a dit : ' Tous ceux qui sont venus avant
moi sont voleurs et brigands ' (*Jn* 10, 8). De là aussi cette
parole de l'apôtre : ' Le mystère qui n'a pas été révélé aux
générations antérieures ' (cf. *Col.* 1, 26). Car aucun des
prophètes, déclare Valentin, n'a dit le moindre mot des
vérités que nous enseignons ; elles étaient toutes ignorées,
attendu qu'elles n'avaient été proférées que sous l'inspiration
du Démiurge ». — **ouanter** : néologisme de Tert. (Hoppe,
Synt., p. 145) pour rendre (ironiquement) Irén., 1, 7, 4 :
ἄσμενον. — **uiribus** : Irén., I, 7, 5 : μετὰ πάσης τῆς δυνάμεως
αὐτοῦ. Il s'agit des « anges » (les sept Cieux) sur lesquels
se tient le Démiurge (cf. *supra*, 20, 2). — **centurio de
euangelio** : pour *de* marquant l'origine, cf. Callebat, *Sermo
quotidianus*, p. 200. Simple allusion de Tert., alors qu'Irénée
cite presque entièrement le verset évangélique. — **inluminatus** : cette « illumination » met fin à son ignorance, est
une sorte de « gnose » ; de la même façon le Sauveur s'était
présenté à Achamoth entouré d'anges de lumière pour lui
donner la formation selon la gnose (cf. *supra*, 16, 1 s. ;
Sagnard, p. 315). — **quod... sit** : cf. *supra*, 11, 2. — **in
locum matris** : le lieu de l'Intermédiaire (*supra*, 23, 1)
qu'Achamoth, lors de la consommation finale, abandonnera
pour entrer au Plérôme.

28, 2. dispensationem : Irén., I, 7, 4 : τὴν κάτα τὸν
κόσμον οἰκονομίαν. Au sens valentinien, οἰκονομία reçoit,
dans la « grande notice » d'Irénée, quatre applications
principales : Incarnation (cf. *supra*, 26, 2), Rédemption,
Plan divin, Gouvernement du monde par le Démiurge
(cf. Sagnard, p. 649, s. u.). Sur *dispensatio* écarté au profit
de *dispositio* pour traduire οἰκονομία, cf. Braun, p. 162.
— **ecclesiae** : essentiellement l'Église des « spirituels » qui
se constitue au sein de l'Église des « psychiques », cf. Sagnard,
p. 192, n. 1. Caractéristique de la branche occidentale
est cette bonne entente entre le Sauveur et le Démiurge,
entre le spirituel et le psychique, cf. *infra*, 29, 1 s. —
quanto tempore : = *quamdiu* (Hoppe. *Synt.*, p. 31) ; cf.

Chiron., 12, la corrélation *tamdiu... quanto tempore* (L. H. S.,
p. 606).

e. Les trois races (chap. XXIX).

Les trois substances hylique, psychique et spirituelle ont été réunies en Adam (§ 1). Mais, à partir
de lui, ont coexisté trois races : la race hylique, exclue
du salut, inaugurée par Caïn ; la race psychique,
symbolisée par Abel, qui n'est pas a priori exclue du
salut ; enfin la race spirituelle de Seth assurée d'obtenir le salut (§ 2). L'élément spirituel ne peut être
semé, à titre gracieux, que dans une âme bonne, celle
que possède le psychique, où l'éducation qu'elle reçoit
permet de la faire progresser (§ 3) et c'est parmi
les spirituels qu'ont été choisis Prophètes, Rois et
Prêtres. Mais le salut leur est dû de toute façon (§ 4).

29, 1. Colligam nunc : cf. *supra*, 27, 1, même transition,
mais avec le présent (cf. Löfstedt, *Kritische Bemerkungen
Tertullians Apologeticum*, Lund-Leipzig 1918, p. 64). — **ex
disperso** : cf. *Herm.* 32, 4 : « respondebitur fortasse ex
diuerso plane factas eas (esse species)... ceterae uero scripturae quae ex materia factae sunt species in disperso demon-
strent » ; *Pud.* 3, 1 : « decidam intercedentem ex diuerso
responsionem » ; cf. *supra*, 5, 2. Comme précédemment
(chap. 27-28), Tert. regroupe, en les résumant, les données
relatives aux trois races et à leur sort eschatologiques, plus
dispersées dans la notice d'Irénée. Cf. *supra*, p. 20 s. — **dispositione** : sans équivalent chez Irénée. Désigne ici le dessein
créateur relatif tout à la fois à l'anthropologie et à l'eschatologie (dans une perspective valentinienne). Cf. *supra*, 28,
2 : *dispensationem*. — **iusserant** : pour ce sens affaibli de
iubeo, cf. *supra*, 7, 4 : « ... diuinitatis, qualem iussit Epicurus ». — **triformem** : cf. *An.* 21, 1 : « quodsi uniformis
natura animae ab initio in Adam ante tot ingenia, ergo non
multiformis, quia uniformis, per tot ingenia, nec triformis,
ut adhuc trinitas Valentiniana caedatur quae nec ipsa in
Adam recognoscitur » ; *supra*, 17, 2 s. u. « trinitas ». — **pri-**

mordio : cf. *supra*, 2, 4. — **inunitam** : peut-être création d'Apul., *Mét.*, 11, 27, 3 ; Braun, p. 147. — **Adam** : cf. *supra*, 20, 2 ; 25, 1-3 ; 26, 1 s. u. *singulis*. — **per singulares... proprietates** : cf. *An.* 21, 4 : « (Valentiniani) conuertibilem negant naturam, ut trinitatem suam in singulis proprietatibus figant, quia arbor bona malos non ferat fructus... ». Les trois « natures », réunies en Adam ou chez les spirituels, peuvent être envisagées également κατὰ γένος, dans l'ensemble de l'humanité : elles forment alors trois « races », dont les prototypes sont Caïn (race hylique), Abel (race psychique), Seth (race spirituelle). Cette doctrine, que nous connaissions par la notice d'Irénée et les *Extr. de Théodote*, est exposée dans *Tract. Tripart.*, 118, 14-122, 27. Cf. *supra*, 26, 1. — **occasionem** : reproche fréquent adressé aux hérétiques, cf. *Res.* 63, 8 : « quia... (haereses) sine aliquibus occasionibus scripturarum audere non poterant, idcirco pristina instrumenta quasdam materias illis uidentur subministrasse, et ipsas quidem isdem litteris reuincibiles » ; *Prax.* 22, 6 : « quidam arripiunt huius dicti (= *Jn* 8, 42) occasionem » ; etc. ; *supra*, 1, 3. — **moralibus... differentiis** : *Tract. Tripart.*, 118, 23 s. indique clairement que les trois races se manifestent par leurs « fruits », c'est-à-dire par leur attitude à l'égard du Christ révélé : leur ligne de conduite fait apparaître ce qu'elles sont véritablement. Tert. réfute ailleurs ce déterminisme moral, soit en dissociant les *opera* de la *substantia* (cf. *Res.* 45, 15, où *substantialis* est opposé à *moralis* : « tam uetustatem hominis quam nouitatem ad moralem, non ad substantialem, differentiam pertinere defendimus » ; cf. Braun, p. 188), soit en rappelant l'unité naturelle des âmes issues d'Adam, unité qui s'accommode de qualités différentes selon les individus, chacun disposant de son libre arbitre (cf. *An.* 20-21, et en particulier *An.* 21, 6 « Inesse... nobis τὸ αὐτεξούσιον naturaliter iam et Marcioni ostendimus et Hermogeni » ; cf. *De censu animae* — perdu, mais dont on peut reconstituer certaines des thèses, cf. Waszink, p. 13* — et *Marc.* II, 5-9).

29, 2. Cain..., fontes : pour la coordination (type : *A et B, C*), cf. *supra*, 4, 2 ; pour la ponctuation que nous adop-

tons, cf. nos « Valentiniana », p. 71. — **fontes** : cf. *An*. 20,
6 : « Debuerant enim fuisse haec omnia in illo ut in fonte
naturae atque inde cum tota uarietate manasse, si uarietas
naturae fuisset » ; 43, 9 : « ille fons generis, Adam » ; cf.
Waszink, p. 290. L'existence d'une secte gnostique de
« séthiens » se considérant comme les lointains descendants
de Seth est ajourd'hui remise en cause, cf. M. Tardieu,
REAug 24 (1978), p. 193-195. — **deriuant** : cf. Hor., *Od*., 3,
6, 19-20 : « hoc fonte deriuata clades / in patriam popu-
lumque fluxit » ; Quint., *Inst. orat*., 2, 17, 40 : « Haec sunt
praecipua quae contra rhetoricen dicantur, alia et minora
et tamen ex his fontibus deriuata » ; *supra*, 25, 2. — **choicum** : cf. *supra*, 24, 2. — **degeneratum** : = *degenerem* (cf.
An. 8, 4 : « aquilae ita sustinent (solem oculis) ut natorum suorum generositatem de pupillarum audacia iudicent ; alioquin
non educabunt, ut degenerem, quem solis radius auerterit » ;
infra, 30, 3) ; seule attestation de cette constr. + dat. (*TLL*
s. u. col. 383, 44), sans doute par analogie avec *contrarius*
impliqué de toute manière dans l'idée. — **mediae** : = *dubiae,
ancipiti*, cf. Tac., *An*., 3, 15, 1 : « (Plancina), donec mediae
Pisoni spes, sociam se cuiuscumque fortunae... promittebat ».
componunt : = *ponunt, numerant in* (*TLL* s. u. col. 2130,
23 ; *supra*, 3, 3). — **proprietate** : même signification que
supra, § 1. Irén., I, 7, 5 : ἃς μὲν φύσει ἀγαθάς, ἃς δὲ φύσει
πονηράς. — **bonas et malas...** : les âmes mauvaises par
nature sont les âmes « hyliques » (c'est-à-dire celles dans
lesquelles le Démiurge n'a pas créé l'homme psychique,
consubstantiel à lui, en leur insufflant son propre souffle
(cf. *supra*, 24, 2) ; la « race de Caïn » n'a donc qu'une âme
hylique, c'est-à-dire un principe vital de l'organisme corporel,
comme les bêtes) ; les âmes bonnes sont les psychiques
(l'élément psychique étant insufflé dans l'hylique) : toutes
les âmes psychiques sont aptes à recevoir la semence spirituelle, mais seulement quelques-unes la reçoivent effectivement. Il faut rappeler que, par hérédité, seuls sont transmis
l'élément hylique (invisible) et l'élément (hylique) charnel
et visible Cf. Simonetti, *art. laud*., p. 17 s. — **statum** : sens
ontologique (= *substantia, condicio, qualitas*), cf. Braun,
p. 200 s. — **ex** : non pas « issu (par transmission héréditaire)

de », mais « inauguré par », « représenté par », « symbolisé par ».

29, 3. Spiritale enim... ut quod : pour l'établissement du texte (restitution de *enim*, correction de *spiritalem* en *-ale* et de *quos* en *-d*), cf. nos « Valentiniana », p. 71-72. — **de obuenientia** : hapax, cf. *TLL* s. u. col. 309, 67 (qui interprète inexactement : « occasione obueniente » ; faux-sens également de Blaise, *Dict.*, s. u. p. 570 : « sans raison sérieuse »). En réalité, *obuenientia* s'oppose à « nature, innéité », comme le montrent les emplois que fait Tert. de l'adj. correspondant, *obuenticius*, qu'il a également forgé (et qui ne sera que tardivement et rarement utilisé après lui : cf. *TLL* s. u. col. 311, 51) : *Marc.* I, 22, 3 : « Omnia enim in deo naturalia et ingenita esse debebunt, ut sint aeterna, secundum statum ipsius, ne obuenticia et extranea reputentur ac per hoc temporalia et aeternitatis aliena » ; II, 12, 3 : « (bonitatem) ingenitam deo et naturalem nec obuenticiam deputandam » ; II, 3, 3 ; 3, 5. Ce sont les seules occurrences de l'adj. chez Tert. Rapprocher aussi : *Marc.* IV, 10, 10 : « appellatio autem, quod est filius hominis, in quantum ex accidenti obuenit » ; *An.* 22, 1 : « (potestas) quae (animae) per dei gratiam obuenit ». — **superducunt** : = *addunt*, sens fréquent chez Tert., cf. Hoppe, *Synt.*, p. 139 ; Waszink, p. 329. — **non naturam sed indulgentiam** : = *non naturale, sed donatum, gratiosum* ; construction appositionnelle rude, mais non sans exemple, cf. *supra*, 4, 4 : « nec unitatem sed diuersitatem (= *nec unum sed diuersum*). *Indulgentia* = *donum*, cf. *Marc.* IV, 29, 4 : « (Christus) non erit iam depretiator operum et indulgentiarum creatoris » ; déjà Apul., *Mund.*, 25, 343 : « indulgentiarum dei ad nos usque beneficia (non ambigitur) peruenire ». Tert. souligne ici, mieux que ne le fait Irén., I, 7, 5, le caractère de la gnose : la semence spirituelle est un don gratuit ; cf. G. Quispel, « La conception de l'homme dans la gnose valentinienne », p. 274-275, *Eranos-Jb* 15 (1947), p. 249-286 (= *Gnostic Studies*, I, Istanbul 1974, p. 50). Remarque qu'il faut rapprocher de Ptolémée, *Lettre à Flora*, 3, 8 : « nous qui avons été gratifiés de la connaissance de ces deux

Dieux » (ἡμῖν ἀξιωθεῖσί γε τῆς ἀμφοτέρων τούτων [= θεῶν]
⟨ γνώσεως ⟩), *SC* 24 *bis*, p. 50 et 77. — **de superioribus** :
plutôt que le sens temporel (« depuis les temps reculés »,
cf. Irén., I, 7, 5 : ἔκτοτε ἕως τοῦ νῦν), le sens local, étant
donné le contexte satirique immédiat (*depluat*) et les
emplois de *superiora* dans le traité (cf. *supra*, 14, 1 ; 27, 3 ;
infra, 31, 2). — **depluat** : *TLL* s. u. col. 575, 56, ne cite que
deux autres exemples de constr. trans. de ce vb. (Avian.,
Fab., 4, 8 ; Boeth., *Anal. post.*, 2, 12) ; cf. pour le vb. simple :
Stace, *Th.*, 8, 416 : « fundae saxa pluunt ». Pour la réfutation
de cette doctrine, que Tert. rapproche de la théorie platonicienne de la préexistence de l'âme et à laquelle il oppose
le traducianisme, cf. *An.* 23-24 (cf. *An.* 23, 4 : « Examen
Valentini semen Sophiae infulcit animae, per quod historias
atque milesias aeonum suorum ex imaginibus uisibilium
recognoscunt »). — **censui inscriptas** : cf. *supra*, 10, 4.
— **numquam** : négation forte de la langue parlée (cf. L. H.
S., p. 337 ; 454). — **salutaria** : = *salutem*, cf. *Scorp.* 5, 5 :
excutere salutaria (cf. *Apol.* 1, 13 ; 20, 3 : *naturalia = natura* ;
Cult. II, 3, 2 : *spiritalia = spiritus* ; etc. Hoppe, *Synt.*, p. 97).
Tert. n'emploie guère le neutre sg. substantivé (*salutare*)
en dehors des citations scripturaires, explicites ou implicites
(Braun, p. 485-486). — **inmutabilem, inreformabilem** :
le premier, qui appartient au vocabulaire des philosophes
(Lucrèce, Cicéron), apparaît en *Herm.* 39, 1 ; *Idol.* 9, 1 ;
Prax. 27, 6 ; le second, qu'il a forgé (et dont *TLL* s. u. col.
394, 9, ne donne qu'une seule occurrence postérieure : Hil.,
In Ps., 2, 39), en *Res.* 5, 5 ; *Virg.* 1, 3 ; peut-être aussi
en *Prax.* 27, 6 : « Deum inmutabilem et inreformabilem
(inform- : *mss*) credi necesse est ut aeternum ». Cf. Braun,
p. 57-59. — **naturae naturam** : cf. *Herm.* 18, 3 : « (Sophiam
Dei) materiam uere materiarum ; *Res.* 51, 6 : « post ipsius
mortis quodammodo mortem » ; *Carn.* 12, 2 : « animae
anima sensus est » ; Sén., *Ben.*, 3, 29, 9 : « originis... origo »
(application à la philosophie du génit. de « renchérissement »)
Tert. réfute en *An.* 21, 4 cette doctrine valentinienne de
l'immutabilité de l'âme. — **eruditu** : uniquement ici et plus
tard chez les Glossateurs (= *eruditione*), cf. *TLL* s. u. col.
835, 48. Sur cette correction, cf. « Valentiniana », p. 72.

— ⟨ut⟩ **supra diximus** : au § 25, 2. — **fides** : notion
absente du passage correspondant d'Irén., I, 7, 5 (τὰ
δὲ πνευματικά... παιδευθέντα ἐνθάδε καὶ ἐκτραφέντα), comme
d'ailleurs de toute la « grande notice » (en I, 6, 2 : πίστις
ψιλή désigne la « foi nue » des psychiques incapables d'avoir
la « gnose parfaite »). Mais les fragments d'Héracléon
évoquent à plusieurs reprises la « foi » des spirituels qui les
fait adhérer à la « gnose » (cf. Sagnard, p. 491 ; 497 ; 500).
Aux trois vertus théologales pauliniennes, la foi, l'espérance,
la charité, les gnostiques ont ajouté la gnose, située au-
dessus des précédentes, cf. *Év. de Phil.*, Sent. 115 et comm.
de Ménard, p. 232. — **ignorans** : le Démiurge ignore la
raison de la supériorité de certaines âmes et croit qu'elles
sont telles par elles-mêmes, alors que leur supériorité est
due au fait qu'elles ont reçu la semence spirituelle (cf. Irén.,
I, 7, 3).

29, 4. ergo... in Prophetas : sur cette double restitution,
cf. nos « Valentiniana », p. 72-73. — **laterculo** : cf. *Nat.* I,
13, 3 : « in laterculum septem dierum solem recepistis et ex
diebus ipsorum praelegistis quo die lauacrum substrahatis... »
— **allegere** : sans doute la bonne lecture (cf. nos « Valentiniana », p. 73). Sur les confusions entre *allegere* et *allegare*
dans les mss, cf. *TLL* s. u. « allēgo », col. 1666, 68. Ici avec
une valeur prégnante : « choisir » et « répartir » (cf. *supra*, 28,
1 : *diuidere*). — **plenam et perfectam notitiam** : expression
technique, cf. Irén., I, 6, 1 ; 6, 2 : ἡ τελεία γνῶσις ; III, 1, 1 :
perfecta agnitio. — **naturificatae** : hapax (Hoppe, *Beitr.*,
p. 143) ; sur ce type de formation, cf. F. Bader, *La formation
des composés nominaux du latin*, Paris 1962, p. 211-212.
Nous comprenons : « (animae) quarum germanitas spiritalis
condicionis naturam iam spiritalem (ex animali) fecerat ».
Autrement dit : les âmes bonnes (psychiques) qui ont reçu
la semence spirituelle deviennent, par le fait même, des
âmes d'une autre nature (c'est-à-dire de nature spirituelle)
et comme telles sont assurées du salut. — **spiritalis condicionis germanitate** : cf. *supra*, § 3. Pour *condicio*, *supra*,
14, 4 ; 16, 3. — **salutem** : en réalité, lors de la consommation
finale seule la semence spirituelle entrera au Plérôme ;

l'enveloppe psychique rejoindra l'Intermédiaire, avec le
Démiurge ; l'enveloppe hylique sera détruite. Tert. s'inspire
ici d'Irén., I, 6, 2, mais il n'y est pas question nommément
des âmes : διὰ τὸ φύσει πνευματικοὺς εἶναι, παντῇ τε καὶ
πάντως σωθήσεσθαι δογματίζουσιν. Pour rendre σώζεσθαι, Tert.
a recouru à des expressions telles que *salutem adipisci,
obtinere, inuenire, elaborare* (cf. *Res.* 8, 2 ; *infra*, 30, 1 ;
32, 1), en contexte chrétien comme en contexte gnostique,
cf. Braun, p. 478 s.

f. Morale « psychique » et morale « spirituelle » (chap.
XXX).

Le salut leur étant assuré de toute manière, les
spirituels ne sont tenus à aucune règle disciplinaire,
allant même jusqu'à esquiver la nécessité de subir
le martyre. En revanche, les psychiques doivent
obtenir leur salut par la pratique des bonnes œuvres
(§ 1). Malheur aux chrétiens qui s'écartent du devoir
ou fuient le martyre ! (§ 2). Mais libre aux spirituels
de mener une vie dissolue ! C'est d'ailleurs pour eux
une obligation de s'unir à une femme (§ 3).

30, 1. operationes : sur le glissement sémantique qui
a fait de ce terme un synonyme de *beneficium, eleemosyna*
chez Tert. et Cyprien, cf. Pétré, *Caritas*, p. 262 ; *supra*, 5,
1. Tert. résume ici Irén., I, 6, 2-3 : le spirituel ne peut subir
la corruption, quelles que soient les œuvres dans lesquelles
il se trouve impliqué ; de la même manière, l'or ne perd
pas son éclat dans la boue ; d'où, poursuit Irénée, la licence
des valentiniens (pratiques idolothytes, divertissements de
l'amphithéâtre, liberté sexuelle, etc.) ; cf. déjà *Praes.* 41,
1 : « Non omittam ipsius etiam conuersationis haereticae
descriptionem quam futilis, quam terrena, quam humana
sit, sine grauitate, sine auctoritate, sine disciplina ut fidei
suae congruens ». Naturellement c'est un écho différent
que fait entendre la *Lettre à Flora*, cf. *SC* 24 *bis*, p. 35 et
58. En réalité, à partir de l'anticosmisme fondamental du
gnosticisme, deux éthiques étaient possibles, l'ascétisme

comme le laxisme (cf. Jonas, *Gnostic Religion*[2], p. 46-47), et eurent toutes deux leurs adeptes (cf. Foerster, *Gnosis*, II, p. 325 s. u. « Ascetism » et p. 334 s. u. « Libertinism »). — **munia** : comme terme de la vie religieuse apparaît chez Apul., 11, 30, 5 ; puis Tert. (cf. *Iei.* 11, 6 ; etc) ; cf. *TLL* s. u. col. 1644, 25. — **disciplinae** : non seulement les « lois morales », mais aussi les règles doctrinales qui ont trait à la vie religieuse, comme le montre ici le rapprochement avec *martyrium*. Cf. Braun, p. 425. — **qua uolunt interpretatione** : tour pour lequel Tert. a une certaine prédilection (cf. *Apol.* 28, 1 : « me conueniat Ianus iratus qua uelit fronte » ; de même, pour l'attraction du relatif au cas de l'antécédent, *supra*, 16, 2) ; pour l'emploi de *uelle*, cf. *supra*, 15, 1. Pour *interpretatio* au sens d' « exégèse », cf. *Praes.* 9, 1 ; *Marc.* V, 8, 12 ; etc. Tert. fait allusion, ici comme dans *Scorp.* à l'exégèse ésotérique que les valentiniens proposaient de *Matth.* 10, 32-33 ; pour l'exégèse « exotérique », cf. Clém. Alex., *Strom.*, IV, 9, 71 s. (interprétation ambiguë d'Héracléon) ; cf. Orbe, *Est. Val.*, V, p. 87 s. ; *infra*, § 2 ; *supra*, p. 11 ; 41. — **regulam** : « prescription, règle de conduite », cf. Braun, p. 448. — **status... actus** : sur cette opposition, *An.* 11, 1 : « non status nomine sed actus, nec substantiae titulo, sed operae » ; également 53, 3 ; Braun, p. 202 ; Moingt, III, p. 808-809. — **possidemus... elaboremus** : *infra* : *nobis*, etc. Les chrétiens de la Grande Église sont « psychiques » : cf. Irén., I, 6, 4 ; — **inscriptura** : terme technique de l'arpentage pour désigner une inscription, une marque sur une pierre (attesté à partir d'Hyg., *Grom.*, p. 71, 17), cf. *TLL* s. u. col. 1850, 55. — **scientiae... non norimus Philetum** : sur les corrections qu'il convient d'apporter à la tradition manuscrite, cf. Braun, p. 579 s. ; 722 ; « Valentiniana » p. 73. — **deputamur** : cette correction nous paraît, à la réflexion, s'imposer : d'une part, parce que si, théoriquement, *deputatur* pourrait avoir comme sujet *semen* (tiré de *inscriptura seminis*), le mouvement de la phrase et sa structure laissent attendre plutôt une 1re pers. du plur. (conformément à l'esprit de tout ce passage) ; d'autre part, parce que la comparaison qui suit et qui rappelle l'origine d'Achamoth (*quod mater illorum*) suggère un parallèle avec des êtres personnels, individualisés, plus qu'avec la semence qu'ils portent en eux. Pour la constr. de *deputamur* (+ dat.), cf. *infra*, 32, 5. — **quod** : proche de *ut*, *sicut* ; usuel chez Tert., cf. Waszink, p. 189-190 ; L. H. S., p. 581. — **mater** : Achamoth (cf. *supra*, 10, 5 ; 14, 1).

30, 2. disciplinae iugum : Hoppe, *Synt.*, p. 20, comprend, à tort, *aliquo disciplinae.* — **operibus sanctitatis et iustitiae** : sur ce type d'expressions, cf. Pétré, *Caritas*, p. 246 s. ; *supra*, 5, 1. — **confitendum** : sens prégnant (s. ent. *nos Christianos esse*), cf. Hoppenbrouwers, *Terminologie du martyre*, p. 36. La substitution du gérond. acc. à l'inf. (= *confiteri optauerimus*) relève de la langue populaire (L. H. S., p. 348). — **sub (potestatibus)** : = *coram*, sous l'influence du grec néotestamentaire ἐπί + gén. avec les sens d'ἔμπροσθεν; fréquent chez Tert., cf. *Apol.* 9, 9 ; 23, 4 ; etc. Cf. Rönsch, *Das Neue Testament Tertullians*, Leipzig 1971, p. 587. Selon les valentiniens donc, les psychiques (les chrétiens) sont tenus de confesser leur foi devant les tribunaux païens, les spirituels (les gnostiques) le font devant les « puissances spirituelles », cf. Orbe, *Est. Val.*, V, p. 100 ; *Scorp.* 1, 7 (où Tert. prête ces propos aux valentiniens) : « Sed nesciunt simplices animae (= les chrétiens) quid quomodo scriptum sit (= *Matth.* 10, 32-33 et les autres passages néotestamentaires relatifs au martyre), ubi et quando et coram quibus confitendum... » ; 10, 1 : « Qui uero non hic, id est non intra hunc ambitum terrae nec per hunc commeatum uita nec apud homines huius communis naturae confessionem putant constitutam, quanta praesumptio est aduersus omnem ordinem rerum in terris istis et in uita ista et sub humanis potestatibus experiundarum ? ». Toutefois, parmi les textes de Nag Hammadi l'un deux, l'*Épître de Jacques* (apocryphe), bien qu'émanant probablement de cercles valentiniens, recommande l'acceptation du martyre : cf. Orbe, *ibid.*, p. 286 s. ; Puech, Intr. à l'*Epistula Iacobi Apocrypha*, Zürich-Stuttgart 1968, p. xxvii s.

30, 3. et de passiuitate... et diligentia : cf. *An.* 20, 4 : « et de corpore et ualetudine » ; *Scap.* 4, 5 : « aut a daemoniis aut ualetudinibus » ; Löfstedt, *Spr. Tert.*, p. 62-63. *Passi-uitas*, attesté pour la première fois chez Tert., rare ensuite, a les faveurs de notre écrivain. Du sens de « généralisation, usage général » (cf. *Apol.* 9, 17 : « suppeditante (ad incesta) materias passiuitate luxuriae » ; *Nat.* II, 5, 15 ; *Cor.* 8, 25 ; etc.) on passe à celui de « désordre, confusion » (cf. *Herm.* 41, 3 : « inquies... turbulentia et passiuitas » ; *An.* 46, 2 ; etc.) ; cf. Waszink, p. 122-123 ; *supra*, 5, 1 : *passiuorum.* — **diligentia** : non class. en ce sens ; cf. *Fug.* 1, 6. — **generositatem** : cf. Apul., *Socr.*, 23, 174 : « Quorum nihil laudibus Socratis mei admisceo, nullam generositatem, nullam prosapiam, nullos longos natales, nullas inuidiosas diuitias ». — **delinquendo profecit** : le trait est ironique, mais décrit bien le « mécanisme de gnose » (chez les éons, Sophia d'en haut, Achamoth, comme chez les spirituels) : le conflit entre la « tendance » vers le principe infini et l' « ignorance » de ce principe produit un « état violent », une « passion », qui doit être guérie par l' « enseignement de gnose » ; cf. Sagnard, p. 256 s. Pour Achamoth, cf. *supra*, 17, 1. — **coniugiorum** : cf. *supra*, 3, 4 ; 11, 2 ; *infra*, 31, 1 ; 33, 1. — **supernorum** : cf. *supra*, 25, 3. — **meditandum** : hésitations sur le sens de ce vb. ici : = *reputare, animo proponere* ? ou = *agere, tractare* ? (cf. *TLL* s. u. col. 575, 33 ; Michaélidès, *Sacramentum chez Tertullien*, p. 307). En réalité l'usage de Tert. (15 occurrences, dont 9 en citations scripturaires) ne connaît que le premier sens. Tert. a donc rendu Irén., I, 6, 4 : ἀεὶ τὸ τῆς συζυγίας μελετᾶν μυστήριον par un hendyadyn : *meditari et celebrare.* — **sacramentum** : tout en acceptant les analyses de Michaélidès, *op. cit.*, p. 307 (« ce *sacramentum* est un rite qui représente les noces d'en haut »), nous croyons pas pouvoir conserver sa formule (« le signe de l'union à la compagne ») ; cf. De Backer ap. De Ghellinck, *op. laud.*, p. 107 : « Le sacramentum était donc, dans la pensée de ces hérétiques et à tort, évidemment, un rite symbolique et sacramentel ». Grâce à l'*Évang. de Philippe* nous connaissons mieux maintenant le sacramentalisme valentinien (baptême, onction, Eucharistie, rédemption, mariage : ces cinq sacrements n'en faisaient peut-être qu'un seul, dans la mesure où ils étaient administrés en même

temps (cf. *Év. Phil.*, Sent. 31 ; 55 ; 122 ; Ménard, *Intr.*,
p. 28-29 ; *supra*, 11, 4). Cf. aussi Irén., I, 8, 4 : interprétation
valentinienne d'*Éphés.* 5, 32 : le mystère de syzygie a été
révélé par Paul (couple Christ-Église). — **comiti** : la locution explicative *id est* laisse penser qu'il s'agit d'un terme
« technique ». Mais il n'est guère possible de décider si le
mot était réellement employé par les valentiniens de langue
latine (cf. *infra*), ou bien s'il est un équivalent proposé par
Tert. de σύζυγος (*comes = cum-eo*) : l'éon Sauveur est présenté comme le σύζυγος de Sagesse (Hippol., *Philos.*, VI,
32, 4) ; cf. aussi Irén., I, 29, 2-4 ; *Apocr. de Jean* (Sagnard,
p. 444) ; Héracléon, frg. 15-18 : le σύζυγος de la Samaritaine
est le Sauveur (Sagnard, p. 499). — **feminae** : au sens de
uxor, coniux, usuel en poésie à partir de Prop., 2, 6, 24. —
adhaerendi : cf. Ov., *Am.*, 3, 11, 17-18 : « Quando ego non
fixus lateri patienter adhaesi / ipse tuus custos, ipse uir, ipse
comes ? » ; Mart., 5, 41, 1 : « uxori semper adhaeret ».
Comme équivalent de προσκολληθήσεται en *Gen.*, 2, 24 (Vulg.) :
« (uir) adhaerebit uxori suae ». — **alioquin...** : cf. Irén.,
I, 6, 4 : quiconque ne célèbre pas « le mystère de syzygie »
par le mariage est « en dehors de la vérité » (ἐξ ἀληθείας) ;
mais seul le spirituel peut se marier ; le psychique doit observer la continence s'il veut mériter le « lieu de l'Intermédiaire ». — **degenerem** : cf. *supra*, 29, 2 : *degeneratum.* —
nec legitimum : + gén. de relation, d'après *degener, alie-
nus*, etc. ; cf. Hoppe, *Synt.*, p. 23. — **deuersatus** : cf. *supra*,
20, 2. — **spadones** : étant donné le contexte, il ne peut
s'agir des continents ou des castrats volontaires, qui, pour
cette raison, ne pourraient prétendre mener une conduite
de « parfaits » ; Tert. vise donc les eunuques par accident
ou de naissance.

g. La « consommation » finale (chap. XXXI-XXXII).

    Lorsque toute la semence spirituelle aura été
émise et qu'Achamoth aura rejoint le Plérôme, où
elle sera accueillie par le Sauveur, son époux, viendra
alors le temps de la consommation finale et des
récompenses (XXXI, 1). Pour sa part, le Démiurge

abandonnera l'Hebdomade et gagnera le lieu de
l'intermédiaire laissé libre par Achamoth (§ 2). Une
triple destinée attend les hommes selon leur nature :
tout ce qui est hylique sera détruit ; les âmes des
justes rejoindront l'Intermédiaire (XXXII, 1) ainsi
que l'enveloppe psychique des semences spirituelles,
qui seront admises au Plérôme (§ 2) ; là, chaque spirituel sera donné en épouse à un ange (§ 3). C'est
alors aussi que sera embrasé l'univers matériel (§ 4).
Quant à Tertullien, il n'a plus qu'à attendre, pour
s'être moqué d'une telle doctrine, les effets de la
colère d'Achamoth ! Mais, de toute manière, *post
mortem*, il sera toujours un homme... (§ 5).

31, 1. consummatione : cf. *Spec.* 29, 3 : « metas consum-
mationis exspecta » ; mais *Orat.* 5, 1 : « cum regnum Dei...
ad consummationem saeculi tendat ». — **dispensatione** :
« distribution, répartition » ; cf. *An.* 43, 3 ; Moingt, IV,
p. 69 s. u. Pour l'ellipse de *dicere* ou (*ut*) *dicam*, cf. *An.* 42, 1 :
« De morte iam superest » ; *supra*, 3, 5. — **Vbi Achamoth...** :
pour les problèmes critiques posé par ce passage, cf. nos
« Valentiniana », p. 74-75. — **Vbi... uel cum...** : variation
usuelle dans la langue, cf. Lucr., *De rer. nat.*, 5, 1067-1068 :
« At catulos blande cum lingua lambere temptant, / aut
ubi eos iactant pedibus... » ; 1074-1077 : « ubi... et cum » ;
Sal., *Cat.*, 3, 2 : « primum quod... dehinc quia... » ; 58, 3 :
« quo... simul uti... » ; etc. — **massam seminis** : cf. Irén.,
I, 7, 5 : τὰ δὲ πνευματικὰ ἃ ἐγκατασπείρει. Idée voisine,
supra, 26, 2 : « substantiarum quarum summam saluti esset
redacturus ». — **horreum** : image d'origine scripturaire (cf.
Matth., 3, 12 ; 13, 30), peut-être utilisée par les valentiniens
eux-mêmes. En contexte orthodoxe, cf. *Praes.* 3, 9 : « Auo-
lent quantum uolunt paleae leuis fidei quocumque adflatu
temptationum, eo purior massa frumenti in horrea Domini
reponetur ». — **defarinatum** : hapax (cf. *TLL* s. u. col.
285, 75). — **in consparsione salutari** : allusion à *I Cor.* 5,
6-8. Pour cette conjecture, voir nos « Valentiniana », p. 74 ;
cet emploi de *salutaris* serait tout à fait dans la manière de
Tert. : cf. *Apol.* 47, 11 : *salutaris disciplinae* (*Pat.* 12, 3 ;

Cult. II, 9, 7) ; *Cult.* II, 6, 2 : *probis et necessariis et salutaribus usibus* : *Marc.* III, 18, 7 : *spectaculum salutare* (= aereum serpentem) ; IV, 40, 1 : *figuram* (= pascham) *sanguinis sui salutaris* (*ibid.* V, 7, 3) ; *An.* 43, 10 : *somnus tam salutaris* (*ibid.* 43, 7) ; *Cast.* 10, 5 : *uoces salutares* (= oracle de Prisca). — **confermentetur** : sans doute création de Tert. (accepté comme tel par *TLL* s. u. col. 173, 13, qui ne signale qu'une seule autre occurrence . Rust., *Aceph.*, p. 1203c). — **tunc... urgebit** : cf. H. I. Marrou, « La théologie de l'histoire dans la gnose valentinienne », p. 223-224, *LODG*, p. 215-226 (= *Patristique et Humanisme*, Paris 1976, p. 389). — **de regione medietatis** : cf. *supra*, 23, 1 ; *infra*, 32, 1. — **secundo** : Achamoth se trouve en effet juste au-dessous du Plérôme (§ 23, 1). Cf. aussi *supra*, 7, 3. — **excipit** : prés. succédant à un fut. (*transferetur*) ; sur ces variations temporelles, cf. *supra*, 10, 1. — **compacticius** : restitution très généralement acceptée (hapax, cf. *TLL* s. u. col. 1996, 55, d'après *compactus*, *compingo*). Cf. *supra*, 12, 4 (*compingunt*). — **coniugium** : cf. *supra*, 30, 3. — **fiet** : pour l'accord avec l'attr., cf. *Praes.* 20, 7 : « tot ac tantae ecclesiae una est illa ab apostolis prima » ; Ernout-Thomas, *Synt. lat.*, p. 131. — **in scripturis** : terme le plus fréquent chez Tert. pour désigner l'Écriture, la Bible, mais non exclusivement, cf. *supra*, 14, 4. — **sponsus... sponsalis** : cf. Irén., I, 7, 1 : καὶ τοῦτο εἶναι νυμφίον καὶ νύμφην, νυμφῶνα δὲ τὸ πᾶν πλήρωμα, mais l'addition *et sponsa* ne s'impose peut-être pas pour autant. *Sponsalis* en fonction substantive (i. e. *thalamus, locus, domus*), cf. *natalis* (i. e. *dies*). La « chambre nuptiale » est le Plérôme, le Sauveur l'époux (cf. *Extr. Théod.*, 64 ; 65, 1 ; 68 ; 79 ; Ménard, Intr. à l'*Évang. Phil.*, p. 14). **(31, 2).** — **de loco... locum** : quand on passe d'ici-bas (où, pour les spirituels, le mariage est une obligation, cf. *supra*, 31, 1) au Plérôme. — **leges... Iulias** : la *Lex Iulia de maritandis ordinibus* (18 a. C.) complétée par la *Lex Papia Poppaea* (9 p. C.), destinées, entre autres dispositions, à encourager les mariages féconds. Tert. y fait souvent allusion : *supra*, 18, 1 ; *Apol.* 4, 8 ; *Vx.* I, 5, 2 ; *Cast.* 12, 5 ; *Mon.* 16, 4. Exploitation satirique comparable chez Sén., frg. 119 (à propos de Jupiter) : « utrum sexagenarius factus

est et illi lex Papia fibulam imposuit ? an impetrauit ius
trium liberorum ? » (= Lact., *Inst.*, I, 16, 10).

31, 2. **Sicut ex scaena** : (= *sicut ex scaena excedens,
sicut si... excederet*), cf. *supra*, 20, 1. — **mutauit** : = *se
mutauit*; cf. *An.* 29, 2 ; *Pal.* 1, 2 ; 2, 1 ; 2, 2 ; etc. Sur cet
emploi réfl. des vb. trans., cf. *supra*, 3, 1. — **caenaculum
matris** : au-dessous du Plérôme (cf. *supra*, 23, 1). Pour le
choix du terme *caenaculum*, cf. *supra*, 7, 1. — **sciens iam** :
cf. *supra*, 28, 1. — **si ita erat** : contrairement à Hoppe,
Synt., p. 69, pour qui *erat* = *fuisset*, nous considérons l'indic.
comme pleinement justifié ici (= «puisqu'il en était ainsi »).

32, 1. **exitus** : cf. *supra*, 26, 1. — **interitum** : l'addition
de Kroymann *in interitum* ne s'impose nullement, mais
contrairement à ce que nous écrivions dans nos « Valentiniana », p. 75, il faut sans doute interpréter : (*esse*) *interitum.*
— « **omnis caro foenum** » : bien que ce verset n'apparaisse
ni dans Irénée, ni dans les *Extr. Théod.*, il paraît bien avoir
été effectivement utilisé par les gnostiques, cf. *Res.* 10,
1-2 : « Tenes scripturas quibus caro infuscatur : tene etiam
quibus inlustratur ; legis cum quando deprimitur, adige
oculos et cum quando releuatur. ' Omnis caro foenum '.
Non hoc solum pronuntiauit Esaias, sed et : ' Omnis caro
uidebit salutare Dei '... » ; également 59, 2. — **anima
mortalis** : (s. ent. *est*) ; addition de Tert. qui envisage le
cas des âmes « psychiques » qui ne se sont pas soumises à
la discipline qui leur était imposée si elles voulaient être
sauvées, qui n'ont pas mis en œuvre l'aptitude au salut qui
leur était concédée (cf. Héracléon, frg. 34/40 = Sagnard,
p. 516-517), contrairement au comportement des « âmes
justes » (*infra*) — **iustorum** : Irén., I, 7, 1 : τὰς... τῶν δικαίων
ψυχάς. Le Démiurge aussi est «juste », par opposition au Père
infini, qui est « bon », cf. Sagnard, p. 454 ; 456. — **in medietatis receptacula** : cf. *supra*, 31, 1-2. Le salut des psychiques
paraît une innovation de l'école occidentale (Ptolémée,
Héracléon) ; cette appréciation favorable du « psychique »
se manifeste également dans la doctrine du corps psychique
du Sauveur de l'Évangile et dans les bons rapports entre le
Sauveur et le Démiurge ; la sympathie de Ptolémée pour

le psychique est manifeste enfin dans son attitude à l'égard
de l'Ancien Testament. Sur tous ces points, l'école orientale
est demeurée plus fidèle à Valentin ; de même le ton est
nettement dualiste dans certains ouvrages de Nag Hammadi
comme *Le Traité sur la Résurrection* (*Lettre à Rhég.*), l'*Évang.
Phil.*, ou l'*Évang. Vérité* ; en revanche le *Tract. Tripart.*
est proche de Ptolémée. Cf. Simonetti, *art. laud.*, p. 25 s. ;
Puech, Comm. au *Tract. Tripart.*, II, p. 198 ; 201 ; etc.
— **agimus...** : goût de Tert. pour les parenthèses, souvent
ironiques, cf. *supra*, 8, 5. — **deo nostro** : cf. *supra*, 15, 2 ; 18,
2 ; *infra*, 32, 5. — **deputari** : Tert. a une véritable prédilection pour ce vb. qu'il emploie soit avec le sens du simple
putare, soit, plus volontiers, comme synonyme de *computare*,
imputare (cf. *supra*, 3, 3) avec des constr. diverses (dat., *ad,
inter, in, ex, cum*) : cf. *supra*, 6, 2 ; 20, 2 ; 22, 1 ; 24, 2 ; 25,
3 ; 30, 1 ; *infra*, 32, 5 ; 34, 1 ; *Nat.* I, 2, 7 ; 7, 18 ; 10, 29 ; etc.
Cf. *TLL* s. u. col. 622, 34 ; Hoppe, *Beitr.*, p. 150 ; Schneider, p. 126. — **qua** : cf. *supra*, 15, 4 ; 23, 2 ; *infra*, 33, 2.
— **census** : cf. *supra*, 7, 8. — **nihil...** : justification de
la ponctuation adoptée dans « Valentiniana », p. 76. —
palatium : cf. *supra*, 7, 1-3. — **examen** : class. au sens
métaphorique de *turba, multitudo, proles* (Plaute, Cicéron,
etc. cf. *TLL* s. u. col. 1163, 51). Volontiers appliqué par
Tert. aux hérésies : *Marc.* I, 5, 1 (allusion aux trente éons
du Plérôme) : *examen diuinitatis effudit* ; IV, 5, 3 : *de Marcionis examine* ; *An.* 23, 4 : *examen Valentini*), mais non
exclusivement (cf. *Apol.* 10, 11 ; 40, 7).

32, 2. Illic : à l'entrée de l'Ogdoade (ancien lieu de
séjour d'Achamoth, entre le Plérôme et l'Hebdomade), où
se tient maintenant le Démiurge entouré de ses anges,
réclamant l'« homme psychique » (le vêtement psychique
qui enveloppe la semence spirituelle). Au préalable, à l'entrée
de l'Hebdomade, le Cosmocrator (le Diable), avec les mauvais anges, prend l'élément hylique destiné à la destruction.
Sur cette « remontée » eschatologique, cf. Orbe, *Est. Val.*, V,
p. 116 s. — **homines ipsi** : l' « homme spirituel » qui constitue l'essence du valentinien, son « homme intérieur » ; sur
cette dernière expression (détournée par les gnostiques de

ses sens pauliniens), cf. Irén., I, 5, 6 ; 21, 4 ; 21, 5. Tert.
combat en *Res.* 40, 2-3 ; 43, 6 ; 44, 1, l'utilisation que font
les hérétiques de ces formules pauliniennes pour refuser
la « résurrection des corps ». — **autem** : en 3ᵉ position,
cf. Löfstedt, *Spr. Tert.*, p. 49 ; pour introduire une parenthèse (déjà dans la langue class.), cf. L. H. S., p. 473. —
uidebantur : explétif ou périphrastique ; cf. Löfstedt,
Kom. Peregrinatio Aether., p. 209-211 (sans doute déjà chez
Lucrèce). *Induti* (*esse*), cf. *supra*, 26, 2 (à propos du Christ
de l'Évangile). — **quas... auerterant** : sur la suppression
arbitraire de ce passage par Kroymann, cf. Braun, p. 380,
n. 4. Lors de leur remontée eschatologique vers le Plérôme,
les spirituels remettent au Démiurge l'âme psychique que
celui-ci, psychique également, leur avait insufflée. — **in
totum** : cf. *supra*, 5, 2. — **intellectuales** : néologisme que
Tert. emploie aussi *infra*, 37, 2 et *An.* 6, 4 ; 9, 2 ; 18, 1 ;
cf. Waszink, p. 260-261. Plus haut (§ 20, 2), il a recouru au
terme grec (νοερός). — **detentui** : hapax (*TLL* s. u. col.
796, 33). — **obnoxii** ; cf. *supra*, 24, 3. — **si ita est** : c'est-
à-dire *inuisibiliter*. Pour le tour, cf. *supra*, 31, 2.

32, 3. deinde : répond à *primo* (début du § 2). — **satellitibus Soteris** : *supra*, 12, 5. — **in filios** : *in* final (cf.
supra, 7, 1) avec valeur prégnante (= *ut sint eorum filii*,
ut pro eorum filiis habeantur) ; même constr. ensuite (*in
adparitores*, etc.). — **putas** : pour la 2ᵉ pers. sg., cf. *supra*, 6,
2 : *lector*. — **in imagines** : allusion ironique à l'une des
« lois » du système valentinien (cf. *supra*, 19, 2 ; 27, 3).
— **sponsas** : de même que Sophia s'unit au Sauveur, de
la même façon le « spirituel » (féminin en tant que « pneumatique ») s'unit à son ange (cf. *supra*, 31, 1 ; G. Quispel,
« L'inscription de Flavia Sophè », *Mél. J. de Ghellinck*, I,
Gembloux 1951, p. 201-214 (= *Gnostic Studies*, I, Istanbul
1974, p. 58-69). — **Tunc illi...** : nous interprétons *illi* comme
se rapportant aux valentiniens (régulièrement désignés par
cet emphatique : *supra*, 30, 3 ; 30, 1 ; etc.) ou, plus exactement ici, à leur « homme intérieur » (*homines ipsi*) : ce sont
bien eux, en effet, qui sont visés dans cette description de
leur destinée eschatologique. Mais on pourrait sans doute

comprendre aussi : « Alors, pour le choix de leurs femmes
(*matrimonium = uxor*, depuis Valère Maxime) les anges
(*illi*) joueront entre eux l'enlèvement des Sabines ». Tert.
pense-t-il à la tragédie prétexte d'Ennius, les *Sabines* (cf.
supra, 7, 1) ou à quelque mime ? Une seconde allusion,
plus « historique », dans *Spec.* 5, 4 : « (Consi consilio) tunc
Sabinarum uirginum rapinam militibus suis in matrimonia
(Romulus) excogitauit ». — **merces** : cf. *supra*, 31, 1.

32, 4. Fabulae : cf. *supra*, p. 17. — **Marcus aut Gaius** :
correspond à notre « Pierre, Paul ou Jacques » (angl. « Tom,
Dick and Harry ») ; cf. *Apol.* 3, 1 ; 48, 1 ; Waltzing, p. 36 ;
également : Juv., *Sat.*, 4, 13 ; Aug., *Enar. Ps.*, 101, 10 (*PL*
37, 1311) ; *Serm.*, 42, 2 (*PL* 38, 253) ; S. Lancel, « Monsieur
Dupont, en latin », *Hom. à J. Bayet*, Bruxelles-Berchem
1964, p. 355-364. — **in hac carne... hac anima** : *in*
« sociatif (= ἐν biblique), cf. *An.* 35, 6 : « Habes angeli
uocem : ' et ipse, inquit, praecedet coram populo in uirtute
et in spiritu Heliae ' (= *Lc* 1, 17 : ἐν πνεύματι καὶ δυνάμει)
non in anima eius nec in carne » ; *Cult.* II, 7, 3 : « Damnata
sunt igitur quae in carne et spiritu non resurgunt » ; *TLL*
s. u. « in » col. 794, 49 ; cet emploi pouvait être préparé dans
la langue par des expressions du type *in febre, in armis esse*.
L'addition de *in* devant *hac anima* paraît d'autant moins
nécessaire que Tert. se dispense parfois de reprendre la
préposition même dans les tours corrélatifs où le parallélisme
de la construction semblerait l'imposer (cf. *supra*, 30, 3).
— **certe... masculus** : m. à m. : « du moins, ce qui est
suffisant, un homme ». — **in nymphone pleromatis** :
cf. *supra*, 31, 1. Le calque *nymphon* ne se rencontre qu'ici
et dans l'ancienne traduction d'Irénée. — **ab angelo...** :
la ponctuation que nous adoptons s'accorde mieux, semble-
t-il, à cette figure de « réticence » (ἀποσιώπησις). S.-ent. :
tangatur, cupiatur, uulneretur (*supra*, 11, 2), etc. — **Aeonesimum** : tel qu'il est transmis par les mss (*aliquem Onesimum
aeonem*), le texte n'est pas clair et Oehler (II, p. 417, en
note) a sans doute raison de le juger corrompu. Depuis
Rigault, on l'interprète généralement comme une réminiscence de *Philém.* 10 : « ... mon enfant, que j'ai engendré dans

les chaînes, cet Onésime... » ; mais l'explication ne convainc
guère, car on comprend mal ce qui pourrait justifier, de la
part de Tert., une allusion aussi dérisoire à l'épître pauli-
nienne, jetant le discrédit sur celle-ci plus que sur la doctrine
valentinienne. Le contexte permet pourtant d'élucider
l'intention sarcastique de Tert. : plus haut déjà (§ 8, 5) il
s'était interrogé ironiquement sur les raisons qui avaient
contraint les valentiniens à limiter la fécondité du Plérôme
à trente éons et leur suggérait des noms d'esclaves susceptibles de convenir éventuellement à de nouveaux éons.
Précisément, ces « noces eschatologiques » lui fournissent
l'occasion de revenir sur cette plaisanterie : grâce à elles
les valentiniens vont pouvoir poursuivre le peuplement de
leur Plérôme... Si *aeonem* n'est pas une glose, notre conjecture (= « quelque nième éon »), qui s'appuie sur la suggestion d'Oehler (*unum et tricesimum aeonem*), correspondrait
donc assez bien à l'intention de Tert. dans ce passage,
ainsi du reste qu'à ses habitudes en matière de créations
verbales (cf. *supra*, 12, 5 ; Hoppe, *Beitr.*, p. 133 s.), et,
plus généralement à la tradition plautinienne et satirique.
De plus cette forme pouvait fournir un jeu de mots facile
avec le nom Onésime, fréquent à Rome : cf. *Scorp.* 10, 1 :
« ... Theletos scilicet et Acinetos et Abascantos », où le
dernier n'est pas un nom d'éon, mais est attesté aussi
fréquemment que Onésime dans l'onomastique latine (cf.
H. Solin, *Beiträge zur Kenntnis der griechischen Personennamen in Rom*, I, Helsinki 1971, p. 111 ; *CIL* VI, 3, 16132 :
DIS MANIBVS / ABASCANTO V A XXXVI / ONESIMVS
CONSERVOS BENE MERENTI FECIT. Peut-être même
Tert. avait-il préparé un calembour (d'ailleurs traditionnel,
cf. *Philém.* 11) sur l'étymologie (*utiles*). Cf. aussi *Marc.* I, 6, 1 :
« ... triginta aeonum fetus, tamquam Aeneiae scrofae »
(Virg., *Én.*, 8, 43). — **deducendis** : = *ducendis* ; cf. *Iei.* 2,
5 : *nuptiis... deducimus*. Le composé pour le simple se rencontre également en dehors de Tert. (langue poétique et
impériale, cf. *TLL* s. u. col. 272, 80) ; pour ce type de substitution, *supra*, 3, 3. Sur le dat. final, cf. *supra*, 11, 1. —
arcanus : sur l'origine de ce feu caché, *supra*, 23, 3. Le feu
embrasera tout l'hylique et sera détruit avec lui lorsque

le Démiurge aura gagné le séjour d'Achamoth (cf. Irén., I, 7, 1). — **uniuersam substantiam** : cf. Irén., I, 7, 1 : πᾶσαν ὕλην. — **decineratis** : = *in cinerem uersis* ; hapax (cf. *TLL* s. u. col. 174, 54).

32, 5. sacramentum : malgré Michaélidès, *op. cit.*, p. 304 (« enseignement salutaire »), nous reprenons la traduction la plus habituelle, confirmée d'ailleurs par l'*Évang. Phil.* : les « noces spirituelles », dont le « sacrement » de mariage ici-bas est l'image, sont un mystère : celui de la « chambre nuptiale », permettant à l'âme de se reconnaître congénère des réalités du Plérôme, de s'identifier à son « moi » supérieur et authentique (cf. Ménard ; édit. de l'*Évang. Phil.*, p. 13 s. ; p. 176-177 ; 239-240). — **nec filio agnitam** : cf. *supra*, 19, 1 ; 25, 3 ; 31, 2. — **Achamoth, Philetus, Fortunata** : ce choix n'est sans doute pas dû au hasard : Achamoth s'imposait ; Philetus est l'époux un moment abandonné de Sophia (sur le nom retenu, substitué à Thélétus, cf. *supra*, 9, 2) ; Fortunata, l'éon proféré immédiatement avant Philétus et auquel Tert. avait déjà fait un sort (cf. *supra*, 8, 2.4). — **homo... Demiurgi** : cf. *supra*, 15, 2. — **habeo** : + inf., cf. Hoppe, *Synt.*, p. 43-44. — **deuertere** : cf. *Res.* 43, 4 : « (martyr) paradiso... non inferis deuersurus » ; *An.* 53, 1 : « quo... anima nuda et explosa deuertit ». Ce sens est déjà perceptible dans les expressions class. *ad, in uillam deuertere* (cf. *Iei.* 6, 6 : « cum in speluncam deuertisset ») ; au sens étymologique (« se détourner ») : *Praes.* 3, 10. — **ubi... non nubitur** : cf. *An.* 37, 4 : « tunc enim nuptiae non erunt » ; *Mon.* 10, 5 : « in illo aeuo neque nubent neque nubentur (= *Matth.* 22, 30 : οὔτε γαμοῦσιν οὔτε γαμέζονται), sed erunt aequales angelis » ; *Cast.* 13, 4 ; et surtout la longue discussion de *Res.* 60-61. Tert. emploie *nubere* pour les deux sexes (cf. *Cor.* 13, 4 ; *Cast.* 7, 1 ; *Mon.* 7, 5-7 ; etc.). — **superindui... dispoliari** : s.-ent. : *habeo* (cf. *supra*, 32, 5). Cf. *Res.* 42, 2 : « Nam cum adicit : ' Oportet enim corruptiuum istud induere incorruptelam et mortale istud induere inmortalitatem ' (*I Cor.* 15, 53), hoc erit illud domicilium de caelo, quod gementes in hac carne superinduere desideramus, utique super carnem in qua deprehendemur, quia ' grauari nos, ait, qui simus in tabernaculo, quod nolimus exui sed potius superindui, uti deuoretur mortale a uita ' (cf. *II Cor.* 5, 4), scilicet dum demutatur superinduendo quod est de caelis ». — **ubi... angela** : l'établissement et la compréhension de ce passage appellent plusieurs remarques. 1) La leçon adoptée par Kroymann, et à sa suite par Marastoni (« ubi, etsi dispolior, sexui meo deputor, angelis non angelus non angela ») présente deux difficultés. D'une part, la concessive *etsi dispolior* contredit ou, en tout cas, restreint l'affirmation précédente « superindui potius quam dispoliari (habeo) ». Lors de la résurrection, le corps revêtira l'immortalité (*Res.* 54, 2, citant *I Cor.* 15, 53), sans aucune destruction physique (*perditio*), mais grâce à une mutation (*demutatio*) qui aboutira à une nouvelle manière d'être, dans l'intégrité de la chair (cf. *Res.* 55, 12 : « in resurrectionis euentu mutari conuerti reformari licebit cum salute substantiae » ; 63, 1 : « Resurget igitur caro et quidem omnis et quidem ipsa et quidem integra »). D'autre part, la fonction grammaticale d'*angelis* n'apparaît pas clairement, comme le reconnaît implicitement Kroymann lui-même, qui éprouve le besoin d'expliquer, dans son apparat critique ; « id est inter angelos », sans toutefois justifier le cas d'*angelis*. 2) Aussi bien une autre ponctuation a-t-elle été proposée : « etsi dispolior sexui meo, deputor angelis » (Oehler ; Hoppe, *Synt.*, p. 29 ; Blaise, *Dict.*, p. 757 s. u. « sexus » ; *Manuel*, p. 68 ; *CCL*, 2, p. 1537 s. u. « dispoliare », en contradiction d'ailleurs avec le texte de Kroymann reproduit p. 776 ; Riley). Mais si cette ponctuation offre pour *angelis* une construction grammaticale satisfaisante, en revanche la leçon « etsi dispolior sexui meo » accentue encore la contradiction signalée précédemment. La théologie de la résurrection de Tert. ne souffre aucune ambiguïté : la résurrection exclut l'usage des membres, mais se fera dans leur intégrité (*Res.*, 61, 4). 3) D'où le texte que nous sommes amené à proposer (*non dispolior*), qui seul permet de concilier, dans la perspective eschatologique de Tert., l' « intégrité » du corps ressuscité et l' « inutilité » de ses membres, mais aussi de comprendre le trait sarcastique qui termine la phrase (« tunc masculum inuenient »). Il

reste toutefois à rendre compte d'un problème de morphologie. Si, en effet, la construction de *deputor* + dat. (*angelis*)
ne surprend pas (cf. *Praes.* 21, 4 : « doctrinam... ueritati
deputandam esse » ; *supra*, 32, 1), en revanche, que l'on
adopte le texte d'Oehler ou le nôtre, la forme *sexui* (*meo*)
mérite une explication. Hoppe, *Synt.*, p. 29, interprète
sexui comme un datif ; cette interprétation est rejetée par
L. H. S., p. 107, § c, pour qui aucun exemple de cette construction ne se rencontre de façon incontestable ; mais Blaise,
Manuel, p. 68, voit dans *sexui* une forme d'ablatif, sans
toutefois donner d'autres exemples. En réalité, bien qu'elles
soient écartées par Hoppe, *Beitr.*, p. 21, il semble bien que
Tert. ait utilisé des formes d'abl. en *-ui*, cf. *Apol.* 46, 2 :
« quod usui [*F Vulg Waltzing* : usu *Z edd*] iam et de com-
mercio innotuit » (car l'excellence de notre religion lui « est
connue par l'expérience et par les relations de la vie ») ;
Res. 42, 7 : « quam omni sensui [*T* : sensu *MPX*] ereptum ».
— **non angelus non angela** : rappel polémique (comme
le montre l'hapax *angela*) de *Matth.* 22, 30.

3ᵉ Partie : APPENDICE.

Quelques variantes doctrinales (chap. XXXIII-XXXIX).

33, 1. epicitharisma : (étym. « air de lyre joué en finale »)
hapax (en grec comme en latin ; cf. *TLL* s. u. col. 662,
78) ; cf. Don., *Andr.*, praef. 2, 3 : « est... attente animaduer-
tendum ubi et quando scaena uacua sit ab omnibus personis,
ita ut in ea chorus uel tibicen obaudiri possint. Quod cum
uiderimus, ibi actum esse finitum debemus agnoscere ». Tert.
regroupe un certain nombre de divergences doctrinales sur
la constitution de l'Ogdoade, sur la nature de l'éon Bythos
et sur le Sauveur ; elles sont empruntées à Irén., I, 11-12,
mais Tert. ne s'est pas astreint à suivre l'ordre des paragraphes de son modèle. Une omission (expliquée *infra*) :
le paragraphe consacré par Irén., I, 11, 1 à la doctrine primitive de Valentin (cf. *supra*, p. 35 s.). — **obstreperent** :
sens dérivé (class.) fréquent chez Tert. (*Praes.* 17, 2 ; *Vx.* I,

7, 4 ; etc.). — **lectoris intentionem** : *Marc.* III, 5, 1 :
« ne... obtundant lectoris intentionem » ; cf. Plin., *Epist.*,
4, 9, 11 : « ut... audientis intentio continuatione seruatur » ;
etc. — **interiectione** : terme technique (cf. *Rhét. Hér.*, 1,
6, 9 ; Quint., *Inst. or.*, 4, 2, 121 ; 8, 2, 15 ; etc.) ; l'*interiectio*
peut rendre obscur le discours. Tert. emploie à deux autres
reprises ce mot, mais avec une valeur moins rhétorique
(« rappel, le fait de faire intervenir » : *Vx.* II, 6, 2 ; *Cast.* 4,
2). Sur ce souci constant qu'a Tert. de se ménager la « bienveillance » de son lecteur, cf. Fredouille, p. 37-38. — **commendata** : le sens indiqué par *TLL* s. u. col. 1851, 25
(= *laudare*, *ornare*) ne paraît pas pouvoir être retenu. Tert.
utilise fréquemment ce verbe comme synonyme de *declarare*,
explanare (cf. *ibid.* col. 1851, 78 s.). — **emendatoribus** :
cf. *Marc.* IV, 4, 5 : « Emendator sane euangelii... Marcion » ;
IV, 17, 11 : « Appelles, Marcionis de discipulo emendator ».
— **Ptolemaei** : Tert. simplifie ; en effet, Irénée présente
le chap. I, 11, comme un résumé des doctrines divergentes
de Valentin, de Secundus et d'autres disciples ; le chap. I,
12, comme un résumé des variations doctrinales des disciples
de Ptolémée. Tert. considère donc en bloc toutes ces divergences comme postérieures à Ptolémée (en qui il voit l'un
des premiers disciples de Valentin, sinon le premier, en tout
cas celui qui a infléchi profondément la doctrine du maître :
cf. *supra*, 4, 2) et se borne à passer sous silence le paragraphe
d'Irénée consacré à Valentin (*Haer.*, I, 11, 1). — **de
schola** : *de* marquant l'origine, cf. *supra*, 28, 1. — **ipsius** :
= *eius*, *illius* (Ptolémée), cf. Hoppe, *Beitr.*, p. 112-113.
— **discipuli super magistrum** : Tert. applique ici aux
élèves de Ptolémée ce qui est dit des disciples de Valentin
(= Ptolémée et les siens) par Irén., I, 12, 1 : οὗτος... ὁ
Πτολεμαῖος καὶ οἱ σὺν αὐτῷ, ἔτι ἐμπειρότερος ἡμῖν τοῦ ἑαυτῶν
διδασκάλου προελήλυθε... Cf. dans un contexte comparable,
la citation de *Matth.* 10, 24 (et non comme ici simple
allusion) en *Marc.* IV, 17, 11 : « ... corrigunt aliqui Marcionem. ' Sed non est discipulus super magistrum '. Hoc
meminisse debuerat Appelles, Marcionis de discipulo emendator ». Mais encore sous la même forme allusive, *Marc.* I,
14, 3 : « At tu (= Marcion) super magistrum discipulus... ».

— **coniugium** : cf. *supra*, 10, 1 ; 10, 4. — **Cogitationem et Voluntatem** : = Ἔννοια et Θέλησις. Sur ces « ptolé-méens » d'Irén., I, 12, 1, cf. Sagnard, p. 356-357.

33, 2. qua : = *quia*, cf. *supra*, 15, 4. — **producere** : substitué (peut-être avec une intention dépréciative) à un vb. « technique » (*proferre, emittere, edere*). Appartient chez Tert. à la terminologie de la création (en particulier *ex nihilo*), cf. Braun, p. 389-390. — **coniugium** : Irén., I, 12, 1, : κατὰ συζυγίαν (*supra*, § 1, *coniugium* au sens de συζύγος) cf. *supra*, 3, 4 ; 11, 2 ; 30, 3 ; 31, 1. — **Monogenem, Veritatem** : asyndète vraisemblablement, cf. *supra*, 12, 2 : *filiis, nepotibus* ; Bulhart, *Tert. St.*, p. 11. Ces deux éons sont la reproduction et l'image des deux dispositions du Père. — **feminam Veritatem, marem Monogenem** : cf. *supra*, 19, 2. — **ad imaginem** : sur ctte notion im-portante du système, cf. *supra*, 10, 3 ; 17, 1 ; 19, 1-2 ; 24, 2 ; 27, 3. — **uis** : sur ce terme technique, cf. *supra*, 9, 3. — **ut quae** : + ind., cf. *supra*, 10, 1. — **effectum** : cf. *supra*, 20, 3. — **uiritatis** : sur cette conjecture d'Engelbrecht (cf. *WS* 27 [1905] p. 65-66 ; 28 [1906] p. 159), voir nos « Valentiniana », p. 77. Mais le terme serait-il vraiment un hapax ? Il est curieux en effet de constater que dans Sén., *De uita beata*, 13, 6 (« uirilitas salua est ») les mss ont tous également *ueritas*. Le processus d'altération qui a abouti, dans ces deux cas absolument indépendants, à *ueritas* est sans doute moins surprenant dans son parrallélisme s'il s'est réalisé ici et là à partir de *uiritas*. Ajoutons que *uirilitas* paraît s'être transmis avec une stabilité remarquable (quelques rares exemples de déformation en *uiriditas*), comme nous avons pu nous en rendre compte après enquête (grâce au fichier communiqué par la Direction du *TLL*). — **censum** : sur la couleur institutionnelle (ici ironique) du terme, cf. *supra*, 10, 4.

34, 1. Pudiciores : sur cet emploi ironique du comparatif, cf. *supra*, 22, 1. — **deputare** : + dat., cf. *supra*, 32, 1. — **hoc deum** : sur cette création sarcastique, sans autre exemple, cf. Braun, p. 33, n. 2 ; en rapprocher la forme de vocatif *dee* (*Marc.* I, 29, 8 : « o dee haeretice » ; *Prax.* 11, 6 : « Dee domine » [*Kroymann*] = *Ps.* 70, 18) et le féminin *angela* (*supra*, 32, 5).

34, 2. magis : = *potius* (cf. *supra*, 11, 3 ; 23, 2). — **et masculum et feminam** : Tert. ne mentionne donc ici que deux conceptions de la nature de Bythos. Irén., I, 11, 5, au contraire en signale trois : Bythos conçu comme ni mâle ni femelle (μήτε ἄρρενα μήτε θήλειαν), ce que Tert. rend par *hoc deum* ; comme mâle et femelle (ἀρρενόθηλυν... ἑρμαφροδίτου φύσιν), traduit *masculum et feminam* par Tert. ; enfin comme ayant Silence pour compagne ; cf. *supra*, 10, 3 ; sur l'arrhé-notélie dans la pensée grecque et gnostique, A.-J. Festugière, *La révélation d'Hermès Trismégiste*, t. IV, Paris 1954, p. 43 s. ; Tardieu, *Trois mythes gnostiques*, p. 105 s. ; 144 s. Irénée (I, 11, 5) attribue ces spéculations aux « super-gnostiques » dont il vient de résumer les vues sur l'Ogdoade, rapportées par Tert. dans le chap. suivant (35, 1-2). — **commentator** : attesté de façon sûre à partir d'Apul., *Apol.*, 74, 6 (« omnium litium depector, omnium falsorum commentator, omnium simulationum architectus, etc. »). Fréquent chez Tert. et plus généralement chez les écrivains chrétiens (cf. *Apol.* 10, 7 ; *Cor.* 7, 6 ; etc.). Sur Fenestella, cf. *PIR*, III, p. 124, n. 144 ; cette allusion est mentionnée dans H. Peter, *HRR*, II, p. 87, frg. 28. La naissance d'un androgyne à Luna également est signalée par J. Obsequens, *Prod.*, 22 (a. 142 a. C. : « Lunae androgynus natus praecepto aruspicum in mare deportatus... ») ; en d'autres lieux, cf. *ibid.*, 38 ; 46 ; 86 ; 92 ; etc.

35, 1. Sunt qui... : ceux qu'Irén., I, 11, 5, appelle les « super-gnostiques » (γνωστικῶν γνωστικώτεροι), qui accen-tuent la transcendance du monde des éons. Cf. *supra*, 34, 2. — **principatum** : cf. *supra*, 3, 3. — **postumatum** : hapax (Hoppe, *Beitr.*, p. 128). — **aliis nominibus** : les éons de la seconde tétrade portent des noms différents de ceux de la première ; autrement dit, sans doute, la « loi de filiation nominale » ne joue pas (cf. *supra*, 14, 2). — **deri-uatam** : cf. *supra*, 9, 2 ; 25, 2 ; 29, 2. — **constituunt** : cf.

supra, 11, 4. — **Proarchen** : cf. *supra*, 7, 3. — **Anennoeton** : « Inintelligible » (*Inexcogitabilis*, cf. *infra*, 37, 1). — **Arrheton** : « Inexprimable » (*Inenarrabilis*, cf. *supra*, 26, 2). **Aoraton** : « Invisible » (*Inuisibilis* », cf. *supra*, 7, 3 ; *infra*, § 2).

35, 2. itaque : il convient d'étendre à *itaque* la valeur temporelle que Bulhart, *Praef.*, § 73, a relevée chez Tert. pour *ita* (cf. *Mon.* 2, 3 : « primo... et ita... » ; 9, 4 : « Videamus enim... et ita cognoscemus » ; etc.). — **processisse** : cf. *supra*, 7, 6. — **primo et quinto loco...** : ni Irénée (I, 11, 5) ni Hippolyte (*Philos.*, VI, 38, 4) ne sont plus explicites que Tert. Il faut sans doute comprendre que Archè, émis en 5e position (= après les quatre éons de la 1re tétrade), est le 1er éon de la seconde tétrade ; Acataleptos, émis en 6e position (après Archè) est en fait le 2e éon de la seconde tétrade ; etc. — **Archen** : « Principe » (*Principium*) — **Acatalepton** : « Incompréhensible » (*Incomprehensibilis*, cf. *supra*, 7, 6 ; 9, 1 ; 11, 3). — **Anonomaston** : « Innommable » (*Innominabilis*). — **Inuisibili** : cet équivalent latin, après Aoratos (§ 1) et entre deux noms grecs, est la seule trace restante, dans ce passage, des « traductions » que Tert. devait donner de ces termes pris comme noms propres (cf. *supra*, 6, 1-2). De ces huit termes, seul *inuisibilis* (ἀόρατος) a été intégré au vocabulaire théologique de Tert. pour être appliqué à la première personne de la Trinité (cf. Braun, p. 53 ; 56) ; l'adj. *incomprehensibilis* (ἀκατάληπτος) n'est employé qu'une seule fois comme attribut de Dieu en *Apol.* 17, 2, mais au sens propre (« insaisissable » concrètement) ; tous les autres ont été exclus (cf. Braun, p. 45 ; 55 ; 56 ; 59 ; 62 ; 273-275). — **ratio** : cette raison (renforcer la transcendance du monde des éons) est donnée par Irén., I, 11, 5 (= Hippol., *Philos.*, VI, 38, 4) : ταύτας βούλονται τὰς δυνάμεις (= les éons de l'Ogdoade) προυπάρχειν τοῦ Βυθοῦ καὶ τῆς Σιγῆς, ἵνα τελείων τελειότεροι φανῶσιν ὄντες καὶ γνωστικῶν γνωστικώτεροι. — **peruerse** : cf. *supra*, 11, 3 : *doctrinae peruersitas* ; 19, 2 : *imagines... peruersissimi pictoris.* — **proferuntur** : vraisemblablement à la fois au sens de « exposer, faire connaître » et au sens technique de « émettre, proférer ».

36, 1. meliores : cf. *supra*, 7, 6 ; 22, 1. Par rapport à celui de Ptolémée, ce système (attribué à Colorbasus, cf. Irén., I, 12, 3 ; *supra*, 4, 2) se caractérise par l'inversion des deux dernières syzygies de l'Ogdoade et par l'émission globale de celle-ci. — **uoluerunt** : cf. *supra*, 15, 1. — **gradus**... **Gemonios** : = (*scalas*) *Gemonias* (cf. Plin., *Nat.*, 8, 145 : *in gradibus gemitoriis*). — **mappa**... **missa** : plutôt qu'expression proverbiale (Otto, *Sprichwörter*, p. 213), allusion à la façon dont était donné le signal du commencement des jeux du cirque. Tert. signale lui-même cet usage, *Spec.* 16, 3 : « Cognosce dementiam de *uanitate* : ' misit ' dicunt et nuntiant inuicem quod simul ab omnibus uisum est. Teneo testimonium caecitatis : non *uident* missum quid sit, mappam putant ; sed est diaboli ab alto praecipitati gula [figura *alii*] ». Cf. Quint., *Inst. or.*, 1, 5, 57 ; Mart., 12, 28 (29), 9 ; Juv., *Sat.*, 11, 193 ; Suét., *Nero*, 22, 4 ; Pol. Silv., *Fast. Ian.*, 7 ; etc. ; d'autre part, la « Mosaïque des jeux du cirque » (Musée de la civilisation gallo-romaine de Lyon), sur laquelle est représenté un personnage agitant une *mappa* pour donner le signal du départ (cf. P. Wuilleumier, *Lyon, Métropole des Gaules*, Paris 1953, p. 71). — **octoiugem** : entraîné par « mappa... missa », mais cf. déjà *supra*, 7, 6 : « prima quadriga... ». Dans les textes, *octoiugis* n'apparaît qu'ici et (appliqué ironiquement aux huit tribuns militaires) dans T.-Liv., 5, 2, 10 ; attesté dans les inscriptions (cf. *TLL* s. u. col. 436, 8). Ici au féminin, s.-ent. *Ogdoadem*. — **Propatore, Ennoea** : cf. *supra*, 7, 3. 5. — **excusam** : plus proche de la leçon des mss, mais *exclusam* ferait jeu avec, *infra*, § 2, *conclusa*. De toute manière, sans modification de sens, cf. *supra* 11, 1. — **denique** : cf. *supra*, 6, 3. — **nomina gerunt** : expression attestée (Ov., *Mét.*, 8, 576 : « insula nomen quod gerit illa... »), mais non classique. Sujet s.-ent. : *aeones*. Réflexion, absente chez Irénée, qui révèle une préoccupation toujours latente de Tert. (cf. *supra*, 14, 2).

36, 2. proferre, protulit : cf. *supra*, 7, 5. — **uera** : sans doute la bonne leçon, dans ce passage traduit presque littéralement d'Irén., I, 12, 3 : ἐπεί... ὁ προεβάλετο ἀληθῆ

[ἀλήθεια mss] ἦν (*Vet. Interpr.* : « ubi quae emisit uera fuerunt »). Les divers éons de l'Ogdoade ne manifestent qu'une
seule et même réalité. — **primogenitus** : Irén., I, 12, 3 :
πρωτότοκος. Par rapport au système de Ptolémée, cette
variante doctrinale substitue l'idée de « Premier-né » à
celle de « Fils Unique », cf. *supra*, 7, 6 ; pour son emploi
théologique chez Tert., cf. Braun, p. 251 s. — **Sed** : = *At
enim* (cf. *Apol.* 8, 6 ; 10, 3). — **non pusillum** : réflexion que
Tert., avec humour, prête à un lecteur supposé déçu par le
système qui vient de lui être présenté, alors que, pour cette
fois, il lui avait annoncé des spéculations moins rebutantes...
(cf. *supra*, § 1). *Taedium* = *res taediosa.*

37, 1. **ingenia** : cf. *supra*, 4, 4 ; 20, 3 ; *infra*, 39, 2. —
circulatoria : cf. *Apol.* 23, 1 : *circulatoriae praestigiae* ;
Carn. 5, 10 : *circulatorius coetus* ; *Idol.* 9, 6 : *circulatoria
secta* ; *Praes.* 43, 1 : « Notata sunt etiam commercia haereticorum cum magis quam plurimis, cum circulatoribus, cum
astrologis, cum philosophis, curiositate scilicet et deditis » —
autant d'occurrences qui nous paraissent fonder en vraisemblance la conjecture d'Oehler (cf. nos « Valentiniana »,
p. 78). La correction de Pamelius (*circuria Enniana*), reprise
encore partiellement par Marastoni, s'appuie sur Jérôme,
Apol. c. Ruf., II, 11 *bis* (*PL* 23, 434 C) : « nos simplices
homines et cicures enniani ». Mais, outre le fait que l'expression *cicures enniani* n'est pas élucidée (si *enniani* correspond à Ennius, n'y aurait-il pas confusion avec son neveu
Pacuvius, dont on sait par P. Fest., p. 75, 34, qu'il employait
volontiers « cicur pro sapiente » ?), la *iunctura* hiérony-
mienne « nos simplices homines *et* cicures enniani » exclut,
semble-t-il, qu'elle ait pu être empruntée à notre passage :
ce n'est pas, en effet, leur « simplicité » que Tert. reproche
aux valentiniens, mais leur goût du secret, leur imagination
débridée, leur habileté, etc. (cf. *supra*, 1-3), et lui-même
est conduit à défendre les chrétiens contre l'accusation de
« simplicité » que leur adressent les valentiniens. En d'autres
termes, au cas (improbable) où Tert. aurait fait ici allusion
à un passage d'Ennius (comme c'est le cas, *supra*, 7, 1),
le mot du poète ne devait pas appartenir à la sphère séman-

356   CONTRE LES VALENTINIENS

tique de la « simplicité ». Une autre explication du *circuria-niana* de nos mss est concevable : il représenterait l'altération d'un terme sarcastique, forgé sur *cucurbita* ou *cucumis*, qu'aurait suggéré à Tert. la lecture d'un passage particulièrement parodique d'Irénée (I, 11, 4) et qu'il a nécessairement lu pour rédiger ces dernières notices. — **insignioris...** **magistri** : Irén., I, 11, 3 (lat.) : « Alius uero quidam qui et clarus est magister ipsorum » ; Hippol., *Philos.*, VI, 38, 2 : Ἄλλος δέ τις ἐπιφανής διδάσκαλος αὐτῶν. L'identification de ce « maître » avec Épiphane, fils de Carpocrate (cf. Clém. Alex., *Strom.*, III, 2, 5, 2), parfois encore admise aujourd'hui (cf. Moingt, II, p. 658), est généralement écartée (cf. Harvey, t. I, p. 102 ; Lipsius, « Gnostizismus », p. 101, ap. K. Rudolph, *Gnosis und Gnostizismus*, Darmstadt 1975). Ce système, proche de celui des « super-gnostiques » (cf. *supra*, 35) souligne également la transcendance des éons (cf. Sagnard, p. 355-356). — **pontificali** : seule attestation de cet adj. chez Tert. — **auctoritate** : ce passage ironique ne permet pas de préciser la conception que Tert. se faisait de l'*auctoritas* des évêques (cf. T. G. Ring, *Auctoritas bei Tertullian, Cyprian und Ambrosius*, Würzburg 1975, p. 79). — **inexcogitabile et inenarrabile, innominabile** : sur ce type de coordination (*A et B, C*), cf. *supra*, 4, 2 ; 29, 1. Bien qu'il traduise littéralement Irén., I, 11, 3 (προανεννόητος, ἄρρητός τε καὶ ἀνονόμαστος, ἦν...), Tert. substitue le neutre au féminin. Le premier adj. est un néologisme ; le second apparaît chez T.-Live ; le troisième n'est attesté, antérieurement, qu'une seule fois (Apul., *Plat.*, 1, 5, 190) ; aucun d'eux n'a été incorporé au vocabulaire théologique de Tert. (cf. *supra*, 35, 1-2). — **uirtus** : = δύναμις (cf. *supra*, 20, 2).

37, 2. Monotes... : sur les équivalences *Solitas* = Μονότης, *Vnitas* = Ἑνότης, *Singularitas* = Μονάς, *Vnio* = Ἕν, cf. Moingt, III, p. 732-733 ; 775-776 ; Braun, p. 69 s. ; 142 s. 701. S'il a écarté *solitas* de son vocabulaire trinitaire, Tert. recourt en revanche à *unitas* pour désigner l'unité organique de l'Être divin, à *unio* et *singularitas* pour signifier l'unicité divine. — **cum unum essent** : Irén., I, 11, 3 : τὸ ἓν οὖσαι. Précision nécessaire, car la communauté de principe de

ces deux éons (féminins de surcroît) paraîtrait exclure la
syzygie, qui est l'union d'un principe et de la propriété qui
lui est connaturelle (par ex. Noûs et [= qui est] Vérité).
— **non proferentes** : il ne s'agit pas d'une émission extérieure, indépendante, mais demeurant « indivise », unie au
« couple » Monotès-Hénotès : en effet, Monas n'est pas essentiellement dissemblable de Monotès-Hènotès. Un passage
d'Irénée (II, 12, 2-4) éclaire cette conception : les valentiniens ont tenté de justifier la dualité Bythos-Sigè (ainsi que
celle des autres syzygies) en présentant Sigè comme « unie »
à Bythos et ne faisant qu'un avec lui (cf. Sagnard, p. 350).
Autrement dit, cette explication sur le plan horizontal de
la syzygie est ici adaptée au plan « vertical », d'une syzygie
à l'autre. Cf. *supra*, 7, 5. — **intellectuale** : Irén., I, 11, 3 :
νοητήν (ἀρχήν). Cf. *supra*, 32, 2. — **innascibile** : Irén., I,
11, 3 : ἀγέννητον (ἀρχήν). Substitué à *innatus*, habituel chez
Tert. pour rendre ἀγέννητος, et sans doute forgé ici à des
fins rhétoriques et satiriques, *innascibilis* n'apparaît pas
ailleurs dans son œuvre (cf. *supra*, 35, 2 : *Agennetos* ; Braun,
p. 48). — **inuisibile** : Irén., I, 11, 3 : ἀόρατον (ἀρχήν). Cf.
supra, 35, 2. — **consubstantiua** : cf. *supra*, 12, 5 ; 18, 1.
— **Haec** : forme archaïque de fém. pl., fréquente chez
Minucius Félix, attestée chez Tert., cf. *Herm.* 27, 2 ; 45, 3 ;
Virg. 12, 1 (X) ; *Fug.* 1, 4 (XL) ; Bulhart, *Praef.*, § 8 ; *Tert.
St.*, p. 6. — **propagarunt** : Irén., I, 11, 3 : προήκαντο τὰς
λοιπὰς προβαλὰς τῶν αἰώνων. Plus haut, προήκαντο, μὴ
προέμεναι a été rendu par « protulerunt, non proferentes ».
Sans doute Tert. a-t-il voulu éviter ici une figure étymologique (*protulerunt prolationes*) absente du texte d'Irénée
tout en donnant à sa traduction une couleur satirique,
cf. *Nat.* I, 12, 13 : « simulacrorum siluae propagantur ».
Toutefois, d'une manière générale, Tert. emploie avec une
valeur neutre, aussi bien ce vb. (cf. *Apol.* 25, 14 ; 48, 11 ;
An. 27, 8 ; etc.) que son correspondant nom. *propago, -inis*
(cf. *An.* 19, 6 ; *Pal.* 2, 6) ; exceptionnellement, le subst.
prend une valeur péjorative (*An.* 2, 6) ou laudative (*Scorp.*
9, 3). Pour la forme contractée, cf. *supra*, 9, 1. — **quaqua** :
= *quaqua ratione, quoquo modo*, cf. *Praes.* 32, 7 : « haereses...
probent se quaqua putant apostolicas » ; de même *qua = qua*

ratione, cf. Hoppe, *Beitr.,* p. 123. — **unum est** : jeu de mots ; = *unum quid,* τὸ ἕν (cf. *supra* : « cum unum essent ») et *unum atque idem, una eademque res.*

38. Humanior : sur ce comparatif, cf. *supra,* 22, 1. Déjà Irén., II, 31, 1 : « Eos quidem qui sunt mitiores eorum et humaniores auertes et confundes... ». — **Secundus** : cf. *supra,* 4, 2. Pour Ptolémée (et Héracléon), le Plérôme tout entier est dans la lumière, les ténèbres étant rejetées en dehors. Peut-être cette notion de droite et de gauche (à l'intérieur de l'Ogdoade) distingue-t-elle les éons pairs des éons impairs (cf. Sagnard, p. 356). — **tantum quod** : sur ce tour, cf. Schneider, p. 148 ; employé ici avec un sens affaibli (cf. Irén., I, 11, 2 : τὴν δὲ... δύναμιν). — **desultricem et defectricem** : hapax l'un et l'autre (toutefois, le premier est conjecturé par Gertz à Sén. Rh., *Contr.,* 1, 3, 11 ; cf. *TLL* s. u. col. 290, 80 et 778, 26). Cf. *supra,* 14, 1 : « Achamoth... defectiua... genitura ». — **ab aliquo... aeonum** : Sophia (d'en haut), de qui est « issue » Achamoth (cf. *supra,* 9, 4 ; 10, 4) ; c'est ainsi, du moins, que Tert. « interprète » le texte qu'il a sous les yeux, où la « dynamis déchue » paraît désigner non Achamoth, mais Sophia (supérieure) : cf. Irén., I, 11, 2 : τὴν δὲ ἀποστᾶσαν τε καὶ ὑστερήσασαν δύναμιν μὴ εἶναι ἀπὸ τῶν τριάκοντα αἰώνων, ⟨ ἀλλ' ἀπὸ τῶν καρπῶν αὐτῶν ⟩. — **sed a fructibus...** : texte sans doute partiellement corrompu (cf. Irén., I, 11, 2 (lat.) : « sed a fructibus eorum » (= Hippol., *Philos.,* VI, 38, 1 : ἀλλ' ἀπὸ τῶν καρπῶν αὐτῶν), mais la séquence « a fructibus... de substantia » n'est pas plus « rude » que celle que nous lisons *infra,* 39, 1 : « ex duodecim... ex Hominis et Ecclesiae fetu ». *Veniat* (?) coordonné à *deducere* en dépendance commune de *uult* est syntaxiquement possible (cf. Pl., *Mil.,* 5-6 : « hanc machaeram... consolari uolo, / ne lamentetur neue animum despondeat... » ; *Pseud.,* 1150 : « Hoc tibi erus me iussit ferre.../... atque ut mecum mitteres Phoenicium » ; pour Tert. : *Cult.* II, 7, 1 : « Aliae gestiunt in cincinnos (crines) coercere, aliae ut uagi et uolucres elabantur... » ; pour ce type de *variatio,* cf. L. H. S., p. 817) ; sur cet emploi de *uolo* qu'affectionne Tert., *supra,* 15, 1.

D'autre part, Tert. recourt volontiers à *uenire* + abl. d'origine prépositionnel (*Mart.* 6, 1 ; *Nat.* II, 2, 1 ; *Praes.* 2, 5 ; 21, 6 ; etc.). Pour la notion de « fruit » dans le système valentinien, cf. *supra*, 7, 7.

39, 1. **diuersitas scinditur** : cf. *Marc.* IV, 6, 3 : « Inter hos (= les deux Christ de Marcion) magnam et omnem differentiam scindit (Marcion), quantam inter iustum et bonum... » ; V, 19, 3. — **ex omnium aeonum flosculis** : cette conception ne se différencie apparemment de celle de Ptolémée (*supra*, 12, 3-4) que par le nom donné au Sauveur, Eudocète : cf. Irén., I, 12, 4 : αὐτὸν ἐκ πάντων γεγονέναι λέγουσι, διὸ καὶ Εὐδοκητὸν καλεῖσθαι. — **construunt** : cf. *supra*, 12, 4. — **ex... decem** : la « décurie » émise par Verbe et Vie (*supra*, 8, 1-2). — **constitisse** : s. ent. : *eum* ; cf. *infra*, § 2. Pour l'utilisation de ce vb., *supra*, 15, 2 ; 24, 2. — **inde et** : = *et inde*, cf. *supra*, 8, 5. — **ex duodecim** : les « douze » émis par Homme et Église (*supra*, 8, 1-2). — **fetu** : cf. *supra*, 8, 1. — **auite** : hapax (omis aussi bien dans *TLL* que dans Hoppe, *Beitr.*, p. 145 : « Neubildungen : Adverbia »). Traduit, à tort, par Blaise, *Dict.*, p. 106 « de tout temps, du temps des aïeux ». — **constabiliendae uniuersitati** : cf. *supra*, 7, 7 ; 9, 3 ; 12, 2. — **confictum** : seul passage où Tert. emploie ce vb. avec le sens de « créer, fabriquer » ; partout ailleurs il l'utilise au sens de « inventer, imaginer » ; pour *fingere* et les vocables de la même famille dans sa terminologie de la création, Braun, p. 399 s. — **paternae** : cf. Irén., I, 12, 4 : καὶ διὰ τοῦτο Χριστὸν λέγεσθαι αὐτόν, τὴν τοῦ πατρὸς ἀφ' οὗ προεβλήθη, διασώζοντα προσηγορίαν.

39, 2. **aliunde** : = *de alia re, de alia causa* (cf. Schneider, p. 152) ; comprendre : pour une autre raison que celle qui a été donnée au § 1 (Sauveur appelé Fils de l'Homme du nom de son « aïeul », l'éon Homme). — **dicendum** : s.-ent. : *eum* (*esse*), cf. *supra*, § 1 : (*eum*) *constitisse*. L'expression « Fils de l'Homme » paraît avoir été plus répandue en milieu gnostique (influence juive ?) qu'en milieu chrétien orthodoxe, cf. F. H. Borsch, *The Christian and Gnostic Son of Man*, London 1970, p. 58 s. (le Fils de l'Homme dans la littérature

gnostique). — **patrem** : l'éon suprême (cf. *supra*, 7, 5 ;
7, 6 ; etc.). — **sacramento** : les différentes traductions
proposées (« sacrement », « type », « symbole », « signe »,
« mystère ») sont signalées par Michaélidès, *Sacramentum
chez Tertullien*, p. 308 ; nous suivons ici Sagnard, p. 357 et
427, et E. Evans, *Tertullian's Homily on Baptism*, London
1964, p. xl. Cf. Irén., I, 12, 4 : « Le Pro-Père de toutes choses,
le Pro-Principe, le Pro-Inintelligible, c'est l'Homme, disent-
ils. Voilà le grand mystère caché (τὸ μέγα καὶ ἀπόκρυφον
μυστήριον) : la dynamis qui est au-dessus de tout, qui
enveloppe tout, c'est l'Homme. C'est pour cette raison que
le sauveur se dit le Fils de l'Homme » (trad. Sagnard, p. 357).
Cette variante doctrinale se caractérise donc par la prééminence accordée à l'Homme. — **praesumpserint** : sur
ce vb. et le subst. correspondant, cf. *supra* 4, 1. 4 ; 16,
3 ; 20, 3. Le fait que Tert. omette souvent le pronom sujet
(acc.) de la prop. inf. (cf. Hoppe, *Synt.*, p. 49 s.) ne permet
pas de décider ici si *appellasse* est un inf. complément (avec
pft. d'« attraction », cf. Hoppe, *Synt.*, p. 52 s.) ou bien
le vb. de la propr. inf. (s. ent. : *se*). Cf. une ambiguïté analogue dans *Carn.* 4, 6 : « si praesumpseris inuenisse ». —
quid amplius : expression attestée à toutes les époques
et à tous les niveaux de langue. Bien que Tert. l'utilise de
préférence en phrase interrogative (« Quid enim amplius...? »),
la leçon des mss nous paraît préférable à la correction de
Kroymann (*Et quid...?*) : Tert. explicite, ironiquement, les
fondements psychologiques d'une pareille doctrine. Du
reste Tert. emploi aussi cette expression en phrase positive
(cf. *Bapt.* 15, 1 ; *Marc.* IV, 16, 12 ; on rapprochera : *Nat.* II,
6, 3 : « ut nihil amplius... credam »). Pour *quid = aliquid*,
cf. *Apol.* 47, 8 : « aut intulit quid aut reformauit » ; etc.
— **ingenia** : cf. *supra*, 37, 1. — **superfructificant** : il n'y
a sans doute pas lieu de soupçonner cet hapax (cf. *con-
corporifico, contestificor, reuiuifico* : Hoppe, *Beitr.*, p. 146-
148. *Fructificare* est d'ailleurs beaucoup mieux attesté chez
Tert. que *fruticare* : *Herm.* 22, 1 (Fructificet *mss*) ; 29, 5
(fructificet *PN* fructicet *F*) ; *Marc.* II, 4, 2 (fructicauerit
mss) ; *Res.* 22, 8 (fructificasset *MPX* fructificat** *T*) ;
42, 8 (fructificaturi *mss*) ; 52, 10 (fructificaturam *mss*) ;

Cast. 10, 1 (fructificemus *A* retractemus *NFR*) ; *Prax.* 1, 6 (Fructicauerant *M* fructificauerant *P* fructiferant *F*) ; *Pud.* 16, 12 (fructificare *BO*) ; cf. *supra*, 8, 1. Création doublement ironique : par sa formation redondante et par l'application que fait Tert. aux spéculations gnostiques elles-mêmes d'une notion « technique » dans le système (cf. *supra*, 7, 1 ; 8, 1 ; 10, 5 ; 12, 4 : 17, 1). — **materni seminis** : la semence d'Achamoth ; cf. *supra*, 25, 3 ; 27, 3. — **redundantia**, cf. *supra*, 31, 1 : « Vbi Achamoth totam massam seminis sui... ». — **exoleuerunt** : le *TLL* s. u. col. 1543, 40, ne mentionne de ce verbe, en dehors de ce passage, qu'une seule occurrence d'emploi personnel (Ps. Cic., *In Sall.*, 5, 13) ; en réalité Tert. utilise déjà ce verbe à trois autres reprises à un mode personnel (*Nat.* II, 16, 7 ; *Scorp.* 1, 10 ; *Pud.* 1, 3). Mais le sens du verbe ici ne nous paraît pas être celui qu'il a dans les autres emplois chez Tert. (« vieillir », « passer », etc.), comme il ressort des premiers mots du traité et de l'opposition, selon toute vraisemblance, avec *inolescentes* (cf. un rapprochement comparable dans *An.* 16, 1 : « ut... (inrationale) inoleuerit et coadoleuerit in anima ». — **siluas** : répond sur le registre métaphorique à *supra*, 1, 1 : « frequentissimum... collegium inter haereticos ». Pour les images empruntées à la végétation et plus particulièrement à la forêt, dans l'œuvre de Tert., cf. Hoppe, *Synt.*, p. 194-195. — **Gnosticorum** : pour Tert., comme pour Irénée, les valentiniens sont les gnostiques par excellence, cf. *An.* 18, 4 : « Relucentne iam haeretica semina Gnosticorum et Valentinianorum ? » ; *Scorp.* 1, 1 : « tunc Gnostici erumpunt, tunc Valentiniani proserpunt ». Cf. N. Brox, « Γνωστικοί als Häresiologischer Terminus », *ZNTW* 57 (1966), p. 105-114.

APPENDICE

Tertullien a-t-il utilisé
la version latine d'Irénée ?

Il est clair que l'éditeur de l'*Aduersus Valentinianos* ne peut éluder cette question, qui a été souvent posée, à laquelle aujourd'hui les critiques ont tendance à répondre par la négative, plus du reste en s'appuyant sur un faisceau solide d'arguments convergents qu'en administrant la preuve irréfutable que Tertullien, quand il rédigeait son opuscule, n'avait pas eu sous les yeux l'ancienne traduction latine de l'*Aduersus Haereses* grâce à laquelle, en dépit de ses insuffisances, nous possédons l'intégralité du grand ouvrage d'Irénée [1].

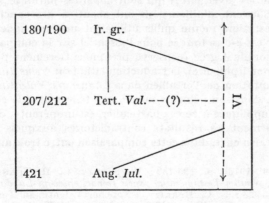

1. Bibliographie sommaire : R. Massuet, « Dissertatio II, Art. II, de Irenaei libris Adv. Haereses », reproduit dans *PG* 7, 232-234 ; W. W. Harvey, *Sancti Irenaei... aduersus haereses*, vol. 1, p. clxiv ; H. Jordan, « Das Alter und die Herkunft der lateinischen Uebersetzung des Hauptwerkes des Irenaeus », *Theologische Studien, Th. Zahn zum 10. Oktober 1908 dargebracht von...*, Leipzig 1908, p. 135-193 ; A. d'Alès, « La date de la version latine de saint Irénée »,

En réalité, même si cette question ne le laisse pas indifférent, l'éditeur de Tertullien n'est certainement pas le mieux placé pour lui apporter une réponse étayée d'arguments décisifs ; mieux encore, il se trouve *de fait*, en tant que tel, dans l'impossibilité *théorique* de verser au débat des éléments de solution véritablement déterminants.

Notre seule certitude est que cette traduction très littérale est postérieure aux années 180-190 (date de la composition de l'*Aduersus Haereses*) et antérieure à 421 (date à laquelle elle est citée par Augustin dans le *Contra Iulianum*, *PL* 44, 644). Entre ces limites chronologiques, des datations fort diverses ont été proposées : pour ne mentionner que les plus extrêmes, Érasme et Feuardent n'excluaient pas qu'Irénée eût rédigé son ouvrage directement en latin ou qu'il l'eût traduit lui-même, tandis que Souter situait cette traduction en Afrique, entre 370 et 420. Pour sa part, la critique récente s'accorde pour la dater approximativement de la seconde moitié du IVe siècle. La complexité du problème explique les divergences qui sont apparues parmi le spécialistes. Souvent, d'ailleurs, ils ont abouti a des conclusions opposées, alors même qu'ils utilisaient une méthode identique, c'est-à-dire fondée pour l'essentiel sur la comparaison entre l'original grec (conservé presque entièrement pour le livre I par Épiphane), la traduction latine du *Vetus Interpres* et l'adaptation de Tertullien dans l'*Aduersus Valentinianos*.

Mais, dans son principe même, une telle méthode comparative, appliquée à ce cas particulier, est inopérante, comme le confirment les résultats contradictoires auxquels elle a conduit. En effet, dans cette comparaison entre trois auteurs,

RecSR 6 (1916), p. 133-139 ; W. Sanday - C. H. Turner - A. Souter, *Nouum Testamentum sancti Irenaei episcopi Lugdunensis*, Oxford 1923 ; F. C. Burkitt, « Note on Valentinian Terms in Irenaeus and Tertullian », *JTS* 25 (1923), p. 64-67 ; G. Lebacqz-J. De Ghellinck ap. J. De Ghellinck, *Pour l'histoire du mot* « *Sacramentum* », I, Louvain-Paris 1924, p. 272-276 ; S. Lundstroem, *Studien zur lateinischen Irenäusübersetzung*, Lund 1943, p. 90-109 ; M. C. Díaz y Díaz, « Tres observaciones sobre Ireneo de Lyon, I. La fecha de la traducción latina », *RET* 14 (1954), p. 33-399 ; V. Loi, « L'uso di ' principari ' e la datazione dell'-Ireneo latino », *AION* 6 (1965), p. 145-159.

dont deux ont eu une relation indépendante avec le troisième (Tertullien et le *Vetus Interpres* ont eu en main, chacun de son côté, le texte grec) et dont l'un de ces deux (le *Vetus Interpres*) est, par hypothèse, chronologiquement mobile (entre deux limites sans doute, mais qui, pour le problème qui nous occupe, ne sont pas pertinentes), il est impossible de déduire de la convergence de deux auteurs entre eux une certitude sur le sens de la relation, s'il y en a eu une, entre Tertullien et le *Vetus Interpres*. Des trois cas envisageables, aucun n'est concluant.

En effet, une convergence entre T. et Ir. gr. contre VI ne signifie pas nécessairement que T. ne disposait pas de VI : il a pu simplement s'en écarter, en préférant suivre l'original grec. Par exemple : Ir. gr. I, 1, 1 : T. 7, 3, n'a pas l'équivalent de VI (*esse autem... possit*), qui ne répond à rien dans le grec ; Ir. gr. I, 2, 5, ἵνα μὴ ὁμοίως ταύτῃ πάθῃ τις τῶν αἰώνων, rendu normalement par T. 11, 1 (*ne qua... incurreret*), mais omis par VI ; Ir. gr. I, 5, 4 : ἀτονώτερον correctement rendu par T. 21, 1 (*inualitudo*), mais non par VI (*superiorem*, qui suppose une lecture ἀνώτερον) ; Ir. gr. I, 7, 4 : οἰκονομίαν = T. 28, 2 (*dispensationem*), mais mal interprété par VI (*creationem*).

Le cas inverse, un accord entre Ir. gr. et VI contre T., ne permet pas davantage de dégager de conclusion : il ne fait que souligner, par contraste, la plus grande fidélité de VI à Ir. gr. ; il n'entraîne pas comme conséquence nécessaire que T. n'ait pas connu VI. Pour une raison qui resterait à déterminer, T. peut s'être éloigné d'Ir. gr. et, pour la même raison, de VI, fidèle transposition du grec. C'est tout naturellement ce qui se passe en particulier dans les quelques passages où T. puise à une autre source qu'Irénée et dans ceux où son talent et sa verve interviennent à un titre quelconque. Il y a toutefois une catégorie de cas où l'accord Ir. gr.-VI pourrait laisser présumer que T. ignorait VI : dans l'hypothèse où T. aurait commis un contresens ou un faux-sens sur Ir. gr., alors que VI traduisait correctement. On imagine mal en effet un traducteur s'obstinant dans son erreur, quand la traduction déjà existante, dont il utilise les services, a résolu la difficulté à laquelle il se heurte lui-même. A notre

connaissance un tel cas ne se présente pas, ou du moins
n'est pas susceptible de recevoir cette explication. Ainsi
T. 9, 3, traduisant Ir. gr. I, 2, 2, εἰς τὴν ὅλην οὐσίαν par
in reliquam substantiam paraît bien commettre un faux-
sens (évité par VI : *in universam substantiam*), reproduit
de nouveau du reste en *Prax.* 8, 2 ; étant donné toutefois
que le grec ne présentait aucune difficulté sérieuse, il ne
peut s'agir, sous la plume de T., que d'un lapsus mineur,
auquel on ne peut guère faire un sort ici. En 14, 2, T. a *de
matre* pour Ir. gr. I, 4, 1 : πατρωνυμικῶς (= VI *paternaliter*) :
le contresens est ici trop grossier pour ne pas être délibéré,
d'autant qu'Irénée justifie aussitôt après cette apparente
incohérence ; en fait, ce « contresens », sans aucune conséquence dans le contexte, répond à un désir de simplification
de la part de T. ; une traduction exacte aurait exigé, en
effet, pour être comprise, une explication circonstanciée
qu'excluaient le mouvement et la formulation de sa phrase.
Plus difficilement explicable, l' « erreur » commise par T. en
22, 2 (*Munditenentem... ut spiritalem natura*) traduisant
Ir. gr. I, 5, 4 : ὅτι πνεῦμά ἐστι τῆς πονηρίας. (= VI
quoniam sit spiritalis malitia) ; mais quelle qu'en soit la
raison, cette « erreur » ne peut guère fournir d'argument
au présent débat (cf. *supra*, p. 307).

Restent donc à examiner les convergences entre T. et
VI : elles devraient être, en principe, les plus riches d'enseignements, puisqu'elles paraissent impliquer ou bien que
T. s'est inspiré de VI, ou bien, à l'inverse, que VI a utilisé
T. Certes, faute de pouvoir, toujours par hypothèse, situer
chronologiquement VI par rapport à T., nous resterions
dans l'incapacité de préciser dans quel sens s'est exercée
cette influence : du moins devrait-il être permis d'affirmer
l'existence d'un lien entre les deux. Malheureusement, la
nature même de ces convergences interdit, croyons-nous,
toute déduction de cet ordre.

Ces convergences sont de deux types : il y a d'une part
une série de similitudes d'expressions et de vocabulaire qui,
si surprenantes qu'elles paraissent de prime abord, s'expliquent en réalité par le parti de littéralité qu'adopte T.
en ces cas. Il arrive en effet que T. reproduise sa source avec

autant de fidélité que VI, procédant donc, mais seulement par intermittence, comme a coutume de faire continûment VI. Il est donc tout à fait normal que, pour ces passages, les deux versions latines, aussi littérales l'une que l'autre, se recoupent largement.

Mais cette explication ne saurait guère valoir pour une seconde série de « rencontres » entre T. et VI : qu'il s'agisse de « déformations » que T. et VI font subir à Ir. gr. : ainsi Ir. gr. I, 2, 4, ἀποστερηθῆναι rendu *crucifixam* (*esse*) par T. 10, 4 et VI (comme si tous deux avaient lu : ἀποσταυρω-θῆναι) ; ou Ir. gr. I, 6, 1 τῶν ψυχικῶν traduit au sg. *animalem* par T. 26, 2, et *animali* par VI ; qu'il s'agisse d' « omissions » communes à T. et VI : ainsi Ir. gr. I, 2, 6, τὸ δὲ ἕν πνεῦμα et τοῦ δὲ πατρὸς αὐτῶν συνεπισφραγιζομένου ne sont traduits ni par T. 12, 3 ni par VI (τοῦ δὲ πατρὸς αὐτῶν συνεπι-σφραγιζομένου est également omis par Hippol., *Philos.*, VI, 32, 1) ; qu'il s'agisse enfin de telle addition partiellement commune à T. et VI : ainsi à Ir. gr. I, 5, 1, τὸν πατέρα καὶ βασιλέα correspond chez T. 18, 2 : *Deum Patrem et Demiur-gum et Regem*, chez VI : *Deum Patrem et Saluatorem et Regem*. Ces « variantes » que présentent T. et VI par rapport au texte transmis par Épiphane sont cependant trop isolées et trop mineures pour être réellement signifi-catives, c'est-à-dire imputables au choix délibéré de l'un des deux traducteurs latins, s'écartant du grec pour suivre la traduction existante ; la probabilité d'un tel choix est même pratiquement nulle dans le cas des omissions communes à T. et VI (et, pour l'une d'elles, également commune à Hippo-lyte). Aussi bien, la seule hypothèse qui rende compte de cette série de convergences entre T. et VI nous paraît être celle qu'avait déjà formulée Stieren, pour qui il n'était pas exclu que le texte grec utilisé par T. et VI présentait des leçons différentes de celui qu'a (ou : qui a) retranscrit Épiphane.

Ainsi, tenter de situer l'un par rapport à l'autre T. et VI en se fondant sur le seul rapprochement des textes est une entreprise vouée, dans son principe, à l'échec. Même dans les cas où d'étroites similitudes entre T et VI n'excluraient pas, a priori, l'hypothèse d'une dépendance (sans qu'il soit possible de préciser le sens dans lequel elle se serait exercée),

on s'aperçoit qu'une autre explication (le littéralisme des
deux « traductions » latines ; l'utilisation d'une traduction
manuscrite différente de celle qu'a connue ou qui a transmis
Épiphane [1]) rend compte de façon sans doute plus satisfaisante de ces convergences.

En réalité, les critères permettant de dater VI, s'ils
existent, doivent être trouvés indépendamment de l'*Aduersus
Valentinianos* et, par conséquent, échappent à la compétence
de son éditeur. Aussi bien nous contenterons-nous de les
énumérer.

Les citations scripturaires ne fournissent pas le critère
de datation espéré, dans la mesure où, à en juger par les
conclusions divergentes des exégètes [2], elles ne présentent
pas dans VI un caractère suffisamment homogène ; il est
du reste probable qu'elles ont été retouchées par les copistes.

Le « latin » écrit par VI empêche lui aussi, par son manque
de relief et de personnalité, toute datation précise. Il est
significatif à cet égard que S. Lundström, au terme d'une
analyse minutieuse de sa morphologie et de sa syntaxe, ait
renoncé à se prononcer à son tour sur ce point.

Toutefois l'étude du lexique de VI est moins décevante :
elle fait naître en effet des présomptions assez sérieuses en
faveur d'une datation tardive. C'est en tout cas l'impression
que donnent les listes dressées par Souter. Si l'on met à
part les termes propres à VI, pour la plupart des calques

1. Ces deux raisons pouvant d'ailleurs jouer ensemble : c'est
ainsi, croyons-nous, que peut s'expliquer la rencontre entre T. et
VI qui a le plus intrigué les critiques (T. 10, 4 et VI : *adpendix
passio*, pour rendre Ir. gr. I, 2, 4 : σὺν τῷ ἐπιγενομένῳ πάθει
cf. notre commentaire *ad. loc.*) ; pour l' « énigme » posée par T. 10, 3
(*femina mas*), cf. également commentaire *ad loc.*
2. Outre l'ouvrage collectif de W. Sanday-C. H. Turner-A.
Souter signalé n. 1 (où du reste l'accord n'est pas réalisé entre les
collaborateurs), ajouter : E. Diehl, « Zur Textgeschichte des
lateinischen Paulus», I, *ZNTW* 20 (1921), p. 97-132; F. C. Burkitt,
« Dr Sanday's New Testament of Irenaeus », *JTS* 25 (1923), p. 56-
64 ; B. Kraft, « Die Evangelienzitate des heiligen Irenaeus »,
Biblische Studien 21 (1924), p. 24-47 ; H. J. Vogels, « Der Evange-
lientext des Hl. Irenaeus », *RB* 36 (1924), p. 21-33 ; D. J. Chapman,
« Did the Translator of St Irenaeus use a Latin N. T. ? », *RB* 36
(1924), p. 34-51.

ou des translittérations du grec, dans sa grande majorité son vocabulaire est « tardif ». Ces conclusions de Souter ont été confirmées, récemment, par les deux brèves monographies qui ont été consacrées, l'une à *graecitas* par M. C. Díaz y Díaz, l'autre à *principari* par V. Loi.

Un autre élément de datation, non négligeable semble-t-il, a été découvert dernièrement par les savants éditeurs de l'*Aduersus Haereses* dans la Collection des « Sources Chrétiennes ». Une comparaison minutieuse entre version latine et version arménienne montre que, en certains cas, VI a procédé à des corrections intentionnelles du texte grec original dans un souci de polémique antiarienne [1].

Reste enfin comme argument en faveur de l'antériorité ou, tout au moins, de l'indépendance de T. par rapport à VI le témoignage de notre auteur lui-même : l'explication qu'il juge nécessaire de donner, au début de l'opuscule, sur le parti qu'il adopte dans la traduction des noms grecs des éons valentiniens [2]. Comme Jordan l'avait d'ailleurs fait remarquer, Tertullien n'aurait sans doute pas recouru à de telles précautions s'il avait eu en main une traduction latine et s'il n'avait eu le sentiment d'être le premier écrivain de langue latine à exposer le système valentinien et à affronter ces difficultés d'ordre linguistique.

---

1. *SC* 100, p. 128.
2. D. J. CHAPMAN, *art. cit.*, p. 39, a souligné l'attitude incohérente de VI sur ce point.

INDICES

Afin de ne pas grossir démesurément — et artificiellement — ces *Indices*, nous avons observé, pour les établir, les principes suivants :

Nous faisons naturellement figurer les références des citations et des allusions, certaines ou supposées, que contient, en petit nombre d'ailleurs, l'*Aduersus Valentinianos*, qu'il s'agisse de passages scripturaires ou profanes. De la même façon, nous indiquons les auteurs (au sens large du mot, y compris les anonymes) mentionnés par Tertullien ou auxquels il renvoie implicitement.

En revanche, parmi les références que nous signalons dans l'Introduction et le Commentaire, nous ne retenons ici que celles qu'accompagne une citation explicite. Font toutefois exception les nombreux extraits d'*Aduersus haereses* I, 1-7 et 11-12 reproduits dans le Commentaire. Leur liste exhaustive serait, en effet, trop longue, malaisément exploitable sous cette forme, et se confondrait pratiquement avec l'« apparat irénéen » situé au bas des pages du texte, ou de la traduction, selon les nécessités typographiques de la composition.

Nous avons pensé, enfin, que l'existence de l'*Index Tertullianeus* de G. Claesson (Paris, Études augustiniennes, 3 vol. 1974-75) ne rendait plus indispensable l'établissement d'un *index uerborum*.

N. B. Les chiffres renvoient aux pages, sans indication de tomaison, les deux volumes ayant une pagination continue. Sont imprimés en caractères gras les chiffres correspondant aux pages du *texte* de Tertullien.

I. INDEX SCRIPTVRAE

Vetvs Testamentvm

Novvm Testamentvm

II. INDEX TERTVLLIANEVS

III. INDEX SCRIPTORVM ANTIQVORVM

IV. INDEX RERVM NOTABILIORVM

TABLE DES MATIÈRES

Tome I

Tome II

ACHEVÉ D'IMPRIMER
LE 30 JANVIER 1981
SUR LES PRESSES
DE PROTAT FRÈRES
A MACON

N° IMPRIMEUR : 6407. N° ÉDITEUR : 7332. DÉPÔT LÉGAL : 1er TRIMESTRE 1981.

SOURCES CHRÉTIENNES

LISTE COMPLÈTE DE TOUS LES VOLUMES PARUS

N. B. — L'ordre suivant est celui de la date de parution (n° 1 en 1942) et il n'est pas tenu compte ici du classement en séries : grecque, latine, byzantine, orientale, textes monastiques d'Occident ; et série annexe : textes para-chrétiens.

Sauf indication contraire, chaque volume comporte le texte original, grec ou latin, souvent avec un apparat critique inédit.

La mention *bis* indique une seconde édition. Quand cette seconde édition ne diffère de la première que par de menues corrections et des *Addenda et Corrigenda* ajoutés en appendice, la date est accompagnée de la mention « réimpression avec supplément ».

1. GRÉGOIRE DE NYSSE : **Vie de Moïse.** J. Daniélou (3ᵉ édition) (1968).
2 bis. CLÉMENT D'ALEXANDRIE : **Protreptique.** C. Mondésert, A. Plassart (réimpression de la 2ᵉ éd., 1976).
3 bis. ATHÉNAGORE : **Supplique au sujet des chrétiens.** *En préparation.*
4 bis. NICOLAS CABASILAS : **Explication de la divine Liturgie.** S. Salaville, R. Bornert, J. Gouillard, P. Périchon (1967).
5. DIADOQUE DE PHOTICÉ : **Œuvres spirituelles.** É. des Places (réimpr. de la 2ᵉ éd., avec suppl., 1966).
6 bis. GRÉGOIRE DE NYSSE : **La création de l'homme.** *En préparation.*
7 bis. ORIGÈNE : **Homélies sur la Genèse.** H. de Lubac, L. Doutreleau (1976).
8. NICÉTAS STÉTHATOS : **Le paradis spirituel.** M. Chalendard. *Remplacé par le n° 81.*
9 bis. MAXIME LE CONFESSEUR : **Centuries sur la charité.** *En préparation.*
10. IGNACE D'ANTIOCHE : **Lettres. — Lettres et Martyre** de POLYCARPE DE SMYRNE. P.-Th. Camelot (4ᵉ édition) (1969).
11 bis. HIPPOLYTE DE ROME : **La Tradition apostolique.** B. Botte (1968).
12 bis. JEAN MOSCHUS : **Le Pré spirituel.** *En préparation.*
13. JEAN CHRYSOSTOME : **Lettres à Olympias.** A.-M. Malingrey. Trad. seule (1947).
13 bis. 2ᵉ édition avec le texte grec et la **Vie anonyme d'Olympias** (1968).
14. HIPPOLYTE DE ROME : **Commentaire sur Daniel.** G. Bardy, M. Lefèvre. Trad. seule (1947).
   2ᵉ édition avec le texte grec. *En préparation.*
15 bis. ATHANASE D'ALEXANDRIE : **Lettres à Sérapion.** J. Lebon. *En préparation.*
16 bis. ORIGÈNE : **Homélies sur l'Exode.** H. de Lubac, J. Fortier. *En préparation.*
17. BASILE DE CÉSARÉE : **Sur le Saint-Esprit.** B. Pruche. Trad. seule (1947).
17 bis. 2ᵉ édition avec le texte grec (1968).
18 bis. ATHANASE D'ALEXANDRIE : **Discours contre les païens.** P. Th. Camelot (1977).
19 bis. HILAIRE DE POITIERS : **Traité des Mystères.** P. Brisson (réimpression, avec supplément, 1967).

20. THÉOPHILE D'ANTIOCHE : **Trois livres à Autolycus.** G. Bardy, J. Sender. Trad. seule (1948).
2e édition avec le texte grec. *En préparation.*

21. ÉTHÉRIE : **Journal de voyage.** H. Pétré (réimpression, 1975).

22 bis. LÉON LE GRAND : **Sermons,** t. I. J. Leclercq, R. Dolle (1964).

23. CLÉMENT D'ALEXANDRIE : **Extraits de Théodote** (réimpression, 1970).

24 bis. PTOLÉMÉE : **Lettre à Flora.** G. Quispel (1966).

25 bis. AMBROISE DE MILAN : **Des sacrements. Des Mystères. Explication du Symbole.** B. Botte (1961).

26 bis. BASILE DE CÉSARÉE : **Homélies sur l'Hexaéméron.** S. Giet (réimpr. avec suppl., 1968).

27 bis. **Homélies Pascales,** t. I. P. Nautin. *En préparation.*

28 bis. JEAN CHRYSOSTOME : **Sur l'incompréhensibilité de Dieu.** J. Daniélou, A.-M. Malingrey, R. Flacelière (1970).

29 bis. ORIGÈNE : **Homélies sur les Nombres.** A. Méhat. *En préparation.*

30 bis. CLÉMENT D'ALEXANDRIE : **Stromate I.** *En préparation.*

31. EUSÈBE DE CÉSARÉE : **Histoire ecclésiastique,** t. I. G. Bardy (réimpression, 1978).

32 bis. GRÉGOIRE LE GRAND : **Morales sur Job,** t. I. Livres I-II. R. Gillet, A. de Gaudemaris (1975).

33 bis. **A Diognète.** H. I. Marrou (réimpr. avec suppl., 1965).

34. IRÉNÉE DE LYON : **Contre les hérésies,** livre III. F. Sagnard. *Remplacé par les n⁰ˢ 210 et 211.*

35 bis. TERTULLIEN : **Traité du baptême.** F. Refoulé. *En préparation.*

36 bis. **Homélies Pascales,** t. II. P. Nautin. *En préparation.*

37 bis. ORIGÈNE : **Homélies sur le Cantique.** O. Rousseau (1966).

38 bis. CLÉMENT D'ALEXANDRIE : **Stromate II.** *En préparation.*

39 bis. LACTANCE : **De la mort des persécuteurs.** 2 vol. *En préparation.*

40. THÉODORET DE CYR : **Correspondance,** t. I. Y. Azéma (1955).

41. EUSÈBE DE CÉSARÉE : **Histoire ecclésiastique,** t. II. G. Bardy (réimpression, 1955).

42. JEAN CASSIEN : **Conférences,** t. I. E. Pichery (réimpression, 1966).

43. JÉRÔME : **Sur Jonas.** P. Antin (1956).

44. PHILOXÈNE DE MABBOUG : **Homélies.** E. Lemoine. Trad. seule (1956).

45. AMBROISE DE MILAN : **Sur S. Luc,** t. I. G. Tissot (réimpr. avec suppl., 1971).

46 bis. TERTULLIEN : **De la prescription contre les hérétiques.** *En préparation.*

47. PHILON D'ALEXANDRIE : **La migration d'Abraham.** R. Cadiou (1957).

48. **Homélies Pascales,** t. III. F. Floëri et P. Nautin (1957).

49 bis. LÉON LE GRAND : **Sermons,** t. II. R. Dolle (1969).

50 bis. JEAN CHRYSOSTOME : **Huit Catéchèses baptismales inédites.** A. Wenger (réimpr. avec suppl., 1970).

51 bis. SYMÉON LE NOUVEAU THÉOLOGIEN : **Chapitres théologiques, gnostiques et pratiques.** J. Darrouzès. (1980).

52. AMBROISE DE MILAN : **Sur S. Luc,** t. II. G. Tissot (1958).

53 bis. HERMAS : **Le Pasteur.** R. Joly (réimpr. avec suppl., 1968).

54. JEAN CASSIEN : **Conférences,** t. II. E. Pichery (réimpression, 1966).

55. EUSÈBE DE CÉSARÉE : **Histoire ecclésiastique,** t. III. G. Bardy (réimpression, 1967).

154. CHROMACE D'AQUILÉE : **Sermons.** Tome I. Sermons 1-17 A. J. Lemarié (1969).

155. HUGUES DE SAINT-VICTOR : **Six opuscules spirituels.** R. Baron (1969).

156. SYMÉON LE NOUVEAU THÉOLOGIEN : **Hymnes.** J. Koder, J. Paramelle. Tome I. Hymnes I-XV (1969).

157. ORIGÈNE : **Commentaire sur S. Jean.** C. Blanc. Tome II. Livres VI et X (1970).

158. CLÉMENT D'ALEXANDRIE : **Le Pédagogue.** Livre III. Cl. Mondésert, H. I. Marrou et Ch. Matray (1970).

159. COSMAS INDICOPLEUSTÈS : **Topographie chrétienne.** Tome II. Livre V. W. Wolska-Conus (1970).

160. BASILE DE CÉSARÉE : **Sur l'origine de l'homme.** A. Smets et M. Van Esbroeck (1970).

161. **Quatorze homélies du IXe siècle d'un auteur inconnu de l'Italie du Nord.** P. Mercier (1970).

162. ORIGÈNE : **Commentaire sur l'Évangile selon Matthieu.** Tome I. Livres X et XI. R. Girod (1970).

163. GUIGUES II LE CHARTREUX : **Lettre sur la vie contemplative (ou Échelle des Moines). Douze méditations.** E. Colledge, J. Walsh (1970).

164. CHROMACE D'AQUILÉE : **Sermons.** Tome II. Sermons 18-41. J. Lemarié (1971).

165. RUPERT DE DEUTZ : **Les œuvres du Saint-Esprit.** Tome II. Livres III et IV. J. Gribomont, É. de Solms (1970).

166. GUERRIC D'IGNY : **Sermons,** Tome I. J. Morson, H. Costello, P. Deseille (1970).

167. CLÉMENT DE ROME : **Épître aux Corinthiens.** A. Jaubert (1971).

168. RICHARD ROLLE : **Le chant d'amour (Melos amoris).** F. Vandenbroucke et les Moniales de Wisques. Tome I (1971).

169. **Id.** — Tome II (1971).

170. ÉVAGRE LE PONTIQUE : **Traité pratique.** A. et C. Guillaumont. Tome I. Introduction (1971).

171. **Id.** — Tome II. Texte, traduction, commentaire et tables (1971).

172. **Épître de Barnabé.** R. A. Kraft, P. Prigent (1971).

173. TERTULLIEN : **La toilette des femmes.** M. Turcan (1971).

174. SYMÉON LE NOUVEAU THÉOLOGIEN : **Hymnes.** J. Koder, L. Neyrand. Tome II. Hymnes XVI-XL (1971).

175. CÉSAIRE D'ARLES : **Sermons au peuple.** Tome I. Sermons 1-20. M.-J. Delage (1971).

176. SALVIEN DE MARSEILLE : **Œuvres.** Tome I. G. Lagarrigue (1971).

177. CALLINICOS : **Vie d'Hypatios.** G. J. M. Bartelink (1971).

178. GRÉGOIRE DE NYSSE : **Vie de sainte Macrine.** P. Maraval (1971).

179. AMBROISE DE MILAN : **La Pénitence.** R. Gryson (1971).

180. JEAN SCOT : **Commentaire sur l'évangile de Jean.** É. Jeauneau (1972).

181. **La Règle de S. Benoît.** Tome I. Introduction et chapitres I-VII. A. de Vogüé et J. Neufville (1972).

182. **Id.** — Tome II. Chapitres VIII-LXXIII, Tables et concordance. A. de Vogüé et J. Neufville (1972).

183. **Id.** — Tome III. Étude de la tradition manuscrite. J. Neufville (1972).

184. **Id.** — Tome IV. Commentaire (Parties I-III). A. de Vogüé (1971).

185. **Id.** — Tome V. Commentaire (Parties IV-VI). A. de Vogüé (1971).

186. **Id.** — Tome VI. Commentaire (Parties VII-IX), Index. A. de Vogüé (1971).

187. Hésychius de Jérusalem, Basile de Séleucie, Jean de Béryte, Pseudo-Chrysostome, Léonce de Constantinople : **Homélies pascales.** M. Aubineau (1972).

188. Jean Chrysostome : **Sur la vaine gloire et l'éducation des enfants.** A.-M. Malingrey (1972).

189. **La chaîne palestinienne sur le psaume 118.** Tome I. Introduction, texte critique et traduction. M. Harl (1972).

190. **Id.** — Tome II. Catalogue des fragments, notes et index. M. Harl (1972).

191. Pierre Damien : **Lettre sur la toute-puissance divine.** A. Cantin (1972).

192. Julien de Vézelay : **Sermons.** Tome I. Introduction et Sermons 1-16. D. Vorreux (1972).

194. **Actes de la Conférence de Carthage en 411.** Tome I. Introduction. S. Lancel (1972).

195. **Id.** — Tome II. Texte et traduction de la Capitulation et des Actes de la première séance. S. Lancel (1972).

196. Syméon le Nouveau Théologien : **Hymnes.** J. Koder, J. Paramelle, L. Neyrand. Tome III. Hymnes XLI-LVIII, Index (1973).

197. Cosmas Indicopleustès : **Topographie chrétienne,** t. III. Livres VI-XII, Index. W. Wolska-Conus (1973).

198. **Livre** (cathare) **des deux principes.** Ch. Thouzellier (1973).

199. Athanase d'Alexandrie : **Sur l'incarnation du Verbe.** C. Kannengiesser (1973).

200. Léon le Grand : **Sermons,** tome IV. Sermons 65-98, Éloge de S. Léon, Index. R. Dolle (1973).

201. **Évangile de Pierre.** M.-G. Mara (1973).

202. Guerric d'Igny : **Sermons.** Tome II. J. Morson, H. Costello, P. Deseille (1973).

203. Nersès Snorhali : **Jésus, Fils unique du Père.** I. Kéchichian. Trad. seule (1973).

204. Lactance : **Institutions divines,** livre V. Tome I. Introd., texte et trad. P. Monat (1973).

205. **Id.** — Tome II. Commentaire et index. P. Monat (1973).

206. Eusèbe de Césarée : **Préparation évangélique,** livre I. J. Sirinelli, É. des Places (1974).

207. Isaac de l'Étoile : **Sermons.** A. Hoste, G. Salet, G. Raciti. Tome II. Sermons 18-39 (1974).

208. Grégoire de Nazianze : **Lettres théologiques.** P. Gallay (1974).

209. Paulin de Pella : **Poème d'action de grâces** et **Prière.** C. Moussy (1974)

210. Irénée de Lyon : **Contre les hérésies,** livre III. A. Rousseau, L. Doutreleau. Tome I. Introduction, notes justificatives et tables (1974).

211. **Id.** — Tome II. Texte et traduction (1974).

212. Grégoire le Grand : **Morales sur Job.** Livres XI-XIV. A. Bocognano (1974).

213. Lactance : **L'ouvrage du Dieu créateur.** Tome I. Introduction, texte critique et traduction. M. Perrin (1974).

214. **Id.** — Tome II. Commentaire et index. M. Perrin (1974).

215. Eusèbe de Césarée : **Préparation évangélique,** livre VII. G. Schroeder, É. des Places (1975).

272. Jean Chrysostome : **Sur le sacerdoce (dialogue et homélie).** A.-M. Malingrey (1980).
273. Tertullien : **A son épouse.** C. Munier (1980).
274. **Lettres des premiers Chartreux,** tome II : les moines de Portes. Par un Chartreux (1980).
275. Pseudo-Macaire : **Œuvres spirituelles,** t. I. V. Desprez (1980).
276. Théodoret de Cyr : **Commentaire sur Isaïe,** t. I. Introduction et sections 1-3. J.-N. Guinot (1980).
277. Jean Chrysostome : **Homélies sur Ozias.** J. Dumortier (1980).
278. Clément d'Alexandrie : **Stromate V.** Tome I : introduction, texte et index par A. Le Boulluec ; traduction de P. Voulet (1980).
279. **Id.** — Tome II : commentaire, bibliographie et index par A. Le Boulluec (1980).
280. Tertullien : **Contre les Valentiniens.** Tome I : introduction, texte et traduction. J.-C. Fredouille (1981).
281. **Id.** — Tome II : commentaire et index. J.-C. Fredouille (1981).

Hors série :

> **Directives pour la préparation des manuscrits** (de « Sources Chrétiennes »). A demander au Secrétariat de « Sources Chrétiennes ». 29, rue du Plat, 69002 Lyon.
> **La Règle de S. Benoît.** VII. Commentaire doctrinal et spirituel. A. de Vogüé (1977).

SOUS PRESSE

Romanos le Mélode : **Hymnes,** t. V. J. Grosdidier de Matons.
Grégoire de Nazianze : **Discours 24-26.** J. Mossay.
Guillaume de Bourges : **Livre des guerres du Seigneur.** G. Dahan.

PROCHAINES PUBLICATIONS

Irénée de Lyon : **Contre les hérésies,** livre II. A. Rousseau et L. Doutreleau.
Théodoret de Cyr : **Commentaire sur Isaïe,** t. II, J.-N. Guinot.
Cyprien de Carthage : **A Donat** et **La vertu de patience** J. Molager.
Jean Chrysostome : **Panégyriques de S. Paul.** A. Piédagnel.
Origène : **Homélies sur le Lévitique.** M. Borret.
Lactance : **La colère de Dieu.** C. Ingremeau.
Eusèbe de Césarée : **Préparation Évangélique,** livre XI. G. Favrelle et É. des Places.
François d'Assise : **Écrits.**
Les Règles des saints Pères. A. de Vogüé.

SOURCES CHRÉTIENNES

(1-281)

Également aux Éditions du Cerf :

LES ŒUVRES DE PHILON D'ALEXANDRIE

publiées sous la direction de
R. Arnaldez, C. Mondésert, J. Pouilloux
Texte grec et traduction française